Directeur de collection
Philippe GLOAGUEN
Cofondateurs
Philippe GLOAGUEN et **Michel DUVAL**
Rédacteur en chef
Pierre JOSSE
assisté de
Benoît **LUCCHINI**, Yves **COUPRIE**,
Florence **BOUFFET**, Solange **VIVIER**,
Olivier **PAGE** et Véronique de **CHARDON**

LE GUIDE DU ROUTARD

1992/93

Indonésie

Hachette

Hors-d'œuvre

Le G.D.R., ce n'est pas comme le bon vin, il vieillit mal. On ne veut pas pousser à la consommation, mais évitez de partir avec une édition ancienne. D'une année sur l'autre, les modifications atteignent et dépassent souvent les 40 %.

Chaque année, en juin ou juillet, de nombreux lecteurs se plaignent de voir certains de nos titres épuisés. A cette époque, en effet, nous n'effectuons aucune réimpression. Ces ouvrages risqueraient d'être encore en vente au moment de la publication de la nouvelle édition. Donc, si vous voulez nos guides, achetez-les dès leur parution. Voilà.

Nos ouvrages sont les guides touristiques de langue française le plus souvent révisés. Malgré notre souci de présenter des livres très réactualisés, nous ne pouvons être tenus responsables des adresses qui disparaissent accidentellement ou qui changent tout à coup de nature (nouveaux propriétaires, rénovations immobilières brutales, faillites, incendies...). Lorsque ce type d'incidents intervient en cours d'année, nous sollicitons bien sûr votre indulgence. En outre un certain nombre de nos adresses se révèlent plus « fragiles » parce que justement plus sympa ! Elles réservent plus de surprises qu'un patron traditionnel dans une affaire sans saveur qui ronronne sans histoires.

Spécial copinage

– *Restaurant Perraudin :* 157, rue Saint-Jacques, 75005 Paris. ☎ 46-33-15-75. Fermé le dimanche. A deux pas du Panthéon et du jardin du Luxembourg, voilà un petit restaurant de cuisine traditionnelle. Lieu de rencontre des éditeurs et des étudiants de la Sorbonne, où les recettes d'autrefois sont remises à l'honneur : gigot au gratin dauphinois, pintade aux lardons, pruneaux à l'armagnac. Sans prétention ni coup de bâton. D'ailleurs, c'est notre cantine, à midi.

– *Union location :* ☎ 47-76-12-83. Quatre agences en région parisienne. Téléphoner à Sophie pour connaître l'agence la plus proche de chez vous.
La société de location de voitures UNION LOCATION propose 10 % de réduction pour nos lecteurs sur ses tarifs « week-end », « journée », « semaine » et « mois ».

IMPORTANT : les routards ont enfin leur banque de données sur minitel : 36-15 (code ROUTARD). Vols superdiscounts, réductions, nouveautés, fêtes dans le monde entier, dates de parution des G.D.R., rencards insolites et... petites annonces. Et une nouveauté, le QUIZ DU ROUTARD ! 30 questions rigolotes pour – éventuellement – tester vos connaissances et, surtout, gagner des billets d'avion. Alors, faites mousser vos petites cellules grises !

Hôtels, pensions, restos... mode d'emploi

En raison de l'inflation galopante dans une majorité de pays, il n'est plus possible d'indiquer les prix des hôtels et des restos. Souvent, en moins d'un an, la différence entre les prix relevés et ceux en vigueur au moment de la première diffusion du guide peut être très importante. Aussi avons-nous adopté le système des fourchettes de prix en instituant des catégories : bon marché, prix moyens et plus chic. Ces catégories varient selon les pays. Si les hôtels pas chers d'un pays se situent autour de 15 F, ceux qui s'affichent à 50 F appartiendront bien sûr à la rubrique « Prix moyens », et ceux qui coûtent 100 F et au-delà à celle « Plus chic ». Il est évident que pour un pays débutant à 100 F pour ses hôtels les moins chers, les autres rubriques se décaleront d'autant.

Avantage : l'inflation étant la même pour tout le monde, s'il y a élévation globale du coût de la vie, les prix augmentent simultanément. La seule chose imprévisible, c'est qu'un hôtel ou un restaurant change de standing (en bien ou en mal) et passe donc dans une autre catégorie. Dans ce cas de figure, assez rare il faut le dire, nous sollicitons bien sûr l'indulgence légendaire de nos lecteurs.

TABLE DES MATIÈRES

BALI

NUSA TENGARRA
(les petites îles de la Sonde)

SULAWESI (CÉLÈBES)

MALUKU (ou les Moluques) 300

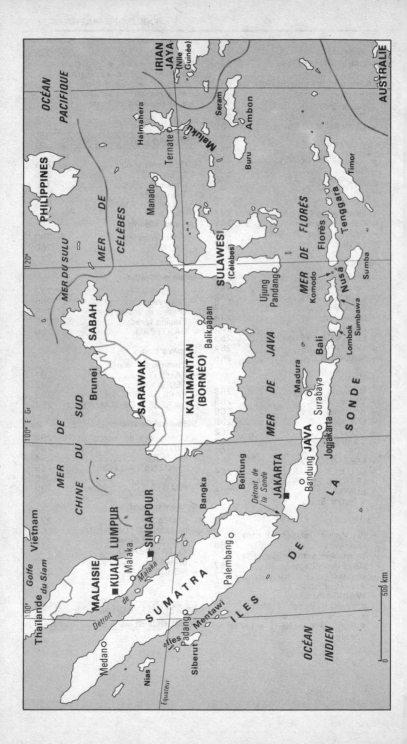

ON NE VOUS MÈNERA PAS EN BATEAU

Vous partez pour l'Asie, l'Amérique, l'Afrique ou le Tour du Monde.

Pour toutes ces destinations, pas de "promo miracle" sur des vols que vous ne pourrez jamais prendre.

Nous comparons les vols des differentes compagnies aériennes, leur durée, leur confort, leur prix. Nous vous expliquons les différences.

Pour chaque vol, quel que soit votre budget, nous vous proposons les meilleures conditions.

Ainsi, vous prendrez l'avion sans vous faire mener en bateau.

LA COMPAGNIE DES VOYAGES

Volez en connaissance de cause.

**La Compagnie des Voyages
28, rue Pierre Lescot, 75001 Paris
Tél. (1) 45 08 44 88**

STAFF · RCS PARIS B 322 225 111   LIC.A1581

L'ATLAS DU ROUTARD

Une création originale du Routard : l'univers sur papier glacé. **L'Atlas du Routard** est né du mariage de notre équipe et d'un grand cartographe suédois, Esselte Map Service, dont les cartes sont célèbres dans le monde entier.

Des cartes en couleurs, précises, détaillées, fournissant le maximum d'informations. En plus des cartes géographiques, **l'Atlas du Routard** propose des cartes thématiques sur la faune, les fuseaux horaires, les langues, les religions, la géopolitique et les « records » des cinq continents : les plus grandes altitudes, les plus grands lacs, les plus grandes îles...

Et aussi 40 pages de notices, véritables fiches d'identité offrant pour chaque pays des données statistiques (superficie, population...) ainsi que des commentaires sur le « vrai » régime politique, les langues. Elles donnent des renseignements pratiques indispensables à la préparation du voyage (monnaie, décalage horaire et les périodes favorables au tourisme).

Pour compléter ces informations, **l'Atlas du Routard** dresse un bref portrait du pays. Des symboles tenant compte de l'intérêt touristique, des conditions de voyage et, bien sûr, des indications sur le coût de la vie, figurent en regard de chaque notice.

En fin d'ouvrage, un index de plus de 15 000 noms.

Un petit format, une grande maniabilité, une cartographie exceptionnelle et un prix défiant toute concurrence. Comme d'habitude !

LE GUIDE DU ROUTARD
« ALPES »
(hiver, été)

SAVEZ-VOUS...

... où dormir dans un superbe chalet pour 40 F la nuit ?
... que, dans le plus haut village d'Europe, des gens vivent encore à l'ancienne, avec leurs bêtes dans la maison ?
... que l'air de Longefoy est très recherché pour la conservation et le séchage des jambons ?
... où l'on parle encore lo terrachu, le patois des contrebandiers ?
... que le glacier de Bellecôte était une propriété privée ?

Les vacances de ski sont certainement les plus coûteuses qui soient ; pas étonnant que depuis des années des centaines de lecteurs nous réclament un tel ouvrage !
Voici donc nos 40 meilleures stations : les plus célèbres côtoient des villages oubliés mais toutes ont été sélectionnées selon des critères très rigoureux : ambiance, prix, type de ski (alpin, fond, été...), vie nocturne, activités d'après-ski, activités sportives, randonnées, etc.
Mais les citadins qui en ont assez d'avoir leur voisin de palier comme voisin de serviette sur des plages bondées où dégouline l'huile à bronzer aimeront aussi ce guide : on y trouve toutes les adresses pour des vacances d'été à la montagne et des itinéraires originaux qui sentent bon le soleil et les alpages fleuris.
Le Guide du Routard des Alpes hiver-été : des coups de cœur et des coups de gueule... En tout cas, le résultat passionnant d'une enquête de six mois, menée par des spécialistes amoureux de la montagne.

le **Guide** *du* **Routard**
Val de Loire

Du Berry et de ses sorciers à la Sologne mystérieuse, de la Touraine berceau de la langue française aux vignobles sucrés d'Anjou, le Val de Loire sent bon la France.

Villages croquignolets, châteaux ayant abrité les grivoiseries royales, plaisantes cités aux façades de tuff coiffées d'ardoises ; voici des coins privilégiés bénis par la même douceur de vivre.

Jalonnée de noms familiers, Orléans, Blois, Amboise, la Loire vous conduit jusqu'aux vignobles délicats de Vouvray, Bourgueil, Saumur et Chinon, à travers le centre sentimental de la France.

Tout cela à quelques kilomètres de Paris.

Savez-vous...

Qu'un certain Gérard Depardieu, propose en son château de Tigné un gouleyant cabernet d'Anjou ?

Que Hergé s'inspira du château de Cheverny pour dessiner Moulinsart ?

Dans quels manoirs passer une nuit pour 100F par personne ?

Que la vicieuse Catherine de Medicis cachait une armoire à poisons dans son château de Blois ?

Que Mick Jagger a choisi les bords de la Cisse, près d'Amboise pour se la couler douce ?

Pourquoi Chenonceau ne fut pas bombardé pendant la guerre ?

Que "baiser la fillette" en Anjou ne mène pas nécessairement aux assises ?

Que la Pucelle d'Orléans rencontrait secrètement Charles VII dans l'abbaye de Saint-Benoit-sur-Loire ?

ROUTARD ASSISTANCE

VOS ASSURANCES TOUS RISQUES VOYAGE

VOTRE ASSISTANCE " MONDE ENTIER "
LA PLUS ETENDUE !

RAPATRIEMENT MEDICAL	**GARANTIE ILLIMITEE**
(au besoin par avion sanitaire)	

TOUS VOS SOINS : MEDECINE, CHIRURGIE, HOPITAL : .... **500.000 FF**
GARANTIS A 100 % DU COUT TOTAL et SANS FRANCHISE

HOSPITALISE ! **RIEN** A PAYER ... (ou entièrement remboursé)

BILLET GRATUIT DE RETOUR DANS VOTRE PAYS :	**BILLET GRATUIT**
En cas de décès (ou état de santé alarmant) d'un proche parent	(de retour)
* BILLET DE VISITE POUR UNE PERSONNE DE VOTRE CHOIX	**BILLET GRATUIT**
(si vous êtes hospitalisé plus de 5 jours)	(aller-retour)
Rapatriement du corps - Frais réels	**ILLIMITES**

ALLIANZ - VIA

RESPONSABILITE CIVILE " VIE PRIVEE "

Dommages CORPORELS .... garantie totale à 100 %	**ILLIMITEE**
Dommages MATERIELS .... garantie totale à 100 %	**20.000.000 FF**
(dommages causés aux tiers)	AUCUNE FRANCHISE

EXCLUSION RESPONSABILITE CIVILE AUTO : ne sont pas assurés les dommages causés ou subis par votre véhicule à moteur : ils doivent être couverts par un contrat spécial : ASSURANCE AUTO

ASSISTANCE JURIDIQUE (Accident)	**3.000.000 FF**
CAUTION PENALE	**50.000 FF**
AVANCE DE FONDS en cas de perte ou vol d'argent	**5.000 FF**

VOTRE ASSURANCE PERSONNELLE " ACCIDENTS "

CAPITAL Infirmité totale	**300.000 FF**
Infirmité partielle - (SANS FRANCHISE) .... de 1.000 F à	**297.000 FF**
Capital DECES	**20.000 FF**

VOS BAGAGES ET BIENS PERSONNELS

ASSURANCE TOUS RISQUES DE VOS BAGAGES :	**6.000 FF**
Vêtements, objets personnels pendant toute la durée de votre voyage, à l'étranger. Vol, perte, accidents	
APPAREILS PHOTO :	**2.000 FF**

Informations complètes sur MINITEL 36.15 code **ROUTARD**

COMBIEN ÇA COUTE ?

10 F TTC par jour - 270 F par mois (jusqu'à 35 ans)	VOIR
CADEAU : ROUTARD ASSISTANCE vous offre	AU
un jour gratuit d'assurance supplémentaire par mois.	DOS

ROUTARD ASSISTANCE

MON ASSURANCE TOUS RISQUES *

NOM

M. Mme Mlle
PRENOM | | | | | | | | | | | | | AGE | |

ADRESSE PERSONNELLE

CODE POSTAL | | | | | TEL. | | | | | | | | |

VILLE

VOYAGE DU | | | | | | AU | | | | | | = et
_____ = _____
jours ou mois

DESTINATION PRINCIPALE : ....

Calculez vous-même le tarif selon la durée de votre voyage
MINITEL 36,15 code ROUTARD

JOURS

Prix spécial : 10 F / JOUR :   10 F   x | | =

MOIS

Prix spécial : 270 F / MOIS :   270 F   x | | =

TARIF JUSQU'A 35 ANS .... TOTAL =

De 36 à 60 ans : Majoration 50 % .... =

PRIX A PAYER .... TOTAL =

Faites de préférence, un seul chèque pour tous les assurés.
(Minimum 200 F par chèque) à l'ordre de
" ROUTARD ASSISTANCE A.V.I " 92, rue de la Victoire - 75009 PARIS

Je veux recevoir très vite ma Carte Personnelle
" ROUTARD ASSISTANCE "

Si je n'étais pas entièrement satisfait,
je la retournerais pour être remboursé, aussitôt.

JE DECLARE ETRE EN BONNE SANTE, ET SAVOIR QUE LES MALADIES OU
ACCIDENTS ANTERIEURS A MON INSCRIPTION, NE SONT PAS ASSURES.

SIGNATURE :

Faites des photos de cette page pour assurer vos compagnons de voyage.

* Contrats de S.F.A. et ALLIANZ gérés par A.V.I. International.

le **Guide** du **Routard**
Chili - Argentine

Ne cherchez plus la casquette de Pinochet sur la tête du Chili, ni les bottes de la Junte aux pieds de l'Argentine.

Partez à la découverte d'une Amérique latine fort méconnue et incroyablement diverse. Du désert d'Atacama, un des plus arides au monde, aux fjords de la Patagonie, en passant par les cimes enneigées de la Cordillère des Andes, des espaces hauts en couleur vous attendent. Vous y rencontrerez aussi une population agréable et accueillante.

Savez-vous...

Qu' Ushuaia est la ville la plus au sud du globe ?

Que le film Mission avec de Niro a été tourné aux chutes d'Iguazu ?

Que le tango se dansait à l'origine, entre hommes, dans les bordels ?

Qu'à Tulcara, les poutres des maisons sont en bois de cactus ?

Où voir des éléphants de mer, des loups de mer, et des baleines en toute liberté ?

Que Magellan mit cinq semaines pour passer le détroit qui porte aujourd'hui son nom ?

Où trouver de véritables gauchos ?

le **Guide** du **Routard**
Malaisie-Singapour

Pas de malaise en Malaisie ! Vous êtes en terre musulmane mais les sourires pullulent. Carrefour ethnique d'Asie où les couleurs virevoltent, en proie à l'ébullition du sud-est, le pays des légendes offre d'éblouissants contrastes. Surgie dans la plus vieille jungle du monde, une capitale faite de buildings en verre. Dans les villes coloniales, des temples chinois et des échoppes indiennes. Au bord des routes, des multitudes de kampongs en bois, sur pilotis. Et tout au long des côtes, des plages désertes et des îles merveilleuses...

Longtemps insaisissable, enfin redécouverte, la Malaisie des écrivains et des sultans, des pirates et des aventuriers, est désormais une destination à part entière du Routard.

Savez-vous...

Où trouver le dernier fabricant de chaussures miniatures pour Chinoises aux pieds bandés ?

Que les plus grosses tortues du monde se donnent rendez-vous chaque été sur la côte est de Malaisie ?

Dans quelle grotte assister au repas d'un serpent mangeur de chauves-souris ?

Que les Orang Asli chassent encore le singe à la sarbacane ?

Où trouver un bungalow au bord d'une plage de rêve pour moins cher qu'un hôtel ripoux en ville ?

Que les Malais régnèrent à une époque sur toutes les mers du globe ?

Qu'à Singapour, on vous colle une amende si vous oubliez de tirer la chasse d'eau dans les W.C. publics ?

Et que le dernier tigre de Singapour fut abattu sous le billard du prestigieux hôtel Raffles !

C O L L E C T i O N

les **Guides** *du* **Routard**

Editions 1992-93

(dates de parution sur le 3615, code Routard)

France

1 - Alpes
2 - Aventures en France
3 - Bretagne
4 - Hôtels et restos de France
5 - Languedoc-Roussillon
6 - Midi-Pyrénées
7 - Paris
8 - Provence-Cote d'Azur, Corse
9 - Restos et bistrots de Paris
10 - Sud-Ouest
11 - Val de Loire
12 - Week-ends autour de Paris

Afrique

13 - Afrique noire
   Sénégal
   Mali-Mauritanie
   Gambie
   Burkina Faso (Haute-Volta)
   Niger
   Togo
   Bénin
   Côte d'Ivoire
   Cameroun
14 - Maroc
15 - Tunisie, Algérie et Sahara

Asie

16 - Egypte, Israël, Jordanie, Yémen
17 - Inde, Népal, Ceylan,
18 - Indonésie
19 - Malaisie, Singapour
20 - Thaïlande, Birmanie, Hong-Kong et Macao
21 - Turquie

Europe

22 - Espagne
23 - Europe du Nord
   Danemark
   Suède
   Norvège
   Finlande
   Islande
24 - Grande-Bretagne
   Angleterre
   Pays de Galles
   Ecosse
25 - Grèce
26 - Irlande
27 - Italie
28 - Pays de l'Est
29 - Portugal
30 - Yougoslavie

Amériques

31 - Antilles
32 - Brésil
33 - Canada
34 - Chili, Argentine
35 - Etats-Unis (Côte Ouest et Rocheuses)
36 - Etats-Unis (Côte Est et Sud)
37 - Mexique, Guatemala
38 - Pérou, Bolivie, Equateur

et bien sûr

39 - Le Manuel du Routard
40 - L'Atlas du Routard
41 - La Bibliothèque du Routard

LA LETTRE DU ROUTARD

5, rue de l'Arrivée   92190 Meudon

Abonnez-vous à "La Lettre du Routard" le complément indispensable des "Guides du Routard"

Philippe Gloaguen

Bon nombre de renseignements sont trop fragiles ou éphémères pour être mentionnés dans nos guides, dont la périodicité est annuelle.

Quels sont les meilleures techniques, nos propres tuyaux, ceux que nous utilisons pour rédiger les GUIDES DU ROUTARD ? Comment découvrir des tarifs imbattables ? Quels sont les pays où il faut voyager cette année ? Quels sont les renseignements que seuls connaissent les professionnels du voyage ?

De plus de nombreuses agences offrent à nos abonnés des réductions spéciales sur des vols, des séjours ou des locations. Quelques exemples tirés du 1er numéro :
– Un tour du monde sur lignes régulières pour 7 400 F.
– Une semaine de ski tout compris pour 1 900 F.
– Les rapides du Colorado pour 220 dollars.
– Une semaine de location de moto en Crète pour 1 160 F.
– Des réductions sur les matériels de camping, compagnies d'assurances, de 5 à 25 %...

Enfin, quels sont nos projets et nos nouvelles parutions ?

Tout ceci compose « LA LETTRE DU ROUTARD » qui paraît désormais tous les 2 mois. Cotisation : 90 F par an payable à l'ordre de CLAD CONSEIL : 5, rue de l'Arrivée, 92190 MEUDON.

BULLETIN D'INSCRIPTION A RETOURNER

à CLAD CONSEIL : 5, rue de l'Arrivée
92190 Meudon.

LA LETTRE DU ROUTARD
Nom : R. de la Porterie
Membre n° : 1.834.55A
Carte valable jusqu'au 5.3.85

Nom de l'abonné : _____

Adresse : _____

_____

_____

← carte gratuite et à votre nom

(Joindre à ce bulletin, un chèque bancaire ou postal de 90 F, à l'ordre de CLAD CONSEIL).

Et pour cette chouette collection, plein d'amis nous ont aidés :

Laurence Agostini et Anne Gérard
Albert Aidan
Catherine Allier
Bertrand Aucher
René Baudoin
Jean-Louis de Beauchamp
Lotfi Belhassine
Nicole Bénard
Cécile Bigeon
Hervé Bouffet
Francine Boura
Sylvie Brod
Pierre Brouwers
Jacques Brunel
Justo Eduardo Caballero
Daniel Célerier
Jean-Paul Chantraine
Bénédicte Charmetant
Pascal Chatelain
Marjatta Crouzet
Roger Darmon
Éric David
Marie-Clothilde Debieuvre
Olivier Debray
Jean-Pierre Delgado
Éric Desneux
Stéphane Diederich
Luigi Durso
Sophie Duval
François Eldin
Éric et Pierre-Jean Eustache
Alain Fisch
Claude Fouéré
Leonor Fry
Bruno Gallois
Carl Gardner
Carole Gaudet
Cécile Gauneau
Michèle Georget
Philippe Georget
Gilles Gersant
Michel Gesquière
Michel Girault
Florence Gisserot
Hubert Gloaguen
Jean-Pierre Godeaut
Vincenzo Gruosso
Jean-Marc Guermont
Florence Guibert
Patrick Hayat et Stéphane Cordier

Solenn d'Hautefeuille et Séverine Dussaix
François Jouffa
Jacques Lanzmann
Alexandre Lazareff
Denis et Sophie Lebègue
Ingrid Lecander
Patrick Lefèbvre
Raymond et Carine Lehideux
Martine Levens
Kim et Lili Loureiro
F.X. Magny et Pascale
Jenny Major
Fernand Maréchal
William Massolin
Corine Merle
Lorraine Miltgen
Helena Nahon
Jean-Paul Nail
Jean-Pascal Naudet
José Emanuel Naugueira-Ramos
Jorge Partida
Odile Paugam et Didier Jehanno
Bernard Personnaz
Jean-Pierre Picon
Jean-Alexis Pougatch
Michel Puyssegur
Antoine Quitard
Jacques Rivalin
Jean-François Rolland
Catherine Ronchi
Marc Rousseau
Bénédicte Saint-Supéry
Frédérique Scheibling-Seve
Roberto Schiavo
Jean-Luc et Antigone Schilling
Patricia Scott-Dunwoodie
Patrick Ségal
Julie Shepard
Charles Silberman
Régis Tettamanzi
Claire Thollot
Bruno Tilloy
Alexandre Tilmant
Jean-Claude Vaché
Yvonne Vassart
Sandrine Verspieren
Marc et Shirine Verwhilgen
François Weill

Nous tenons à remercier tout particulièrement **Patrick de Panthou** pour sa collaboration régulière.

Direction : Adélaïde Barbey
Secrétariat général : Michel Marmor
Édition : Isabelle Jendron et François Monmarché
Secrétariat d'édition : Yankel Mandel et Christian Duponchelle
Préparation lecture : Nicole Chatelier.
Cartographie : René Pineau et Alain Mirande
Fabrication : Gérard Piassale et Françoise Jolivot
Direction des ventes : Marianne Richard, Lucie Satiat et Christian Berger
Direction commerciale : Jérôme Denoix et Anne-Sophie Buron
Informatique éditoriale : Catherine Julhe et Marie-Françoise Poullet
Relation presse : Catherine Broders, Caroline Lévy et Martine Leroy
Service publicitaire : Claude Danis et Marguerite Musso

Régie publicitaire : Top Régie, 58, rue Saint-Georges, 75009 Paris

COMMENT ALLER EN ASIE DU SUD-EST ?

LES COMPAGNIES RÉGULIÈRES

AIR FRANCE se pose à Bangkok (tarif visite), Hong Kong (tarif visite), Manille (tarif visite), Tokyo, Osaka, Pékin, Séoul, Ho Chi Minh-Ville (ex-Saigon) et reprend les dessertes anciennement UTA de Colombo (tarif visite), Singapour, Kuala Lumpur (tarif visite), Jakarta, Sydney et Nouméa. Avec une nouveauté : Bali. Les tarifs « visite » sont généralement valables de 7 à 45 jours.
Un bon nombre de compagnies asiatiques assurent aussi les liaisons vers l'Europe : *Thai International, Singapore Airlines, Malaysian Airlines System (M.A.S.), Korean Airlines, Cathay* (au départ de Londres) et *Garuda*.
– *AIR FRANCE* : 119, Champs-Élysées, 75008 Paris. ☎ 45-35-61-61. M. : Etoile. Et dans les agences de voyages.

LES FABRICANTS DE VOYAGES

Voici, par ordre alphabétique, les fabricants de voyages qui proposent des tarifs et programmes intéressants sur l'Asie du Sud-Est.

▲ *AIR HAVAS :* 26, av. de l'Opéra, 75001 Paris. ☎ 42-61-80-56. Fax : 42-96-50-43. M. : Opéra. Et dans toutes les agences Havas-Voyages.
Le premier réseau français de produits vacances propose dans ses 500 agences sa propre production de vols charter et de prix discount sur vols réguliers. 410 destinations (soit pratiquement le monde entier) à des prix très compétitifs actualisés régulièrement grâce à un accès en temps réel sur la base de données informatiques regroupant les offres mises à jour en permanence.
La brochure, disponible dans toutes les agences, est gratuite et permet une approche précise du prix que vous aurez à payer. Le prix que vous annoncera le vendeur, confirmé par l'informatique, est le prix réel (ce qui est rarement le cas pour les brochures traditionnelles). Contrats d'assurance annulation et d'assistance facultatifs.

▲ *ANY WAY :* 46, rue des Lombards, 75001 Paris. ☎ 40-28-00-74 et 02-60. Fax : 42-36-11-41. M. : Châtelet. Ouvert du lundi au samedi de 10 h à 19 h. De jeunes Québécois ont monté en France la 1re agence de courtage en sièges d'avion. Rompus à la déréglementation et à l'explosion des monopoles sur l'Amérique du Nord, leurs ordinateurs dénichent les meilleurs tarifs. Les tours-opérateurs leur proposent leurs invendus à des prix défiant toute concurrence.
Any Way permet de réserver à l'avance vols, séjours, hôtels et voitures. Assurance rapatriement incluse. Possibilité d'achat à crédit (Cetelem). Recherche et commande par téléphone, éventuellement avec paiement par carte de crédit.
Intéressant : « J-7 » est une nouvelle formule qui propose des vols secs à des prix super discount 7 jours avant le départ. Tarifs par téléphone ou par Minitel (36-15 ROUTARD).

▲ *ASIA*
– *Paris :* 3, rue Dante, 75005. ☎ 43-26-10-35. Fax : 43-54-53-41. M. : Maubert-Mutualité.
– *Paris :* Air Asia, 1, rue Dante, 75005. ☎ 43-29-96-96. M. : Maubert-Mutualité.
– *Lyon :* 11, rue du Président-Carnot, 69002. ☎ 78-38-30-40.
– *Marseille :* 424, rue Paradis, 13008. ☎ 91-23-34-92.
– *Nice :* 23, rue de la Buffa, 06000. ☎ 93-82-41-41.
Asia, la passion de l'Asie. Spécialiste du voyage individuel à la carte, Asia conçoit avec vous, selon vos envies, vos goûts et votre budget, le voyage de

vos rêves. Chassez à la jumelle les tigres de l'Arawali, endormez-vous et rêvez au rythme de la vie fluviale dans les house-boats de Bangkok ou voguez sur les seules jonques dans les eaux du golfe du Siam, et, pour le farniente, choisissez, parmi les relais Pansea, celui de Bali sur la superbe plage de Jimbaran ou celui de Pangkor Laut, en Malaisie, sur son île privée. En exclusivité, vols spéciaux sur la Birmanie au départ de Chiang Mai à combiner avec des programmes de découvertes ! Et toutes les îles d'Indonésie, de Sumatra à Irian Jaya en individuel.

N'oubliez pas *Air Asia* : des vols réguliers à prix charters pour parcourir l'Asie, du Pakistan au Japon et de la Chine à l'Australie. Certainement les meilleurs tarifs sur Bali avec 4 possibilités de stop : 2 à l'aller et 2 au retour.

▲ *COGUIVER :* 377 bis, rue de Vaugirard, 75015 Paris. ☎ 45-33-81-87. Fax : 45-33-26-61. M. : Convention. Agence de voyages traditionnelle qui propose toutes sortes de voyages à la carte ainsi que des vols secs.

▲ *COMPAGNIE DES VOYAGES :* 28, rue Pierre-Lescot, 75001 Paris. ☎ 45-08-44-88. Fax : 45-08-03-69. M. : Étienne-Marcel. Spécialiste du long-courrier, tout particulièrement Asie et Amériques. Les prix font pâlir les plus gros et ils sont garantis à l'inscription si le voyage est payé en totalité. Pas de rallonge donc... Destinations phares : Bangkok, Indonésie et Amériques.

Choix de vols secs très vaste. Sur la brochure, chaque vol se voit attribuer des étoiles (de 1 à 4), en fonction du nombre d'escales, du prix et du confort. Pour les provinciaux, vente par correspondance.

Brochure « tour du monde en kit » : formule très souple qui permet d'additionner plusieurs modules que l'on choisit soi-même. A partir de 8 000 F pour 6 escales.

▲ *COUNCIL TRAVEL SERVICE (C.I.E.E.)*
– *Paris :* 49, rue Pierre-Charron, 75008. ☎ 45-63-19-87 ou 42-89-09-51. Fax : 45-56-65-27. M. : George-V.
– *Paris :* 16, rue de Vaugirard, 75006. ☎ 46-34-02-90. M. : Odéon.
– *Paris :* 51, rue Dauphine, 75006. ☎ 43-25-09-86 ou 43-26-79-65. M. : Odéon.
– *Paris :* 31, rue Saint-Augustin, 75002. ☎ 42-66-20-87. M. : 4-Septembre.
– *Aix-en-Provence :* 12, rue Victor-Leydet, 13100. ☎ 42-38-58-82.
– *Lyon :* 36, quai Gailleton, 69002. ☎ 78-37-09-56.
– *Montpellier :* 20, rue de l'Université, 34000. ☎ 67-60-89-29.
– *Nice :* 37 bis, rue d'Angleterre, 06000. ☎ 93-82-23-33.
Council Travel propose toute l'année des vols à tarifs spéciaux vers tous les pays, et particulièrement pour les jeunes, étudiants, voire même certains enseignants. Souplesse d'utilisation et grand choix de destinations. Nombreux vols intereuropéens.

Réservations et informations possibles par Minitel : 36-15 Council. Sinon, numéro vert pour la province : 05-25-06-50.

▲ *ESPACES DÉCOUVERTES :* 3, rue des Gobelins, 75013 Paris. ☎ 43-31-99-99. Fax : 45-35-14-70. M. : Gobelins. Une nouvelle agence animée par une équipe de professionnels amoureux du voyage, qui prennent toujours le temps de vous conseiller. Vols, circuits, séjours sont sélectionnés pour leur rapport qualité-prix. Des vols secs moyen et long-courriers particulièrement compétitifs. Un département est spécialisé dans l'assistance technique aux associations pour leurs voyages aériens en groupes ou individuels. En province, vente par correspondance.

▲ *FORUM-VOYAGES*
– *Paris :* 67, avenue Raymond-Poincaré, 75016. ☎ 47-27-89-89. Fax : 47-55-94-44. M. : Victor-Hugo.
– *Paris :* 140, rue du Faubourg-Saint-Honoré, 75008. ☎ 42-89-07-07. Fax : 42-89-26-04. M. : Saint-Philippe-du-Roule.
– *Paris :* 1, rue Cassette (angle avec le 71, rue de Rennes), 75006. ☎ 45-44-38-61. Fax : 45-44-57-32. M. : Saint-Sulpice.
– *Paris :* 75, avenue des Ternes, 75017. ☎ 45-74-39-38. Fax : 40-68-03-31. M. : Ternes.
– *Paris :* 11, avenue de l'Opéra, 75001. ☎ 42-61-20-20. Fax : 42-61-39-12. M. : Palais-Royal.

– *Paris* : 39, rue de la Harpe, 75005. ☎ 46-33-97-97. Fax : 46-33-10-27. M. : Saint-Michel.
– *Paris* : 81, bd Saint-Michel, 75005. ☎ 43-25-80-58. M. : Luxembourg.
– *Amiens* : 40, rue des Jacobins, 80000. ☎ 22-92-00-70.
– *Caen* : 90-92, rue Saint-Jean, 14000. ☎ 31-85-10-08.
– *Lyon* : 10, rue du Président-Carnot, 69002. ☎ 78-92-86-00.
– *Melun* : 17, rue Saint-Étienne, 77000. ☎ 64-39-31-07.
– *Metz* : 10, rue du Grand-Cerf, 57000. ☎ 87-36-30-31.
– *Montpellier* : 41, bd du Jeu-de-Paume, 34000. ☎ 67-52-73-30.
– *Nancy* : 99, rue Saint-Didier, 54000. ☎ 83-36-50-12.
– *Nantes* : 20, rue de la Contrescarpe, 44000. ☎ 40-35-25-25.
– *Reims* : 14, cours J.-B.-Langlet, 51072. ☎ 26-47-54-22.
– *Rouen* : 72, rue Jeanne-d'Arc, 76000. ☎ 35-98-32-59. Fax : 35-70-24-43.
– *Strasbourg* : 49, rue du 22-Novembre, 67000. ☎ 88-32-42-00.
– *Toulouse* : 23, place Saint-Georges, 31000. ☎ 61-21-58-18.
Conformément à son slogan « la Terre moins chère », Forum-Voyages est le spécialiste du vol discount sur ligne régulière (pas de charter). Une fois sur place, c'est « le Luxe moins cher » : une vaste gamme de séjours, circuits... des campings aux plus grands palaces.
Ses destination privilégiées : États-Unis (New York, l'Art Deco District of South Miami Beach, l'Ouest), Canada, Inde, Thaïlande, Birmanie, Viêt-nam, Hong Kong, Mexique, Guatemala, Brésil. Et la Méditerranée avec la Turquie, l'Espagne, le Maroc et la Tunisie.
Plusieurs services clientèle : possibilité de payer en 4 fois sans intérêt, liste de mariage (avec un cadeau offert par Forum-Voyages), vente par téléphone (règlement par carte bleue, sans vous déplacer) et réservation et règlement par Minitel (36-16 code FV). Enfin le club Forum-Voyages offre des assistances dans le monde entier et des centaines de réductions. De plus, les membres reçoivent à domicile le journal bimestriel du club.

▲ *GO VOYAGES*

– *Paris* : 22, rue de l'Arcade, 75008. ☎ 42-66-18-18. M. : Madeleine.
– *Paris* : 98 *bis*, bd Latour-Maubourg, 75007. ☎ 47-53-05-05. M. : Latour-Maubourg.
– *Lyon* : forum C, 33, rue Maurice-Flandin, 69003. ☎ 78-53-39-37.
Et dans les 3 200 agences de voyages du réseau.
Avec sa célèbre grenouille verte, Go Voyages repose sur un principe simple : le voyage en kit. Chacun construit son voyage selon son désir et ses moyens. Idéal pour les individualistes. Plusieurs formules : Go Charter (vols secs), Go Détente (vols + hôtels agréables pour la farniente), Go Pied-à-terre (vols + bungalows ou villas ou appartements), Go and Drive (vols + autos), Go Autotour (vols + autos + hôtels) et Go Découverte (vols + minicircuits). Au total, 300 destinations à prix discount. Les prix sont garantis pour paiement intégral à la commande. Pour les promotions, consulter le 36-15 code GO Voyages.

▲ *NOUVELLE LIBERTÉ*

– *Paris* : 24, avenue de l'Opéra, 75001. ☎ 42-96-14-12. Fax : 49-27-05-81. M. : Pyramides.
– *Paris* : 13, rue des Pyramides, 75001. ☎ 42-60-35-98. M. : Pyramides.
– *Paris* : 118, rue Montmartre, 75002. ☎ 42-21-03-65. M. : Bourse ou Sentier.
– *Paris* : 25, rue Vivienne, 75002. ☎ 42-96-10-00. M. : Bourse.
– *Paris* : 26, rue Soufflot, 75005. ☎ 43-25-43-99. M. : Luxembourg.
– *Paris* : 106, rue de Rennes, 75006. ☎ 45-48-73-99. M. : Rennes.
– *Paris* : 90, Champs-Élysées, 75008. ☎ 45-62-09-99. M. : George-V.
– *Paris* : 14, rue Lafayette, 75009. ☎ 47-70-58-58. M. : Chaussée-d'Antin.
– *Paris* : 68, bd Voltaire, 75011. ☎ 48-06-79-65. M. : Saint-Ambroise.
– *Paris* : 49, avenue d'Italie, 75013. ☎ 44-24-38-38. M. : Tolbiac.
– *Paris* : 17, avenue Stephen-Pichon, 75013. ☎ 45-83-19-80. M. : Place-d'Italie.
– *Paris* : 29, avenue du Général Leclerc, 75014. ☎ 43-35-37-38. M. : Mouton-Duvernet.
– *Paris* : 109, rue Lecourbe, 75015. ☎ 48-28-32-28. M. : Sèvres-Lecourbe.
– *Saint-Germain-en-Laye* : 60, rue au Pain, 78100. ☎ 34-51-08-08.
– *Aix-en-Provence* : 2, avenue des Belges, 13100. ☎ 42-38-37-67.
– *Angers* : 15, bd Foch, 49100. ☎ 41-87-98-17.

UTA, aussi loin
que la terre le permet.

5 continents. <u>Europe</u> : Bordeaux, Marseille, Nice, Paris. <u>Afrique</u> : Abidjan, Bamako, Bangui, Brazzaville, Conakry, Cotonou, Douala, Freetown, Gaborone, Johannesburg, Kinshasa, Lagos, Libreville, Lilongwe, Lomé, Luanda, Lusaka, Maputo (en association avec LAM), N'Djamena, Niamey, Nouakchott, Ouagadougou, Windhoek, St-Denis de la Réunion (en association avec SAA). <u>Asie</u> : Colombo, Denpasar-Bali , Jakarta, Kuala Lumpur, Mascate, Singapour. <u>Etats-Unis</u> : San Francisco, Los Angeles (au départ de Papeete). <u>Pacifique</u> : Auckland, Melbourne , Nouméa, Papeete, Sydney, Tokyo (au départ de Nouméa).

Le réseau indiqué est susceptible de modifications.

≡UTA

Aller très loin pour être plus proche de vous.

- *Avignon* : 8, place Pie, 84000. ☎ 90-86-82-00.
- *Bordeaux* : 53, cours Clemenceau, 33000. ☎ 56-81-28-30.
- *Brest* : 7, rue Jean-Baptiste-Boussingault, 29200. ☎ 98-43-44-88.
- *Caen* : 117, rue Saint-Jean, 14000. ☎ 31-79-05-50.
- *Cannes* : 15, rue des Belges, 06400. ☎ 93-99-49-00.
- *Dijon* : 20, rue des Forges, 21000. ☎ 80-30-77-32.
- *Grenoble* : 12, place Victor-Hugo, 38000. ☎ 76-46-01-37.
- *Lille* : 7-9, place du Théâtre, 59000. ☎ 20-55-35-45.
- *Lyon* : 2, place Bellecour, 69002. ☎ 78-92-90-22. Fax : 78-37-54-55.
- *Marseille* : 10, rue du Jeune-Anac, 13001. ☎ 91-54-11-10. Fax : 91-54-11-26.
- *Montpellier* : 33, cours Gambetta, 34000. ☎ 67-58-84-84.
- *Mulhouse* : 42, rue des Boulangers, 68100. ☎ 89-66-14-15. Fax : 89-42-86-38.
- *Nantes* : 1, place Delorme, 44000. ☎ 40-35-56-56.
- *Nice* : 85, bd Gambetta, 06000. ☎ 93-86-33-13.
- *Orléans* : 1, rue d'Illiers, 45000. ☎ 38-81-11-55. Fax : 38-62-89-32.
- *Reims* : 61, place Drouet-d'Erlon, 51100. ☎ 26-40-56-10.
- *Rennes* : 3, rue Nationale, 35000. ☎ 99-79-12-12.
- *Rouen* : 130, rue Jeanne-d'Arc, 76000. ☎ 35-71-81-05. Fax : 35-15-15-65.
- *Toulouse* : 1 *bis*, rue des Lois, 31000. ☎ 61-21-10-00.
- *Tours* : 1, rue Colbert, 37000. ☎ 47-20-49-50.

Il ne faut pas confondre charter et bétaillère : en effet toutes les compagnies ne sont pas fréquentables. D'où une sélection sévère ! Les prix du monde ont changé. Grâce à sa compagnie Air Liberté-Minerve, première compagnie aérienne privée française, Nouvelle Liberté vous permet de bénéficier de tarifs avantageux. Au total, près de 400 destinations sont proposées aux meilleurs rapports qualité-prix.

Les voyages sont « en kit », donc modulables en fonction de vos moyens : pour les fauchés, des vols secs ; pour les autres, des voitures, hôtels (plusieurs catégories de prix), appartements ou villas, du trekking, des excursions en bateau... Le bonheur.

Et en exclusivité, le « contrat confiance » avec UAP :
- Si l'avion a plus de 2 h de retard, on vous rembourse 200 F par heure de retard (avec un maximum de 70 % du prix du billet).
- S'il y a surbooking, on vous rembourse votre billet et vous voyagez gratuitement sur un autre vol.

▲ NOUVELLES FRONTIÈRES

- *Paris* : 87, bd de Grenelle, 75015. ☎ 42-73-10-64. M. : La Motte-Picquet.
- *Aix-en-Provence* : 13, rue Aumône-Vieille, 13100. ☎ 42-26-47-22.
- *Bastia* : 33 *bis*, rue César-Campinchi, 20200. ☎ 95-32-01-62.
- *Bordeaux* : 31, allée de Tourny, 33000. ☎ 56-44-60-38.
- *Brest* : 8, rue Jean-Baptiste-Boussingault, 29200. ☎ 98-44-30-51.
- *Clermont-Ferrand* : 8, rue Saint-Genès, 63000. ☎ 73-90-29-29.
- *Dijon* : 7, pl. des Cordeliers, 21000. ☎ 80-31-89-30.
- *Grenoble* : 5, rue Billerey, 38000. ☎ 76-87-16-53 et 54.
- *Le Havre* : 137, rue de Paris, 76600. ☎ 35-43-36-66.
- *Lille* : 1, rue des Sept-Agaches, 59000. ☎ 20-74-00-12.
- *Limoges* : 16, rue Élie-Berthet, 87000. ☎ 55-32-28-48.
- *Lyon* : 34, rue Franklin, 69002. ☎ 78-37-16-47.
- *Marseille* : 83, rue Sainte, 13007. ☎ 91-54-18-48.
- *Metz* : 33, En-Fournirue, 57000. ☎ 87-36-16-90.
- *Montpellier* : 4, rue Jeanne-d'Arc, 34000. ☎ 67-64-64-15.
- *Mulhouse* : rue des Halles, 68100. ☎ 89-46-25-00.
- *Nancy* : 4, rue des Ponts, 54000. ☎ 83-36-76-27.
- *Nantes* : 2, rue Auguste-Brizeux, 44000. ☎ 40-20-24-61.
- *Nice* : 24, av. Georges-Clemenceau, 06000. ☎ 93-88-32-84.
- *Reims* : 51, rue Cérès, 51100. ☎ 26-88-69-81.
- *Rennes* : 10, quai Émile-Zola, 35000. ☎ 99-79-61-13.
- *Rodez* : 26, rue Béteille, 12000. ☎ 65-68-01-99.
- *Rouen* : 15, rue du Grand-Pont, 76000. ☎ 35-71-14-44.
- *Saint-Étienne* : 9, rue de la Résistance, 42000. ☎ 77-33-88-35.
- *Strasbourg* : 4, rue du Faisan, 67000. ☎ 88-25-68-50.
- *Toulon* : 503, av. de la République, 83000. ☎ 94-46-37-02.

— *Toulouse :* 2, place Saint-Sernin, 31000. ☎ 61-21-03-53.

▲ *ORIENTS :* 29, rue des Boulangers, 75005 Paris. ☎ 46-34-29-00 et 54-20. M. : Cardinal-Lemoine. Ouvert du lundi au samedi de 10 h à 13 h et de 14 h à 19 h.
Une toute nouvelle agence spécialisée dans les voyages sur les « Routes de la Soie » au sens le plus large, de Venise à... Pékin ; et une équipe très expérimentée (en particulier sur la Chine) qui a juré de vous faire renouer avec la tradition des grands voyageurs dont le célébrissime Marco Polo, entre autres.
Des programmes qui commencent avec des week-ends en « Orients » (Venise, Istanbul, Saint-Pétersbourg ou Berlin) et qui continuent avec de grands voyages axés sur les routes d'histoire et d'échange : Chine, Asie centrale soviétique, Pakistan, Iran, Inde, Népal, Tibet, Birmanie, Jordanie, Turquie, Laos, Viêt-nam et Cambodge. Tous ces voyages guidés par un spécialiste. Enfin, ORIENTS propose des vols secs vers les principales escales des Routes de la Soie à des prix très étudiés. Également des voyages à la carte pour toutes ces destinations.
A la carte : programme en Indonésie, aux Philippines, en Malaisie et au Japon.

▲ *ULTRAMARINA :* 4, place Dumoustier, 44000 Nantes. ☎ 40-89-33-44.
Le spécialiste de la plongée sous-marine organise des séjours très abordables de plongée à Manado et Florès, des expéditions en bateau dans les îles indonésiennes ainsi qu'en Malaisie.

▲ *UNICLAM*
— *Paris :* 63, rue Monsieur-le-Prince, 75006. ☎ 43-29-12-36. M. : Odéon.
— *Paris :* 11, rue du 4-Septembre, 75002. ☎ 40-15-07-07. M. : Opéra.
— *Bordeaux :* 52, rue du Palais-Gallien, 33000. ☎ 56-44-44-91.
— *Grenoble :* 16, rue du Dr-Mazet, 38000. ☎ 76-46-00-08.
— *Lille :* 157, route Nationale, 59000. ☎ 20-30-98-20.
— *Lyon :* 19, quai Romain-Rolland, 69005. ☎ 78-42-75-85.
— *Marseille :* 103, la Canebière, 13001. ☎ 91-50-53-03.
— *Mulhouse :* 13, rue des Fleurs, 68100. ☎ 89-56-10-21.
— *Strasbourg :* 6, rue Pucelle, 67000. ☎ 88-35-30-67.
— *Toulouse :* 21, rue Antonin-Mercié, 31000. ☎ 61-22-88-80.
UNICLAM s'est d'abord fait connaître pour ses charters sur l'Amérique latine et tout particulièrement le Pérou. Aujourd'hui, UNICLAM propose des formules de « découverte en liberté » sur l'Asie. Système très appréciable dans ces pays : la possibilité de réserver, avant de partir, des nuits d'hôtel. Excellents circuits guidés par des autochtones, irremplaçables quand on s'intéresse à la culture.

▲ *VOYAGES ET DÉCOUVERTES*
— *Paris :* 21, rue Cambon, 75001. ☎ 42-61-00-01. M. : Concorde.
— *Paris :* 58, rue Richer, 75009. ☎ 47-70-28-28. M. : Cadet.
Voyagiste proposant d'excellents tarifs sur lignes régulières à condition d'être étudiant ou jeune de moins de 26 ans. Carte internationale d'étudiant. Grâce à ses accords avec SSTS, tarifs assez exceptionnels sur plus de 200 destinations, mais réservés aux jeunes de moins de 26 ans et aux étudiants de moins de 35 ans.

▲ *VOYAGES POUR TOUS*
— *Paris :* 220, rue Saint-Jacques, 75005. ☎ 43-26-06-88. Fax : 43-26-65-13. M. : Luxembourg.
— *Paris :* 71, bd Malesherbes, 75008. ☎ 45-22-41-41. Fax : 45-22-41-61. M. : Madeleine.
— *Paris :* 243, bd Voltaire, 75011. ☎ 43-73-76-67. Fax : 43-73-96-97. M. : Nation.
— *Angers :* 1 *bis,* rue du Haras, 49000. ☎ 41-88-26-00. Fax : 41-87-93-03.
— *Avignon :* 21, rue des Trois-Faucons, 84000. ☎ 90-82-77-58. Fax : 90-82-76-45.
— *Bayonne :* 29, quai Jaureguiberry, 64200. ☎ 59-59-18-32. Fax : 59-25-49-96.
— *Bordeaux :* 54, cours Pasteur, 33000. ☎ 56-91-45-29 (siège social).
— *Chambéry :* 128, rue Croix-d'Or, 73000. ☎ 79-75-08-50. Fax : 79-85-00-04.
— *Lyon :* 128, av. du Maréchal-de-Saxe, 69003. ☎ 78-60-36-54. Fax : 72-61-13-80.

– *Montélimar* : 15, bd A.-Briand, 26200. ☎ 75-01-67-46.
– *Rennes* : 24, rue du Pré-Botté, 35000. ☎ 99-79-67-79. Fax : 99-79-19-02.
– *Saint-Brieuc* : place du Chai, 22000. ☎ 96-33-98-68. Fax : 96-61-03-89.
– *Toulouse* : 14, rue de Taur, 31000. ☎ 61-21-15-00. Fax : 61-21-23-83.
Ouvert du lundi au vendredi de 9 h à 19 h sans interruption. Le samedi, à partir de 10 h. Des circuits « Aventure » sur la Thaïlande par les klongs, découverte de la jungle thaïlandaise à dos d'éléphant. Développement accru vers le Mexique, l'Indonésie, l'Inde, le Viêt-nam, l'Australie et les États-Unis. Sur les moyen-courriers, toujours les mêmes destinations en pointe : Égypte, Tunisie et Sicile. Des circuits originaux et d'un bon rapport qualité-prix. Brochure spéciale pour les vols secs.
NOUVEAU : l'agence propose désormais des circuits « sur mesure » en Thaïlande et Indonésie, grâce à un service informatique très performant. En fonction de vos goûts, vos moyens et votre durée de séjour, Voyages pour tous vous fabrique « VOTRE » voyage.

▲ *VOYAGEURS EN INDONÉSIE :* 45, rue Sainte-Anne, 75001 Paris. ☎ 42-60-63-31. Fax : 42-61-14-93. Tout voyage sérieux nécessite l'intervention d'un spécialiste. D'où l'idée de ces agences spécialisées chacune sur une destination. Toutes les formes de voyages sont proposées, de la plus économique à la plus luxueuse, de la plus classique à la plus originale. Expérience, accueil efficace, informations précises et prix les plus bas (puisque tout est vendu directement, sans intermédiaire).
A noter : l'ouverture du « Club des Voyageurs » avec des gens de terrain qui organisent des réunions, des forums, des échanges d'informations de première fraîcheur sur le pays. Pour 240 F par an, vous profitez d'une vidéothèque, d'une galerie d'art, d'une bibliothèque de consultation, d'une assistance, et de garanties de privilégié sur votre voyage. ☎ 42-86-17-17.

EN BELGIQUE

▲ *ACOTRA WORLD :* rue de la Madeleine, 51, Bruxelles 1000. ☎ (02) 512-86-07 et 512-55-40. Fax : (02) 512-39-74. Ouvert de 10 h à 18 h (18 h 30 le jeudi) et le samedi de 10 h à 13 h. Acotra World, filiale de la Sabena, offre aux jeunes, étudiants, enseignants et stagiaires des prix spéciaux dans le domaine du transport aérien. Prix de train (B.I.J., Inter-Rail) et de bus intéressants. Le central logement-transit d'Acotra permet d'être hébergé aux meilleurs prix en Belgique et à l'étranger.
Un bureau d'accueil et d'information « Acotra Welcome Desk », est à la disposition de tous à l'aéroport de Bruxelles-National (hall d'arrivée). Ouvert tous les jours, y compris le dimanche, de 7 h à 14 h.

▲ *C.J.B.* (Caravanes de Jeunesse Belge ASBL) : chaussée d'Ixelles, 216, Bruxelles 1050. ☎ (02) 640-98-97. Fax : (02) 646-35-95. Randonnées pédestres et sportives (Corse, Irlande, Thaïlande...). 5 % de réduction sur les billets B.I.J. Transports à prix réduits. Vend la carte ISIC (International Student Identity Card). Ouvert de 9 h 30 à 18 h tous les jours de la semaine.

▲ *CONNECTIONS*
– *Bruxelles* : rue Marché-au-Charbon, 13, 1000. ☎ (02) 512-50-60. Fax : (02) 512-68-01.
– *Anvers* : 13 Korte Kœpoortstraat, 2000. ☎ (03) 225-31-61. Fax : (03) 226-24-66.
– *Gand* : 120 Nederkouter, 9000. ☎ (091) 23-90-20. Fax : (091) 33-29-13.
– *Louvain* : 89 Tiensestraat, 3000. ☎ (016) 29-01-50. Fax : (016) 29-06-50.
– *Liège* (nouvelles destinations) : rue Sœurs-de-Hasque, 1b, 4000. ☎ (041) 22-04-44. Fax : (041) 23-08-82.
– *Liège* : rue Sœurs-de-Hasque, 7, 4000. ☎ (041) 23-05-75. Fax : (041) 23-08-82.
– *Louvain-la-Neuve* : place des Brabançons, 6a, 1348. ☎ (010) 45-15-57. Fax : (010) 45-14-53.
Émanation de la toute-puissante *Union des Étudiants irlandais* (USIT), Connections est leur tête de pont continentale pour développer l'organisation de voyages pour jeunes. Émetteur de la carte ISIC (International Student Identity Card), Connections offre des réductions aux étudiants sur une série impressionnante de vols réguliers.

On peut s'y procurer également la carte de la FIYTO (Federation of International Youth Tour Operators), très intéressante pour les jeunes de moins de 26 ans, et la carte BYSS (Belgian Youth and Student Services). Connections est membre du réseau *Eurotrain* (billet style B.I.J. moins cher pour les jeunes jusqu'à 26 ans).

▲ *JOKER :* bd Lemonnier, 37, 1000. ☎ (02) 502-19-37. « Le » spécialiste des voyages aventureux travaille en principe avec le nord du pays mais il peut être intéressant d'y faire un tour. Voyages pas chers et intéressants.

▲ *NOUVELLES FRONTIÈRES*
— *Bruxelles :* boulevard Lemonnier, 2, 1000. ☎ (02) 513-76-36. Fax : (02) 51-16-45.
— *Bruxelles :* chaussée d'Ixelles, 147, 1050. ☎ (02) 513-68-15.
— *Bruxelles :* chaussée de Waterloo, 690, 1180. ☎ (02) 646-22-70.
— *Anvers :* 14 Nationalestraat, 2000. ☎ (03) 232-98-75. Fax : (03) 226-29-50.
— *Gand :* 77 Nederkouter, 9000. ☎ (091) 24-01-06.
— *Liège :* boulevard de la Sauvenière, 32, 4000. ☎ (041) 23-67-67.

▲ *PAMPA EXPLOR :* chaussée de Waterloo, 735, Bruxelles 1180. ☎ (02) 343-75-90. Fax : (02) 346-27-66. Cette équipe de chevronnés, inconditionnels de l'insolite, a plus d'un tour dans sa besace et 20 ans d'expérience à mettre au service des vacances originales, pleines d'air pur et d'espaces, d'humour, de culture et d'action. Circuits à la carte et en petits groupes sur toutes destinations.

▲ *SERVICES VOYAGES ULB :* Campus ULB, av. Paul-Héger, 22, Bruxelles, et Hôpital universitaire Erasme. Le voyage à l'université, accueil évidemment très sympa. Ticket d'avion de compagnie régulière à des prix hyper compétitifs. Ouvert de 9 h à 17 h sans interruption du lundi au vendredi (de 13 h à 17 h à Erasme).

▲ *TAXISTOP :* la carte de membre Taxistop donne droit à des vols charters à prix réduits.
— *Airstop :* rue du Marché-aux-Herbes, 27, Bruxelles 1000. ☎ (02) 512-10-15 et 511-69-30. Fax : (02) 514-41-11.
— *Magellan Tours :* place Rogier, 11, Bruxelles, 1000. ☎ (02) 217-40-86.
— *Taxistop Gand :* 51 Onderbergen, Gand 9000. ☎ (091) 23-23-10.

EN SUISSE

Cela coûte toujours cher de voyager au départ de la Suisse, mais la situation s'améliore. Les charters au départ de Genève, Bâle ou Zurich sont de plus en plus fréquents ! Pour obtenir les meilleurs prix, il vous faudra être persévérant et vous munir d'un téléphone. Les billets au départ de Paris ou de Lyon ont toujours la cote au hit-parade des meilleurs prix. Les annonces dans les journaux peuvent vous réserver d'agréables surprises, spécialement dans *24 Heures* et dans *Voyages Magazine*.
Tous les tours-opérateurs sont représentés dans les bonnes agences : *Kuoni, Hoteplan, Jet Tours,* le *TCS* et les autres peuvent parfois proposer le meilleur prix, ne pas les oublier !

▲ *ARTOU*
— *Genève :* 8, rue de Rive. ☎ (022) 21-02-80.
— *Lausanne :* 18, rue Madeleine. ☎ (021) 23-65-56.
— *Sion :* 11, rue du Grand-Pont. ☎ (027) 22-08-15.
— *Neuchâtel :* 1, chaussée de la Boine. ☎ (038) 24-64-06.
Demandez leur documentation (très bien faite) et leurs tarifs spéciaux sur les billets d'avion. Une librairie du voyageur complète les prestations de chaque agence.

▲ *S.S.R.*
— *Genève :* 3, rue Vignier, 1205. ☎ (022) 29-97-35.
— *Lausanne :* 22, bd de Grancy. ☎ (021) 617-58-11.
— *Neuchâtel :* 1, rue Fosses-Brayes. ☎ (038) 24-48-08.
— *Fribourg :* 35, rue de Lausanne. ☎ (037) 22-61-62.

Le S.S.R. est une société coopérative sans but lucratif dont font partie les employés S.S.R. et les associations d'étudiants. De ce fait, il vous offre des voyages, des vacances et des transferts très avantageux et tout particulièrement des vols secs. Il délivre la carte internationale d'étudiant et la carte Jeunes.

Ses meilleures destinations sont : l'Extrême-Orient, les États-Unis, l'Amérique du Sud, l'Angleterre, la Yougoslavie, la Grèce, la Turquie, le Maroc, la Sardaigne et le Canada. Et aussi le Transsibérien de Moscou à la mer du Japon, la descente de la rivière Kwai... Billets *Euro-Train* (jusqu'à 26 ans non compris). Le S.S.R. vend aussi la carte internationale d'étudiant.

▲ *NOUVELLES FRONTIÈRES*
— *Genève* : 19, rue de Berne, 1201. ☎ (022) 732-04-03.
— *Lausanne* : 3, av. du Rond-Point, 1006. ☎ (021) 26-88-91.

AU QUÉBEC

▲ *TOURBEC*

— *Montréal* : 535 Est, rue Ontario, H2L-1N8. ☎ (514) 288-4455.
— *Montréal* : 3506, av. Lacombe, H3T-1M1. ☎ (514) 342-2961.
— *Montréal* : 595 Ouest, bd de Maisonneuve, H3A-1L8. ☎ (514) 842-1400.
— *Montréal* : 1454, rue Drummond, H3G-1V9. ☎ (514) 499-9930.
— *Montréal* : 1187 Est, rue Beaubien, H2G-1L8. ☎ (514) 593-1010.
— *Laval* : 155, bd des Laurentides, J48-1H1. ☎ (514) 662-7555.
— *Québec* : 1178, av. Cartier, G1R-297. ☎ (418) 522-2791.
— *Saint-Lambert* : 2001, rue Victoria, J4S-1H1. ☎ (514) 466-4777.
— *Sherbrooke* : 1578 Ouest, rue King, J1J-2C3. ☎ (819) 563-4474.

Cette association, bien connue au Québec, organise des charters en Europe mais aussi des trekkings au Népal, des cours de langues en Angleterre, Italie, Espagne ou Allemagne. Vols long-courriers sur l'Asie, l'Afrique ou l'Amérique. Sa spécialité : la formule avion + auto.

AVENTURES EN FRANCE

Ce guide est d'abord un voyage à travers les merveilles naturelles de notre pays.

Dans ce relief mouvementé, les terrains et les roches, les températures et les précipitations, la végétation, les cours d'eau, les phénomènes d'érosion par la pluie, le vent, la mer, sont autant de raisons pour que la France recèle des trésors naturels : montagnes neigeuses presque arrondies, murailles verticales, plateaux désertiques, verts pâturages, rivières capricieuses formant des gorges splendides et des cascades tumultueuses, panoramas grandioses...

Pour avoir accès à cette nature sauvage, mieux la comprendre, la sentir et s'en souvenir, à notre avis, il faut l'aborder soi-même : c'est donc une approche active de ces sites, sportive même, qui est présentée ici.

France inconnue ou mal connue, voici une nouvelle façon de découvrir notre pays : des randonnées à pied, à cheval ou à vélo, vous savez faire ; progresser en ski nordique ou alpin, vous avez déjà fait. L'escalade ou la spéléologie, cela vous tente ; descendre des rivières à la nage, en canoë ou en luge d'eau, vous n'avez jamais osé, et pourtant vous êtes prêt, à condition que cela soit facile.

Voici près de 200 balades sportives accessibles à tous. Pas besoin d'être féru de spéléologie, d'être cavalier troisième fer, grimpeur octogradiste ou marathonien des cimes : il suffit d'en avoir envie.

C'est un livre qui est fait pour vous procurer des souvenirs impérissables d'une nature grandiose et intense, sans danger mais avec parfois un petit frisson bien agréable !

Tout cela existe en France. A votre portée !

GÉNÉRALITÉS

Faut-il parler de l'Indonésie ou des Indonésies ? Le mot galvaudé de « diversité » ici ne convient plus : c'est bien de multiplicité qu'il faudrait parler. L'île de Flores a des langueurs polynésiennes ; Bali est une enclave hindouiste en archipel musulman. En revanche, les Toradjas des Célèbes, christianisés depuis quelques décennies, égorgent allégrement leurs buffles lors des funérailles, et Irian Jaya (la partie indonésienne de la Nouvelle-Guinée) demeure l'île à découvrir. Quant à Java et Sumatra, elles collectionnent buildings, volcans sacrés, consortiums militaro-industriels, réserves à tigres, derniers animistes et sens aigu des alliances technologiques.

Le kaléidoscope se déroule sur fond de mer bleu colère (la mauvaise humeur de cette partie des mers est encore redoutée par les marins), au milieu de rizières, miroirs du ciel. De nombreuses variétés d'orchidées et de bambous, une trentaine de sortes de bananes, de superbes arbres hauts de plus de 65 m, les fleurs les plus grandes du monde, des fruits par milliers dont vous n'auriez pas imaginé un instant l'existence. Bref, une végétation luxuriante, qui à elle seule vous fait aimer ce pays.

Mais aussi l'omniprésence japonaise, les enfants des écoles en uniforme, les oscillations des cours du pétrole lourdes de conséquences, une curiosité très grande vis-à-vis de l'étranger et une évidente pression centralisatrice. Par bien des aspects, l'Indonésie est encore une nation à naître.

Sa volonté de croître et de s'affirmer dans un Sud-Est asiatique en ébullition politique et économique se traduit notamment par une ouverture vers l'extérieur. Les enfants sont partout, malgré la campagne *Dua anak cukup* (« deux enfants par famille »). On vous le dit, l'Indonésie, c'est encore un coin de la jeunesse du monde.

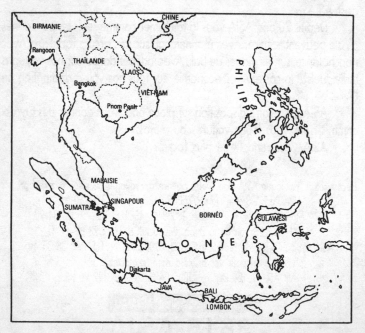

Géographie

Le bout du monde

De l'eau et des îles (plus de 13 000 !) – dont certaines ne dépassent pas la taille d'un rocher –, le tout s'étendant sur 5 000 km... Les Indonésiens appellent leur pays *Tanah Air Kita*, ce qui signifie « notre terre et notre eau ».

L'archipel constitue une mosaïque de 360 groupes ethniques parlant 250 langues dont certaines comportent plusieurs dialectes (avec une langue commune, le *bahasa indonesia*, imposée depuis l'indépendance) et de 180 millions d'habitants. C'est aussi un pays où l'on peut « remonter le temps », sans avoir recours à la fameuse machine infernale de Wells : entre la capitale Jakarta avec ses ordinateurs et toute sa bimbeloterie du XXᵉ siècle et, par exemple, les tribus d'Irian Jaya (Nouvelle-Guinée ; *Irian Jaya* signifie « terre chaude ») sorties tout droit de l'âge de pierre... il y a une éternité !

L'Indonésie comprend (en partant de l'ouest vers l'est) la grande île de Sumatra avec sa poignée d'îles satellites, puis dans l'enfilade Java, Bali, et encore une longue traînée d'îles. Au-dessus, l'île de Kalimantan (Bornéo) dont la partie nord appartient à la Malaisie. A côté d'elle, l'île de Sulawesi (les Célèbes) avec ses grandes baies qui lui donnent l'aspect d'une amibe vue au microscope. Plus à l'est, encore et encore des îles dont les fameuses Moluques... et enfin West Irian, sur la partie occidentale de l'île de la Nouvelle-Guinée, avec sa frontière peu naturelle : un trait tiré tout droit et qui coupe l'île en deux avec la Papouasie. Comme l'Indonésie se situe grosso modo à cheval sur l'équateur, le soleil se lève et se couche avec la régularité d'un métronome : lever à 6 h et coucher à 18 h.

Pour le climat, c'est pareil, il existe deux saisons : la sèche (qui est humide malgré tout !) de mai à octobre et la pluvieuse de novembre à avril. Si la température oscille entre 26 et 27 °C au niveau de la mer, elle perd en altitude 2° tous les 200 m, et l'on trouve même des montagnes couvertes de neiges éternelles.

Le feu sous la cendre

Les volcans sont partout : on en compte quelque 400, dont 70 toujours en activité. Hormis l'aspect destructeur lors d'une éruption, les cendres des volcans fertilisent le sol d'une façon incroyable : on raconte qu'il suffit de planter un bâton dans la terre pour que les feuilles poussent !

Le volcanisme est sans doute la manifestation de la nature la plus spectaculaire et la plus terrifiante. Ni Haroun, ni Tazieff, vulcanologues célèbres, ne nous contrediront. Bon, l'Indonésie est la zone la plus active du globe si l'on considère le rapport volcans-éruptions. Plus de 400 cônes y ont été recensés. C'est à Java qu'on en dénombre le plus (120). Leur altitude varie de quelques centaines de mètres jusqu'à 3 700 m. Les routards désirant escalader des volcans devront donc se limiter à Java et à Bali, les autres îles étant soit trop grandes et sauvages (Sumatra), soit trop éloignées (Flores), donc perte de temps pour s'y rendre. Java a l'« avantage » d'être surpeuplée, donc pas de problème pour le ravitaillement en nourriture et les éventuels conseils donnés par les autorités locales. En revanche, se méfier très sérieusement des infos des agences de voyages locales et même de certains offices du tourisme qui semblent tout ignorer des risques inhérents à certaines escalades qu'ils ont tendance à considérer comme de vulgaires promenades. L'ascension d'un volcan, quel qu'il soit, ne s'improvise pas. Nous tenons à vous garder encore comme lecteur pendant quelques années.

Histoire

Unité dans la diversité

L'Indonésie ne possède pas une histoire collective comme la plupart des autres pays du monde. A chaque île son trajet, ses princes, ses royaumes ! Parfois l'histoire des îles s'entrecroise mais ce n'est que depuis l'indépendance, en 1949, que cet archipel a été vraiment réuni. Pas étonnant que la devise nationale choisie fût « La diversité dans l'unité » ! Même sous l'occupation hollandaise, une partie ou l'autre du territoire échappait constamment à ses dirigeants comme une horde d'enfants indisciplinés !

C'est fou la vie qu'on peut mener sans être milliardaire.

L'organisation de l'archipel est très complexe et varie du tout au tout selon la proximité de certaines îles entre elles ou leur isolement et selon les conditions climatiques. Par exemple, l'accessibilité, le taux hygrométrique et la terre volcanique extrêmement fertile de Java, et pour Sumatra le détroit de Malacca (passage obligatoire vers l'Orient) expliquent en partie le développement de sociétés et de cultures sophistiquées. En revanche, à l'autre extrémité de cet éventail, on trouve les coupeurs de têtes du lac Toba. (Traditionnellement, s'emparer de la tête d'un autre permettait de capturer son âme... Mais rassurez-vous, ce comportement antisocial a nos yeux a disparu de nos jours, semble-t-il !) Par ailleurs, l'éloignement et le côté « désertique » des milliers de tout petits îlots ont donné naissance à une forme de vie unique au monde : celle des nomades de la mer. Les Badjaos vivent sur leurs bateaux – les *lipa* –, nagent plus souvent qu'ils ne marchent, suivent les courants et connaissent les périodes de migration du poisson. Comme d'autres peuples nomades, ils n'admettent aucune frontière dans cette nébuleuse d'îles entre les Philippines et l'Indonésie. Leur territoire est une des zones les plus dangereuses du monde, car infestée de pirates. Mais les bandits et les Badjaos vivent en harmonie car les nomades de la mer sont si pauvres et si discrets que les deux communautés ne se côtoient pas.

Il était une fois... dans la nuit des temps

Des fouilles et des excavations entreprises à Java ont révélé des fossiles et des objets ayant appartenu aux premières espèces humaines. A cette époque – vous n'étiez pas né – l'Europe était ensevelie sous les glaces et l'Indonésie encore solidement arrimée au continent asiatique. Ces ancêtres lointains allaient céder leur place (peut-être parce qu'ils n'ont pas su s'adapter) à un nouvel immigrant, le Negrito. L'*Homo sapiens* du type australoïde est l'ancêtre « direct » des habitants d'aujourd'hui.

Premières civilisations...

La culture *dongson* est la première importante. Elle remonte à peu près à 3 000 ans et trouve ses racines au Viêt-nam et en Chine du Sud. Cette culture s'est étendue à l'archipel indonésien durant le VIIᵉ siècle avant J.-C. La culture dongson introduisit les techniques d'irrigation pour le riz, le travail du bronze, les rituels de sacrifice du buffle, la coutume d'ériger des pierres monumentales et les techniques de tissage *ikat*.
Certaines de ces pratiques ont survécu jusqu'à nos jours dans des coins isolés qui furent épargnés des influences ultérieures.

L'or, les îles à épices... et les premiers étrangers

Dès l'aube de l'histoire, les commerçants étrangers sont venus en Indonésie attirés par les produits uniques de l'archipel. Au Iᵉʳ siècle de notre ère, le commerce était fermement établi avec la Chine et l'Inde. Sumatra était renommée pour son or, mais plus précieux encore furent les trésors des îles à épices : les Moluques. Sur ces îles poussent entre autres le clou de girofle, le poivre et la noix de muscade. Précieux comme épices d'assaisonnement certes, mais aussi médicalement, sans parler de la fabrication des parfums. Ce commerce avec l'Inde relia un temps l'archipel à la Grèce et à Rome : Ptolémée mentionne, dans ses écrits, les îles d'Indonésie en l'an 165 !

Sumatra... la sauvage !

A travers le commerce géré par les Tamouls (originaires du sud des Indes) et les Chinois, la population de la côte est de Sumatra s'initie aux concepts philosophiques, religieux et astrologiques d'autres civilisations. Le bouddhisme et l'hindouisme s'enracineront facilement et le VIIᵉ siècle verra la naissance d'un royaume hindou : *Srivijaya*. Ce royaume fut le premier État ayant sous sa coupe le puissant commerce maritime indonésien. Sa véritable grandeur fut souvent romancée dans les contes et les légendes de ces contrées. Il demeure néanmoins qu'il contrôlait le détroit de Malacca situé entre Sumatra et la Malaisie, ce qui lui donnait la suprématie sur les échanges avec le Moyen-Orient et l'Orient. (C'est ce couloir commercial qui fut à l'origine de la fondation de Singapour par Raffles.) Le royaume de Srivijaya exerça sa domination jusqu'au XIIᵉ siècle, avant de plier sous la pression de l'empire javanais de *Majapahit* en 1377. Orienté exclusivement vers la mer et le commerce, ce royaume n'a guère laissé de traces architecturales. Mais il était très cosmopolite ; les marchands arabes,

perses et indiens côtoyaient les Chinois. Tout s'achetait, tout se vendait : la soie, la corne de rhinocéros (aphrodisiaque bien connu), l'ivoire, la carapace de tortue, l'ébène, les perles, le camphre, et bien sûr les épices des Moluques. Après la chute du royaume Srivijaya, la côte est de Sumatra passa un temps sous domination javanaise avant de se fractionner en de multiples principautés et places fortes. Toute la côte ouest de Sumatra et une grande partie du centre restèrent isolées et quasiment impénétrables durant des siècles, abritant des cultures et des tribus très diverses. Ce Disneyland pour ethnologues s'est avéré très difficile à mater et les colonisateurs hollandais n'en ont finalement vu le bout qu'en 1907 !

Pendant ce temps sur l'autre île... Java

Dans les plaines fertiles de l'île suivante, Java, deux dynasties importantes ont fleuri entre le VIIIe et le Xe siècle : la dynastie hindoue *Mataram* et la dynastie bouddhiste *Sailendra*. Leur puissance de main-d'œuvre laissera comme traces à l'intérieur des terres des monuments magnifiques comme le temple bouddhique de Borobudur (celui-ci fut entièrement restauré entre 1975 et 1983 au prix de 20 millions de dollars, grâce à l'État indonésien – pour 20 % – et à l'UNESCO ; il fait aujourd'hui partie du patrimoine de l'humanité) et le gigantesque complexe de temples hindous à Prambanan.

En 1293, le plus grand empire indonésien est fondé à Java : le royaume de *Majapahit*. La grandeur de ce royaume est due à un garde royal devenu homme d'État, Gajah Mada. Son ascension vers le pouvoir commença en 1320 quand il jugula une révolte antiroyaliste sous le règne de Hayam Wuruk. Devenu Premier ministre, il étendit les territoires du royaume jusque sur les côtes de Sumatra, Bornéo, de Sulawesi, des Moluques, de Lombok et de Sumbawa – presque les limites actuelles –, tout au moins si on en croit les poètes de la Cour d'alors. Cette époque est considérée comme l'âge d'or de l'archipel, et la dynastie de Majapahit est parfois comparée à ce qui s'est passé à Rome. A la différence que sa puissance n'était pas guerrière mais plutôt financière grâce à un « monopole » royal sur le commerce. Le système des « castes », propre à toutes les sociétés d'influence indienne, s'affirme durant cette période et la langue javanaise illustre bien les structures de ce type de société. Elle est complexe, se construisant sur trois niveaux selon la caste sociale de l'interlocuteur. Malgré cette difficulté, elle se répand sur toute l'île. C'est aussi au cours de cette période que les intellectuels élaborent une philosophie où la maîtrise de soi ouvre le chemin de la liberté spirituelle, et ainsi naquit une véritable identité javanaise. Mais, à peine 25 ans après, la mort du garde royal Gajah Mada en 1389 marquait déjà le déclin de cet empire qui fut le seul dans l'histoire indonésienne à contrôler pendant un temps tout ce que l'on peut considérer comme les bases géographiques et politiques de l'Indonésie moderne.

De la chute de l'empire Majapahit à l'indépendance en 1949, l'histoire de Java n'est émaillée que de guerres entre petits royaumes, de collaboration entre aristocrates et Hollandais, et de révoltes diverses. La fin de l'influence indienne, supplantée par l'islam, en est sûrement une des causes. Car culturellement parlant, l'islam manquait alors de souffle et d'ouverture intellectuelle.

Aujourd'hui, la capitale a bien sûr élu domicile à Java, l'actuel président Suharto est javanais, ainsi que les autorités militaires et politiques, ce qui ne manque pas de susciter des jalousies de la part des autres îles. Les droits de l'homme et la liberté de la presse n'étant pas les points forts du régime, Suharto est parfois discrètement défini non pas comme un président démocratique, mais plutôt comme un roi javanais.

L'île hindoue... Bali

Réputée inhospitalière à cause de ses animaux sauvages et de la malaria, Bali vécut longtemps en huis clos, ignorée de ses voisins jusqu'à ce que la mère d'un des futurs grands rois de Java, le roi *Airlangga*, franchisse le petit détroit de 3 km de large entre les deux îles pour épouser, en secondes noces, un prince de Bali. Et plus tard, quand Airlangga, après de multiples péripéties (son oncle lui avait volé le royaume !), accéda finalement au trône, Bali allait jouir de l'influence hindoue de Java. L'importance du rayonnement de l'Inde est primordiale car ce fut en quelque sorte une espèce de raccourci, une « courte échelle » pour passer d'une société primitive aux concepts intellectuels, scientifiques et philosophiques qui ont fait évoluer l'homme. A la mort du roi Airlangga, en 1049, son royaume va se scinder et Bali sera dirigée par des descendants de sa

mère. Au XIVᵉ siècle, l'île de Bali connut une période d'indépendance durant le règne de la dynastie *Pejeng*. Mais elle aussi tomba sous le joug du puissant royaume de Majapahit (Java) et de son Premier ministre, Gajah Mada.

Au moment de l'effondrement de cette dynastie, Bali connut un enrichissement considérable. L'islam se répandait rapidement à travers l'île de Java, convertissant les princes nouvellement indépendants, ce qui attira à Bali toute « l'intelligentsia », les danseurs, les artisans, les musiciens et les prêtres. Cet exode se produisit vers 1478. Parmi ces « immigrants » se trouvait le prêtre Nirartha, à qui l'on doit la complexité de la religion balinaise.

De nos jours, l'islam ne s'est toujours pas imposé à Bali, contrairement à ce qui s'est passé dans le reste de l'Indonésie, et l'influence hindoue reste omniprésente. Selon une des légendes sur la naissance de Bali, l'île aurait été plate à l'origine. Fâchés de l'influence musulmane à Java, les dieux hindous vinrent installer leurs résidences et leurs trônes à Bali. Et c'est ainsi que naquirent les volcans Batur (1 700 m), Batukau (2 315 m) et Gunung Agung (3 100 m)...

En fait, le jour le plus noir de l'histoire de Bali est récent, il date de 1906. L'île perdit alors complètement sa liberté face aux Hollandais. Mais cette défaite se déroula avec panache : 4 000 Balinais vêtus de leurs plus beaux atours et surchargés de bijoux marchèrent en procession sur les Hollandais, armés de leurs seuls *kriss* (couteaux traditionnels de lourde valeur symbolique) et périrent sous le feu nourri des envahisseurs. Un suicide collectif tragique, mais d'un romantisme échevelé et orgueilleux, à la mesure de la splendeur orageuse de leur île.

Les yeux tournés vers La Mecque

En 1292, Marco Polo avait noté que les habitants de Perlak (aujourd'hui Aceh) sur la pointe nord de Sumatra étaient déjà convertis à l'islam. Les premières inscriptions musulmanes datent du XIᵉ siècle, et il se pourrait qu'à la cour de Majapahit, au moment de sa pleine puissance, il y ait eu déjà une implantation des musulmans.

Cette religion a suivi les routes du commerce, et, dès les XVᵉ et XVIᵉ siècles, les dirigeants indonésiens (sauf bien entendu à Bali et dans les coins perdus et inaccessibles) se convertirent, imposant ainsi l'islam comme religion officielle. Mais bien qu'il subsiste aujourd'hui encore quelques noyaux de musulmans « hard », dans l'ensemble, l'islam apparaît ici moins austère qu'au Moyen-Orient, plus conciliant. Un exemple curieux de cette souplesse se rencontre dans le pays de Minangkabau. C'est la femme et non le mari qui est le chef de famille. Ça change ! Les biens se transmettent par les femmes, de mère en fille, et c'est l'oncle maternel qui est chargé de leur gestion (sans pouvoir y toucher) ainsi que de l'éducation des enfants. Quant au mari, lui, il reste dans sa propre famille, rendant visite à sa femme périodiquement, comme un bourdon ! Selon les régions, l'islam est plus ou moins teinté de racines hindoues, bouddhiques, voire même animistes, parfois les trois à la fois, ce qui donne une religion fluctuante et plutôt hybride.

De Vasco de Gama à la Compagnie des Indes orientales

Vasco de Gama ouvrit la route de l'Europe vers l'Orient en 1498, et cet étranger-là allait se révéler infiniment plus dangereux que les autres marchands venus en Indonésie. Pour les Indonésiens, au début, les Portugais ne représentaient rien d'autre que de nouveaux partenaires commerciaux ayant trouvé leur route des épices. Mais dans leur sillage allaient s'engouffrer les Espagnols, les Anglais et, bien pire encore, les Hollandais.

La conquête hollandaise débuta mal. Amorcée par l'arrivée de quatre bateaux sous le commandement de Cornelius Van Houtman en 1596, elle s'illustra par l'assassinat d'un prince javanais et de sa suite en guise d'inauguration. L'expédition ne représenta qu'un tout petit profit pour les commanditaires, un traité sans valeur liant la Hollande avec le dirigeant de Banten et, pour couronner le tout, ils perdirent un bateau lors d'un combat avec les Javanais au nord de Surabaya !

Mais voilà, qui perd une bataille ne perd pas forcément la guerre... Les expéditions hollandaises suivantes furent plus ou moins bien accueillies par les habitants du cru, surtout à cause du comportement parfois très surprenant de l'envahisseur vis-à-vis de la population... Forcément : quand on vient d'un pays situé en dessous du niveau de la mer et que l'on lutte quotidiennement pour ne pas se mouiller les pieds... les grandes envolées lyriques, les révérences, les cadeaux et autres fastes de la séduction diplomatique passent pour frivoles !

Les Hollandais ont gagné la « guerre du commerce » d'une façon très terre à terre grâce aux armes et à l'argent. Ils payaient plus cher que les autres marchands et leurs bateaux étaient des navires de guerre. Ça aide à la persuasion ! La Compagnie hollandaise des Indes orientales fut fondée le 20 mars 1602. Née d'un amalgame de petites entreprises privées réunies par le gouvernement, cette compagnie allait dominer le commerce mondial pendant plus d'un siècle. Elle installa sa capitale à l'emplacement de l'actuelle Jakarta et la baptisa... Batavia.

L'empire hollandais

Le fondateur de l'empire hollandais dans l'archipel avait pour nom Jan Pieterszoon Coe. C'était un homme impitoyable. A son palmarès, on peut sans risque faire figurer la responsabilité de la quasi-extermination de la population indigène des îles Banda (un groupe de sept petites îles qui font partie des fameuses îles à épices, les Moluques). Dès 1607, les Hollandais dominaient le commerce des clous de girofle, et au fur et à mesure que leur puissance s'accroissait, ils employèrent des méthodes qui leur valurent la plus mauvaise des réputations. Entre autres, ils ruinèrent parfois les sources de survie des habitants en détruisant systématiquement les plantations d'épices en cas d'abondance, afin de conserver les prix européens au plus haut, grâce au monopole qu'ils exerçaient. Dès 1660, les derniers Portugais furent chassés, et les Anglais cédèrent eux aussi définitivement aux Hollandais en 1667.

A cause de sa division en une multitude de petits royaumes, des querelles internes, et du mépris des Hollandais pour les dirigeants locaux, l'Indonésie n'offrit qu'une résistance symbolique. Les Hollandais arrivèrent même presque à la « réunifier » sous un pouvoir unique (le leur) à la fin du XVIIIe siècle, situation à laquelle aucun des rois ou administrateurs locaux n'était parvenu jusque-là. Sans parler du fait que les Hollandais ne « tenaient » le pays qu'avec une armée somme toute ridicule de 3 000 hommes, dont 1 000 seulement étaient européens...

Le début de l'ère coloniale

Après avoir tout régenté, du commerce des épices à celui des esclaves, la Compagnie hollandaise des Indes orientales, à la sinistre réputation, allait enfin disparaître en 1800. Corruption, commerce insidieux extérieur à la Compagnie réalisé au profit d'employés, mais aussi la défaite dans la guerre anglo-hollandaise de 1780-1784, et le traité de Paris qui allait assurer le libre commerce en Orient... tels furent les éléments de sa chute. Mais les malheurs des Indonésiens ne prirent pas fin pour autant.

Le gouvernement hollandais reprit à son compte tous les « biens » de la Compagnie, et grâce à des « échanges » de concessions indiennes avec la Grande-Bretagne, la Hollande allait rester maître de l'Indonésie. Non sans mal cependant, car les Indonésiens ripostèrent à travers la rébellion du prince Diponegoro. En 1814, ce prince, fils aîné du sultan de Yogya, se retrouva lésé de son trône en faveur d'un prétendant plus jeune qui, lui, bénéficiait de l'appui de la perfide Albion. Diponegoro engagea la lutte contre les Hollandais. Il obtint l'adhésion de l'aristocratie, mais surtout celle du peuple qui voyait en Diponegoro l'incarnation d'un prince de légende depuis longtemps prophétisé : *Ratu Adil* – le prince qui allait les libérer et devenir le roi de Java. Cette rébellion, ou plutôt même cette guerre dura cinq ans, de 1825 à 1830 ; elle coûta la vie à plus de 8 000 Européens, à 7 000 soldats indonésiens à la solde des Hollandais, et au moins à 200 000 Javanais qui, eux, moururent de faim et de maladie. Diponegoro fut finalement vaincu grâce à une ruse hollandaise, et exilé à Sulawesi. Mais sa défaite marqua le début de grandes difficultés politiques et économiques pour la Hollande.

Les phases principales de la colonisation

En fait, l'Indonésie n'a jamais connu de période stable durant l'occupation hollandaise, même vers la fin, au XXe siècle. Son histoire est jonchée de révoltes, de batailles, de semi-liberté, voire même d'indépendance privilégiée pour certaines provinces ou îles. L'Indonésie était en fait comparable à une barque percée, la Hollande jouant le rôle d'un marin qui écope et bouche les trous de son mieux alors que de nouvelles fissures apparaissent. Comble de l'ironie, c'est au moment même où la Hollande soumettait finalement tout le territoire à sa domination qu'elle a commencé à en perdre le contrôle !

Mais avant de se retrouver avec les coudées franches, les Indonésiens allaient encore vivre des pages noires de leur histoire. Poussée par de graves difficultés financières suite à la perte de la Belgique en 1830, la Hollande eut besoin de « dividendes » rapides pour renflouer son économie alors flageolante. Qui dit argent rapide et facile dit la plupart du temps argent sale. La politique hollandaise se divisa alors en trois périodes qui se chevauchent : « le système de culture », « la période libérale » et « la période ethnique ».

• *La période du système de culture* (première moitié du XIXe siècle)

Des trois périodes énoncées, la pire fut celle dite « de culture » instaurée par un Hollandais de sinistre réputation : Johannes Van den Bosch. Il arriva en 1830 des Antilles, avec une grande expérience de l'esclavagisme et des trafics s'y rapportant. Fort du principe qu'une colonie doit rapporter à ses colonisateurs sans que le « bien-être » des colonisés n'entrave cette marche – à grands pas – vers le profit, ce nouveau gouverneur général sema la mort, provoqua des famines, « sauvant » ainsi la Hollande de la banqueroute. Le système était simple. L'Indonésie était déjà familiarisée avec le travail forcé, mais il s'agissait là de « culture forcée ». Les paysans devaient consacrer le tiers, voire la moitié et parfois plus, de leurs terres à la culture obligatoire de certains produits, et ce au total bénéfice de la Hollande. En outre, ils n'étaient pas exempts d'impôts pour autant, donc le colonisateur ne souffrait même pas des mauvaises récoltes de certaines années. Cela dit, les Hollandais ne furent pas les seuls responsables des famines que ce système déclencha : les contremaîtres chinois et l'aristocratie locale ont, eux aussi, saigné les paysans. Ce système n'ayant jamais été appliqué à l'ensemble de la colonie, aucune unité dans la révolte ne s'avéra possible... Diviser pour mieux régner, une fois de plus !

• La période libérale (seconde moitié du XIXe siècle)

En 1858, les « libéraux » en Hollande tentèrent de redresser les pires abus du système précédent. Fort de l'idée que la libre entreprise allait augmenter les profits tout en libérant l'indigène, le gouvernement hollandais abolit le monopole et le dirigisme sur l'agriculture en 1860. Il espérait ainsi apaiser les révoltes et installer la sécurité sur l'archipel pour rassurer les investisseurs de capitaux privés et encourager les colons à s'y fixer. Mais, dans la réalité, ce furent en fait deux idées conflictuelles vouées à l'échec.

• La période ethnique (début du XXe siècle)

L'enfer est pavé de bonnes intentions... C'est un groupe de personnes en Hollande qui, se croyant investi d'une grande « mission morale », déclencha la troisième période. On a alors déplacé (de force, bien sûr) vers des îles peu peuplées une partie de la population de Java. Des plans furent élaborés pour y améliorer les communications. On forma des conseillers agricoles on créa de toutes pièces un système branlant de facilités bancaires, avec comme objectif la « protection » des industries locales.

En fait, toutes ces mesures destinées aux indigènes... ne profitèrent qu'aux colons ! Les programmes étaient de toute manière exécutés dans un esprit paternaliste, et les Indonésiens étaient considérés comme une race inférieure, des partenaires insignifiants...

Vers la libération

Avant la Seconde Guerre mondiale, l'Indonésie était le premier producteur mondial de poivre et de quinine. Elle fournissait un tiers de la production mondiale de caoutchouc, un quart de la noix de coco et de ses dérivés, et presque un cinquième de la production de thé, sucre, café et huile. Pas étonnant que la Hollande fût alors une puissance coloniale majeure !

L'éducation aida une nouvelle race d'Indonésiens à pointer le nez : les intellectuels. Plusieurs facteurs vont jouer dans la marche vers l'indépendance, notamment l'islam et le communisme. Dès le début du siècle apparaissent l'Association islamique – *Sarekat Islamic* –, fondée en 1909, et le *parti communiste indonésien*, créé en 1914. Interdit très vite, dès 1927, avec des arrestations et des déportations à la clef, le parti communiste indonésien fit rêver comme partout dans le monde les hommes de bonne volonté. Le Sarekat Islamic, lui, fut créé à l'origine pour tenter de protéger les Indonésiens contre les marchands chinois, mais très vite cette association devint un mouvement nationaliste. Le *parti nationaliste indonésien* (PNI) de Sukarno vit le jour en 1927. Très vite, les

Hollandais comprirent la menace : Sukarno ainsi que trois autres leaders furent emprisonnés en 1930, et le parti fut banni. Mais l'idée flottait dans l'air, malgré les affirmations des Hollandais qui déclaraient à tout bout de champ... que l'indépendance ne serait jamais reconnue. On rigole déjà.

La lutte pour l'indépendance

Il faudra l'occupation japonaise à partir de janvier 1942, la guerre, une certaine collaboration avec les Japonais, le retrait des forces britanniques en novembre 1946 puis encore trois ans de confusion exacerbée par une lutte mi-diplomatique, mi-militaire, et pour finir l'opinion mondiale contre eux pour qu'enfin les Hollandais consentent à rendre leur liberté de choix aux Indonésiens.

Désunion et dépression économique

Durant leurs cinq premières années de liberté, la peur du retour du loup permit de conserver une certaine unité dans les rangs des nationalistes, et, dans son fameux discours de Pancasila en 1945, Sukarno tenta d'aplanir les différends dans ce pays réputé ingouvernable. Mais les difficultés étaient quasiment insurmontables : la diversité culturelle et sociale, l'absence d'éducation des masses, la totale désorganisation, le manque de techniciens, ou même tout simplement de sténo-dactylos... Bref, avec rien, on en arriva très vite à trois fois rien. Entre 1945 et 1958, 17 cabinets gouvernementaux se succédèrent, la pagaille était complète. Les premières élections se déroulèrent en 1955 et, malgré tout, Sukarno accéda officiellement au pouvoir.

Les années Sukarno

Flamboyant et plein de contradictions, le nouveau président Sukarno ne pouvait pas sortir l'Indonésie de sa pauvreté, ni créer une structure économiquement viable et valable, mais... il savait parler ! Marxiste et pourtant croyant, grand consommateur de femmes, ses discours étaient des sagas romantiques, et les Indonésiens restaient suspendus à ses lèvres ! Il se proposait de « défier » les Malais, les Anglais, puis les États-Unis et tout le monde occidental... sans expliquer vraiment ni quand ni comment ! Il se posait devant les yeux ébahis des Indonésiens un peu comme un grand frère audacieux, courageux et astucieux, prêt à exécuter de grandes choses.
Il faut reconnaître à sa décharge que l'histoire de l'Indonésie est lourde des exactions européennes... En pratique, les années Sukarno furent presque aussi dramatiques que l'occupation hollandaise. Les aides étrangères se limitèrent très vite aux seuls subsides soviétiques et chinois. Effectivement, il n'y avait que les communistes capables de croire en une telle pagaille économique teintée d'une rhétorique romantico-guerrière. Et, de toute manière, soutenir l'Indonésie s'inscrivait aussi dans la politique communiste d'expansion mondiale. En gros, et pas nécessairement dans l'ordre, les « confrontations » avec les Malais, les prises de bec avec les troupes australiennes, néo-zélandaises et britanniques, une économie chancelante malgré la richesse du pays, une corruption frôlant le gangstérisme, et le « putsch » raté d'octobre 1965 (dont personne n'a jamais élucidé ni le qui, ni le comment du pourquoi) ont finalement eu raison du dictateur. Le triple looping effrayant sur le « grand huit » avec Sukarno à la barre a duré jusqu'en 1967.

Un ordre nouveau !

Le général Suharto fut officiellement élu président par le congrès le 27 mars 1968, après un passage comme président intérimaire entre la chute de Sukarno et sa véritable arrivée au pouvoir. Il voulait que son régime offre l'apparence d'une démocratie et organisa des élections en 1971. Apparence seulement, car il utilisa le parti Golkar – moribond à l'époque – comme fer de lance pour lui et l'armée, mettant l'opposition en quasi-fuite et interdisant toute activité politique entre les élections.
Militaire auprès des Hollandais dans la Royal Netherlands Indies Army, puis changeant de camp pour se rallier aux Japonais pendant la même guerre (!), Suharto fut promu par Sukarno. Son ascension vers la présidence passa par le fameux « putsch » raté de 1965. Certains historiens soutiennent que Sukarno aurait été à l'origine de ce coup de force contre lui-même, afin d'avoir un prétexte pour éliminer les adversaires du régime : en effet, entre 160 000 et 400 000 communistes furent massacrés dans la foulée – les chiffres sont très

controversés – et 250 000 autres se retrouvèrent emprisonnés... Le scandale commençant à se profiler, Suharto n'eut plus qu'à faire valoir sa « légitimité ».

Qu'en est-il aujourd'hui ?

Économiquement, l'Indonésie souffre toujours de la corruption, de la surpopulation, de la gestion désastreuse et de l'exploitation par l'Occident (eh oui, même encore aujourd'hui !). Mais elle reste un pays riche dans tous les sens du terme : 8ᵉ producteur au monde de pétrole, 1ᵉʳ exportateur de gaz naturel liquéfié, sans compter l'étain, le charbon, le cuivre, la bauxite. L'économie interne demeure fragile et fluctue selon les cours mondiaux comme toutes les économies basées sur les ressources naturelles. Une stratégie récente – mais efficace – interdit aujourd'hui l'exportation de matières premières brutes (sauf le pétrole). Donc, une véritable industrie s'implante et, grâce à une main-d'œuvre bon marché, elle s'avère compétitive sur le marché mondial.

Une croissance record de 7 % permet d'espérer avant 1995 l'entrée de l'Indonésie dans le club des nouveaux pays industrialisés. Mais contrairement à d'autres États déjà membres du « Club des jeunes tigres » (Singapour, Hong-Kong, Corée du Sud et Thaïlande), l'industrialisation forcée s'accompagne ici d'une terrible aggravation des inégalités sociales.

Un des problèmes majeurs reste la surpopulation, surtout à Java. 110 millions d'habitants sur une île quatre fois moins grande que la France : les chiffres parlent d'eux-mêmes ! Ici, nous sommes sur un point chaud du globe, où les scénarios apocalyptiques d'un monde surpeuplé ont déjà un pied dans le quotidien. Tous les soirs, dans les villages, résonne un gong pour rappeler aux femmes qu'il est l'heure de prendre la pilule. L'objectif pour 1993 est une natalité de 1,8 % alors qu'elle est actuellement de 2,2 % ! C'est encore trop pour un marché qui ne peut absorber chaque année 2,5 millions de nouveaux venus. Tout ce que l'on peut dire à la décharge du général-président Suharto... c'est que les choses vont mieux que sous Sukarno, mais ne le doit-on pas tout simplement au progrès et à la maturité du peuple indonésien ?

Le pays a subi récemment deux « chocs ».

Le principal produit d'exportation, le pétrole, a vu ses prix s'effondrer et le dollar, qui sert au paiement des matières premières de l'archipel, a, lui aussi, connu une forte baisse. Dans le même temps, le yen s'est envolé (40 % des dettes de l'Indonésie sont exprimées en yen...).

La dette extérieure de l'Indonésie est la plus lourde des pays d'Asie (48 milliards de dollars) et absorbe 40 % des ressources en devises du pays...

Face à de tels problèmes, un programme d'austérité a été décidé, approuvé par le FMI. Mais l'Indonésie, puissance de premier plan en Asie (c'est le plus grand pays musulman du monde), n'en reste pas moins un enjeu stratégique important qui a incité les Japonais à renflouer quelque peu les finances de l'État ; ils ne tiennent pas en effet à augmenter le mécontentement populaire qui se fait jour : 11 millions de chômeurs sur une population active de 73 millions. Dans les grandes villes, le chômage chez les moins de 25 ans, particulièrement nombreux dans ce pays jeune, atteint 20 %.

Principales dates historiques

IV-VIIᵉ siècles : formation de royaumes hindouisés.
Milieu du VIIᵉ siècle : Sanjaya, de religion çivaïte, règne sur le centre de Java.
778-870 : dynastie des Çaïlendra à Java. Construction de Borobudur.
870 : dynastie Sanjaya. Les temples hindouistes de Prambanan sont élevés à la fin du IXᵉ siècle.
910 : le centre et l'est de Java sont réunis dans le royaume de Mataram.
1015 : Mataram est soumis par Srivijaya.
1019-1049 : Airlangga reconstitue le royaume de Mataram à Java.
1049 : à la mort d'Airlangga, le royaume est partagé entre ses deux fils : l'un obtient Kadiri, l'autre Djanggala.
Début du XIIᵉ siècle : fin du royaume de Kadiri et fondation de Singhasari.
Fin du XIIIᵉ siècle : le dernier roi de Singhasari fonde la ligue des États indonésiens.
1294 : invasion chinoise repoussée, mais de nombreux soldats chinois préfèrent rester à Java. Fondation du royaume de Majapahit.
1400 : décadence de Majapahit. Un prince javanais, converti à l'islam, fonde Malacca. C'est le début de l'influence musulmane.
1511 : les Portugais prennent Malacca. Début de l'« occupation » européenne.

1596 : les premiers Hollandais s'installent à Java.
1619 : fondation de Batavia (future Djakarta).
1740 : massacre des Chinois à Batavia.
1824 : traité de Londres qui partage le monde malais entre l'Angleterre (Malaisie) et les Pays-Bas (Indonésie).
1906 : conquête de Bali. Toute l'Indonésie est sous l'autorité du gouvernement hollandais.
1908 : premier mouvement nationaliste, le Budi Utomo.
1927 : création du parti nationaliste indonésien dirigé par Sukarno.
1942 : occupation japonaise.
1945 : Sukarno proclame l'indépendance de la République indonésienne.
1955 : conférence de Bandung.
1966 : Sukarno cède le pouvoir au général Suharto.

L'Indonésie en chiffres

– 1 904 345 km^2 de superficie.
– 13 677 îles, dont 6 000 sont habitées.
– 184,6 millions d'habitants – dont 15 millions à Jakarta extra-muros. On en prévoit 25 millions en l'an 2000.
– 300 groupes ethniques.
– 1er État musulman du monde avec 160 millions de fidèles (87 % de la population).
– 200 000 fonctionnaires dépendent du ministère des Religions.
– 17 % de la population vit en dessous du seuil d'extrême pauvreté (320 $ US par an). 1 $ US : salaire quotidien d'un ouvrier en usine. 520 $ US : revenu moyen annuel (en France : 17 000 $ US).
– 12 % du territoire sont cultivés, 58 % sont couverts de forêt dense, 30 % sont couverts de savane.
– 3e producteur mondial de riz.
– 3e producteur mondial de café.
– 7e producteur de thé.
– 8e producteur de pétrole.
– 1 m de diamètre pour le rafflesia (c'est la plus grande fleur du monde) qui fleurit à Sumatra. Pour offrir un bouquet, venez avec un camion !

Adresses utiles, formalités et vaccins

– Ambassades d'Indonésie en Europe

• *En France :* 47, rue Cortambert, 75016 Paris. ☎ 45-03-07-60. M. : Passy. Ouvert de 9 h 30 à 12 h 30 et de 14 h 30 à 16 h 30. Ne dispose que de peu de documentation. Un service d'information touristique attaché à l'ambassade (poste 224) est ouvert du lundi au vendredi.
• *En Belgique :* ambassade d'Indonésie, av. Tervueren, 294, Bruxelles 1150. ☎ (32-2) 771-50-60 ou 17-76. Consulat d'Indonésie : 10 Ernest Van Dic Straat, Anvers 2000. ☎ 031-322-130.
• *En Suisse :* chancellerie, 51 Elfenauweg, 3009 Berne. ☎ (41-31) 44-09-83 ou 85.

– Ambassades en Indonésie

• *Ambassade de France* à Jakarta : Jalan Thamrin. ☎ 33-28-07 et 33-23-83.
• *Ambassade de Belgique* à Jakarta : Jalan Cicurug. ☎ 57-80-510.
• *Ambassade de Suisse* à Jakarta : Jalan Rasuna Said, block E3/2, Jakarta Selatan. ☎ 51-60-61.
• *Ambassade du Canada* à Jakarta : 29 Jalan Jend Sudirman. ☎ 51-07-09.
• Il existe des *consulats français* dans les principales villes. Leurs adresses figurent dans les adresses utiles de ces localités.

– Visa et passeport

Plus besoin de visa pour les Français, les Belges et les Suisses, à condition que le séjour ne dépasse pas 2 mois et que le passeport soit encore valide pendant 6 mois à partir de la date d'entrée en Indonésie.

— Vaccins

Aucun n'est obligatoire mais il est cependant recommandé de se faire vacciner contre les fièvres typhoïdes (vaccin Tiphin VI) et de vérifier si l'on est toujours couvert par le vaccin antitétanique et antipoliomyélitique, renouvelable tous les 5 ans.

Traitement antipaludéen indispensable actuellement pour toute l'Indonésie, y compris Bali et Java. Renseignez-vous auprès de votre médecin ou de votre pharmacien habituel. Voir le « Manuel du Routard ».

Amour

Romantique, s'abstenir ! L'amour en Indonésie se conjugue le plus souvent avec money ! Ceci n'exclut pas la possibilité d'une rencontre « Roméo-Juliette », bien sûr, mais l'aventure, elle, se paie. En outre, les dames de petite vertu autour des grands hôtels de Jakarta ont souvent plus d'attributs qu'il n'est normalement prévu chez la gent féminine. Il s'agit en fait des *Banci,* travestis qui sont parfois superbes. Les Javanais, eux, prétendent que ce sont en fait des *Dayaks,* en provenance de Bornéo. Peu importe leur origine, la réalité dépasse souvent la fiction.

A Bali les rencontres sont faciles, à Kuta et à Sanur notamment, mais il faut savoir qu'il ne peut s'agir de Balinaises, bien qu'elles le prétendent. Une Balinaise serait immédiatement rejetée par son village et par sa famille, car le *Bandjar* (conseil communautaire) veille. Si vous cédez à des avances, n'oubliez pas de bien vous couvrir avant de sortir ! A Sumatra et à Kalimantan, il existe aussi une forme assez insolite de vénalité : l'amour concentrationnaire ! Les « Prostitution Centres » sont des camps gardés par des militaires ! Même le service après-vente est assuré, sur place, grâce à une antenne médicale ! On trouve aussi des salons de massage, mais ils ne sont qu'une pâle imitation de ceux de Bangkok. Tout ça est à éviter, bien sûr. Le SIDA rôde comme partout.

Argent, change et cartes de crédit

— Argent

L'unité monétaire locale est la roupie indonésienne ou *rupiah* (rp), et contrairement à nos pays (les centimes français, par exemple), il n'y a pas de subdivision. Il n'existe aucune forme de restriction : on peut entrer ou sortir avec autant de francs, de dollars ou de chèques de voyage que l'on veut. La rupiah n'a pas d'étalonnage fixe par rapport aux autres monnaies. Elle tend à perdre 4 % par an sur le dollar américain.

— Change

Début 1992, 100 rupiah valaient 0,31 FF, soit 1 F = 320 rp ; 1 dollar U.S. = 1 980 rp. Ces cours sont donnés à titre indicatif. L'inflation est de l'ordre de 15 % par an, en moyenne.

Pas de marché noir. On peut changer des francs partout dans les endroits touristiques comme Java, Bali et Sulawesi. Inutile donc de convertir vos francs en dollars avant de partir. Vous éviterez ainsi une commission bancaire. En revanche, dans le Nusa Tenggara (Flores, Timor et Sumba), la plupart des banques n'acceptent pas les francs français ; se munir alors de dollars. Si vous emportez des espèces, veillez à ce que vos billets soient en très bon état, vous risquez de vous les voir refuser dans le cas contraire. Les chèques de voyage constituent une sécurité en cas de vol et leur taux de change est légèrement plus intéressant que celui des billets.

Changer de l'argent dans les grandes villes ou sur les lieux touristiques ne pose aucun problème. Dans certains endroits, comme à Kuta ou à Ubud par exemple, il existe des *money changers,* ouverts pratiquement jour et nuit. Mais, en dehors des sentiers battus, mieux vaut se munir de rupiah. Préférer les petites coupures car, dans les villages modestes, se faire rendre la monnaie sur un billet de 10 000 rp risque d'être une source de complications.

— *Cartes de crédit*

American Express et Visa International (entre autres) sont acceptées dans les grands hôtels, dans certains restaurants et magasins ainsi que dans les grands centres. Ailleurs, elles sont inutiles. Pour les vols intérieurs, Garuda et certaines agences de voyages les acceptent aussi.

Artisanat et souvenirs

Argent et bijoux

Les orfèvres travaillent l'argent en filigrane, principalement à Kota Gede (près de Jogja), à Kota Gedang (à Sumatra) et à Bali. L'argent se vend au poids et le prix est très bas. Les bijoux reprennent souvent des motifs traditionnels peu compatibles avec nos goûts mais certains artistes exécutent maintenant des pièces inspirées de modèles occidentaux et destinées aux touristes. Pratiquement pas de pierres précieuses.

On trouve, en revanche, des pierres de lune, de l'agate, de l'onyx, du jaspe, etc.

Batik

Artisanat séculaire (c'est vers le XIVe-XVe siècle que le batik apparaît comme technique propre), le batik *Tulis*, fait à la main, n'a rien à craindre de l'industrialisation et restera longtemps encore un art. Pour s'en convaincre, il suffit de noter avec quel amour les « batikeurs » œuvrent dans leurs ateliers aux mille couleurs chatoyantes. Certains « maîtres » se font accompagner par un *gamelan* susceptible de nourrir leur puissance créatrice.

Ce procédé d'impression d'une étoffe est fondé sur un système très simple : les parties qui ne doivent pas être colorées sont enduites d'une couche de cire avant d'être trempées dans la teinture. Si l'opération paraît simple pour les batiks monochromes, le travail se complique quand il s'agit de pièces à plusieurs couleurs. Autant de couleurs, autant de passages à la cire et de grattages. La complexité du travail (jusqu'à huit couleurs sur les plus sophistiqués) et le temps passé (plusieurs semaines) justifient les prix parfois très élevés de batiks provenant des ateliers des grands maîtres. Jogja est la capitale du batik et c'est là que l'on trouve le plus grand choix.

La production en série est beaucoup plus abordable et c'est probablement la seule que vous pourrez vous offrir. Les motifs sont réalisés avec des tampons de caoutchouc, appelés *cap*, trempés dans la cire. Avec cette méthode rapide d'impression l'étoffe est toujours plus colorée à l'endroit qu'à l'envers alors que dans le vrai batik les deux faces du tissu sont identiques.

En Indonésie, le batik s'affiche partout. On en fait des chemises, des sarongs, des serviettes de table, des rideaux, des cravates, des sacs à main et même des sandales. Il se vend à la pièce et constitue un cadeau bon marché et peu encombrant.

La fabrication du batik à la maison en 12 leçons

1. Dessiner le motif de base sur un tissu blanc avec un crayon.
2. Faire ce premier motif avec la cire (composée de cire d'abeille et de paraffine) suivant la ligne dessinée au crayon sur les deux côtés du tissu. On utilise pour cela un *tjanting* : petit récipient de cuivre muni d'un manche et d'une canule.
3. Remplir certaines parties d'ornements et de petits points, puis en couvrir de cire les larges parties.
4. Couvrir de cire les parties que l'on veut tenir blanches jusqu'à la fin.
5. Plonger le tissu dans la première teinture de base.
6. Couvrir de cire les parties teintes.
7. Plonger le tissu dans la deuxième teinture de base.
8. Le plonger dans l'eau bouillante pour enlever toute la cire.
9. Recouvrir le premier motif de base de points et couvrir de cire les parties mentionnées dans le numéro trois pour les tenir blanches jusqu'à la fin.
10. Couvrir de cire les parties teintes pour ne pas les mélanger avec les teintures suivantes.
11. Plonger le tissu dans la dernière teinture.
12. Remettre le tissu dans l'eau bouillante pour enlever toute la cire... et le batik est fini.

Bibelots et bricoles

Vous n'aurez que l'embarras du choix et quel que soit votre budget vous trouverez certainement des souvenirs à rapporter.

— *Cornes de buffle ou de vache :* travaillées avec beaucoup d'habileté ; on essaiera, peut-être, de vous les vendre pour de l'ivoire.

— *Noix de coco :* ciselées et tellement ouvragées qu'elles se transforment en de véritables boules de dentelle sur lesquelles sont représentées des scènes du Ramayana.

— *Les objets en écaille :* en régression depuis qu'une campagne mondiale condamne le massacre des tortues. Celles-ci abondent dans les eaux indonésiennes et leur chair est très appréciée, ce qui explique la présence dans les boutiques de nombreux petits objets travaillés à la main, vendus à un prix modique : bracelets, peignes, boîtes à pilules, étuis à cigarettes. A déconseiller.

— *Les porcelaines chinoises :* elles trônent souvent au milieu d'un bric-à-brac dans les magasins d'antiquités. Méfiance ! Les Indonésiens sont passés maîtres dans l'art de copier et de vieillir des pièces qui ont déjà trompé plus d'un expert. Le sol indonésien a bien livré d'authentiques porcelaines chinoises Ming mais dès leur découverte ces pièces prennent les chemins des musées et non celui des magasins pour touristes.

— *Vannerie :* le choix est considérable. Paniers, nattes, chapeaux, sets de table, éventails, tapis, petites boîtes. On peut aussi craquer devant les meubles en bambou ou en rotin, bon marché, mais il faut penser aux frais et aux délais d'acheminement par bateau. Ne pas oublier non plus que le bambou risque de mal s'acclimater à un brusque changement de température.

— *Cuirs :* à Java, nombreux objets en peau, tels que ceintures, sacs, sandales. Le cuir n'est pas teinté mais prend à l'usage une belle patine. La finition, principalement au niveau des coutures, peut laisser à désirer.

— *Cassettes :* ceux qui n'ont pu résister à la « pluie de cristal » du gamelan voudront prolonger ces moments de féerie musicale. On trouve des cassettes un peu partout dans les grandes villes et dans les centres touristiques. Elles sont bon marché mais la qualité n'est pas toujours au rendez-vous. Pour vous épargner des surprises désagréables, demandez à en écouter des extraits avant l'achat. Se méfier des cassettes vraiment trop bon marché ; elles sont toujours de mauvaise qualité.

— *Électronique :* la proximité de Singapour et le taux favorable du change mettent l'électronique à des prix très abordables. Les amateurs de matériel photo, entre autres, seront comblés. Penser toutefois à la douane au retour.

Kain ikat

Il s'agit d'un tissu composé de fils teints de plusieurs couleurs avant le tissage, selon le motif que l'on veut obtenir. Les femmes, assises devant leur métier, font apparaître le dessin en jonglant avec les navettes. Leur travail peut durer des mois pour l'exécution d'une seule pièce. A Bali, dans le village animiste de Tenganan, les femmes pratiquent le double ikat, c'est-à-dire que la trame, elle aussi, est teinte. Ces ikat sont des œuvres uniques qui atteignent des prix exorbitants. Elles ont, selon les croyances, des pouvoirs magiques : immuniser contre les maladies et éloigner les mauvais esprits. Cela n'a donc pas de prix ! A Java, on tisse aussi des ikat à la machine. Ils ont perdu, bien entendu, tout pouvoir magique mais sont accessibles à toutes les bourses. On les appelle *tenunan.*

A Sumatra, le *kain songket,* très cher, est un tissage composé de fils d'or, réservé jadis aux sarongs de cérémonie.

A Sulawesi, on trouve des soieries ainsi que des ikat dans le pays toradja.

Possibilité aussi d'acheter de très belles étoffes dans les îles de la Sonde. Les plus belles proviennent de l'île de Sumba et atteignent des prix élevés.

Kriss (keris)

Tout le monde connaît ces couteaux à la lame ondulée caractéristiques de la civilisation malaise. En fait, le kriss n'a pas livré tous ses secrets, fût-ce aux spécialistes de la question. On ignore toujours la nature exacte de la relation, magique, surnaturelle, qui unit le couteau et son propriétaire. Celle-ci est très forte : un prince balinais, devant épouser une jeune fille, ne se rend pas lui-même à la cérémonie, mais se fit « représenter » par son kriss ! Ça se passait il y a longtemps. Le kriss n'est donc pas simplement une arme : c'est un objet sacré, magique.

Il se compose de trois parties :

— *le fourreau* : il est lui-même formé de deux pièces de bois collées : le fourreau proprement dit, recouvert d'une feuille de laiton ou d'alu travaillée (pour les princes, c'était de l'or, mais les temps changent !) et le butoir, pièce asymétrique rappelant vaguement un navire ;

— *la poignée* : en ébène ou en teck, elle représente presque toujours une forme humaine stylisée. Très stylisée même : le kriss est un objet relativement récent, et l'islam proscrit la représentation de l'être humain. Les plus belles poignées sont en or massif incrusté de pierres précieuses et figurent des démons ; elles sont conservées au Musée national, à Jakarta ;

— *la lame* : c'est la partie la plus importante ; on peut troquer le fourreau ou échanger la poignée, mais en aucune façon la lame, qui est intimement liée au possesseur du couteau. Contrairement à une idée reçue, la lame du kriss n'est pas obligatoirement ondulée, elle peut être droite. Elle provient d'un alliage de deux minerais de fer : l'un d'origine terrestre (les mines de fer), et l'autre d'origine céleste, puisque extrait des météorites, assez nombreuses, tombées sur le sol indonésien. Inutile de souligner l'importance symbolique d'un tel alliage. Le forgeron mêle les deux métaux, et fait ressortir le mélange en passant la lame au jus de citron : les deux couleurs sont ainsi bien marquées sur la lame. La forme ondulée s'explique par le serpent, souvent gravé avec moult fioritures. Les kriss les plus rares (et les plus chers) portent un double *naga* (deux serpents entrelacés).

Concrètement, si vous achetez un kriss bien travaillé, il vous en coûtera dans les 300 F. En deçà, la lame sera en aluminium. De toute façon, le fer d'origine météorique, peu facile à se procurer, n'est plus guère utilisé. L'alliage est en général celui de deux fers différents, mais bien de chez nous... Rappelez-vous que le fourreau n'est pas très important (et pas forcément très esthétique) : un fourreau moyen peut cacher une belle lame avec naga doré finement ciselé jusqu'au bout.

Remarque : évidemment, les douaniers de l'aéroport risquent de considérer l'arme sacrée porteuse d'une puissance magique comme un vulgaire couteau à saigner la belle-mère ! Vous ne pouvez donc pas le prendre en bagage à main (même si vous ne voyagez pas avec votre belle-mère). Soit vous le mettez dans votre sac en soute, soit il voyage séparément, et vous le récupérez (sans aucun frais) au comptoir des litiges bagages de l'aéroport d'arrivée. En général, tout se passe très bien.

Marionnettes et masques

Comment résister aux *wayang Gulit* et aux *wayang Golek*, ces marionnettes de peau de buffle ou de bois habillées de batik, très décoratives, que l'on propose à Java ? (Voir à « Wayang », leur histoire et leur signification.)

Les marionnettes vendues aux touristes sont toujours de fabrication récente, même si l'on tente de vous faire croire le contraire. Il est très rare de pouvoir s'en procurer d'anciennes, sauf chez certains antiquaires. Leur prix est très élevé.

Les masques tiennent une place importante dans le théâtre indonésien. Il suffit d'assister à un *barong* (à Bali) ou à un *ramayana* (à Java) pour comprendre leur pouvoir magique. Ils sont toujours taillés dans un bois léger (généralement du *pule*) et peints de façon très expressive. Ces masques peuvent aussi être articulés, notamment ceux représentant les singes. Les plus beaux masques balinais sont sculptés à Mas.

Sculptures sur bois

Les Indonésiens sont vraiment les maîtres du travail du bois. A Java comme à Bali, les sculpteurs sont souvent des artistes de talent. Dans l'archipel, on a toujours travaillé le bois pour la construction des maisons, la fabrication des outils et des objets usuels, mais la sculpture était destinée à l'ornementation des palais princiers. Dans les années 30, avec l'arrivée des Occidentaux, les artisans abandonnèrent les sujets mythologiques pour puiser leur inspiration dans les scènes de la vie courante. A cette époque, Ida Bagus Njana créa dans son village de Mas une école qui devait influencer toute la sculpture balinaise contemporaine.

La qualité du travail et la nature du bois déterminent le prix des œuvres. Avant d'acheter, il faut savoir distinguer la pièce en ébène, en teck, en acajou ou en jaquier exécutée par un artisan chevronné de celle, en bois vulgaire, travaillée par un de ses élèves. Le choix, très vaste, va de la statuette aux formes longilignes, aussi finement ciselée qu'un ivoire chinois, au panneau de bois laqué ou doré, en passant par toutes les œuvres presque abstraites comme le *yogi*, véritable boule de bois que l'on vous proposera partout.

Depuis peu, les Balinais se sont spécialisés dans la reproduction d'animaux (canards), de fleurs et de fruits travaillés dans un bois léger et peints avec tant de réalisme que l'on pourrait les prendre pour des vrais.

Malheureusement, la production a tendance à s'industrialiser au détriment de la finition et de la création originale. Il faut voir dans certains villages autour de Mas et d'Ubud de véritables « usines » où l'on travaille à la chaîne. Des jeunes sculptent les pattes avant d'un cheval, d'autres l'arrière-train, pendant que des équipes exécutent séparément la tête, la crinière et le corps, avant de passer toutes ces pièces détachées à un homme chargé d'assembler les différents morceaux et de confier l'animal aux mains des peintres et des polisseurs. On se croirait sur une chaîne de montage chez Renault ! Ces pièces, destinées à l'exportation, peuvent être réalisées en plusieurs centaines d'exemplaires.

Peinture balinaise

Au tout début, la peinture s'inspirait du théâtre d'ombres *wayang*. Les personnages étaient donc représentés de profil ou de trois quarts, évoluant dans un décor schématisé et sans aucune perspective. On exécute encore ces peintures à thèmes épiques à Kalamasan. Très décoratives et toujours réalisées avec des pigments naturels broyés à la main, elles ne sont pas chères.

Avec l'arrivée des Hollandais et la découverte d'un autre monde, les peintres qui n'exécutaient que des panneaux de sanctuaire ou des calendriers astrologiques s'initient à la peinture de chevalet avec des artistes occidentaux venus s'installer dans l'île.

Ubud est la capitale de la peinture. Les ateliers s'y succèdent et le meilleur (rare) côtoie le pire (le plus fréquent). Le peintre balinais n'est pas un créateur mais plutôt un copiste habile. Il faut le voir reproduire les scènes de la vie quotidienne où les personnages sont plaqués sur un fond de rizières et de volcans. En observant bien, on constate que le peintre ne sait que reproduire un nombre très limité d'éléments mais qui, disposés savamment, donnent une impression de diversité et de mouvement. Les couleurs, toujours vives, sont sans effet d'ombre. Généralement, les bleus dominent dans ces œuvres naïves pleines de détails et qui ne sont pas sans évoquer, comme on l'a souvent écrit, celles d'un Douanier Rousseau.

Plus intéressantes sont les œuvres qui se rattachent à l'authentique école d'Ubud ou à celle de Penestanan. Ici, c'est le dessin qui prime dans ces véritables miniatures. Pas de couleurs : seulement du noir et du gris.

La demande sans cesse croissante a dénaturé la peinture balinaise pour répondre à un certain mauvais goût du touriste occidental. Les ateliers d'Ubud regorgent de fleurs et d'oiseaux géants qui rappellent certains motifs de papiers peints.

Avec un peu de patience et de discernement, vous trouverez certainement une œuvre authentique à un prix raisonnable. Se contenter d'un petit dessin bien exécuté plutôt que de porter son choix sur une croûte de médiocre qualité. Pour obtenir une œuvre peinte de bonne facture, il faut compter 200 $ US, ce qui n'est quand même pas donné.

Vêtements

A Bali, et plus particulièrement à Kuta, les magasins de vêtements sont légion. Il s'agit le plus souvent de petites échoppes de tailleurs locaux qui ont adapté leur production à la demande, ou de « show rooms » de stylistes qui exposent des modèles destinés principalement à l'exportation. Il est possible d'y faire l'acquisition de vêtements très originaux et à des prix qui valent ceux de Tati.

L'arrivée massive de touristes japonais a beaucoup influencé les couturiers balinais et certaines de leurs créations pourraient bien figurer dans des collections de haute couture. On travaille aussi à Bali le cuir et la fourrure, à des prix très intéressants. Veiller cependant à bien contrôler la finition qui n'est pas toujours soignée.

Assurances

Une assurance assistance-rapatriement est une sage précaution à prendre avant le départ. Vérifier si elle est incluse dans les conditions de l'agence de voyages. En individuel, il est conseillé de souscrire une garantie qui couvre toute la durée du voyage. Vérifier aussi qu'elle inclut votre rapatriement en cas de pépin. Voir le « Manuel du Routard ».
Assurez aussi votre matériel photo si celui-ci a une certaine valeur.

Bagages et vêtements

Un bagage léger est indispensable. Ne pas perdre de vue qu'il vaut mieux laisser certaines affaires chez soi et s'équiper sur place, plutôt que de s'encombrer inutilement.
N'emporter que le strict minimum. On trouve (à Bali notamment) des vêtements appropriés au climat à des prix ridiculement bas.
Éviter les tissus synthétiques, ils ont tendance à irriter la peau à cause de l'humidité et de la chaleur. Les tissus « lourds » ont du mal à sécher dans ce climat. Préférer d'amples vêtements en coton. Prévoir un pull et un K-way, de bonnes chaussures de marche et une écharpe si on doit faire de la moto. De toute façon, cela sera indispensable pour se ceindre la taille lors de la visite des temples à Bali. Sinon il faut payer à chaque fois une location.
Si on doit se rendre dans un bureau ou dans une administration, il est indispensable d'être correctement vêtu pour être pris en considération et pour obtenir satisfaction. Des affiches officielles, avec dessin à l'appui, conseillent ce qu'il convient de porter.
En règle générale, évitez de choquer les Indonésiens en exhibant votre anatomie sous prétexte qu'il fait chaud. Une tenue légère minimum à la Tarzan, tolérée à la plage et dans les alentours, ne doit pas être considérée comme un uniforme de vacances pour se promener à travers le pays. Les Indonésiens associent les shorts ou les gens « peu vêtus » à la pauvreté. Il y a donc des lieux où la tenue short-tee-shirt ne fera pas du tout l'affaire. Les Indonésiens pourraient alors interpréter ces tenues comme une moquerie ou un manque de respect. Ne pas oublier que la mode voyage toujours mal. Par exemple, un jean du plus grand chic déchiré acheté dans une boutique branchée des Halles suscitera une réaction bien pire que sur le troisième âge d'un village perdu des Pyrénées ! Tout accoutrement sexy ou provocateur est une invitation... Attention aux divers problèmes qui en découlent ! Rester donc sobre et modeste en toute circonstance.
Un pull et un blouson seront nécessaires en altitude, surtout la nuit.
Un couvre-chef et des lunettes de soleil sont quasiment obligatoires ; toutes les grandes marques de crème solaire s'achètent sur place, dans les grands centres, mais prenez vos précautions si vous utilisez des produits dermatologiques spécifiques. On trouve tous les produits courants de toilette ; mais attention les filles... il n'y a pas de Tampax partout !
Une fois là-bas, imitez les autochtones, achetez un sarong aux multiples usages : pour la plage bien sûr, mais aussi pour recouvrir un matelas d'une propreté très relative, comme turban pour se protéger du soleil, comme foulard ou bien encore ceint autour de la taille pour entrer dans un temple balinais. Le sarong peut aussi servir de rideau ou de cabine d'essayage. Mouillé et enroulé, il peut même constituer une excellente matraque improvisée, dont l'utilité reste tout de même très improbable à moins de chercher des ennuis ! Ils sont souvent très jolis et après le voyage vous n'aurez aucun mal à leur trouver une utilisation, comme nappe par exemple.
Pour ceux qui voyagent hors des sentiers battus et dans les petites îles, un mini-sac, une gourde, une lampe électrique et un sac de couchage sont essentiels pour partir à l'aventure.
Avant de terminer vos bagages, n'oubliez pas d'y glisser :
– des boules Quiès, si vous ne souhaitez pas être réveillé par les hurlements des chiens et le chant des coqs (à Bali) ou par les appels à la prière du muezzin (à Java et dans la plupart des îles) ; il existe aussi une belle invention appelée E.A.R. : ce sont des petits cylindres en caoutchouc mousse que l'on roule entre ses doigts avant de les glisser dans le conduit auditif. Ils se dilatent alors et

isolent bien. Avantage : on peut les laver et les réutiliser assez longtemps. De plus, ce n'est pas gras et cela ne tombe pas ;
— des serviettes de toilette (il n'y en a pas dans les *losmen*) ;
— une lampe de poche et un canif pour peler les fruits ;
— votre pharmacie personnelle ;
— faire des photocopies des billets d'avion, passeport et récépissé comportant les numéros des chèques de voyage.

Boissons

Les Britanniques ont édifié un empire sur lequel le soleil a fini par ne plus se lever. Les Français, eux, ont accumulé les ennuis en voulant à tout prix que les ancêtres des colonisés soient gaulois. Quant aux Hollandais, ils n'ont laissé que des brasseries ! Il en existe encore beaucoup en Indonésie. Les marques de bière les plus populaires sont *Anker* et *Bintang*. Elles sont brassées localement. Vous trouverez aussi des *Heineken* et *San Miguel*. Elles sont vendues en petites et grandes bouteilles (plus économiques).
— Le vin de riz *(Brem)* est soit de fabrication maison soit commercialisé sous la marque *Bali Brem*. Il faut s'habituer à son goût. Les vins n'ont rien à voir avec le produit de nos vignes. Le rosé est un peu sucré mais se pique rapidement. Le blanc est plus sec, donc plus buvable. On le trouve difficilement. Dans les endroits touristiques, et plus particulièrement à Bali, les restaurants proposent des vins australiens, bons mais chers. Ils sont aussi servis en carafe ou au verre. Si l'alcool de riz est souvent distillé maison, on en trouve aussi en bouteille. On peut le mélanger avec du 7-Up, mais en cas d'abus les lendemains sont redoutables !
— L'eau n'est pas potable pour nos petits estomacs fragiles. Elle doit être bouillie avant consommation. Mais attention ! Les Indonésiens ont tendance à servir de l'eau tout juste réchauffée. Il faut donc demander *medidih duapuluh menit*, ce qui signifie « de l'eau bouillie pendant 20 mn ». Ne pas ajouter de glaçons car il y a de fortes chances qu'ils soient faits avec de l'eau tout juste réchauffée !
L'eau minérale que l'on trouve partout dans les endroits touristiques est un peu chère pour le pays. C'est cependant une dépense raisonnable compte tenu des risques d'amibiase au retour. Il existe plusieurs marques : *Spring, Aqua,* etc. Demander *Aqua*, nom facile à retenir et devenu synonyme d'eau minérale. Dans les grands hôtels et dans certains restaurants, on sert de l'eau bouillie traitée. Si vous avez des doutes, utilisez des pastilles de Micropur ou de Chloramine T.
— Le *lassi* est une boisson à base de yaourt. Les amateurs de produits laitiers fermentés apprécieront particulièrement.
— Le café *(Kopi)*, excellent, n'est pas sans évoquer le café turc. C'est un produit du pays. Le thé est assez parfumé et plutôt léger. Il n'a rien à voir avec celui de la « British cup of tea » ! Demander : *teh panas* (thé chaud) ; *manis* (sucré) ; *pahit* ou *tawar* (sans sucre) ; *dingin* (thé froid).
— Les jus de fruits frais font fureur, surtout à Jogja et à Bali. Passés au mixeur, ils gardent toute leur saveur. Goûtez celui de l'avocat *(apokat)* qui ressemble au parfum des marrons glacés. Pour obtenir un jus de fruits, il suffit de demander le fruit désiré précédé de la formule *es*. L'orange pressée est parfois servie tiède. Si vous y ajoutez des glaçons, gare aux amibes ! Vous serez surpris sur les marchés par toutes les boissons colorées dont les Indonésiens sont friands. Certaines ont de belles couleurs fluorescentes. Si elles sont agréables à l'œil, évitez cependant de les tester. L'*es campur* que l'on trouve sur de nombreuses cartes de restaurants est un mélange de fruits, de gelée et de glace pilée. Il existe des tas de variantes : *es tape, es kopyor, es dawet* (ce dernier à base de noix de coco). On trouve aussi bien sûr toutes les boissons chimiques : Coca-Cola, limonades, etc.
— *Green Sands :* quand on parle du loup... c'est une boisson gazeuse très rafraîchissante. Très faible teneur en alcool (moins de 1 % !). Elle mêle de la pomme et du citron. En résumé, ça a la couleur du Canada Dry, ça ressemble au Canada dry, mais... A goûter.
— Si vous buvez en compagnie d'Indonésiens, ne vous précipitez pas sur votre verre. Attendez que l'on vous y invite et buvez lentement, à petites gorgées. « A votre santé » se dit : *selamat minum*.

Budget

Évidemment, ce qui est cher pour un individu peut sembler bon marché à son voisin. Dans l'ensemble, l'Indonésie reste un des pays les moins chers du Sud-Est asiatique. Sur place, le budget variera selon les déplacements. Tant que l'on reste dans les zones touristiques, les prix sont raisonnables. Mais, attention, dès que l'Indiana Jones qui somnole en chacun de nous se réveille les prix montent ! A Kuta Beach, par exemple, on peut se loger pour 15 000 rp, alors qu'à Jakarta il faudra compter 60 000 rp pour les mêmes prestations.

A titre d'exemple : une nuit pour 2 personnes dans un hôtel « prix moyens » à Bali ou à Jogja coûte de 50 à 70 F (15 000 à 25 000 rp). Un repas complet coûte de 10 à 30 F selon les plats choisis. Un aller-retour Jogja-Bali en bus air conditionné coûte 25 000 rp, soit 80 F. Le trajet de Jogja à Jakarta (aller-retour), toujours en bus air conditionné, revient à 15 000 rp, soit 42 F. Un bateau pour 6 personnes, de Komodo à Labuandajo (5 h de traversée) coûte environ 60 000 roupies (200 F). Location d'un 4 X 4 à Florès (avec chauffeur), 100 000 roupies (environ 310 F).

Il s'agit d'un ordre de grandeur permettant d'établir un budget approximatif. Avec nos adresses bon marché, on pourra dépenser moins. On déboursera beaucoup plus en utilisant des prestations haut de gamme. Il faut aussi tenir compte des effets de saison. A savoir que, à Bali particulièrement, les prix montent en juillet et août (air connu). Noter aussi que les billets d'avion pour les vols intérieurs sont beaucoup plus économiques qu'en Europe, sans parler du gain de temps. Quand vous établirez votre budget, tenez compte du circuit que vous adopterez : une fois quitté les îles de Java à Bali, tout devient beaucoup plus cher.

Bureaucratie

L'Indonésie souffre d'une bureaucratie lourde et inerte, comme la plupart des anciennes colonies. L'étranger est automatiquement « riche » dans la mesure où il est blanc. Tout cela offre une belle occasion aux gens du cru de prendre leur revanche ! La patience et l'intelligence pourront un jour résorber les tracasseries éventuelles, héritage d'un lourd passé. Quand on est dans son plein droit, il faut savoir rester ferme, souriant et courtois. Il ne faut céder au bakchich qu'en dernier ressort. Un peu de flatterie n'est pas à exclure. Sinon, exiger de voir le chef.

Cartes routières

Les meilleures cartes de l'Indonésie sont éditées par *Nelles Verlag* à Munich. On peut se les procurer en France et elles sont régulièrement remises à jour. Cela dit, nous y avons trouvé de petites erreurs dans la région centrale de Bali ; il faut dire que c'est compliqué ! *P T Pembina* publie de bonnes cartes de l'Indonésie, ainsi que des cartes de Sumatra, Kalimantan, Bali, Java et Sulawesi. En vente sur place dans les bonnes librairies. Les cartes des petites îles sont plus difficiles à trouver et sont peu détaillées. Dans tous les postes de police, vous trouverez une carte de la ville et de la région. Possibilité de les consulter sur place.

Cigarettes

Les irréductibles qui continuent à polluer l'atmosphère trouveront des cigarettes américaines importées à des prix dérisoires, encore moins cher qu'en détaxe. A moins qu'ils ne se convertissent aux *kretek,* cigarettes locales à base de clou de girofle. On supporte ou on déteste (généralement, on déteste !). Les meilleures sont les *Gudang-Garam*. Il existe d'autres marques, plus ou moins parfumées. Les Indonésiens fument beaucoup. Les cigarettes étant considérées comme un luxe pour une partie de la population, vous ferez toujours plaisir en offrant une kretek. Ces cigarettes ne se conservent pas longtemps. Elles dégagent une odeur caractéristique et leur parfum (!) est généralement le premier choc « culturel » que l'on a en arrivant en Indonésie. On trouve également des cigares locaux d'assez bonne qualité (*Adipati* et *Kenner*) à un prix défiant toute concurrence, environ 30 centimes pièce. On les trouve, entre autres, à l'hôtel Borobudur de Jakarta.

Climat

Climat équatorial fortement atténué par les influences maritimes. Les saisons sèches et humides sont donc beaucoup moins marquées. Mais plus vous allez vers le sud, plus la température est basse et l'humidité faible ; plus vous vous dirigez vers le nord, plus il fait chaud et humide. La température moyenne varie, selon la saison, entre 22 et 34 °C.

Dans certaines régions, où l'on enregistre près de 4 m d'eau par an, les pluies peuvent se manifester quotidiennement. Souvent, la pluie ne commence à tomber qu'en début d'après-midi. Il faut donc se lever tôt pour profiter du soleil. Ne pas oublier non plus que plus l'on va vers l'est, plus le soleil se couche tôt. A Bali, par exemple, il fait nuit à 18 h. La mousson sèche dure de mai à octobre tandis que la mousson humide, provenant de la mer, sévit de novembre à avril. Les plus fortes pluies sont enregistrées en décembre et en janvier. L'humidité atteint alors 60 à 100 %. En résumé, la meilleure saison pour visiter l'Indonésie se situe entre fin mai et fin octobre. Sinon, c'est bien quand même !

Corruption

La corruption est notoire, elle a même un nom : *korupsi* ! Ici, tout s'achète ! Une bonne place dans le bus, un tampon sur un passeport, un permis, son innocence devant un tribunal ! S'il est méritoire de lutter contre, dans l'état actuel des choses, cela demeure vain, car elle se déploie à tous les niveaux. C'est une institution et il existe des barèmes selon les services. La faiblesse des salaires explique pour une bonne part la corruption. Les Indonésiens font donc feu de tout bois.

S'il vous arrive de commettre une infraction au code de la route, vous devrez payer directement une amende aux policiers (en souhaitant qu'ils ne soient pas trop nombreux à verbaliser, car l'argent va parfois dans leurs poches). Si vous refusez de payer sur-le-champ, vous passerez en jugement et cela risque de prendre du temps et de gâcher une partie de vos vacances. Dans ce cas, les policiers ne touchent rien ; vous pouvez donc négocier avec eux pour réduire un peu le montant de l'amende. Ceci ne concerne bien entendu que des infractions mineures qui deviennent de plus en plus fréquentes ; les policiers, ayant compris comment améliorer leur salaire, font la chasse aux touristes motorisés.

Coutumes et savoir-vivre

Communiquer, c'est savoir respecter les coutumes d'un peuple.

Voici quelques attitudes à éliminer d'office de ses habitudes.
— Discuter les mains sur les hanches, car c'est ainsi qu'on défie quelqu'un avec qui on veut se battre.
— Désigner quelqu'un avec l'index ; utiliser plutôt le pouce ou, mieux, toute la main, paume tournée vers le bas.
— S'embrasser en public, même pour la bise entre parents.
— Danser enlacés, sauf dans les lieux très occidentalisés.
— S'asseoir par terre, les plantes de pieds orientées vers quelqu'un.
— Pénétrer dans un temple balinais sans écharpe autour de la taille ; dans un temple ou une mosquée jambes nues ou en chemise sans manches ; dans une mosquée en gardant ses chaussures. Revêtir un sarong si nécessaire.
— Tapoter la tête d'un enfant, ou celle d'un adulte ! Car la tête est pour les Indonésiens le siège de l'âme et doit être traitée avec respect.
— Manger, tendre ou recevoir quelque chose de la main gauche, car elle est considérée comme impure.
— Demander du sel ou du poivre en cas d'invitation chez l'habitant : cela voudrait dire que le cuisinier n'a pas été à la hauteur.

A l'inverse, voici quelques mœurs différentes des nôtres.

– Retirer ses chaussures et les laisser à l'extérieur avant d'entrer dans une maison.

– Dans les hôtels bon marché ou chez l'habitant, il ne faut pas se mettre dans le bassin du bain *(mandi)*. On y puise de l'eau avec une casserole, et l'on s'arrose. De même que l'on ne trouvera pas de papier hygiénique, on se lave toujours avec la casserole !

– Les barbus risquent de provoquer des réactions inattendues... Les enfants les assimilent au loup-garou, et les adultes à des hommes en colère.

– Les inconnus sont très familiers, ils peuvent, de but en blanc, demander à n'importe qui comment il va, son âge, s'il est marié, combien il a d'enfants, le montant de son salaire et la valeur de sa montre !

– Se faire inviter chez un Indonésien implique d'avoir de la patience à revendre. Plus le maître de maison se fera attendre avant d'apparaître, plus il faudra se sentir honoré... car il se met sur son trente et un !

– Personne là-bas n'aime dire « Non » ou « Non, je ne sais pas », par exemple... Dans certaines circonstances, ce refus du « non » peut avoir des répercussions agaçantes : demander son chemin, ou n'importe quoi d'autre, devient vite un calvaire si la personne à qui l'on s'adresse n'ose pas dire « Non, je ne sais pas » ou « Non, je n'ai pas ça », ou tout simplement avouer qu'elle ne comprend pas la question !

– Bien que tous les lieux de prière soient ouverts au public, il est plus convenable de demander l'autorisation avant d'y pénétrer, surtout si une cérémonie est en cours.

– A Bali, ne pas se mettre au-dessus du prêtre qui officie dans une cérémonie religieuse ni se tenir devant lui. Se maintenir à distance, sur le côté.

– Éviter de photographier les Balinais prenant leur bain en fin de journée au bord de la route.

– Ne jamais donner d'argent à ceux qui tendent la main. A Bali, la mendicité est un produit du tourisme. Ne pas l'encourager.

Cuisine

En Indonésie, et particulièrement à Bali, on mange bien. Le riz est la nourriture de base, bien sûr, et le plat national répond au nom de *nasi goreng* : riz frit avec des morceaux de viande finement hachée, des crevettes et des œufs. La nourriture varie selon les îles. Ainsi, à Bali, on se régale de langouste (dommage qu'ils ne connaissent guère la mayonnaise) et de cuisses de grenouilles tellement énormes qu'on croit manger du crapaud (rassurez-vous, il s'agit bien de grenouilles de rizières) ! Et le tout, bien sûr, à des prix dérisoires.

L'Indonésie étant un archipel, on y mange beaucoup de poisson et des crustacés. Le poisson constitue, avec le riz, la base du régime alimentaire. Pour des raisons faciles à comprendre (chaleur oblige), il est le plus souvent séché, fumé, ou même réduit en pâte. Ce qui n'exclut pas dans les zones touristiques d'excellents poissons frais.

Les épices jouent aussi un rôle très important, dans la préparation de nombreux plats, principalement à Sumatra Ouest et à Sulawesi Nord.

En résumé, vous aurez le choix entre la cuisine indonésienne (bonne, mais peu variée), chinoise (toujours excellente) et européenne (souvent fade). Quand il y a des Chinois, vous êtes sauvé, vous mangerez bien. Là où ils ont été persécutés (au nord de Sumatra), c'est beaucoup moins évident.

Quelques spécialités indonésiennes

– *Bakmi goreng* : nouilles frites avec légumes.

– *Bari guling* : cochon de lait rôti à la broche. Excellent quand il n'est pas trop gras. On en trouve difficilement à Java et à Sumatra, îles à dominance musulmane.

– *Lontong* : riz cuit à la vapeur et servi dans des feuilles de bananier.

– *Gado gado* : salade de légumes cuits, très épicée et accompagnée de sauce aux cacahuètes.

– *Soto* : soupe dans laquelle baigne un peu de tout, comme dans un ragoût.

– *Soto bandung* : soupe de tripes.

– *Cap cai* : sorte de chop suey.

– *Ayam batutu* : poulet farci grillé, servi avec des légumes, du tapioca et de la noix de coco.

– *Krupuk :* beignets de crevettes ou de poisson, tenant lieu de pain.
– *Sate* ou *satay :* petites brochettes (de poulet, de poisson, de porc, etc.) cuites sur la braise.
– *Sambal :* piments rouges pilés avec de la pâte de crevettes et du jus de citron. Incendie assuré ! Pour l'éteindre, inutile de se précipiter sur l'eau. Mangez rapidement du riz blanc ou de la banane. Vous pouvez aussi boire du lait de coco. Tout autre liquide ne ferait qu'attiser le brasier.
– *Gudeg :* spécialité de Jogja, composée du fruit du jaquier, cuit dans du lait de coco.
– *Ayam goreng :* poulet frit.
– *Rijsttafel* ou « table de riz » : en fait, c'est une invention hollandaise. Il s'agit de préparations indonésiennes de légumes, de viande, de poisson, d'œufs, de volaille faisant la ronde autour d'une montagne de riz, agrémentées de *krupuk* (beignets de crevettes frites), de banane, de piments, de cacahuètes, de concombre mariné.

Fruits

Ils ne manquent pas de surprendre par leur variété, leur forme et leur goût parfois déroutant.
– *Apotak :* avocat. En abondance et bon marché.
– *Belimbing :* très rafraîchissant, légèrement craquant, ressemble à un melon d'eau acidulé. C'est en en coupant une tranche que l'on découvre l'origine de son nom anglais : « fruit étoilé » *(starfruit).*
– *Durian :* sent parfois tellement mauvais qu'il est souvent interdit dans les hôtels et les aéroports ! Mais, comme un munster d'enfer, une fois surmontée l'odeur, on est agréablement surpris !
– *Jambu :* les Asiatiques aiment tremper les morceaux de ce fruit dans de la sauce de soja, le tout accompagné de petits piments. On mange même ses petits pépins. Le jus est sublime.
– *Jeruk muntis* ou *jerunga :* mi-pamplemousse mi-orange. Le terme *jeruk* s'applique à toute la famille des agrumes : oranges, citrons, kumquats, etc.
– *Kelapa :* noix de coco. On en trouve en abondance.
– *Manggis :* c'est le mangoustan, un des fruits exotiques les plus savoureux qui soient. Il est petit, de couleur brun-rouge, avec une épaisse écorce. Ouvert, il révèle de toutes petites tranches d'un blanc laiteux au goût exquis (ses tranches ressemblent à celles de la mandarine). Pour l'anecdote, la reine Victoria offrait une récompense à quiconque lui en rapportait, jusqu'en Angleterre et en bon état de conservation ! Aujourd'hui, on en trouve dans les magasins chinois des grandes villes européennes.
– *Nangka :* connu sous le nom anglais de *jackfruit.* C'est un gros fruit qui peut peser jusqu'à 20 kg. De texture caoutchouteuse et au goût très doux.
– *Nanas :* ananas. Très répandu et extrêmement rafraîchissant.
– *Papaya :* papaye. Grandes propriétés digestives.
– *Pisang :* banane. Il en existe une multitude de variétés. Vous aurez le choix, des toutes petites *pisang mas* aux *oisang raja,* de 30 cm de long !
– *Sirsak :* gros fruit à l'écorce foncée. La chair, délicieuse, est à mi-chemin entre la mangue (pour le goût) et l'ananas (pour la consistance). Excellent en jus.

Dangers et enquiquinements

L'Indonésie est le pays rêvé pour sortir des sentiers battus. Tout semble pousser à l'aventure, les milliers d'îles et ce côté « bout du monde » sont un appel irrésistible à l'exploration. Mais les mers de la constellation d'îles situées entre les Philippines et l'Indonésie sont infestées de pirates, et même les plus hardis risquent de se frotter à plus de frissons qu'escompté. En fait, l'aspect « mosaïque » extraordinaire de ce pays pas tout à fait comme les autres est tel que la soif d'aventure et d'émotions sera comblée sans pour autant aller s'exposer à des risques inutiles. Par ailleurs, du côté des enquiquinements, il y en a bien assez avec les bakchichs et la corruption rampante qui, déjà à eux seuls, peuvent être une vraie source d'ennuis. Mais, une fois de plus, un peu de bon sens, de la fermeté, assortis de courtoisie et, le cas échéant, de quelques centaines de rupiah devraient venir à bout de la plupart des situations.

Vols

L'Indonésie n'est pas un pays spécialement dangereux, mais le contexte économique, la surpopulation et le développement du tourisme ont considérablement accru la petite délinquance. Le vol est en voie de devenir un sport national. Il ne se passe pas de jour (ou plutôt de nuit) sans que des voyageurs ne soient dépouillés de leur argent et de leurs bagages, particulièrement sur la ligne Jakarta-Jogja. A Bali, certains *losmen* reçoivent régulièrement la visite de rats d'hôtels. Pendant le sommeil, des visiteurs vident les chambres de leur contenu.

Dans la capitale, en plein centre, les bus sont attaqués (rarement !) comme des diligences par des bandes qui rançonnent les voyageurs et plus particulièrement les touristes, proies très recherchées pour leur bon rendement. Ne jamais marcher au bord de la chaussée avec un sac en bandoulière. En quelques secondes, un motocycliste peut vous gâcher vos vacances.

Sans sombrer dans la parano, prendre cependant toutes les précautions que le bon sens impose. Garder ses objets précieux dans une ceinture avec portemonnaie incorporé ou à l'intérieur d'un blouson muni d'une fermeture Éclair. Quel que soit l'endroit où l'on se trouve, la perte de ses papiers et de son argent est toujours cause de soucis. En Indonésie, une telle mésaventure implique presque toujours l'obligation d'un retour sur Jakarta. Donc, il est souhaitable de ne pas mettre tous ses œufs dans le même panier... Avoir aussi une petite réserve d'argent secrète, en cas de pépin (par exemple, un petit sachet hermétique planqué dans le soutien-gorge ou le caleçon...). Enfin, à chacun son truc ! Ne pas oublier de toujours photocopier ou, à défaut, de noter les numéros des chèques de voyage ainsi que celui des passeports. Pour une grande balade éloignée des centres touristiques (et ce, pendant quelque temps), ne pas hésiter à louer un coffre pour y mettre ses billets d'avion et autre paperasseries importantes (une photocopie du passeport, par exemple), plutôt que de les trimbaler sur soi.

Ne pas perdre de vue non plus que, parfois, des touristes démunis n'hésitent pas à en dépouiller d'autres pour prolonger leurs vacances !

Distances, poids et mesures

Le système métrique est utilisé la plupart du temps, sauf dans les rares enclaves qui ont connu l'influence britannique. En revanche, la durée d'un parcours varie considérablement selon les îles et l'état des routes, donc se méfier ! Les bus peuvent avoir énormément de retard par rapport à l'heure affichée... A la saison des pluies, les pistes se transforment en piscines dès que l'on quitte la « civilisation » des îles de Java et Bali.

Douane

On peut entrer dans le pays avec 2 l d'alcool, 200 cigarettes (ou 50 cigares, ou 100 g de tabac) et une quantité « raisonnable » de parfum par adulte. Il est bien sûr interdit d'importer des drogues, des armes, des munitions, mais aussi des télévisions, des radios, des cassettes et des objets ou publications pornographiques. Une autre restriction... les médicaments chinois et, en général, tout ce qui est imprimé en caractères chinois ! Les douaniers fouillent ou interrogent normalement, et les étrangers ne sont pas systématiquement pris pour des enfants naturels d'Al Capone et de Mata-Hari (un nom d'ici), mais il est souhaitable de rester en règle.
L'exportation d'antiquités est interdite.

Drogue

Fini le temps des soupes et des omelettes aux champignons hallucinogènes. Depuis longtemps, on ne plaisante plus avec la drogue. Les peines sont très lourdes puisqu'elles vont de 6 ans d'emprisonnement jusqu'à la peine de mort. De belles affiches avec la sorcière Rangda, placardées dans la plupart des *los-*

men, vous mettent en garde. Il faut savoir aussi que les indicateurs bénéficient de l'immunité. De plus, très souvent, les revendeurs sont en fait des policiers en civil. Malgré nos avertissements, certains touristes imprudents prolongent leurs vacances depuis quelques années à la prison de Denpasar.

Électricité

Il n'y pas si longtemps tout était en 110 Volts, mais on trouve de plus en plus du 220 V. Alors, avant de brancher un rasoir ou quoi que ce soit d'autre, il vaut mieux y regarder à deux fois ! Les prises électriques comportent deux trous et les pannes sont rares. En revanche, l'électricité reste une application futuriste dans beaucoup d'endroits et comme elle est très chère, les ampoules d'éclairage sont de faible puissance (25 W). Donc une fois la nuit tombée, c'est plutôt l'ambiance dîner aux chandelles ! Une torche électrique ne sera pas de trop, car même l'éclairage des rues est rare et plutôt tamisé.

Fêtes et jours fériés

Dans l'archipel, il en existe tant que, si l'on se débrouille bien, on peut faire la fête 365 jours par an ! Elles sont difficiles à dater car elles se décalent de 10 à 11 jours chaque année, suivant le calendrier lunaire (pleines et demi-lunes!).
On trouve le calendrier des fêtes locales dans les offices du tourisme régionaux. Il existe aussi l'*Indonesia Calendar of Events,* qui recense les fêtes, les événements et les cérémonies de tout l'archipel. Il est disponible dans les bureaux de la Garuda et à l'office du tourisme.
— *A Bali :* les fêtes se déroulent tout au long de l'année. Les grandes crémations ont surtout lieu en août et en septembre.
— *A Madura :* courses de taureaux *(kara pan sapi)* en septembre et octobre.
— *A Sulawesi :* cérémonies funéraires au cours desquelles on égorge des buffles. Fêtes marquant la fin de la récolte du riz.
Pour plus de détails, voir le texte spécial consacré aux festivités locales des différentes îles.
Les principales fêtes sont bien sûr des commémorations musulmanes.
— *Ramadan :* un mois de jeûne entre le lever et le coucher du soleil. Pendant cette période, le risque est grand de se faire réveiller à 3 h afin de manger… avant l'aube ! Beaucoup de restaurants sont fermés. Bien sûr, cela ne concerne pas Bali.
— *Lebaran :* deux jours fériés pour célébrer la fin de l'austérité du ramadan. Grosse fête bruyante.
— *Maulaud :* anniversaire du prophète Mahomet.
— *Awal Muharram :* Jour de l'An musulman.
— *Hari Merdeka :* fête de l'Indépendance. Le 17 août.
— *Fête de la Constitution :* le 31 mai.
— *Noël, Nouvel An* et *Assomption :* les 3 jours sont fériés.
— *Kartini :* le 21 avril. Commémore l'anniversaire de Raden Ajeng Kartini, née en 1879. Elle était la fille du régisseur de Jepara à Java, et a créé une école de régisseurs afin de leur assurer une éducation de type occidental. Elle fut non seulement une nationaliste de la première heure, mais aussi une féministe convaincue dans un pays islamique, pendant l'époque coloniale ! Sa correspondance avec ses amis hollandais a d'ailleurs été publiée. Elle s'y plaignait, entre autres, des coutumes islamiques.

Hébergement

Losmen

Les losmen sont de petits hôtels locaux, parfois sans ventilo ni eau courante (uniquement un bac d'eau, appelé *mandi,* avec une casserole pour s'asperger). Pas cher et relativement propre. En principe, vous aurez droit à du thé à volonté dans des bouteilles Thermos. Les serviettes de toilette ne sont pas fournies, sauf dans les losmen plus luxueux. On ne sait pas si c'est dû à l'invasion turque, mais dans les losmen modestes, impossible de trouver du papier hygiénique. A bon entendeur, salut ! Les losmen sont généralement des établissements familiaux, leur confort et leur entretien dépendant des gens qui les tiennent. Ça peut aller de l'endroit idyllique, reposant et agréable, à la maison à peu près inhabitable. Plus luxueux à Jogja et à Bali, ils sont souvent construits autour d'un jardin avec une petite piscine. D'où l'avantage de pouvoir s'y prélasser au lieu d'être enfermé dans sa chambre ! Favorise aussi les contacts. Les losmen un peu haut de gamme possèdent des salles de bains individuelles, souvent décorées avec goût. Attenantes à la chambre, elles se présentent comme de petits jardins japonais. A ciel ouvert, au milieu des plantes vertes trône une baignoire incrustrée dans la rocaille. Le luxe, quoi !

Wisma

Plus cher que le losmen et parfois appelé *pondok*, le wisma est une « pension de famille ». Mais là aussi, la frontière entre losmen et wisma est vague. Surtout que certains petits établissements sont appelés *guesthouse*. Bref, comme dirait ma concierge : « Tout ça, c'est du pareil au même. » Ajoutez-y le *penginapan*, la forme la moins chère de logement : c'est une pièce nue avec juste un lit et éventuellement une table, une ampoule électrique et souvent des paravents en tissu pour toute cloison.

Dans beaucoup de villages dépourvus de ressources hôtelières, il est possible de loger chez l'habitant. Ne pas compter sur une chambre individuelle, mais juste sur un lit. Il faut toujours s'adresser au chef du village, le *kepala desa* ou le *kepala kampung*. C'est lui qui régit tout ce qui touche à la vie de son village, et c'est donc avec lui qu'il faut négocier. Les villageois sont très hospitaliers et gentils. Leur donner un ou deux « petits cadeaux » et leur offrir des cigarettes ou des photos que vous leur enverrez à votre retour.

Hôtels

Si un hôtel peut être bon marché et quelquefois doté d'une propreté douteuse, en Indonésie ce terme ne s'emploie que pour définir le haut du pavé. Dans cette catégorie, les prix varient du tout au tout. A Jakarta ou à Bali, une nuit dans un hôtel international peut coûter jusqu'à 300 $ US. Il faut dire aussi que la capitale et les zones touristiques de Bali possèdent des établissements qui comptent parmi les plus luxueux du monde. Il est donc normal que les prix s'en ressentent ! Leur architecture et particulièrement leur décoration intérieure font l'objet d'un grand raffinement. Le service y est remarquable. S'ils peuvent satisfaire la clientèle la plus exigeante qui soit, ils ne sont en revanche accessibles qu'aux routards qui viennent de gagner le gros lot ou de faire un héritage.

En pratique...

Pour trouver un hébergement, hormis nos adresses (si l'endroit est complet ou s'il a entre-temps disparu), ne pas hésiter à demander aux chauffeurs de taxi ou de becak. D'autres voyageurs arrivés avant vous peuvent être aussi de bon conseil. Contrairement à certains pays, voyager à deux coûte moins cher car le prix d'une chambre n'est pas doublé pour autant ! Mis à part les grands hôtels « standard », il faut toujours... mais toujours marchander sur les prix (surtout hors saison). La plupart des losmen sont relativement propres et la seule gêne viendrait plutôt du bruit.

Les âmes sensibles remarqueront la présence de quelques cafards ou de quelques blattes attirés par l'humidité. Le Baygon en bombe est efficace. Si les moustiques se font trop familiers, faites-leur la guerre avec un « tiger coil », ces tortillons appelés ici *obat nyamuk*. Mais peu importent ces inconvénients, de toute manière, en évitant les grands hôtels (ils sont toujours un rempart contre le monde extérieur, un refuge pour les timorés et un gouffre pour un budget moyen), vous apprendrez des multitudes de choses sur le pays et ses coutumes. C'est tout de même un peu ridicule de traverser la moitié du monde pour se retrouver dans le cadre d'un hôtel international, classique, avec des touristes et tout et tout...

En cas de panique...

Dans le pire des cas (rien n'est ouvert, tout est complet, il n'y a aucune possibilité de logement, le chef du village n'est pas là, et personne ne veut prendre de décision sans son aval), il est souvent possible de dormir sur un banc, au poste de police ! L'armée et la police indonésiennes sont en général très aimables avec les étrangers.

Heure locale

Trois fuseaux horaires découpent l'Indonésie. Pour Sumatra, Java, le centre et l'ouest de Kalimantan : ajouter 7 h à l'heure de Greenwich (GMT + 7). Pour Bali, Nusa Tenggara, le sud et l'est de Kalimantan, Sulawesi : 8 h d'avance sur le méridien 0 (GMT + 8). Pour Irian Jaya et Maluku : GMT + 9.
Si l'on arrive par Singapour, compter 1 h de décalage avec Sumatra, bien que les deux îles soient situées juste en face l'une de l'autre. C'est encore une des facéties du découpement administratif des zones horaires !
En résumé, quand il est midi en France, il est :
— 18 h à Bali (horaire d'été) ou 19 h (horaire d'hiver).
— 17 h à Java (horaire d'été) ou 18 h (horaire d'hiver).
Noter que les Indonésiens ont une notion très approximative de l'heure.

Horaires

En règle générale, les administrations et les bureaux ouvrent du lundi au jeudi de 8 h à 16 h ou de 9 h à 17 h. Le vendredi, de 8 h à 11 h. Le samedi, de 8 h à 14 h. Les banques sont ouvertes du lundi au vendredi de 8 h à 12 h et le samedi de 8 h à 11 h. Les magasins ont des horaires variables mais ferment presque toujours entre 14 h et 16 h, sauf dans les centres commerciaux qui pratiquent la journée continue. Le dimanche est férié et le vendredi après-midi pratiquement tous les commerces sont fermés.

Langue

La langue nationale, le *Bahasa Indonesia,* est fondée sur un des dialectes du malais. En réalité, on compte en Indonésie 150 à 250 langues parlées par 300 groupes ethniques. Certaines d'entre elles possèdent une littérature ancienne et leurs caractères propres comme le javanais, le sundanais et le balinais.
Le Bahasa Indonesia est une langue très simple, sans grammaire élaborée, ni conjugaison, écrite en alphabet romain.
C'est une langue sans ton (prononciation comme en français). Quelques exceptions : J se prononce *IE*, C : *CH* et U : *OU*.
Le pluriel s'effectue grâce au doublage. Exemple : *nyonya* (madame) devient au pluriel *nyonya nyonya* oralement, et s'écrit *nyonya 2.*
Les verbes ne se conjuguent pas. Exemple : « demain je voudrai manger des bananes » se traduit mot à mot « demain je vouloir manger bananes », c'est-à-dire *Besok, saya maunakan pisang.*
— Phrase interrogative :
- Verbe + kah + sujet (dort-il ? *Tidur kah dia ?*)
- siapa (qui) + verbe (qui dort ? *Siapa tidur ?*)
- apa (quoi) + sujet + verbe (que fait-il ? *Apa dia buat ?*)
— Phrase négative :
- tidak avant le verbe
- bukan avant un nom ou un adjectif

L'anglais est couramment parlé dans les endroits touristiques.
Avant le départ, procurez-vous le *Bonjour en indonésien* de la collection « Premiers contacts » (Éditions Asia Marcus), vendu en France ou, à défaut, le petit *Phrase Book* en vente dans toutes les librairies indonésiennes.

● **Pronoms**

Je / moi / mon	*saya*
Nous / notre	*kami*
Tu / toi	*saudara saudara*
Il / elle	*dia*
Son / sa	*nom adk naya*
Vous	*tuan-tuan*
Votre	*nom adj mu*
Ils / elles / eux	*mereka*

● **Adjectifs-pronoms interrogatifs**

quoi ?	*apa ?*
qui ?	*siapa ?*
où ?	*dimana / kemena ?*
quand ?	*kapan ?*
comment ?	*bagaymana ?*
pourquoi ?	*mengapa ?*
lequel ?	*jang mana ?*
combien ?	*berapa ?*

● **Termes de politesse**

bonjour (jusqu'à 11 h)	*selamat pagi*
bonjour (de 11 h à 14 h)	*selamat siang*
bonjour (de 14 h à 18 h)	*selamat sore*
bonsoir	*selamat malam*
au revoir	*selamat jalan (si vous restez)*
	selamat tinggal (si vous partez)
s'il vous plaît	*silahkan*
excusez-moi	*ma'af*
pardon	*permisi*
merci (beaucoup)	*terima*
comment allez-vous ?	*apa kabar ?*
ça va	*kabar baik*
asseyez-vous S.V.P.	*silahkan duduk*
entrez S.V.P.	*silahkan masuk*
bienvenue	*selamal datang*

Remarque : *Mari* est un terme d'invite comme dans : mangez je vous prie : *Mari makan.*

● **Chiffres**

un	*satu*
deux	*dua*
trois	*tiga*
quatre	*empat (prononcer 'mpat)*
cinq	*lima*
six	*enam*
sept	*tudjuh*
huit	*delapan*
neuf	*sembilan*
dix	*sepuluh*

Pour les nombres de 11 à 19, on ajoute *balas* au nombre 1, 2, 3 (exemple : 15 *lima balas*).
Pour les dizaines, on ajoute *puluh* au nombre (exemple : 50 *lima puluh* ; 52 *lima puluh dua*).

cent	*seratus*

Pour les centaines, on ajoute *ratus* au nombre (exemple : 263 *duaratus enampuluh tiga*)

mille	*seribu*

● **Repères temporels**

dimanche	*hari minggu*
lundi	*hari senin*
mardi	*hari selasa*
mercredi	*hari rebo*
jeudi	*hari kemis*
vendredi	*hari djum'at*
samedi	*hari saptu*
année	*tahun*
après-demain	*lusa*
après-midi	*siang*
aujourd'hui	*hari ini*
d'abord	*dahulu*
demain	*besok*
depuis	*sejak*
heure	*djam*
hier	*kemarin*

maintenant.............................. *sekarag*
matin................................... *pagi*
minute.................................. *menit*
pendant................................ *selama*
soir.................................... *malam*
toujours............................... *selalu*

● **Repères spatiaux**
dans................................... *kedalam*
dehors................................. *diluar*
devant................................. *dimuka*
derrière............................... *dibelakang*
dessous................................ *dibawah*
droite................................. *kanan*
entre.................................. *diantara*
est.................................... *timur*
gauche................................. *kiri*
ici.................................... *disini*
loin................................... *jauh*
nord................................... *utara*
ouest.................................. *barat*
par.................................... *oleh*
près................................... *dekat*
sud.................................... *selatan*
sur.................................... *diatas*

aéroport............................... *lapangan terbang*
banque................................. *bank*
bureau de poste........................ *kantor pos*
chambre................................ *kamar*
chambre à coucher...................... *kamar tidur*
cinéma................................. *bioskop*
église................................. *gereja*
France................................. *Perancis*
île.................................... *pulau*
immeuble............................... *gedung*
magasin................................ *toko*
maison/restaurant...................... *rumah*
marché................................. *pasar*
montagne............................... *gunung*
mosquée................................ *mesjid*
palais................................. *kraton*
piscine................................ *tempat pemadian*
place (dans les villes)................ *alun-alun*
rue.................................... *jalan*
salle à manger......................... *kamar makan*
salle de bains......................... *kamar mandi*
station................................ *setastun*
temple................................. *candi*
toilette............................... *kamar ketjil*
village................................ *desa*
ville.................................. *kota*

● **Mots et expressions utiles**
c'est très cher........................ *banyak mahal*
comment aller chez le libraire ?....... *bagai-mana pergi ke toko buku ?*
comment vous appelez-vous ?............ *siapa nama kamu ?*
être rassasié.......................... *kenyang*
fini................................... *habis*
j'ai soif, je voudrais boire........... *saya haus, saya mau minum*
je m'appelle........................... *nama saya*
je veux aller à la poste............... *saya ke kantor pos*
je veux aller rue X.................... *saya mau pergi ke jalan X*
où est-elle ?.......................... *dimana ?*
quel est le prix d'une nuit ?.......... *berapa harga semalam ?*
quelle route ?......................... *jalan kemana ?*

qu'est-ce que c'est ?	*apa ini ?*
acheter	*beli (membeli)*
aimer	*suka*
aller	*pergi*
arrêter	*berhenti*
arriver	*tiba*
boire	*minum*
dormir	*tidur*
entrer	*masuk*
manger	*makan*
parler	*berbicara*
s'asseoir	*duduk*
se baigner	*mandi*
se lever	*bangun*
venir	*datang*
vivre	*hidup*
voir	*melihat*
ami	*kawan*
femme	*isteri*
jeune fille	*gadis*
madame	*njonja*
mademoiselle	*nona*
monsieur	*tuan*
beau	*bagus*
beaucoup	*banjak*
blanc	*putih*
bleu	*biru*
et	*dan*
fatigué	*lelah*
faux	*itu salah*
fermé	*tutup*
grand	*besar*
jaune	*kuning*
jeune	*muda*
joli	*elok*
long	*lama*
mais	*tetapi*
noir	*hitam*
non	*tidak bukan*
nouveau	*baru*
ou	*atan*
oui	*ja*
ouvert	*buka*
parce que	*sebab karena*
petit	*ketjil*
peu	*sedikit*
propre	*berseh*
rouge	*merah*
sale	*kotor*
si	*kalan*
vert	*hidjau*
vieux	*tua*
vite	*cepat*
vrai	*betul*
bœuf	*sapi*
brochettes	*sate*
café au lait	*kopi susu*
café noir	*kopi*
chapeau	*topi*
cigarette	*sigaret rokok*
crabe	*kepiting*
crevettes	*udang*
eau	*air putih*
fruit	*buah*

glace	*es batu*
grenouille	*kodok*
jus d'orange	*air jeruk*
légumes frits	*cap cai*
nouilles frites	*mie goreng*
œuf	*telur*
papier	*kertas*
Petite monnaie	*uang (ketjil)*
poisson	*ikan*
piment	*cabe*
pommes de terre	*kentang*
porc	*babi*
poulet	*ayam*
riz blanc	*nasi putih*
riz blanc mélangé	*nasi campur*
riz frit	*nasi goreng*
savon	*sabun*
sel	*garam*
serpent	*buaya*
serviette	*tuala*
singe	*kera*
soupe de nouilles	*mie kuah*
sucre	*gula*
thé	*teh*
thé au lait	*teh susu*
viande	*daging*

Marchandage

Il concerne quasiment tous les achats en Indonésie, vêtements, objets, etc. Par rapport au prix demandé, démarrer à 20 %, voire à 40 % (à titre indicatif). En revanche, les restaurants *(harga pasti)*, les transports et les hôtels de luxe pratiquent tous des tarifs précis et affichent leurs prix.
Si le marchandage est un sport national pratiqué par tout le monde, il convient toutefois de respecter certaines règles : la première, connaître le *harga biasa*, c'est-à-dire le juste prix. A partir de là, le jeu peut commencer. Il sera beaucoup plus enrichissant si vous avez appris à compter en indonésien. Pour connaître le juste prix, s'informer auprès des autochtones (dans les losmen par exemple). La seconde règle, ne pas être pressé et garder son sourire pendant toute la négociation. Inutile de dire que vous êtes fauché et que l'objet désiré est trop cher. Le touriste, quel qu'il soit, est toujours riche.
Quand vous estimez que vous avez donné votre prix limite, si le marchand refuse, éloignez-vous. Il y a de grandes chances pour qu'il vous dise *ja*, et que l'affaire se fasse. S'il vous laisse partir, c'est que vous avez été un peu trop gourmand.
En règle générale, discuter les prix mais ne pas perdre des heures précieuses de vacances pour gagner de quoi s'offrir un ticket de métro au retour. Les prix indonésiens sont parmi les plus bas du monde, ne l'oublions pas. Pas la peine non plus de gaspiller son temps à marchander une réduction sur un bermuda ou un Tee-shirt à 15 F, sauf si la vendeuse est jolie ou si vous avez envie de perfectionner votre anglais.

Médias

Trois quotidiens en anglais sont publiés à Jakarta : *Jakarta Post, Indonesia Times* et *Indonesia Observer*. Ils sont aussi vendus à Bali, mais à un prix majoré. A Bali, ceux qui pratiquent couramment l'anglais pourront acheter le *Bali Post*. Les magazines internationaux (*Times* et *Newsweek* entre autres) sont parfois curieusement censurés (les paragraphes concernés sont noircis) quand ils contiennent des articles qui sont défavorables au gouvernement. Les médias locaux passent sous silence certains sujets, ou présentent certaines informations délicates d'une manière détournée. La presse française est, elle, introuvable, mis à part quelques magazines dont les prix sont très élevés.

Photo

Un voyage en Indonésie est l'occasion d'effectuer une moisson d'images. La lumière est souvent bonne (sauf aux heures les plus chaudes, c'est-à-dire de 11 h à 15 h). La population aime poser. Toutefois, face à certaines scènes ou devant des personnes âgées, il est préférable d'obtenir une autorisation avant d'opérer.

En raison du climat tropical, prendre certaines précautions : protéger appareil et pellicules de l'humidité et du soleil. Glisser dans son sac de petits sachets de gel de silice. Attention à la condensation qui se forme sur les objectifs en quittant des endroits climatisés.

Un appareil-photo dont le prix équivaut à plusieurs années de salaire peut susciter la convoitise. Ne le laissez jamais dans votre chambre et méfiez-vous des pickpockets à Jakarta et dans les sites touristiques. Un télé de 100 ou 200 ainsi qu'un flash sont pratiquement indispensables.

On trouve désormais toutes les grandes marques de pellicules en Indonésie, et leur prix de vente est inférieur à celui pratiqué en France. Possibilité de faire développer les films et d'effectuer, sur place, des tirages sur papier corrects, notamment à Jakarta, Jogja et Bali. Pour les diapositives, il est préférable d'attendre votre retour en Europe.

En Indonésie, le matériel photo est vendu à des conditions très intéressantes (moitié prix pour certaines marques japonaises très réputées).

Postes, téléphone, télégraphe

– *La poste* (*kantor post*) est plutôt efficace. Il existe des services de poste restante dans les principales villes ainsi que dans tous les centres touristiques. Pour une bonne réception, se faire adresser le courrier avec le nom écrit en lettres majuscules, puis *kantor post*, la ville et l'île. Les pertes de courrier sont principalement dues au fait d'une classification organisée à partir du prénom au lieu du nom... Donc, toujours vérifier avec le nom puis le prénom. Faire oblitérer son courrier devant soi est une précaution non négligeable. Certains postiers indélicats arrondissent leur fin de mois avec la récupération des timbres. Le courrier peut être confié à la *letter box* d'un hôtel. Les lettres mettent une semaine pour l'Europe. Il est toujours préférable de recommander un envoi important.

– *Le téléphone* n'est pas encore très au point, et les communications sont parfois difficiles. Les téléphones publics sont rares. Il vaut mieux s'adresser aux hôtels d'où, la plupart du temps, on peut téléphoner aussi à l'étranger. Il existe deux services téléphoniques : normal (*biasa*) et express (*segera*). L'express a l'avantage évident d'aller beaucoup plus vite, mais il coûte deux fois plus cher.

• *Indonésie → France* : composer le 00 + 33 + numéro de votre correspondant.

• *France → Indonésie* (22 F la minute) : composer le 19 (tonalité) + 62 + indicatif de la ville + numéro de votre correspondant.

• *Indicatif des villes*

Balik Papan	**542**	Jakarta	**21**	Palembang	**711**
Bandung	**22**	Manado	**431**	Semarang	**24**
Banjamasin	**511**	Medan	**61**	Surabaja	**31**
Denpasar	**361**	Padang	**751**	Ujung Pandang	**411**

– *Les télégrammes*, économiques, sont acheminés par satellite vers l'Europe. Compter 24 h. Les fax commencent à se généraliser dans tous les grands hôtels de Java et de Bali. Dans cette dernière île, on trouve même des services de télécopie privés que l'on peut utiliser pour expédier ou recevoir ses messages.

Pourboires

En Indonésie, ce n'est pas une pratique courante. Néanmoins, il faut y recourir lorsque les circonstances l'exigent (par exemple, pour les porteurs des hôtels). Une somme comprise entre 500 et 1000 rp est convenable, selon le volume des bagages ou l'importance du service rendu. Les hôtels chic peuvent d'office vous flanquer un 21 % en sus pour le « service », mais dans les autres établissements, le service n'est pas dû. Dans les restaurants, la coutume veut que l'on laisse quelque chose, sauf dans les *warungs*. Pour certains corps de métier, le pourboire est une institution.

Dans la plupart des pays du Sud-Est asiatique cette pratique s'est installée en même temps que le tourisme.

Religions

Fait incroyable : en Indonésie, pratiquement toutes les religions se côtoient presque sans heurts. Quand on connaît les ravages causés par les luttes entre hindouistes et musulmans en Inde, après l'indépendance, on est tenté de croire qu'une telle sérénité vient avant tout de la mentalité indonésienne. A remarquer que l'islam est majoritaire à peu près partout, sauf à Bali. Dans ce pays présenté comme le premier pays musulman du monde, la pratique de la religion se fait de façon très décontractée. Tant mieux !

Restaurants

Les Indonésiens se restaurent rapidement dans les *kaki lima* (littéralement « cinq jambes »). Ce sont de petites échoppes ambulantes où les soupes et le riz sont maintenus au chaud sur des braises. On les trouve principalement dans les marchés, près des arrêts de bus et au bord des plages. Prix dérisoires pour des plats simples destinés à la population locale qui déjeune debout. Bols et couverts sont lavés sur place de manière sommaire.
Les *warungs* sont des restaurants simples avec des bancs autour d'une table. Le choix y est restreint, mais la cuisine relativement bonne. Là aussi, les prix sont dérisoires. Les warungs offrent l'avantage considérable de faciliter les contacts avec les Indonésiens.
Le *rumah makan* reste encore une solution économique, mais toutefois un peu plus cher que le warung. Le rumah makan préfigure déjà un mode de restauration plus classique, que l'on trouve dans tous les endroits touristiques.
Si vous choisissez de faire un repas qui ne vous dépayse pas trop et qui n'agresse ni votre palais ni votre estomac, allez donc manger dans un restaurant chinois, là où il en existe.
Dans les villes et centres touristiques, nombreux sont les restaurants proposant, toujours à des prix très doux, une cuisine occidentale qui se révèle parfois excellente, particulièrement dans la capitale et à Bali *(Kuta Ubud* et *Sanur)*. Les grands hôtels proposent souvent des buffets copieux et variés à des prix fixes très abordables. Ils sont accessibles à tout le monde même si l'on n'est pas client de l'hôtel.

Santé

Rappelons-le, il est indispensable, pendant toute la durée de votre séjour en Indonésie, de suivre un traitement antipaludéen. L'ensemble du pays vient de passer récemment en zone 3, c'est-à-dire que les moustiques résistent à la Nivaquine. Se renseigner auprès de votre médecin ou de votre pharmacien avant le départ. Voir aussi le « Manuel du Routard », très bien fait.
Attention aux amibes gloutonnes (eau, salade, fruits de mer..).
L'hépatite rôde en certains endroits, mais là, on ne peut pas prévenir totalement. Si vous choisissez la prudence, vous pouvez dans ce cas aussi vous faire vacciner. Voir le « Manuel du Routard ».
Par ailleurs, en raison des changements d'alimentation et de climat, on échappe rarement à ce que l'on appelle une *turista*, la « courante » locale... Se munir d'un antiseptique intestinal. En cas de diarrhée, boire beaucoup de thé chaud et se gaver de riz nature. Prendre des médicaments appropriés : le plus universel étant l'Immodium.
Votre trousse médicale de secours doit comporter de l'aspirine, de l'alcool à 90°, des pansements, des pastilles pour aseptiser et purifier l'eau, de la vitamine C, des antibiotiques pour les angines (climat humide oblige), et des produits de protection solaire.
En cas de besoin éventuel de médicaments spécifiques, se renseigner avant de partir sur le nom scientifique (latin et anglais) et sur le nom des marques anglosaxonnes. Il faut aussi savoir que dans certains endroits reculés les médica-

ments peuvent souffrir d'un mauvais stockage et que leurs dates limites de consommation peuvent être périmées.

Au cas où un médecin ou une assistance médicale s'avérerait indispensable, il convient de s'adresser en premier lieu : à un consulat (où se trouvent des listes de médecins), ou à un grand hôtel de luxe (ils ont toujours réponse à tout).

En cas d'urgence, médecin se dit *Dokter* en indonésien ; dentiste : *Dokter gigi* ; pharmacie : *Apotik*. Les hôpitaux sont à éviter dans la mesure du possible. Si une hospitalisation ou une intervention chirurgicale est nécessaire, mieux vaut se faire transporter à Singapour ou bien alors se faire rapatrier en Europe.

Dans chaque village existe un *Pukesmas*, sorte de dispensaire où exercent une infirmière et parfois un médecin. Ne s'adresser à eux qu'en cas de nécessité.

Quelques règles à respecter pour rester en bonne santé

— Ne jamais boire d'eau non bouillie *(bis repetita)*. Se contenter de boissons capsulées.

— Résister aux délicieux jus de fruits servis avec de la glace.

— Ne jamais se baigner dans les rivières comme les autochtones qui, eux, sont immunisés. Se contenter de la mer. On évite ainsi bilharziose, hépatite et autres désagréments.

— Se méfier des coupures et des égratignures. Sous les Tropiques, elles peuvent mettre beaucoup plus de temps à guérir.

— Des chaussures neuves qui provoquent des ampoules sont à éviter car, hormis le fait d'être désagréables, les blessures aux pieds sont encore plus difficiles à résorber.

— Une crème antibiotique dans un coin du sac vaut bien la place qu'elle occupe !

— Le *baume du tigre* est à la fois une excellente crème préventive et un calmant efficace. Il possède mille vertus liées au massage : sur le front et les tempes pour les maux de tête, sur la gorge pour un début de rhume, sur les articulations (avec un foulard pour tenir au chaud) comme premier secours sur une entorse ou tout bêtement sur un rhumatisme qui se réveille... Le climat humide peut révéler des douleurs musculaires insoupçonnées ! Petit « truc » : les problèmes liés à un plombage qui saute ou une rage de dent qui se réveille peuvent être combattus — provisoirement — à l'aide d'un petit bout de coton enduit de baume du tigre que l'on appliquera là où ça fait — ou risque de faire — mal ! Sur un abcès dentaire, de la glace pilée dans un chiffon soulage.

— La chaleur, couplée avec l'humidité ambiante, freine la transpiration naturelle du corps, ce qui peut provoquer l'apparition de boutons. Bien se sécher après une douche ou un bain de mer, porter des vêtements larges et légers, mettre du talc là où se créent des frottements et éviter de boire de l'alcool sont des petites précautions de base.

— Garder aux pieds des tongs en plastique sous la douche est un moyen efficace de se protéger de tous les champignons divers qui « fleurissent » sous les Tropiques.

Sports nautiques

Bali est un des endroits du monde où « surf » peut s'écrire en majuscules. C'est d'ailleurs là que sont filmées les plus belles images du « Festival de la glisse »... Ubu Watu et Kuta sont connues du monde entier. Padang Padang a également ses adeptes. Sur la côte ouest de Sumatra, Nias est aussi un merveilleux endroit pour dompter les vagues. La planche à voile se pratique sur la rivière Kapuas, à Pontianak, dans l'ouest de l'île de Kalimantan, et on peut louer des planches sur la plage de Waiara près de Maumere à Flores.

L'Indonésie est aussi — et pour cause ! — le paradis de la plongée sous-marine : les récifs, les îles, les atolls de corail au large de Bunaken, au nord de l'île Sulawesi (Célèbes), ou les fonds de l'île Menjangan au nord-ouest de Bali, sans oublier les épaves... Bref, un aperçu magnifique de ce fameux « monde du silence ». L'un des « plans touristes » à ce sujet concerne une épave américaine, le *SS Liberty*, coulé pendant la dernière guerre par les Japonais, et qui repose entre 10 et 40 m de profondeur à Tulamben, sur la côte nord-est de Bali. L'équipement peut souvent se louer sur place, ainsi que le moyen de transport vers le lieu de plongée. Si la plongée reste hors de portée de la bourse d'un routard peu fortuné, des palmes et un tuba se louent facilement, et l'archipel regorge d'endroits peu profonds et magnifiques à explorer, comme le récif de corail de Gili Trawangan, à Lombok.

Transports intérieurs

Avion

Meilleur marché qu'en France. Les prix sont souvent plus intéressants que le prix d'un billet de train en France pour la même distance.
– *Garuda Paris :* 75, Champs-Élysées, 75008. ☎ 45-62-45-45. M. : Franklin-Roosevelt.
– *Garuda Nice :* hôtel Park, 6, av. de Suède, 06012. ☎ 93-82-00-31.
La compagnie nationale Garuda est la plus sérieuse. Si vous prenez un vol long-courrier Garuda, vous bénéficiez d'une remise sur les vols intérieurs en Indonésie allant de 25 à 50 % suivant le parcours. Achetez tous vos vols intérieurs depuis la France. Cela évite bien des démarches et une perte de temps sur place. Toutes les dates sont fixées, mais vous pouvez les modifier. Il faut toutefois s'y prendre à l'avance (plusieurs mois) pour l'été. Avec cette formule, votre voyage sera réglé comme du papier à musique, à condition, bien entendu, de confirmer 3 jours à l'avance, une fois, voire deux fois, vos réservations des vols intérieurs. Pour les vols sur Lombok, Flores, etc., réservez très tôt. Souvent plein en juillet-août. Ils ont tendance à réserver plus de places qu'il n'y a de sièges dans l'avion. Pour être plus sûr d'avoir une place, arriver 2 h à l'avance. Les autres compagnies (Merpati, Bouraq, Zamrud et Mandala) ne sont pas à négliger pour autant. Elles sont surtout moins chères (because avions à hélices). Ne pas trop se fier aux horaires et vérifier les coordonnées des vols. Pas de réductions pour les étudiants sur Garuda, en principe.

Principales autres compagnies
– *Mandala :* 34 Jalan Veteran 1, Jakarta. Réseau sur les Célèbes et les Moluques. Réductions pour les étudiants.
– *Merpati :* 2 Jalan Patrice Lumumba, Jakarta. Son réseau couvre presque tout l'archipel indonésien. Cette compagnie accorde 25 % de réduction aux étudiants de moins de 26 ans, mais uniquement au départ de Jakarta. Se munir de 2 photocopies de la carte internationale d'étudiant, plus photo d'identité. Payer en liquide. Les tarifs de Merpati sont inférieurs d'environ 10 % à ceux de Garuda, mais avions généralement à hélices. Attention, réservations assez peu fiables. Vérifiez votre inscription sur le vol, la veille du départ.
– *Bouraq :* 13 Jalan Kebon Sirih, Jakarta. Dessert Kalimantan (Bornéo), les Célèbes et les Moluques.
– *Sempati :* une nouvelle compagnie.

Quelques liaisons
– *Surabaya-Ujung Pandang* (Célèbes) : 2 vols Garuda et 2 vols Merpati par jour.
– *Denpasar-Ujung Pandang :* 1 vol Garuda tous les jours, et 1 vol Merpati le vendredi.
– *Jakarta-Padang :* 2 vols Garuda tous les jours, 1 vol Merpati tous les jours sauf lundi et vendredi.
– *Jakarta-Singapour :* 25 % de réduction aux étudiants de moins de 26 ans avec Thai International. Nombreux vols journaliers de plusieurs compagnies.
– *Medan-Penang :* 1 vol par jour par les compagnies Merpati ou Malaysian Air Lines Systems.
– *Medan-Singapour :* 1 vol Garuda et Singapore Airlines par jour.
– *Denpasar-Singapour :* plusieurs vols Garuda par jour ; 25 % de réduction aux étudiants de moins de 26 ans avec la Thai, 1 vol les lundi, mercredi et samedi.

Train

Très souvent la meilleure formule pour voyager. On évite ainsi les frayeurs de la route. Mais il n'existe des liaisons ferroviaires qu'à Java et à Sumatra. A Java, les lignes de chemin de fer relient toutes les grandes villes. Plusieurs départs par jour dans les deux sens sur les grandes lignes : Jakarta-Jogja et Jogja-Surabaya. Les première classe sont climatisées et les seconde sont comparables aux équivalentes européennes. En revanche, les troisième sont tout un poème, bondées et folkloriques à souhait. Parfaites si vous ne comptez pas y faire un somme. On ne peut acheter son billet que 1 h avant le départ.

Certaines compagnies accordent une réduction aux étudiants (ce n'est pas systématique). Plusieurs compagnies roulent sur les mêmes lignes et desservent les mêmes villes, à des prix différents. Ainsi, par exemple, de Surabaya à Jogjakarta, il y a 2 trains par jour qui mettent chacun 6 h pour relier les deux villes. Celui du soir qui n'a que des 2ᵉ classe est deux fois plus cher que celui du matin qui n'offre que des 3ᵉ classe.

Plus de détails sur les fréquences horaires dans l'étude des villes. Il est préférable de prendre son billet à l'avance et de ne pas s'attendre à arriver à l'heure. Certaines villes comme Jakarta ont plusieurs gares, donc se renseigner sur la gare de départ selon votre destination.

Bateau

La *Pelni*, compagnie maritime indonésienne, dessert presque toutes les îles indonésiennes. Renseignements : 717 jalan Veteran. ☎ 466-35 à Jakarta.

Il existe d'autres compagnies spécialisées sur certaines lignes (Ampera, P.P. Arafat, Gesuri Lloyd, Samudra Indonesia, Sang Saka, Trikora Lloyd).

Si vous avez décidé de choisir les places les moins onéreuses, certaines précautions sont à prendre, du type natte, nourriture...

Exemples de grandes traversées intra-indonésiennes :

– *Jakarta-Medan (Belawan)* : utile pour ceux qui ne désirent voir à Sumatra que la région du lac Toba. Un départ tous les lundis, arrivée à Medan le jeudi soir. La traversée dure 3 à 4 jours. Effectuée par la Pelni. Classe-pont.

– *Padang-Jakarta* : permet d'éviter Padang-Palembang en autobus. Un départ de Padang tous les 15 jours, en principe le dimanche soir. La traversée dure 26 h. Bateau neuf mais, en classe-pont, on est assez entassé. A réserver aux plus fauchés. Queue pour avoir un peu de nourriture.

Départ de Jakarta (sens inverse) le samedi. Parfois, les fonctionnaires prétendent qu'il n'y a plus de place sur le pont. C'est toujours faux.

Bus

Aucun problème *a priori*. La plupart des îles sont sillonnées par plusieurs compagnies de bus qui se font concurrence. Il existe d'ailleurs un rapport évidemment proportionnel entre le confort, la rapidité et le tarif. A Java et à Bali, on peut considérer que les routes sont en bon état. A Sumatra, on hésite à donner le nom de route à ce que l'on trouve. Aux dernières nouvelles, certaines d'entre elles auraient été améliorées ! Pour emprunter les bus urbains, il faut connaître les itinéraires et savoir que dans la cohue, aux heures de pointe, les pickpockets sont nombreux...

Camion

Dans les îles éloignées, des camions équipés de bancs à l'arrière sont souvent le moyen de transport public n° 1. Éviter de s'asseoir au-dessus de l'essieu arrière, car les nids-de-poule là-bas sont des nids d'autruches !

Stop

Les camions ou camionnettes s'arrêtent assez facilement à Java et à Bali. Les chauffeurs demandent quelquefois de l'argent. Ailleurs, les véhicules motorisés privés sont trop rares. La plupart du temps, le trajet s'effectuera à moto.

Moto

A Bali, c'est la solution idéale depuis longtemps déjà. Le port du casque est obligatoire. La conduite est une affaire périlleuse, ne l'oubliez jamais... En comparaison des Indonésiens, on peut dire que les Italiens conduisent à la suédoise ! Donc, prudence et allure modérée... Toujours vérifier soigneusement le contrat d'assurance et l'état du véhicule. Quant au permis : soit un vieux permis grâce auquel le droit d'enfourcher un « deux-roues » jusqu'à 125 cc suffira, soit posséder un vrai permis moto. Dans les deux cas, les faire valider « permis international » avant votre départ.

Mais on peut aussi le passer sur place, à Bali. Rien de plus facile... et de plus scandaleux ! Attention ! Ce permis n'est valable qu'un mois. Il se passe accompagné du loueur de motos. Il faut avoir son passeport et de l'argent (hum !)... et, à moins d'être bourré, impossible de ne pas l'avoir ! Suffisamment de touristes couverts de pansements peuvent en témoigner ! Pour plus de détails, lire le chapitre spécial consacré à la moto à Bali. A notre avis, l'Indonésie est certainement le dernier endroit où « apprendre » à conduire une moto.

Bicyclette

Pour la plupart, elles datent de l'époque coloniale hollandaise. Ne pas espérer trouver des modèles élaborés, légers, etc. Peu chères en location, les collines et les montagnes font d'elles un moyen de transport très limité. Attention aux vols.

Taxi

Très bon marché, notamment à Jakarta. Exiger toujours le fonctionnement du compteur (quand il y en a un). Sinon, négocier le prix de la course à l'avance.

Bemo, opelet, minibus

C'est le moyen de transport le plus courant. Il est souhaitable de demander à un voyageur le prix normal du trajet *(harga biasa ?)* car les conducteurs ont une fâcheuse tendance à vouloir faire payer davantage que le tarif normal. Un inconvénient : les bemos ne démarrent que lorsque toutes les places sont occupées, ce qui en Indonésie signifie souvent (comme en Afrique noire, par exemple) que poules, canards, bicyclettes et paquets divers sont installés avec les gens. Une place pour admirer le paysage est donc souvent une gageure ! Voir au chapitre « Bali » comment utiliser et chartériser un bemo.

Dokar et andong

Ce sont des charrettes ou bien des fiacres tirés par des chevaux. Le *dokar* a deux roues et l'*andong* quatre. Ils peuvent contenir de 2 à 4 voyageurs. C'est un moyen de transport très pittoresque, mais lent. En voie de disparition, sauf à Jogja où les cochers ont repris l'ancien costume de la cour du sultan. A Bogor, les calèches s'appellent *delman*.

Becak (prononcer « betchak »)

Il s'agit d'un cyclopousse à trois roues, décoré de peintures naïves. Le conducteur, juché sur sa selle, peut transporter plusieurs personnes. La forme, la capacité et la décoration des becak varient selon la région. Dans les centres des villes, ils sont désormais interdits de circulation. C'est à Jogja que l'on en utilisera le plus. Voir le texte consacré à la circulation dans cette ville. Toujours marchander le prix. Les conducteurs de becak représentent l'une des classes les plus défavorisées des travailleurs. Ils ont la réputation d'être contestataires et indisciplinés.

Bajaj ou helicak (« badjadj » et « hélitchak »)

Vespa taxi surtout répandu à Jakarta. Là aussi, en voie de disparition, le centre de la capitale leur étant interdit dans la journée.

Voiture de location

Cela reste la meilleure solution, si l'on en a les moyens (compter 120 F par jour). C'est la formule idéale pour Bali, mais aussi pour les grandes îles telles que Java ou Sumatra. La présence d'un chauffeur local est vivement conseillée. Quand on voyage à plusieurs, on constate que la location n'est pas un luxe inabordable. De plus, l'essence est bon marché. Il n'y a pas de stations partout, il est donc préférable de se munir de jerricans si l'on veut se rendre dans des petits coins perdus. L'essence peut se trouver dans des petits magasins, ou vendue presque à la sauvette sur le trottoir. Mais elle est souvent de très mauvaise qualité et donne des hoquets aux véhicules ! Le mieux est de faire souvent le plein, dès que cela est possible, même si vous n'en avez pas vraiment besoin.
Rappelons quelques détails non négligeables avant de prendre le volant :
— Conduite à gauche, en théorie. En pratique, on fait n'importe quoi, comme les autres... Attention !
Permis de conduire international exigé.
— Lors de la location, on vous propose en général une assurance standard comprenant une franchise entre 100 et 500 $ U. ELLE NE SUFFIT PAS. Il faut absolument exiger du loueur la responsabilité au tiers (en anglais : *third party liability*). Il se fera tirer l'oreille, mais finira par sortir de son bureau une feuille spéciale qui le lie à un assureur garantissant la responsabilité au tiers.

Autres moyens de transport divers...

Dans certains endroits, possibilité de louer des chevaux, surtout dans les endroits montagneux de Java. Dans les grandes villes, autour de certaines gares, on peut se faire emmener où l'on veut par des jeunes gens à moto... Non sans risques et périls !

Wayang

Ce mot signifie « ombre » mais par déformation il désigne aussi toutes les formes de théâtre, y compris le *wayang Orang*, c'est-à-dire le théâtre humain. Au départ, le *wayang* est un spectacle de marionnettes très populaire dans tout le pays. On ne peut concevoir de fête sans une représentation. Après l'indépendance, en 1945, le ministère de l'Information l'utilisa même comme moyen audiovisuel pour l'éducation de la population et créa, à cette occasion, des marionnettes avec des visages très réalistes.

Les marionnettes les plus répandues sont celles du *wayang Gulit* (connu aussi sous le nom de *wayang Purwa*), le *wayang Golek* et le *wayang Orang*, appelé *wayang Wong* en javanais.

Les représentations ont lieu le soir. On utilise un vaste écran de 4 m de long sur un peu plus de 1 m de haut, tendu sur un cadre de bambou. Un tronc de bananier sert à planter les marionnettes et à les maintenir droites. Le montreur (*dalang*) est assis en tailleur sous une lampe à huile dont la lumière va réfléchir les ombres et créer toute la magie du spectacle. Les marionnettes sont placées à gauche ou à droite du dalang selon qu'elles représentent le Bien ou le Mal. Au centre de l'écran trône une marionnette stylisée, sorte de grande feuille d'arbre découpée comme de la dentelle. C'est le *Gunungan Kajon* qui symbolise le monde. Un petit *gamelan* prend place près du dalang. Les femmes et les enfants s'installent de l'autre côté de l'écran de sorte qu'ils ne voient que les ombres alors que les hommes se trouvent du côté du dalang.

Beaucoup d'histoires racontées sont connues des spectateurs et ils en prévoient chaque scène, presque chaque réplique. Tout l'art du *dalang*, autant dire du meneur de jeu, va résider dans sa capacité à respecter le fil de l'histoire tout en y introduisant des éléments d'improvisation et des idées personnelles. Le spectacle, épuisant pour le dalang, peut durer 8 à 9 h de suite. Les marionnettes sont découpées dans le cuir du buffle et se manipulent par une multitude de cordes et baguettes verticales. Elles mesurent jusqu'à 90 cm. Tout au long du spectacle, le dalang frappe avec ses pieds pour rythmer l'action. En Asie du Sud-Est, c'est à Java que cette forme de théâtre s'est le mieux maintenue dans l'esprit traditionnel : jeu, amusement et respect des croyances et légendes dont le dalang se fait l'intermédiaire, dans l'affrontement rituel entre la vie et la mort...

— Assister à un spectacle de **wayang Gulit** est une expérience amusante à condition de ne pas la prolonger beaucoup au-delà d'une heure. Le spectacle qui débute vers 21 h peut s'achever au petit matin !

A Jogja, il existe de bons spectacles... pour touristes. Se renseigner à l'office du tourisme.

— Dans le **wayang Golek**, les marionnettes sont en bois avec des visages peints et des vêtements en tissu. Certains de ces costumes sont inspirés des uniformes hollandais. Les marionnettes de Golek ont trois dimensions et ressemblent assez à celles de notre guignol lyonnais. Toutefois, elles ne sont pas animées par des fils. Le dalang pique le personnage dans le tronc de bananier pour actionner les bras à l'aide de deux fines baguettes fixées aux mains. Les spectateurs sont tous face au montreur. On a recensé plusieurs centaines de types de personnages représentés. Les marionnettes peuvent avoir des têtes très expressives, humoristiques même.

Comme pour le wayang Gulit, des représentations pour touristes sont données à Jogja. Vous trouverez dans cette ville des marionnettes dans tous les magasins de souvenirs.

— Le **wayang Orang** est interprété par des acteurs en chair et en os et... en costumes souvent splendides. Les représentations sont composées de parties dansées et de récitatifs accompagnés par un gamelan. Là aussi, le wayang s'inspire des grandes épopées comme le Ramayana et le Mahabharata. Plus que les histoires alambiquées et incompréhensibles pour nos esprits trop cartésiens, on retiendra surtout le jeu des acteurs et la splendeur de leurs vêtements.

SUMATRA

L'île la plus vaste et la plus sauvage. Faiblement fréquentée par les touristes, à l'exception de la route Padang-lac Toba-Medan (et encore !). Il faut dire que la jungle drue couvre la moitié de l'île. S'y balader n'est pas vraiment facile. On y trouve des serpents, des orangs-outangs et même des tigres. Cela pour vous dire que notre topo sur la jungle sera assez léger.

Accès depuis la Malaisie

En avion : vols quotidiens pour Penang-Medan (par *M.A.S.* et *Merpati*).

En bateau : liaison régulière (tous les 2 jours) Danai-Malacca. 5 h de traversée. Bateau correct, mardi, jeudi ou vendredi (dans les deux sens) entre Penang et Medan.

Accès depuis Singapour

En bateau

– *Singapour-Palembang :* Singapour-Tanjung Pinang, puis Tanjung Pinang-Muntok (île de Banglea) avec la compagnie *Pelni*, puis Muntok-Palembang avec une pinasse qui fait la navette.
– *Singapour-Pekanbaru :* le voyage dure 1 jour et demi. Un bateau par jour depuis Tanjung Pinang à midi. La moitié du trajet se fait à travers de petites îles à l'est de Sumatra. Probablement un des moyens les moins coûteux pour rejoindre Sumatra.

En avion

– *Singapour-Medan :* vol quotidien ; départ le matin.
– *Singapour-Padang :* trois vols par semaine.

Accès depuis Java

En bateau

– *Jakarta* (port de Tanjung Priok)-*Medan :* 2 bateaux de la *Pelni* (le « M.V. Kambuna » et le « M.V. Rinjani ») effectuent le trajet une à deux fois par semaine. Vente des tickets à Jakarta : *jalan Pintur Air nº 1.* ☎ 35-83-98.
– *Jakarta-Padang :* il y a un bateau de Jakarta à Padang, le « M.V. Kerinci ». Le voyage dure 30 h et vous passez vers 6 h près du Krakatau. Volcan de triste mémoire ! Super paquebot allemand tout neuf.
Une autre compagnie moins régulière assure la liaison. Elle s'appelle *Kalimanta.* Moins chère que la *Pelni.*

En train

– *Jakarta-Palembang :* 2 trains tous les jours partent de Jakarta Kota Station. Le train de l'après-midi est plus cher parce que la nourriture sur le ferry est incluse dans le prix. La traversée dure 5 h en ferry, puis il faut compter une bonne journée de train pour Palembang (30 h au total de Jakarta à Palembang).

En bus

– *Jakarta-Padang :* les routes se sont améliorées mais il faut cependant compter 30 h avec un bus express. Les conducteurs sont toujours aussi intré-

SUMATRA
0   140   280 km

Sabang
Banda Aceh
Sigli
Lhok Seumawe
Takengeon
Langsa
Kr. Pangkalan
Susu
Pangkalan Brandan
Tanjungoura
Belavan
Susoh
Medan
Tapaktuan
Tebing Tinggi
Kabanjahé
Pematang Siantar
Lingga
Simeulue
Prapat
Tanjung Balai
Tarutung
Rantauprapat
Bolga
Bagan Siapi-api
Gunungsitoli
Gunungtua
Rupat
Nias
Padangsidempuan
Bengkalis
Simuk
Pini
Padang
Ragsang
Singapour
Tanah Masa
Lubuksikaping
Pekanbaru
Tanah Bala
Bangkinang
Kundur
Tânjung Pinang
Bukittinggi
Bayarumbuh
Pariaman
Batu Sangkar
Tambilahan
Sebangka
Padang
Sawah Lunto
Siberut
Solok
Sijunjung
Rengat
Kuala Tungkal
Murara Bungo
Muara
Sipora
Sungi Penuh
Tembesi
Simpang
Pagai
Bangko
Jambi
Sungailiat
Pangkalpinang
Bangka
Palembang
Tanjungpardan
Sanding
Muara Enim
Belitung
Lahat
Siungaigerong
Manggar
Manna
Pagergunung
Tulungselapan
Ranau
Kotabumi
MER
Enggano
Kru
Canungsugih
DE JAVA
Tanjung Karang
Sukadana
Teluk Betung
Panjang

THAÏLANDE
Détroit de Malacca
MALAISIE
MER DE CHINE

OCÉAN   INDIEN
MER DE JAVA

Jakarta
JAVA

pides. Compter plus par temps de pluie. Voyage très pénible, mais intéressant pour les relations avec les autochtones.

A.N.S. : 56 A jalan Senen Raya. ☎ 35-01-79. La compagnie la plus sérieuse.

En avion

– *Jakarta-Medan.*
– *Jakarta-Padang.*
– *Jakarta-Jambi.*

Adressez-vous aux agences de voyages de jalan Pasar Baru à Jakarta (voir chapitre « Adresses utiles à Jakarta »). Toutes les capitales de province sont desservies par Merpati (25 % de réduction pour les étudiants sur présentation de la carte internationale).

Transports

Vu l'état plutôt précaire des routes, le bus n'est pas d'un très bon rapport qualité-prix. Les bus de Sumatra sont assez spéciaux et très inconfortables. Croyez bien que lorsque deux bus font la course, on avale de la poussière et il faut s'accrocher. Ils conduisent vite, mais assez bien. Se renseigner avant de partir car il existe des bus plus confortables que d'autres. Demander un *tourist coach,* deux fois plus cher que les autres, mais à ne pas manquer s'il existe sur la destination de votre choix.

Autant que possible, prendre son sac avec soi plutôt que de le mettre sur le toit. Nombreux voyageurs dessus quand il n'y a plus de place... et nombreux vols.

Évitez de vous déplacer à la fin du ramadan, tout le monde circule, et on ne trouve pas une place de libre dans le bus.

Nous ne conseillons pas trop la compagnie *Anak Gunung.* Entre 2 h et 8 h de retard sur un trajet de 12 h.

PEKANBARU

Ville sale et sans intérêt. Il y a des bus aussitôt pour Bukittinggi, Toba, Medan ou Padang.

Pekanbaru - lac Toba : 28 h de bus.

Le port est très éloigné de la station de bus. Prendre un minibus local.

Pour Singapour en bateau : 2 journées et 1 nuit de voyage jusqu'à Tanjung Pinang. Nourriture et petit déjeuner compris. Correct. Paysages remarquables. 160 km de remontée sur le fleuve, puis la mer, les petites îles... Tanjung Pinang-Singapour : 4 h de traversée. Réduction étudiants. Attention, à Tanjung beaucoup de vols. Pas mal d'agences, trouvez la moins chère.

PADANG   IND. TÉL. : 0751

Au contraire de Medan, métropole fiévreuse et fatigante, Padang donnerait plutôt dans le style petite ville calme de province, bâtie horizontalement avec de larges avenues. Rien de spécial à voir, mais atmosphère agréable, quelques vieux quartiers sympa et une superbe balade à pied vers les plages. Padang est également la porte d'entrée pour les îles Mentawai et une étape nécessaire si vous continuez sur Java.

Infos utiles

– *Office du tourisme :* jalan Katib Sulaiman. ☎ 23-231. Un peu éloigné de la ville, mais il suffit d'emprunter un petit bemo jaune. C'est indiqué « Kantor Parawisita » (situé à côté de la Clock Tower et du Social Department). Ouvert du lundi au samedi de 8 h à 14 h (vendredi, de 8 h à 11 h). Fermé le dimanche. Pas trop de matériel, mais accueil sympa et renseignements sur les îles Mentawai.

– **Poste :** jalan Bgd. Aziz Chan 7. ☎ 23-815.
– **General Hospital :** jalan P Kemerdekaan. ☎ 22-355.
– Pour les transports, pas du tout de becaks. Seulement un système de bemo-camionnettes ou minibus (jaunes ou bleus) sillonnant la ville sur les grands axes. Pour le fun et les petites distances (comme disent nos amis québécois), des petites carrioles à cheval (négocier les prix fermement).
– **Merpati :** 2 jalan Sudirman.

Où dormir ?

Bon marché

■ **Tiga-Tiga Hotel :** 33 jalan Pemuda. ☎ 22-633. Quasiment en face du terminal de bus, sur la route de l'aéroport. Extérieurement assez agréable (courette, végétation, quelques arbres), mais chambres très banales. Propreté acceptable. Pas de ventilo pour les moins chères. L'un des meilleur marché de la ville.
■ **Hang Tuah Hotel :** 1 jalan Pemuda. ☎ 26-556 et 26-558. A quelques centaines de mètres du terminal des bus. Un peu plus cher. Plutôt mieux que les autres dans la même catégorie. Bien tenu. Chambres économiques avec ventilo et chambres avec air conditionné (assez semblables). Bon resto.
■ Possibilité de dormir au village de pêcheurs d'*Air Manis* (voir à la fin du chapitre Padang).
■ Si vous le pouvez, évitez le *Grand Hôtel*. Mal tenu, triste et humide.

Prix moyens

■ **Machudum's Hotel :** 45 jalan Hiligoo. Très central, dans un quartier sympa. ☎ 22-333 et 23-997. Hôtel agréable avec un hall accueillant où il fait bon déguster dans de grands fauteuils une Guinness (made in Indonesia) bien fraîche. Chambres à tous les prix. Propose entre autres des « Economy » et « Transit » rooms (très ordinaires cependant), à moins de 50 F pour 2. Une bonne adresse.
■ **Tiga-Tiga Hotel :** 33 jalan Veteran (ne pas confondre avec celui de jalan Pemuda). Chambres propres et accueil sympa.

Plus chic

■ **Mariani International Hotel :** 25 jalan Bundo Kandung. ☎ 25-466. Petit hôtel de luxe. Belles chambres autour de 150 F pour 2.

Où manger ?

Padang est réputée pour sa cuisine très épicée. Elle se présente sous la forme d'une vingtaine de plats (viande, légumes) que l'on place en général devant le client. On ne paie, bien sûr, que ce que l'on a mangé.
● Vaste éventail de restos pas chers sur jalan Moh Yamin, la grande voie commerciale de la ville. Grande place dans le prolongement de jalan Moh Yamin, avec également de nombreux petits restos ou gargotes pas chers (en particulier en face du *Balai Kota Padang,* un grand bâtiment officiel).
● **Apollo Mandarin Restaurant :** 36A Hos Cokroaminot. Excellente cuisine chinoise et fruits de mer. Délicieux canard aux champignons. Prix moyen.
● **Ortavia :** jalan Pondok. Bon resto, pas cher. Goûter aux cuisses de grenouilles.

Plus chic

– **Shangri-La :** 32 jalan Tepi Pasang. Pas loin du précédent. L'une des meilleures steak-houses de la ville. Cadre frais et moderne assez agréable. Clientèle familles friquées. Excellentes viandes et plats copieux.

A voir

▶ **Musée :** Diponegoro, dans le prolongement de jalan Pemuda. Pas loin du terminal des bus. Ouvert tous les jours, sauf le lundi, de 8 h à 16 h. Dans un bel édifice d'architecture minangkabau. Collections ethnographiques sur la région. A côté s'élève le *Taman Budaya* (centre culturel), où se déroulent de temps à autre d'intéressantes manifestations artistiques ou folkloriques.

▶ **Grand marché** très coloré, très animé sur jalan Moh Yamin (près du terminal des oplets).

▶ **Balade à pied** pittoresque le long de la rivière Muara, en bas de jalan Niaga. Quartier habité surtout par la communauté chinoise. Vieilles maisons et édifices coloniaux. Petit marché sympa. Pour traverser la rivière, une passerelle, ou emprunter pour quelques roupies les petites barques qui font la navette. De l'autre côté s'élève une colline avec un beau cimetière chinois très coloré s'étageant sur ses pentes.

Aux environs

▶ Le **village de pêcheurs** de Air Manis : à environ 3 km de Padang, un but de promenade à pied extrêmement sympathique (d'ailleurs, on ne peut s'y rendre qu'à pied). Très beaux paysages et charmant village. Se rendre tout d'abord à la rivière Muara qu'on traversera en barque ou à la passerelle en bas de jalan Niaga. Possibilité de couper ensuite à travers le cimetière chinois pour retomber sur le chemin d'Air Manis ou l'attraper, à son début, presque à l'embouchure de la rivière Muara (là où la colline est la plus basse ; ultime navette de barque). En surplomb de la mer, le chemin musarde dans une végétation luxuriante offrant une ombre bien rafraîchissante. But de promenade favorite des habitants de Padang, le dimanche matin. A Air Manis, pittoresque village de pêcheurs, belle plage bordée de cocotiers. Possibilité de prolonger la balade jusqu'au port de Teluk Bayur, puis retour sur Padang en minibus.

■ A Air Manis, possibilité de dormir à la **Papa Chili-Chili's Guest House.** Confort rudimentaire, mais excellent accueil et dépaysement garanti.

▶ **Bungus Beach** : à 20 km au sud, l'une des plus belles plages de Padang. Sable fin, cocotiers et tout et tout. Bus depuis le terminal des oplets sur Jalan Moh Yamin. Pour dormir, quelques losmen moins chers qu'à Padang. Possibilité de se rendre en bateau sur quelques îles (Sirandah, Sikoai, etc.). A 1,5 km de la plage, belle cascade où l'on peut se baigner. Suivre la route vers le sud (500 m), prendre le chemin à gauche, à travers les rizières.

Quitter Padang

En bus

— *Pour Bukittinggi :* plusieurs compagnies de bus *(Cemerlang, T.E.S., N.P.M.)* assurent le service chaque heure à partir de 7 h du matin. *N.P.M.* possède de bons véhicules avec air conditionné. Bus bien mieux que le train (plus rapide, plus fréquent).
— *Pour Jakarta :* en bus, pas vraiment conseillé. Voyage interminable, fatigant et plein d'émotions. Par *A.N.S.,* sur Jalan Pamada. En face du terminal. ☎ 26-214. A 11 h, 13 h, 15 h, avec air conditionné.
Possibilité aussi d'articuler Padang-Jakarta en bus plus train : en dehors de la route Padang-Jambi-Palembang-Merak, fort pénible, il en existe une un peu plus sympathique, passant par la montagne : bus de Padang à Lubuklinggau (15 à 20 h de trajet). Puis, de là, prenez un train pour Perabumulih (attention, bien se renseigner, pas de train quotidien) où vous devez changer pour Tanjukarang (environ 18 h de voyage), et de là ferry (6 h) et bus (3 h) jusqu'à Jakarta. De plus, c'est la solution la plus économique. A Perabumulih, un marchand de soupe à la gare parle français, demandez M. Bontet.
— *Pour Medan :* plusieurs compagnies assurent le trajet. Avec *A.N.S.* à 8 h, 11 h et 14 h (avec air conditionné).
— *Pour Pekanbaru :* avec *A.N.S.* à 8 h (sans air conditionné), 9 h (avec air conditionné), 19 h et 19 h 30 (sans air conditionné).
— *Pour Dumai :* à 7 h, 10 h, 12 h et 15 h.
— *Pour Palembang :* à 11 h (avec air conditionné).
— *Pour Jambi :* à 11 h.

En bateau pour Jakarta

Compagnie Pelni (en 26 h). Départ tous les quinze jours, le dimanche à 23 h. Se renseigner à la Pelni Line : Tg Priok, 32 Teluk Bayur, Padang. ☎ 21-408 et 22-109. Pour y aller, prendre un minibus au terminal des oplets sur jalan Prof. Yamir Proklamssi jusqu'à Teluk Bayur. Il faut réserver quelques jours avant. Voir texte au chapitre « Généralités – Transports intérieurs ». Les passagers en classe-pont ont droit à une couchette (on est assez serré). Prévoir quelques fruits. En effet, la nourriture est incluse, mais à tous les repas vous avez droit à du riz et du poisson... Emportez aussi des boissons.

— Superbe paquebot construit par les Allemands pour la Pelni Line et récemment mis en service. Arrivée à Jakarta le mardi à 5 h 30 du matin (ce qui laisse le temps en se dépêchant d'avoir l'express de 7 h pour Jogjakarta à Gambir Station). Le même bateau part le dimanche matin à 9 h de Sibolga, pour ceux qui voudraient éviter le détour par Bukittinggi. Si vous avez des sous, préférez la classe IV, tranquillité (pas de vidéo la nuit, pas de prières, pas de surcharge, et peut-être la chance d'avoir une cabine de 8 pour 3), sécurité (casier et cadenas pour les bagages) et confort.

En avion

— L'aéroport de *Tabing* est à 12 km. La compagnie *Merpati* est meilleur marché pour Jakarta. Le bureau de Padang se trouve à 300 m de la station de bus dans la direction de l'aéroport.
Attention : pour les billets d'avion sur Jakarta, Palembang, Medan, Jodjakarta, Bandung, ne pas les acheter à Bukittinggi, mais à Padang au bureau principal de la *Merpati*. Au bureau principal *Merpati* de Padang, avec la carte d'étudiant, vous ne paierez que 75 % du billet. La compagnie *Mandala Airlines* offre aussi des tarifs intéressants pour les étudiants. Même chose pour les bateaux.
— *Padang-Singapour* : 3 vols par semaine.
— *Garuda* : jalan Jend. Sudirman, 2. ☎ 23-224.

L'ILE DE SIBERUT

Les *îles Mentawai*, à l'ouest de Padang, comprennent les îles Sipora, Pagai et Siberut.
Siberut est la plus intéressante car la plus grande, la plus proche et la moins touchée par le tourisme.

Comment s'y rendre ?

Se renseigner au port de Padang pour se rendre au Mentawai.
Ou bien à *Teluk Bayur*, autre port de Padang. Le cargo « Babut » part fréquemment pour Sipora et Siberut ainsi que « ler Perintis ». Le « Government Boat » est quant à lui par trop irrégulier. En principe, tous les 20 jours. En ce moment, il est en réparation. Un nouveau bateau, le « Sumber Harapan », va parfois à Siberut. Se renseigner.
Excursions également au départ de Bukittinggi (9 jours). Se renseigner le soir au restaurant *Mona Lisa*.

Démarches

Votre visa devra être assez long (au moins 15 jours), car il y a souvent des problèmes pour revenir. Nous vous conseillons vivement de vous rendre à l'office du tourisme à Padang. D'abord pour recueillir les dernières infos, ensuite pour y retirer une « travel letter » (simple formalité gratuite). Se rendre ensuite à la police pour obtenir une autorisation. Vérifier si cette démarche est toujours obligatoire, ou seulement très « recommandée ». Arrivé sur l'île, donner son papier de la police à la police locale. En aucun cas, vous ne devez remettre votre passeport. Bien se faire préciser tout cela avant de partir.
Il n'y a pas d'argent sur l'île (sauf peut-être pour corrompre le garde et les guides). Un conseil : ne dites pas que vous y allez pour étudier les tribus, car les

autorités n'aiment pas trop montrer leurs « indigènes ». Important : Siberut n'est pas une balade pour fauchés. Ça revient assez cher : bakchichs, location de canots, etc.

Séjourner à Siberut

Siberut est une île pratiquement vierge. On ne s'y déplace qu'en pirogue étroite. Il est indispensable de prendre un maximum de précautions pour sa santé. Les Indonésiens l'appellent l'« île aux serpents », et c'est vrai qu'il y en a partout. Avoir ses pilules de Nivaquine, sa pierre noire à serpents (éventuellement du sérum) et une très bonne pharmacie. Ne pas oublier non plus les pastilles de Micropur et la moustiquaire.

Les indigènes de l'île n'utilisent pas encore vraiment l'argent et pratiquent le troc. Il faut donc acheter du tabac à Padang en spécifiant bien que c'est pour Siberut. Il faut comprendre qu'à Sumatra chaque région fume son propre tabac et refuse celui du voisin (du moins dans les campagnes). Pour Siberut, c'est un tabac à chiquer que l'on troquera contre la rare nourriture. Les tribus ne peuvent être approchées qu'en dehors de leurs périodes de tabou. Se renseigner très précisément auprès des guides.

Sur l'île, vous ne pourrez pratiquement rien vous procurer. Si ! Si ! Apportez vos nouilles et votre riz achetés préalablement à Padang, car vous vous lasserez vite du *sago*, le plat principal des habitants de l'île. Ils le font avec de la sciure d'arbre, cuite à l'étouffée dans de grandes feuilles. Ce n'est pas mauvais, a priori. Ça a un peu le goût du fromage de chèvre, en plus sec et plus aigre.

Siberut est encore un des rares endroits à Sumatra où il n'y a pas de touristes. Se dépêcher quand même, car les tribus sont en passe d'être assimilées par le gouvernement. Et celles qui n'ont pas encore été polluées par la civilisation seront de plus en plus difficiles d'accès vu la grandeur de l'île. Pas la peine de vous faire un dessin, c'est vraiment la super balade aventureuse avec une vraie certitude du danger... Un conseil : il est indispensable d'apprendre un maximum de mots indonésiens pour pouvoir communiquer au minimum avec les guides et les indigènes. Pas d'hôtels, à part à Muara Siberut où le *P.P.A. Office* propose un dortoir.

Il est difficile de se déplacer dans l'île. Pas de route, pas de chemins, et les pirogues au port sont rares et très chères.

– DANS LE SUD DE L'ILE –

JAMBI   IND. TÉL. : 0741

Difficile de se loger. Les bus en provenance de Padang et de Jakarta font une halte forcée à Jambi. Et c'est la course à l'hôtel le moins cher.

■ *Losmen Sumateri* et *Jelita*.
■ *Mustika Hotel*.
■ *Makmar Hotel* : le plus cher de Jambi. Propre.
Sinon, très peu de choses à voir. Vous devenez maintenant la bête curieuse. Il y a très peu d'Européens dans cette région et dès que vous descendez du bus, il y a tout de suite une nuée d'enfants autour de vous.

LA RÉSERVE DE KERENCI

Cette montagne est située sur 3 provinces entre Bengkulu, Jambi et Padang. Son accès est assez difficile : bus à partir de Jambi ou de Padang.
Le point de départ est Sungai Penuth, ville située à proximité du lac Kirinci. Le volcan du même nom est la plus haute montagne de Sumatra (3 800 m). Il est tout à fait possible de l'escalader. Prévoir 2 jours, une tente et un sac de cou-

chage. Si la vue est bien dégagée, du sommet on découvre tout Sumatra. C'est magnifique !

Aux pieds du volcan à Kayo Aro, la plus grande plantation de thé de l'Indonésie. Si vous voulez vous balader en forêt, notamment vers le Gunung Tujuh, il faut demander une autorisation aux gardes forestiers à Sungai Penuh. La promenade est magnifique mais attention aux tigres, tapirs ou sangliers.

Où dormir ? Où manger ?

■ A Sungai Penuh, 3 hôtels propres et raisonnables au niveau prix : *Mata hari losmen, Anah Gunung* et *Jaya.*

● Pour se restaurer, nombreux petits restos sur la route principale. Il faut absolument goûter au *dending batotok*, spécialité de viande grillée.

PALEMBANG   IND. TÉL. : 0711

Ville sans intérêt, à part son ambiance asiatique et son marché flottant sur le fleuve. C'est cependant la deuxième ville de Sumatra et le premier centre pétrochimique d'Indonésie. Artisanat d'objets en bois laqué.

Où dormir ?

■ *Asiana Hotel :* 45E jalan Jeneral Surdiman.
■ *Aman Hotel :* jalan Lematang. Très bon hôtel, très calme.
■ *Segaran Hotel :* 157 jalan Segaran.

Où manger ?

● *Pagi Sore* et *Simpang Raya :* au coin de jalan Surdirman et de jalan Veteran. Cuisine de Padang.
– Deux ou trois restaurants chinois très corrects dans jalan Veteran.

A voir

▶ *Musée* assez intéressant sur la région.
▶ Les personnes désirant goûter aux charmes de l'Indonésie peuvent se promener le soir jalan Sajangan.
▶ *Pasar Kecil :* petit marché secondaire, sur l'autre rive, très pittoresque. On l'atteint en traversant à pied le grand pont Ampera ou en prenant une barque à moteur ; s'adresser aux maraîchers et négocier le prix.

Dans les environs

– *Palembang-Jambi* en bateau via Bajunglincir. 2 jours à travers la jungle, crocodiles assurés.
– Dans le sud de Sumatra, les *Kudus,* groupes de nomades vivant en bandes de 20 à 30. Attendre dans les petits villages pour les voir. Parfois, ils arrêtent les bus pour mendier.

Quitter Palembang pour Jakarta

– *En avion,* une dizaine de vols quotidiens.
– *En train,* via Lampeng, compter une journée.

– LE PAYS MINANGKABAU –

Au nord de Padang, une superbe région à découvrir. Un mode de vie quasiment inchangé, une culture originale. Au centre, Bukittinggi, à près de 1 000 m d'altitude, station climatique idéale pour se reposer de la grosse chaleur humide de la côte.

Le régime matriarcal

Les Minangkabau qui peuplent les régions de Padang et Bukittinggi sont connus pour l'autorité fondée sur les femmes. Chose particulièrement étonnante dans un pays musulman. C'est l'oncle maternel, et non le père, qui a la charge des enfants. Ainsi les descendants sont issus entièrement de la famille de la mère, et le père n'a pratiquement aucun droit de regard sur sa descendance directe. Dans ce pays à ancienne société matriarcale, la femme est chef de famille, les biens sont sa propriété, en particulier les rizières. L'enfant porte le nom de sa mère. Lorsqu'une femme se marie, on ajoute une chambre à la maison familiale.

BUKITTINGGI
IND. TÉL. : 0752

Petite ville agréable pour son climat frais, située sur une colline entre deux volcans. Son nom signifie « haute colline ».

Comment y aller ?

Pour rejoindre Bukittinggi de Padang, prendre le bus (1 h 30 de voyage). Départ toutes les demi-heures. Possibilité de le prendre devant l'aéroport de Tabing (Padang). Sinon, le terminal des bus est dans le centre ville. En taxi, compter environ 100 FF.

Adresses utiles

- **Office du tourisme :** place de l'Horloge. Ouvert de 8 h à 12 h les lundi, mardi, mercredi, jeudi et samedi, et de 8 h à 11 h le vendredi.
- **Poste :** jalan Jend Sudirman. ☎ 21-395.
- **General Hospital :** jalan A. Rivai. ☎ 21-322.
- **BNI** et **Bank Dagang Negara :** près de la grande horloge, à côté du marché. Banques ouvertes de 8 h à 12 h et de 13 h à 16 h, vendredi de 8 h à 11 h et samedi de 8 h à 12 h. Possibilité de changer ses chèques de voyage, mais il faut compter 30 mn avant d'avoir son argent. Ils ne sont pas pressés.
- **Money changer :** 51 jalan Minang Kaban. Le taux est identique à celui des banques et c'est ouvert jusqu'à 18 h.

Où dormir ?

Arriver assez tôt car les hôtels sont souvent complets.

Bon marché

■ **Murni Hotel** (ex-Zakiah) : 115 jalan Yani. Dans la rue principale, en direction de Prapat. Assez propre. Petite terrasse. Une dizaine de chambres. Celles qui donnent sur la rue sont bruyantes. L'hôtel pour petits budgets par excellence. Propose un tour montrant de très belles maisons minangkabau, sculpture sur bois, tissage, moulin à farine de riz, lacs, panoramas divers, etc.

■ *Wisma Tigo Balai :* 100 jalan Yani. Mêmes prix que le Murni, mais un peu plus dégradé (et mandi franchement limite). Accueil correct et, évidemment, routards du monde entier.

■ *Wisma Sitawa Sidingin :* 11 jalan Dr. A. Ravai. ☎ 21-118 et 21-385. A côté de l'hôpital dans une rue qui prolonge celle de l'agence du Grand Hôtel. Propre, sympa, calme et pas cher.

■ *Swarni's Guesthouse :* près du port, sur la colline. Correct. Très sympa. Prix raisonnables. Bonne adresse.

■ *Singga Lang :* jalan Yani. Assez populaire chez les routards. Chambres plutôt petites, mais propreté acceptable. Cour intérieure où il fait bon se retrouver pour échanger des infos.

■ *Pension Mountain View Hotel :* 3 jalan Sudarso. ☎ 21-621. Tout en haut de la ville. Très beau panorama sur la vallée. Grand jardin. Fort bien tenu et au calme. 9 chambres de plain-pied. Une bonne adresse.

■ *Sumatera Hotel :* 16E jalan D. Setia Budhi. ☎ 213-09. A 5 mn à pied du marché. Eau chaude. Très calme. Très bon rapport qualité-prix. Dommage que le petit déjeuner soit aussi léger.

■ Nous déconseillons vivement le soi-disant *Nirvana Hotel* (à côté du Murni). Accueil exécrable et arnaque assurée.

Prix moyens

■ *Wisma Kartini Tourist Home :* 21 jalan Teuku Umar. ☎ 22-885. Depuis jalan Yani, prendre la rue à droite de la Masjid Nurul Hao. C'est à 150 m. Belle villa dans une rue calme. Les « first class » à 70 F sont vraiment impeccables et les « economy » d'un excellent rapport qualité-prix. Très propre et ambiance sympa. Hautement recommandée. Une de nos meilleures adresses.

■ *Wisma Sikandi :* jalan A. Yani (vers le bas). Très correct. Bon rapport qualité-prix.

Plus chic

■ *Benteng Hotel :* 1 Benteng. ☎ 21-115 et 22-596. Tout en haut de la colline. Calme assuré. Hôtel moderne et confortable. Chambres de 50 à 120 F.

■ *Dynens Hotel :* jalan Sudirman. Un peu cher, mais assez luxueux.

■ *Bukittinggi View Hotel :* jalan Medan. Un peu à l'écart, mais très bien.

■ *Denai Hotel :* jalan Dr. A. Rivai. Confortable. Propre et calme.

Où manger ?

Ville ne présentant pas de gastronomie exceptionnelle. La plupart des restos sont même assez médiocres et chers.

● *Roda Restaurant :* près du marché, en haut de la colline. On y mange très bien et c'est plutôt propre, comparé à d'autres endroits. Excellente cuisine minang. Musique pop quand le patron est en forme. Attention, ferme vers 20 h et pendant le ramadan.

● *Three Tables Coffee-House :* minuscule resto sur jalan Yani (trois tables), où l'on mange pour pas cher. A côté du Grand Hôtel. Longtemps populaire parmi les routards, il s'est quelque peu institutionnalisé depuis et a perdu pas mal de naturel. C'est quand même le seul bar de nuit de Bukittinggi et la meilleure des coffee-houses. Propose des tours en minibus corrects.

● *Mexico Coffee-House :* 134 jalan A. Yani. Correct, assez sympa.

● *Bukittinggi Coffee-Shop :* jalan A. Yani, en face du Grand Hôtel.

● *Golden Leaf :* entre le coffee-shop et le Tigo Balai sur jalan Yani. Bon resto chinois.

● *Mona Lisa :* 56 jalan Yani. Bon resto chinois. Portions copieuses. Très pratique en période de ramadan. Très sympa, mais il faut être patient.

● *Selamat :* 19 jalan Yani. Resto indonésien correct.

— Possibilité bien sûr de manger dans les *warungs* sur le marché. Nourriture parfois un peu douteuse, mais ambiance toujours marrante.

● *Famili :* 1 Benteng. A côté du Benteng Hotel. Sur la colline, près du fort de Kock. Propre et sympa. Excellente cuisine.

● *Le Selecta :* jalan Yani. A côté du Selamat. Très bon resto chinois.

A voir

Peu de choses spectaculaires à voir. Pour vous déplacer, préférez les minibus aux taxi-charters qui forcent un peu sur les prix. La ville est avant tout une atmosphère. Ne pas manquer de grimper au **fort de Kock** pour le panorama sur la ville. En fait, il n'y a plus vraiment de fort, mais d'agréables sentiers entourés de pelouses à parcourir.

▶ **Le musée :** en haut de la colline, intéressant plus pour l'architecture du bâtiment (style minangkabau) que pour ce qu'on y trouve à l'intérieur. Quelques exemples d'art minangkabau à voir cependant. Le zoo à côté est minable : les animaux font d'ailleurs une triste mine. On les comprend.

▶ **Le marché :** immense, très coloré. Mercredi et samedi sont les jours les plus importants. Marché et place principale sont dominés par une tour horloge.

▶ **Sianok :** canyon à 1 km de la ville. Balade le long de la rivière, dans un paysage magnifique. Facile de s'y rendre. De la jalan A. Yani, emprunter Jalan Tengku Umar (à droite de la mosquée Nurul Hao). Si l'on continue tout droit, on débouche dans le canyon même. Il vaut mieux se rendre d'abord au belvédère. Puis prendre la rue à gauche. A environ 200 m, un panneau indique Kota Gadang. Ce petit village est connu pour son orfèvrerie en argent.
A l'entrée de Kota Gadang se trouve la maison de Naldi (115 jalan Hadisah). Ce monsieur est un bon guide pour découvrir le coin et notamment il vous emmène voir des chauves-souris géantes. Balade agréable dans les rizières.

Balades dans les environs

– A noter que les transports locaux sont très lents. Les minibus ou bus ne partent pas tant qu'ils n'ont pas fait le plein ; conclusion : on fait plusieurs fois le tour de la ville pour trouver des clients.

▶ **Batang Pallupuh :** jardin situé à 15 km de Bukittinggi sur la route de Medan, et qui cache, parmi ses trésors, le *rafflesia* (la plus grande fleur du monde). Vous risquez d'être déçu, comme de nombreuses personnes l'ont noté sur le livre d'or du jardin botanique. En effet, la fleur de cette plante n'est visible dans toute sa beauté qu'à des périodes bien précises mais très variables.

▶ **Combats de taureaux :** à voir à tout prix. Le samedi à *Batagak* (à 5 km) et le mardi à *Paninjawan* (à 12 km), sur la route de Padang Padang. Demander aux coffee-houses. On peut aussi y aller avec Didi qui organise de super balades pour les touristes. Vous le trouverez sans trop de difficultés au *Roda Restaurant* (voir « Où manger ? »). On le reconnaît facilement à sa dégaine.

▶ **Lac Maninjau :** à 36 km de Bukittinggi (2 h de bus). Un des plus beaux paysages de Sumatra. Le dernier bus pour revenir part vers 16 h. L'endroit est super et la population vraiment très accueillante. Le paysage est fort agréable et l'eau très chaude. Il faut payer pour accéder au site panoramique.
Un hôtel chic mais pas tellement cher, et un losmen, ancienne maison coloniale hollandaise. Il faut absolument passer une nuit ou deux à la *guest-house* de M. Bandaro : il possède 4 chambres à l'étage de sa maison de bois au bord du lac. Très accueillant, ambiance tout à fait unique. Peu de touristes car c'est un peu à l'écart de la route. M. Bandaro connaît beaucoup de choses sur la société minangkabau et est prêt à répondre à vos questions sur les traditions minang. Cuisine adaptée aux estomacs fragiles, naturelle et très bonne. Autre possibilité pour aller au lac : prendre le bus jusqu'à Lawang (1 h). De là, monter à pied jusqu'à Lawang Top, et ensuite superbe descente vers le lac, à travers la forêt. Paysage très sauvage. On peut voir des singes dressés à récolter les durians. La balade est géniale.

▶ **Pandai Sikat :** petit village à 10 km au sud de Bukittinggi. Du carrefour où s'arrêtent les bus, prendre un minibus pour effectuer les 3 km menant au centre artisanal. Nombreux ateliers de sculpture sur bois. Visiter surtout *Pusako*, une entreprise de tissage traditionnel située dans une magnifique maison minang. Production remarquable, évidemment chère en regard du niveau de vie local, mais pas tant que ça pour ceux qui veulent vraiment se faire plaisir... Possibilité de loger sur place.

▶ **Batusangkar :** à une soixantaine de kilomètres au sud-est de Bukittinggi. On y trouve la réplique exacte, construite il y a douze ans, du palais des rois Minang au XIVe siècle. Superbe architecture, somptueuse décoration intérieure, salles immenses aux harmonieuses proportions, tentures brodées d'or dans les chambres des princesses royales, etc. Pour s'y rendre, très belle route offrant de pittoresques panoramas (végétation tropicale, rizières en terrasses, etc.). Au petit village de *Tabek Patah*, très beau marché (peu touristique) le lundi.

Après Batusangkar, vers le lac Singkarak, traversée de villages à l'architecture minang traditionnelle, comme **Balimbing.** Manger au *Purnema Coffee-Shop* (7 jalan A. Yani). Excellent *martabak* et grande variété de milkshakes et jus de fruits. L'*Andalas*, pas loin du Purnema, est également un bon resto chinois.

▶ *Lac Singkarak :* encore un endroit merveilleux. Bus Bukittinggi-Singkarak : environ 2 h 30 de voyage. Évitez de vous baigner dans le lac près des herbes, car il y a des poissons qui mordent (appelés en indonésien des *jabus*), sinon l'eau est super. A Singkarak même, un seul petit losmen avec des propriétaires très gentils (sur la gauche, au bout du village, quand on vient de Solok), mais la propreté des lits est douteuse. On n'est pas loin de la route qui mène à *Sulit Air*, dans la montagne. 15 km de balade qui valent la peine !

■ Sur la rive nord-ouest du lac Singkarak, un coin super pour se reposer un ou deux jours : l'hôtel *Jayakarta*. Situé au bord du lac, beau panorama, baignade (eau très chaude et propre), chambres en bungalow correctes. Resto.

▶ *Excursions organisées :* très recommandable pour les pressés et les fauchés. La plupart des agences organisent d'intéressants circuits incluant paysages de cartes postales, superbes villages minangs, moulins à eau de broyage de café, palais de Batusangkar, lac Singkarak, etc. S'adresser à l'office du tourisme. Une agence : *Parindo Tourist Service* (99 jalan A. Yani. ☎ 21-133). C'est l'agence du *Grand Hôtel*. Leur circuit est très correct (bons guides, minibus confortables). Mais beaucoup d'agences proposent le tour le mardi, le jeudi et le samedi.

▶ *Excursions à l'île de Siberut :* par groupes de 9 personnes, au départ de Bukittinggi et retour, avec deux guides dont l'un parle le français. Le voyage dure 10 jours. C'est surfait et cher mais, évidemment, si vous voulez pénétrer dans la jungle profonde et découvrir des indigènes... Se renseigner le soir au restaurant *Mona Lisa*, 56 jalan Yani.

Comment aller au lac Toba ?

– *Par le sud* (Padang, Bukittinggi, Padangsidempuam puis Prapat) : les bus *A.N.S.* et *A.L.S.* relient Bukittinggi à Prapat (600 km) en 15 h et dans des conditions difficiles, voire épouvantables (crevaisons, pannes). Mal des transports garanti.

Dès votre arrivée à Bukittinggi, il est conseillé d'acheter votre billet de bus pour Prapat. Notez aussi qu'à Bukittinggi, environ cinq compagnies assurent cette liaison. Donc, si l'une est complète, essayez les autres. Si vous êtes coincé, demandez aux patrons des hôtels que nous indiquons : ils ont leurs relations ! Et surtout préférez le « tourist coach » qui ne met que 12 h. Air climatisé. Il s'arrête aux endroits à voir tel que le passage de l'équateur.

– *Par le nord* (Medan, puis Prapat) : 4 h de bus sur une route relativement bonne. Aucun problème.

PADANGSIDEMPUAM

Ville située sur votre route, venant de Bukittinggi et vous dirigeant sur le lac (ou l'inverse, bien sûr).

Petite remarque sur la ville : malgré votre grand état de fatigue, méfiez-vous des feux de signalisation, car ils n'ont qu'une valeur symbolique pour les automobilistes locaux.

Une dizaine de losmen.

■ *Sentral Losmen :* vaste et en plein centre. Un des moins chers. Exigez bien un reçu de paiement de votre chambre en cas de litige.

■ *Losmen Padanglawas :* 20 jalan Sisingamangaraya. Accueil chaleureux. Sanitaires assez sales. Mais vraiment pas cher.

Padangsidempuam-Bukittinggi : 296 km. Prendre toujours le même type de bus à suspense à 9 h 30. Ne vous étonnez pas si le bus fait plusieurs tours de la ville : il est simplement à la recherche de clients. L'inconvénient du bus pour les sentimentaux, c'est qu'on passe l'équateur à toute vitesse. Pas de photo, pas de souvenir, juste un coup d'œil rapide sur la stèle indiquant qu'on l'a franchi. Magnifique paysage, route défoncée, pont de fortune, virages vertigineux et on ne vous dit pas tout. Quand vous arrivez le soir à Bukittinggi, vous êtes vraiment sur les rotules.

SIBOLGA
IND. TÉL. : 0631

Malgré la très grande pauvreté, la population n'est pas plus agressive ici qu'ailleurs. Il n'est pas rare de voir les enfants patauger dans l'eau croupie, noire et pleine d'immondices. Cela ne les empêche pas de rire, de chanter et de vous saluer au passage.

Où dormir ? Où manger ?

■ *Hôtel Pasar Baru :* 41 jalan R. Sœprapto. ☎ 22-167. Tenu par un Chinois serviable et accueillant. Très propre.
■ *Losmen Bundo Kandung :* face au port. Losmen très propre. Possibilité de manger *de la Padang food.* Très pratique lorsque l'on doit attendre un bateau pour Nios. Vraiment très bon marché.
■ *Subur :* pas cher, mais pas terrible.
● Bons petits *restaurants* en face du cinéma.

Quitter Sibolga

De Sibolga, bateaux pour l'*île de Nias.* Alex, connu dans toute la ville, peut vous aider moyennant finance car il prend une commission sur tout et n'y va pas, parfois, de main morte. Mieux vaut être prévenu. Personnage pas toujours clair ! En principe, réduction étudiants sur les bateaux.
Le port est très éloigné de la station de bus. Le voyage étant difficile, il est préférable de prendre le bateau direct pour Teluk Dalam. Cela évite la fatigue supplémentaire de la traversée de l'île en minibus.

Aux environs : la plage Pantaihollywood : à Pandan. A 12 km de Sibolga. Très tranquille. On y vend de magnifiques coraux et coquillages.

L'ILE DE NIAS
IND. TÉL. : 0639

Située à l'ouest de Sumatra, l'île de Nias (environ 4 500 km²) connaît trois civilisations distinctes et plusieurs dialectes. C'est certainement l'une des plus intéressantes d'Indonésie, d'une part, par ses extraordinaires mégalithes, d'autre part, par un art de la construction absolument unique. On connaît peu de choses des Nias. Si ce n'est qu'ils descendent probablement des Nagas de l'Assam au fin fond de l'Himalaya. Ils leur ressemblent beaucoup et coupaient des têtes aux grandes occasions, comme eux (mariage, enterrement, etc.). Comment et pourquoi sont-ils venus échouer ici, c'est un mystère. On sait seulement que cela se passa il y a environ 2 000 ans. Quant à l'origine des monolithes de pierre, encore moins de réponses.
Si la civilisation de Nias, dans ses traditions et ses croyances, semble avoir été presque balayée par la christianisation, elle n'en subsiste pas moins dans bien des aspects. La structure sociale traditionnelle (les règles de mariage), les rites présidant à la construction de maisons, l'érection des mégalithes peuvent encore être observés, même s'ils ont été modifiés par la colonisation.
D'immenses maisons au toit pointu, sur pilotis, rectangulaires ou ovoïdes, s'alignent dans de grandes clairières autour d'une place recouverte d'un dallage

grossier. Extraordinaire travail des poutres et des solives. Devant les maisons, des statues généralement en pierre.

Nias est à l'écart des routes touristiques et n'en possède pas les infrastructures. Les déplacements se feront principalement à pied, parfois en bus local (sur les rares pistes existantes) et en bateau. Losmen en bord de mer, mais dans l'intérieur on dort chez l'habitant dont on partage le riz qui est la seule alimentation. Des conditions de voyage qui peuvent être rudes mais que justifie l'exceptionnel intérêt de cette découverte.

Pour obtenir des informations, voir le responsable de l'office du tourisme. Il existe un bureau de la compagnie maritime près de la compagnie aérienne *Merpati*. Banque près de l'office du tourisme. *ATTENTION AU PALUDISME*. Ne pas oublier son traitement et prévoir un produit contre les moustiques. Autre recommandation : ne jamais boire d'eau non désinfectée.

Comment s'y rendre ?

En bateau

— *Pour Gunnungsitoli* : tous les soirs vers 20 h, à Sibolga, départ d'un cargo depuis le grand port (au nord), sauf le dimanche. Durée : 12 h et plus. Les couchettes sont assez confortables.

— *Pour Teluk Dalam* (au sud de l'île) : départ du « K.M. Restu Baru », en principe, tous les 2 jours depuis Sibolga. Solution préférable à la précédente car la traversée entre Teluk Dalam et Gunnungsitoli est très pénible. Voyage souvent difficile, car mer très forte et bateau pas grand et très peu confortable. Préférez la place avec cabine, car la traversée est longue. Pour les horaires des bateaux, bien vérifier, cela peut varier selon les saisons. En outre, si la mer est houleuse, s'attendre à devoir patienter un jour ou deux. Un autre bateau plus grand et plus confortable, le « K.M. Sumber Rezeki », effectue également la traversée jusqu'à Teluk Dalam. Il est plus rapide.

— En conclusion, entre le bateau régulier pour Gunnungsitoli nécessitant de prendre le bus pour Teluk Dalam (véritable expédition par saison de pluies) et le cargo aléatoire allant directement à Teluk Dalam, il nous est difficile de vous dire quelle est la meilleure solution. Pour ce qui est de notre propre expérience, nous n'avons pas regretté la balade en bus Gunnungsitoli-Teluk Dalam. Elle dura 12 h pour 120 km à cause de la route complètement défoncée (fondrières de 1 m de profondeur parfois, remplies d'eau) et de quelques pannes. Elle se révéla finalement une fantastique occasion de contacts avec les villages traversés et les autres passagers. En saison sèche, le trajet ne dure évidemment que 4 ou 5 h.

En avion

— *De Medan* : par la *S.M.A.C.* 1 vol par jour à 7 h. 20 places seulement, souvent complet. Réserver longtemps à l'avance. Compter environ 260 F le trajet simple. Éminemment pratique pour ceux qui veulent éviter de refaire le retour en bus jusqu'à Medan. L'avion arrive à Gunnungsitoli, donc cela implique obligatoirement de prendre le bus pour Teluk Dalam (avec les mêmes héroïques conditions de voyage par temps de pluie que ceux arrivant par bateau).

GUNNUNGSITOLI

La ville ne présente aucun intérêt. C'est le point de passage obligé pour le bateau et l'avion. Office du tourisme local.

Où dormir ?

■ *Hawaii Hotel* : 19 jalan A. Yani. ☎ 21-980 et 21-878. Un nouvel établissement très propre avec ventilateur et salle de bains pour chaque chambre. Le patron est jeune, sympa et parle bien l'anglais.

■ *Heringing Hotel* : 1 jalan Heringing. En plein centre ville. Les chambres sont au premier étage. Extrêmement simples, mais pas chères et propreté acceptable. Bon accueil. Dès 4 h, on a droit aux doux sons de la ville qui se réveille.

■ *Gomo Hotel* : jalan Gomo. ☎ 23-61-58. C'est soi-disant le plus chic de l'île. En fait, très ordinaire. Seul avantage, offre des mandis privés et des prix tout à fait modérés.

Dans les environs

■ *Mao Bungalow :* Bambou House. A 7 km de Gunnungsitoli. Prendre un bus depuis le terminal et demander au chauffeur de s'arrêter à *Mao Bungalow.* Superbes bungalows en bambou sur pilotis au bord d'une plage de cocotiers. Peu de touristes. Les patrons sont charmants. Possibilité de manger chez eux du bon poisson.

Quitter Gunnungsitoli

- *Pour l'aéroport :* à environ 20 km de la ville. Compter de 45 mn à 1 h de trajet. Faire téléphoner le patron de votre hôtel de bonne heure le matin pour faire passer le minibus de l'aéroport.
- *Pour Teluk Dalam :* depuis le terminal. Très conseillé de prendre le bus le plus tôt possible le matin (surtout en période de pluie). Garantie ainsi d'arriver à Teluk avant la nuit et de pouvoir se rendre à Lagundri Beach.

TELUK DALAM

Là aussi, ville présentant très peu d'intérêt pour séjourner. Quelques losmen en bord de mer. Solution la plus rapide, des jeunes en moto se proposent de vous emmener de suite à *Lagundri Beach* (à environ 12 km). Se renseigner sur le prix en usage avant de partir. Pour ne pas se faire arnaquer d'abord, pour ne pas leur donner de mauvaises habitudes ensuite. Sinon, camion à benne ou minibus de temps à autre (solution moins onéreuse bien sûr, mais ne fonctionnant plus en fin d'après-midi). Possibilité de louer des motos à piloter soi-même quand on veut sillonner le Sud. Les transports à Nias sont très chers et peu fréquents.
Quand il n'y a pas de ferry, il faut se contenter du cargo entre Teluk Delam et Sibolga. Compter plus de 16 h. 4 couchettes seulement du style cercueil et sans matelas ! Comme ça bouge beaucoup, on n'a pas l'occasion de s'endormir. Un vrai cauchemar !

LAGUNDRI BEACH

Village au fond d'une grande baie de corail, bordée de cocotiers. Disons-le tout net, c'est la destination tropicale de rêve, la carte postale typique, le chromo classique de calendrier des postes ! Nombreux losmen dans le style du pays. Simples, sanitaires rudimentaires, mais le plus souvent bien tenus et bon marché. Dans la plupart d'entre eux, possibilité de manger et, également, de donner à faire cuire poisson et langoustes achetés aux pêcheurs locaux (moyennant une petite rémunération bien sûr).
La plage se divise grosso modo en deux : au fond de la baie, les non-surfeurs et à droite, vers la pleine mer, les surfeurs (la plupart australiens). Faites votre choix ! Quelques rumeurs d'exploitation touristique plus sérieuse de la région nous sont parvenues aux oreilles. Venez vite tant qu'il est encore temps. Ne pas oublier sa crème antimoustiques. Dans la région, faire attention les jours de pluie aux « avalanches » d'eau torrentueuses et aux petites sangsues qui traînent sur les fougères. Le petit village de *Bohohilitano,* tout proche de Lagundri Beach, est l'un des plus authentiques.

Où dormir ?

■ Du côté des surfeurs, nombreux losmen assez semblables. Choisir les plus récents car tout se dégrade vite avec l'humidité. Certains répondent aux doux noms de *A. Sonny, Holiday Inn, Friendly, Happy Beach, Rufas.* Le *Jolong-Menolong* est bien, assez isolé. Devant s'étendent des petites cascades de coraux. Le *Jamburae Inn* possède une grande terrasse bien agréable pour le petit déjeuner et a la faveur des Australiens, etc.
■ Au fond de la baie, *Yanty Inn* n'a jamais déçu les routards. Famille vraiment très serviable et bonne cuisine. Mr. Milyar et sa famille sont adorables.

Chambres avec matelas et moustiquaire. Sanitaires très rudimentaires. Bonne nourriture et plats copieux. Groupez-vous et demandez à Mr Milyar de vous guider pour le circuit des villages. C'est un guide compétent, chaleureux et aux prix fort raisonnables.

■ **Dedy Inn :** à côté, même genre que le Yanty. Si celui-ci est complet.

■ **Lian Losmen :** accueil sympa. Le frère du patron parle bien l'anglais et est également un bon guide pour la région.

■ **New Raya :** à 1 km de Lagundri Bus Terminal. Pas très loin de la plage des surfeurs. 5 chambres avec moustiquaires. Tenu par un jeune couple extrêmement sympathique. Anny fait la cuisine et Sultan peut vous aider pour les excursions.

Plus chic

■ **Fanayama :** petit hôtel en dur, à côté du Yanty. Correct et prix très modérés.

BAWOMATALUO

Le village le plus caractéristique de l'île et aussi le plus touristique. Situé à 14 km de Teluk Dalam, à quelque 400 m au-dessus du niveau de la mer. De la première maison en bas de la colline, 480 marches de pierre pour atteindre le centre. Cependant la route, qui grimpe jusqu'en haut du village, vous en dispense presque. Il ne vous restera que 86 marches à gravir pour observer l'admirable architecture d'un village nias : une grande rue dallée, bordée de maisons construites sur de gros pilotis, serrées les unes contre les autres, faisant une sorte de rempart naturel. Les façades ressemblent à des coques de navires, souvent bariolées, avec des étais en forme de proue. Elles sont surmontées d'un toit de chaume en grande pente (chaume malheureusement de plus en plus remplacé par de la tôle ondulée !). Au centre du village s'élève le palais du chef de tribu, édifié il y a 250 ans et mesurant 15 m de haut. Énormes piliers sculptés, durs comme de la pierre. Grande salle de réception royale. Devant, de grosses pierres mégalithiques. Dans le passé, sur certaines d'entre elles, on laissait le corps des morts se décomposer avant de les ensevelir.

▶ Vous aurez remarqué ce mur de forme pyramidale. C'est le **Stone Jumping :** les jeunes guerriers non mariés doivent sauter par-dessus un obstacle de 2 m de haut (en pierre). Devant celui-ci, une petite pierre leur sert à s'élancer. Dans l'ancien temps, le sommet de l'obstacle était recouvert de bambous acérés. Ils ont disparu à l'heure actuelle. L'exercice servait à entraîner les jeunes à sauter les murs des villages ennemis. A noter que toute démonstration est payante : il faut marchander très fort.

▶ Parfois, vous pouvez aussi assister à la **danse de la guerre.** Les danseurs portent des parures en plumes d'oiseaux. Malheureusement, depuis peu, des organismes de voyages envoient des gros paquets de touristes qui s'installent dans le palais du chef pour quatre jours. Ça contribue pas mal à détruire l'équilibre du village. Allez-y vite avant que ça devienne un Mont-Saint-Michel.

LE CIRCUIT DES VILLAGES

Nous conseillons vivement de ne pas s'en tenir à la visite de Bawomataluo, et d'effectuer le circuit des villages. Une superbe balade d'un après-midi (5 à 6 h) de *Bawomataluo* à *Hilisimaetanö*. On effectue une espèce de boucle qui traverse les villages de *Siwalawa, Onohondro, Hilinawalo* et *Bawogosali,* tous de personnalité et d'approche très différentes. Évidemment, traversée de paysages sauvages, là aussi très diversifiés, par des chemins tantôt véritables boulevards pavés, tantôt quasiment réduits à une sente maigrichonne perdue dans les hautes herbes. Flore et végétation denses et magnifiques. Il est bon de préciser que, pour empêcher l'érosion due aux eaux de pluie, les villageois ont empierré la plupart des chemins de cailloux pointus et effilés. Avoir de bonnes chaussures ne glissant pas (en cas de pluie, bonjour les chevilles tordues dans les descentes !). Il est toujours possible d'effectuer seul le périple, mais s'apprêter à demander assez souvent son chemin aux divers embranchements. Prendre un bon guide local se révèle dans ces circonstances assez utile. Le circuit débute à *Bawomataluo,* à la tombe du chef (tête sculptée). Bonne route !

HILISIMARTANO

Village ressemblant pas mal à Bawomataluo, avec des maisons cependant un peu plus récentes. Situé sur la route Gunnungsitoli-Teluk Dalam (à 14 km de cette dernière). Escalier menant à l'esplanade centrale moins spectaculaire. On peut parfois surprendre de fort beaux chants religieux (protestants bien sûr, les missionnaires sur l'île ont fait montre d'un prosélytisme ardent !). Il est possible qu'on vous demande une petite contribution pour visiter le village.

BALADE AU VILLAGE DE GOMO

Allez découvrir les très impressionnantes pierres mégalithiques de la région Lahusa-Gomo, sur la côte est. De Teluk Dalam à Lahusa, environ 30 km, puis une quinzaine de kilomètres jusqu'à Gomo. Approche à travers un paysage sauvage. Pierres sculptées vraiment belles. Avec une question inévitable : comment ont-elles pu parvenir jusque-là ?

LES MÉGALITHES D'OLAYAMA

En plein centre de l'île, en marge de la route Gunnungsitoli-Teluk Dalam. En contrebas, après avoir suivi sur plus de 500 m un chemin assez raide. On découvre un magnifique ensemble de pierres sculptées couvertes de mousses et de lichens. Elles figurent pour la plupart des hommes, mains sur la poitrine et le sexe conquérant. Dans un tel environnement sauvage, cette découverte provoque tout à la fois stupéfaction et émotion. Pour s'y rendre, renseignez-vous à l'office du tourisme ou auprès des autochtones.

Quitter l'île de Nias

– *En bateau :* départ le soir, vers 21 h, de Gunnungsitoli pour Sibolga. De Teluk Dalam, c'est beaucoup plus aléatoire. Agence dans la rue principale de Teluk Dalam. Un cargo peut arriver un jour plus tôt et repartir aussitôt. Se renseigner quotidiennement. Nous rappelons qu'en période de pluie il faut prendre le bus très tôt à Teluk Dalam si l'on veut avoir la chance d'attraper le bateau du soir à Gunnungsitoli (prévoir pannes, embourbements, rivières en crue, etc.).
– *En avion :* par la *S.M.A.C.,* 1 départ tous les jours.

PRAPAT   IND. TÉL. : 0622

Gros bourg au bord du lac Toba, divisé en « ville haute » et « ville basse », et port d'embarquement pour Samosir. Le samedi, marché local intéressant qui attire des habitants des villages avoisinants et de l'île de Samosir. A notre avis, Prapat présente vraiment peu d'intérêt pour passer une nuit, et encore moins pour y séjourner. Il vaut cent fois mieux se rendre à Samosir tout de suite.

Où dormir ?

Au cas où vous auriez raté le dernier bateau...

Bon marché

■ *Wisma Gurning :* situé à 100 m à gauche de l'embarcadère (face au lac). Cher pour ce que c'est. Propreté limite.
■ On préférera le 87 jalan Sisingamangaraja. ☎ 421-46. Tenu par un jeune sympa qui donne de bons renseignements. Assez bon marché, mais il est loin d'être propre et très bruyant. Vous pouvez y acheter des places de bus pour Medan, Bukittinggi. Pas loin, le *Singgalang* est correct aussi.
■ Nombreux hôtels d'un meilleur standing sur le front de mer, à droite du débarcadère.

Où manger ?

● *Restoran Sehat :* 50-52 jalan Balige. Route principale, qui relie Medan à Bukittinggi. Excellente cuisine chinoise. Goûter au *fish-hot-plate* et au *shrimp-steak*.
● *Restoran Asia :* sur la même route. *Nasi goreng* délicieux et copieux.

Quitter Prapat

Agences de voyages et gens qui vous offrent de vous aider « spontanément » n'ont pas une bonne réputation. Pas vraiment de conseils à donner. Les boutiques changent assez souvent et leurs raisons sociales aussi. Question d'intuition donc.
Andilo, à l'arrêt des bus, est le plus connu et serait le plus fiable. Un départ vers 13 h. Une quinzaine d'heures de trajet. En principe, bus moderne (compagnie *A.L.S.*). Nous déconseillons pourtant d'acheter les tickets de bus dans l'île de Samosir, achetez-les plutôt à Prapat. En effet, souvent les petites agences de l'île sont différentes de celles des bus, d'où difficulté pour faire accepter leurs billets.
– *Prapat (lac Toba)-Padangsidempuam :* 262 km. Le bus part de Prapat à 9 h 45 et arrive vers 20 h. Voyage très, très pénible. Si vous aimez les émotions, vous serez comblé. Le paysage est magnifique. Attention, si vous voulez avoir une place, et assise de surcroît, réservez votre billet en arrivant à Prapat le plus tôt possible.
– *Prapat-Medan :* prendre un bus *P.M.H.* juste à l'embarcadère. Le trajet dure 5 h. Route relativement bonne. Environ 6 bus depuis tôt le matin jusqu'en début d'après-midi et quelques bus dans l'après-midi.
– *Pour l'île de Samosir :* aller jusqu'au terminus des bus, au port d'embarquement *(Tigaraja).* Si vous venez de Medan, ne pas croire les types qui montent dans le bus à l'entrée de Prapat et tentent de vous faire descendre avant d'arriver au terminus, soi-disant pour vous emmener en bateau en criant : « Lake Toba ! Lake Toba ! » C'est, en fait, une compagnie de ferry aux dessertes moins fréquentes, moins pratiques, partant d'un autre coin (Ajibata) et allant surtout sur Tomok (où peu de gens résident). Il faut donc se faire spécifier, une fois arrivé, si on est à Tigaraja ou à Ajibata. Au débarcadère de Tigaraja, donc, bateau toutes les heures environ. Bien se faire confirmer qu'il va à Tuk-Tuk. En principe, les prix sont fixes et bon marché (se les faire préciser quand même avant). Le dernier part à 18 h.
– *Prapat-Sibolga :* le bus qui vient de Medan est souvent plein. Prendre alors celui de Tarutung qui part vers 12 h 30 et, de là, navettes fréquentes pour Sibolga (route superbe, inoubliable, émotions garanties !).

LAC TOBA (île de Samosir)

Qu'y a-t-il tout au bout de la route ? Après 1968, les illusions envolées, beaucoup se réfugièrent à Ibiza. Mais l'île fut rapidement le repère de la « gauche caviar ». Ce fut donc l'époque de Matala. Les grottes devinrent sales si rapidement qu'il était impossible d'y séjourner. Alors, le pèlerinage vers la route des Indes commença. Mais les marchands de voyage s'emparèrent de Katmandou, avec avidité.
Les hippies avaient découvert le lac Toba il y a bien longtemps. Depuis, peu de choses ont changé, et c'est bien son grand avantage. C'est même étonnant après tant d'années. Presque un miracle. La plupart des losmen possèdent l'architecture batak traditionnelle. Même les nouvelles constructions ont le bon goût de s'y conformer. Il n'est pas nécessaire d'aller très loin pour découvrir les villages de l'intérieur, le naturel de leurs habitants, l'authenticité de leur mode de vie. C'est donc encore le moment d'en profiter !
Pas grand-chose à faire ici. Voilà sa véritable force. Vivre à Samosir, c'est le retour à la vie simple. Pourquoi avoir de l'eau courante puisque le lac (magnifique) est à vos pieds ? La température reste suffisamment élevée pour per-

mettre les baignades à tout moment de la journée. Les Bataks parlent leur propre langue. En guise de « bonjour », on dit *Horas !,* plutôt que « Selamat Pagi ». On trouve encore facilement où dormir bon marché.

Pour séjourner, nous recommandons vivement *Tuk-Tuk.* C'est le village le plus agréable. Pour y aller, nombreux bateaux dans la journée. De Prapat, ils partent près du marché *Tiga Raja.* Le samedi, jour du marché, demi-tarif en bateau mais il s'arrête partout. Ceux qui sont pressés et qui n'ont pas le temps de passer plusieurs jours sur le lac Toba peuvent louer un bateau et en 4 h faire la visite d'Ambarita à Tomok (mais quel dommage !). En principe, les mercredi et dimanche. Se renseigner dans les losmen. Choses intéressantes à acheter sur l'île. Marchander n'est pas conseillé, c'est obligatoire. Location de motos assez chère. Seul regret : le niveau du lac baisse constamment. Les plages en souffrent pas mal. Vous verrez que l'île de Samosir n'est devenue île que par la main de l'homme. Un petit canal au sud permet d'en faire le tour.

TOMOK

A 1 h de marche de Tuk-Tuk : très, très touristique et vraiment moins bien que Tuk-Tuk. Dur d'y dormir. De toute façon, présente peu d'intérêt. Voir surtout la tombe du roi Sidabuta, roi batak, sous un banian géant dont l'une des résurgences possède déjà la taille d'un arbre ! Vieilles tombes, statues de pierre. La plus grande représente une proue en forme de tête de femme portant une coupe. Intéressant marché d'antiquités et de batiks, mais diviser les prix par trois ou quatre, et l'âge des antiquités par 200. Pour les bateaux qui débarquent ici, des danses sont organisées, cela perd de son charme, mais vaut quand même la peine d'être vu.

Où dormir ?

■ *Edison's :* à la sortie du village (vers Tuk-Tuk), sur la droite. Deux maisons traditionnelles bataks, au bord du lac. Bon marché et assez bien tenues.
■ *Mangoloi :* tous les lundis, *Mangoloi,* un habitant de l'île qui s'occupe de tout, organise un tour de l'île Samosir en bateau. Il parle assez bien l'anglais et donne de bons renseignements pour les balades. Sa maison se trouve à droite à l'entrée de Tomok, en venant de Tuk-Tuk. C'est l'une des rares maisons bataks à avoir conservé son toit de palme. L'ambiance est agréable. Chambres cependant rudimentaires. Très bon marché. Nourriture correcte.

TUK-TUK

A notre avis, le village le plus sympa pour résider, même si les Australiens y dominent. Mais les losmen, en général dans le style du pays, poussent comme des champignons. La plupart plongent directement dans le lac, avec des bouts de plage aménagés. Et le miracle « tobien » se révèle là avec éclat : malgré plus de vingt ans d'invasion touristique, le village a conservé un charme et un naturel bien agréables. Dépêchez-vous d'y aller car à force, ça se détériore. Déjà l'eau est polluée par les ordures ménagères et les carburants des bateaux.

Où dormir ?

La côte serpente sur plus de 2 km. Le bateau débarque d'abord les clients du *Carolina* (un des losmen les plus chic), puis dessert les autres lieux d'hébergement à la demande dans la direction d'Ambarita. Nous les décrivons donc à partir du Carolina, au fur et à mesure de l'itinéraire.

■ *Carolina :* à l'entrée de Tuk-Tuk, vers Tomok. Un ensemble de bungalows disséminés sur une colline verdoyante. C'est là que le bateau de Prapat accoste d'abord (se le faire confirmer quand même). Prix variables, mais ils disposent aussi de chambres bon marché. La propreté est irréprochable. Resto très correct. Ambiance assez touristique cependant, il vaut mieux le savoir. Et l'accueil n'est pas à la hauteur.
■ *Rosita :* deux grandes maisons bataks simples, mais bien tenues. Mandi à l'extérieur. Bon accueil. *Mata-Hari,* à côté, est similaire.

■ *Bernard :* sur un petit promontoire bien agréable. Lever du soleil superbe. Un peu plus cher que les précédents, mais avec salle de bains privée. Le resto jouit d'une bonne réputation.

■ *Romlan :* là aussi, belles maisons bataks à différents prix. Carrément en aplomb de l'eau. Accueil sympa. Son resto est l'un des meilleurs du coin. Cuisine assez cosmopolite puisque, au menu, nous trouvons « ratatouille », tacos et roësti ! Le *Marroan*, à côté, n'est pas mal non plus.

■ *Rudy's :* sur la colline dominant la route. Bon accueil. Assez rudimentaire et l'un des meilleur marché.

■ *Endy's :* au bord de l'eau. Les maisons les plus chères (avec mandi) sont acceptables. Les autres, à moitié prix, sont vraiment mal tenues. Le patron est un mordu des échecs.

■ Passé le *Toledo,* hôtel pour groupes et agences de voyages (le seul construit sans aucun goût), nous arrivons à un ensemble de *losmen* à l'environnement sympa. Sensiblement aux mêmes prix que les autres. Petite baie extrêmement accueillante. Bon coin pour se baigner.

■ *Losmen Abadi :* beaucoup de charme. Une bonne adresse. *Tony's* n'est pas mal non plus.

■ *Sibayak :* sympa et propre.

■ *Karidin's :* agréables maisons bataks au bord de l'eau. Certaines avec mandi. La baie est calme mais l'eau y est moins claire qu'ailleurs. La propreté n'y est pas extra non plus. En revanche, cuisine excellente à prix dérisoires. Goûtez au *guacamole* (purée d'avocats avec plein de bonnes choses dedans).

■ *Christina :* même genre que les autres. On dort pour l'équivalent de quelques francs par personne.

■ *Losmen Antonius :* on dort dans de véritables maisons bataks, pour un prix dérisoire. La cuisine est délicieuse. Quant à l'accueil, il est excellent. Possibilité de louer vélos et motos. On conseille de bien vérifier la solidité des engins.

■ *Tuk-Tuk Timbul :* sur une petite presqu'île, à 3 km de Tuk-Tuk. De jolies maisonnettes bataks pour vous tout seul. Cadre agréable, accueil familial, bonne cuisine végétarienne. Propre et pas cher. Calme. Une petite promenade autour de l'île en bateau vous sera proposée.

AMBARITA

A 1 h de marche de Tuk-Tuk, vers le nord. Un but d'excursion agréable. Village très fleuri. Chaises et tables en pierre où, il y a 250 ans, le roi et sa cour venaient couper la tête du plus mauvais guerrier de la tribu. Ensuite ils jetaient la tête dans le lac et mangeaient le corps ! Il y a aussi quelques belles maisons bien décorées tout autour. Un peu plus loin, un autre groupe de pierres intéressant (vers les boutiques de souvenirs). C'est là que se tenait le tribunal du roi et les exécutions.

Les Bataks sont protestants. A Ambarita, les indigènes montrent une grande fierté d'appartenir à la secte H.K.B.P. (Huria Krister Batak Protestant).

Où dormir ?

■ *Mrs Rohandy :* losmen dans une maison batak. Tout près du marché artisanal. Assez vétuste. Cher pour ce que c'est. Cuisine correcte.

■ *Gordon's :* à environ 1 km après Ambarita, vers Simanindo. Petite pancarte sur la droite indiquant « Gordon's : 200 m ». Petits bungalows simples avec mandi. Assez corrects et pas chers. Situé dans un coin complètement isolé et calme avec, en prime, un superbe panorama sur le lac. Bonne nourriture. Question baignade, faire cependant attention aux sables mouvants à quelques centaines de mètres (vers Ambarita). Tour de l'île organisé à partir du losmen.

Où manger ?

C'est surtout à Tuk-Tuk que vous trouverez les bons restos et les gargotes très bon marché et fort bien tenues. Un conseil : pour que votre proprio de losmen ne fasse pas trop la tête, mangez chez lui au moins une fois ou deux.

● *Losmen Romlan :* la patronne (ou le cuistot, on ne sait plus) est autrichienne, ce qui donne un menu assez éclectique, mais très bon. L'accueil est vraiment sympa.

● *Losmen Bernard :* à côté du précédent. Nourriture très locale. Bon *satay* et poisson bien préparé. Grande salle à manger moderne. Service un peu trop en dilettante peut-être !

● *Pepy's :* situé sur le chemin du *Carolina.* Salle à manger genre grande cantine. Nourriture très correcte. Intéressant *smorgasbord* (pour 5 personnes minimum). Grand choix pour le petit déjeuner et les jus de fruits.

● *Carolina :* salle à manger dominant le lac. Joliment décorée de motifs bataks, avec un beau mobilier. Clientèle inévitablement touristique, avec une overdose d'Allemands. Bonne cuisine, guère plus chère qu'aux adresses précédentes.

● On nous a dit grand bien de l'*Antonius,* situé à côté des losmen *Abadi, Sibayak,* etc. (à la sortie de Tuk-Tuk, vers Ambarita). Nous n'avons pu cependant le tester.

A voir dans l'île

▶ *Samosir* se révèle, bien sûr, l'occasion de super balades dans une nature très sauvage. Nombreuses randonnées à pied possibles, mais la moto est ici largement utilisée et bien pratique. Attention : la location d'une moto, si elle vous garantit l'indépendance, présente cependant l'inconvénient d'avoir à subir seul les pannes et les frais de réparation en cas d'accident. Une bonne solution consiste à prendre un guide-conducteur à la journée. En cas de panne, connaissant tout le monde, il arrange toujours rapidement les choses. Location assez chère en regard du pouvoir d'achat local, mais encore très raisonnable comparé aux prix de chez nous. Nécessité de marchander un peu.

— Deux fois par semaine, un bateau fait le tour de l'île et vous permet de voir les sites touristiques.

SIMANINDO

Situé à environ 15 km d'Ambarita. Pour s'y rendre, pas mal de bus ou minibus le matin. Très peu l'après-midi et encore moins le soir. En cours de route, on note, disséminées dans les champs, les pittoresques tombes bataks très colorées, en forme de navires ou de petites chapelles. Traversée de quelques villages pas touristiques du tout, avec leurs grandes demeures traditionnelles. Les églises protestantes et catholiques rivalisent dur dans la conquête des fidèles. Coquets lieux de culte égayant le parcours.

▶ A Simanindo, très intéressant *Musée batak,* consistant en quelques maisons bataks typiques, dont la plus belle de l'île (ancienne résidence du roi). Elle daterait au moins de 250 ans. Collections ethnographiques (outils, objets domestiques, etc.). Des danses bataks sont régulièrement organisées dans la cour vers 11 h. Inévitablement touristique (surtout lorsqu'il y a des groupes), mais le spectacle est d'excellente qualité. Ne pas manquer de demander le petit texte (en français ou en anglais) qui décrit chacune des danses. Elles expriment le plus souvent les coutumes locales.

PANGURURAN

A 16 km de Simanindo. A l'endroit où seul un canal creusé par les hommes accorde à Samosir le titre d'île. Marché intéressant le mercredi. Traverser le pont qui rejoint la terre ferme et tourner à droite pour les sources sulfureuses d'eau chaude, situées à environ 4 km. Rien de bien spectaculaire. L'occasion de prendre un bon bain à 35-40° dans des vasques ! Attention, près de la source, l'eau est quasiment bouillante. Sur place, un petit resto pas cher où l'on est sûr de trouver des boissons fraîches et de grignoter des *Ikan teri* (petits poissons fumés en sauce, avec du riz blanc).

ASCENSION DE LA MONTAGNE DE SAMOSIR

Nombreuses et intéressantes balades sur le plateau central de l'île. Pas de difficultés majeures, si ce n'est la grimpette d'approche. Possibilité de relier *Tomok* à *Pangururan,* en coupant au centre de l'île. Départ du tombeau royal. Accueil sympa dans les villages.

■ Pas d'hôtel ni de resto, bien sûr, mais on peut trouver gîte et couvert chez l'habitant, sensiblement aux prix des losmen les moins chers de Tuk-Tuk. A *Partukkoan,* dans la montagne, **M Jenny's Guesthouse,** accueil très chaleureux et simple pour 3 fois rien.

Prévoir un vêtement imperméable car il pleut parfois là-haut.

Attention, pendant la saison des pluies, l'ascension de la montagne est quasi impossible. Conseillé de prendre un guide. A moins que votre proprio de losmen, très ferré sur la question, ne vous ait aidé à dresser un plan avec toutes les bifurcations. Bonnes chaussures, également imperméables, pour les chemins boueux. Prévoir 2 à 3 jours pour la balade. A *Pasaggrahan,* possibilité de passer la nuit dans la maison forestière (à environ 5-6 h de marche de Tomok). A *Runggarni,* nécessité de dormir chez l'habitant si on arrive tard dans l'après-midi. Pour atteindre Pangururan, si l'on veut éviter la vingtaine de kilomètres qui reste à faire, il existe parfois un bus qui part très tôt d'un village situé à 15 mn de Runggarni. De Pangururan, nombreux minibus le matin pour Simanindo, puis Tuk-Tuk (mais ça musarde, musarde !).

BALIGE

Au sud du lac Toba. Est connu pour ses courses de chevaux bataks. De plus, très jolies maisons à l'architecture typiquement batak. 3 h de bus depuis Prapat.

PEMATANGSIANTAR   IND. TÉL. : 0622

La plupart des touristes vont d'une traite de Prapat à Medan, ce qui est une erreur, car il y a beaucoup d'endroits intéressants à visiter avant d'arriver à Medan.

Tout d'abord, Pematangsiantar, à 1 h 30 de voyage. Intéressant *musée batak.* Ouvert de 8 h 30 à 12 h et de 14 h à 17 h. Dommage qu'il n'y ait aucune explication en anglais. Ensuite, possibilité de retourner à Medan par Brastagi plutôt que par la route directe. Bien plus intéressant. Superbe itinéraire.

De Pematangsiantar, possibilité de prendre aussi un bus pour Merek, et encore un autre pour *Tongging.* Près de ce village, allez voir les cascades de *Sipiso-Piso,* vous y aurez une très belle vue sur le village de Tongging et ses rizières, les montagnes alentour. Pour loger, *Ramos Bungalows* n'est pas terrible.

De Tongging, ralliez par bus *Kabanjahé,* marché important. Laissez vos bagages chez les policiers, puis minibus ou partez à pied (2 h 30 aller-retour) pour visiter le village karo de *Lingga.* Vous pourrez y voir de belles maisons traditionnelles. Les villages de *Burusjahé* (y aller en bemo) et *Katabunuh* (en bemo, 2 h de route) possèdent aussi quelques exemplaires significatifs d'architecture batak. Cinq maisons dans ce dernier village. Sur toute cette région et, pour plus de détails, voir chapitre spécial « Aux environs de Brastagi ».

Pour loger à Kabanjahé, de nombreux losmen relativement sordides près du marché *(Kelitung).*

BRASTAGI

A 68 km au sud de Medan et à 1 400 m d'altitude s'élève Brastagi, station climatique où l'on vient respirer l'air doux et tonique tout à la fois, quand la côte devient insupportable. La ville en elle-même présente peu d'intérêt et pas beaucoup de charme. Ce sont les alentours qui offrent de merveilleuses balades : treks dans les pics volcaniques, villages karo, etc. Brastagi devient alors un très utile « camp de base ». C'est dans la région que pousse la *marquisha,* un fruit donnant une boisson délicieuse dont raffolent les Indonésiens.

Comment y aller ?

– *Depuis Medan :* kyrielle de bus et minibus reliant les deux villes en 2 h environ. Le terminal se trouve sur jalan Pattimure.

Où dormir ? Où manger ?

■ *Wisma Sibayak :* 1 jalan Udara (au coin de jalan Veteran). ☎ 203. A quelques centaines de mètres du terminal des bus. Une très grande maison dans un jardin. Rendez-vous des routards du monde entier. Accueil chaleureux et bonne atmosphère qui font oublier que les chambres se dégradent quelque peu. Il sera d'autant plus pardonné à cette gentille famille qu'elle est une vraie mine de renseignements sur la région. Dortoir et chambres doubles. Mandi à l'extérieur. Saine et copieuse cuisine.

■ *Losmen Sibayak :* jalan Veteran, à côté du cinéma. Plus calme et moins touristique que le précédent. Également moins cher.

■ D'autres hôtels sur jalan Veteran (la rue principale) et autour du terminal de bus. Pas chers, mais sales pour la plupart. Éviter le *Ginsata Hotel,* peu sympa.

● Nombreuses gargotes sur jalan Veteran. Porc et riz pas cher au *Sempana* (en face des bus pour Kabanjahe). L'*Asia,* dans le haut de jalan Veteran (vers le marché aux fruits), est un resto chinois correct. A l'*Arihta,* près du *Wisma Sibayak,* on trouve du vin de palme toute l'année. Le *Muslimin,* au 128 jalan Veteran (près du cinéma), propose une cuisine excellente, pas chère et copieuse. En revanche, éviter le restaurant *Europah* (sur jalan Veteran), cuisine chinoise et européenne pas bonne et chère.

Plus chic

■ *Brastagi Cottage :* jalan Gundaling. ☎ 76. Sur la colline Gundaling qui domine la ville. A 1,5 km du terminal des bus. Cottages agréables dans un environnement calme et très vert. Trois catégories, de 100 à 150 F environ. Resto et piscine.

A voir

▶ *Le grand marché :* au bout de la ruelle partant de jalan Veteran, en face du terminal des bus pour Medan. Vivant et coloré. Les jours de pluie, bain de boue assuré. Fruits trois fois moins chers qu'au marché aux fruits pour touristes (celui au pied de la colline Gundaling).

▶ Grimper tout en haut de la *colline Gundaling.* Par soir de beau temps, magnifique vue d'ensemble de la région et qui porte très loin. En bas, l'hôtel *Rodang* offre sa piscine et une bonne discothèque.

Aux environs

▶ Ceux qui demeurent à la *Wisma Sibayak* peuvent s'organiser de belles balades dans la région en demandant conseil au patron ou à ses fils. Carte assez précise du trek au mont Sibayak. Possibilité d'y trouver aussi un bon guide (à pied ou en moto).

▶ *Le mont Sibayak :* c'est un volcan encore en activité, à plus de 2 000 m d'altitude. Ascension ne posant pas de problèmes majeurs. Jungle et singes garantis. Dans le cratère, extraction de gisements de soufre. De *Brastagi,* prendre un bemo jusqu'à *Doulu.* Puis, environ 2 à 3 h de marche, par *Gemangat,* jusqu'au sommet. Prévoir de bonnes chaussures imperméables car chemins souvent boueux. Partir de très bonne heure le matin, la météo se gâtant souvent en début d'après-midi. Emporter une bonne provision d'eau potable. Là-haut, beaucoup de fumée et d'odeurs de soufre. Le week-end, c'est presque un boulevard avec l'arrivée de tous les sportifs de Medan. Retour en 4 h environ par le village de *Gumba* (ça monte et descend pas mal ; assez fatigant !). Chemin plus facile et, bien sûr, un peu plus long, par *Panorama Tuah Lingga.* Bonne route de terre.

■ Possibilité de passer la nuit dans une maison karo batak authentique, à 10 km de Brastagi. Ce sont les parents du patron de la *Wisma Sibayak* qui accordent leur charmante hospitalité et convient à partager la table familiale. On paie la nuitée à *Wisma Sibayak,* mais le repas directement aux parents.

▶ *Le volcan Sinabung :* plus haut que le Sibayak (2 450 m). Assez dangereux d'accès à cause des gaz. Prendre un bus pour *Lake Kawar.* Ensuite, 4 h de marche, dont 3 de bonne grimpette. Conseillé d'avoir un guide (pas si cher que ça si on est plusieurs). On peut éventuellement en trouver un sur place. Possibilité de camper (location de tentes) ou d'être hébergé à la coffee-house (très simple, on dort à même le sol). En revenant, on peut prendre un bain aux *Hot Springs* (eaux chaudes sulfureuses).

▶ *Lingga :* c'est le village karo le plus caractéristique de la région. Le plus touristique aussi, mais ça vaut vraiment la peine d'y aller. Pas de bus direct depuis Brastagi, mais c'est très facile de s'y rendre. Bus jusqu'à Kabanjahe (à 12 km), puis minibus (ou 4 km à pied) pour Lingga. Possible que l'on vous demande une petite participation financière pour la visite (pour les bonnes œuvres du village). Le guide officiel proposera probablement ses services. Il parle l'anglais et un peu le français. Explications intéressantes. C'est touristique au sens où beaucoup de gens y viennent, mais les autochtones ne sont pas (pour le moment) « bouffés » par le tourisme. Au contraire, c'est un village assez pauvre, où l'on travaille dur, et qui n'a pas changé un iota de son mode de vie. On se sent quand même un peu gêné d'y faire irruption, comme ça, et bien forcé de louer la compréhension et la patience des villageois. Comportements naturellement assez farouches par rapport à la photo. Ne pas oublier de toujours demander avant. Petite boutique d'artisanat.

Visite de la *King's House,* datant au moins de 300 ans. Habitée par le roi karo batak jusqu'en 1938. Ce genre de maison, à l'architecture extraordinaire, abrite jusqu'à 8 familles. Intérieur noirci par la fumée des foyers. A l'extérieur, belles décorations peintes. Pour les édifier, pas un clou, que des chevilles en bois. Les « maisons de célibataires » accueillent les garçons à partir de 17 ans. De-ci, de-là, des tombeaux où l'on mettait les corps des notables.

▶ Dans la région, si vous souhaitez voir d'autres villages karo, allez à *Barusjahe* (par *Kabanjahe* ou *Brastagi*). Un peu moins pittoresque, mais aussi moins touristique.

Au sud de Brastagi

▶ De Merek, à 25 km de Kabanjahe, rallier *Tongging* pour admirer la **cascade de Sipisopiso** (120 m de haut). Beau panorama sur le village et les rizières alentour.

▶ *Harrangaol :* sur la berge nord du lac Toba, quelques bus partent le matin de Brastagi pour s'y rendre. La descente sur le bourg est très belle avec vue sur le lac, Samosir et les rizières en terrasses. Un ferry le mercredi seulement d'Harrangaol pour Samosir. Harrangaol est très peu connu des touristes et pourtant les prix y sont assez prohibitifs. Il vaut mieux donc l'éviter si vous êtes fauché. Très belle plage sur le lac Toba. Pittoresque marché le lundi.

Quitter Brastagi

– *Pour Medan :* pas de problèmes. Nombreux bus et minibus. De 1 h 30 à 2 h de trajet.

– *Pour Prapat* (port d'embarquement pour Samosir) : pas de liaison directe (trois bus, deux correspondances). Mais ne pas s'inquiéter, tout s'articule parfaitement. Très peu d'attente dans les correspondances. D'abord, bus ou minibus pour *Kabanjahe.* De là, bus « Simas » ou « Sapadan » pour *Pematangsiantar.* Au passage, on traverse *Seribudolok* et son incroyable marché. De Pematangsiantar, bus direct (compagnie *P.M.H.,* entre autres) pour Prapat. Compter 5 à 6 h de voyage en tout.

– *Pour Bukit Lawang :* à 9 h en principe, un bus « Selamat Jalan » relie Brastagi à Bukit Lawang, en passant par Medan. 5 à 6 h de trajet. Le permis de visite s'obtient désormais directement à Bukit Lawang (au *P.P.A. Office*).

Par Medan, pour Bukit Lawang : aller jusqu'à la Sungaï Wampu Bus Station. Bus pour Binjai. De cette ville, bus pour Bukit Lawang, le premier à 8 h, le dernier à 15 h. Compter 3 h de trajet. On notera que le bus direct est un peu moins long et évite les changements (mais horaire et périodicité moins garantis).

MEDAN   IND. TÉL. : 061

C'est la plus grande ville de Sumatra. 200 habitants en 1823, pas loin d'un million aujourd'hui. Son nom veut dire « champ de bataille », en souvenir des luttes incessantes mettant aux prises dans la région les sultans d'Aceh et de Dheli. Ce sont les Hollandais qui provoquèrent le développement de la ville dans la seconde moitié du XIXe siècle, en implantant la culture de l'hévéa et du tabac. En 1918, on comptait 35 009 Indonésiens, 8 269 Chinois et... 409 Européens. Aujourd'hui, c'est la capitale commerciale de Sumatra. Elle connaît un trafic automobile effroyable. Il faut avoir été coincé une fois à un passage à niveau dans les gaz d'échappement de plusieurs centaines de becaks, bemos et camions pour devenir écolo à vie (si l'on y a survécu bien sûr !). Sinon, pas grand-chose à visiter. Intérêt touristique vraiment très limité. Plaque tournante pour les avions et les bateaux seulement. Le grand marché, cependant, est à voir. Fascinant par son rythme dément.

Arrivée par avion

— Penang-Medan par avion, par la *M.A.S.* Trajet de 269 km (30 mn de vol). Départ à 12 h. Taxe d'aéroport. Arrivée à Medan à 11 h 40. Heure indonésienne : 30 mn d'avance sur celle de Malaisie. Contact sympa. Bureau d'information à l'aéroport où l'on parle le français. Il donne une carte de la ville. Changer vos francs français à l'aéroport, car après, à Sumatra, c'est beaucoup plus difficile. Le bureau de change y pratique un taux normal. Opérations très rapides comparées à la bureaucratie des banques en ville. Malheureusement, il n'est pas ouvert la nuit. Bien sûr, ne pas changer au bar-resto, taux très défavorable.
— Pour le centre ville, pas de bus. Seulement le taxi. Les fauchés pas trop lourdement chargés ont intérêt à prendre un becak à la sortie de l'aéroport (3 fois moins cher). Du hall d'arrivée, suivre la grande avenue sur 400 m, jusqu'au carrefour où attendent les becaks (ils n'ont pas le droit de pénétrer dans l'aéroport).

Adresses utiles

— *Office du tourisme :* 66 Palang Merah. En face du *Kantor Imagrasi Polonia.* ☎ 51-11-01. C'est écrit *Parawisata* sur l'immeuble. Situé au fond d'un couloir. Pour un peu, on le louperait. Pas beaucoup de brochures et de matériel en général, mais gentillesse et bonne volonté à revendre. Ouvert de 8 h à 16 h, sauf dimanche et jours fériés.
— *Immigration Office :* jalan Putri Hijau. ☎ 32-21-09 et 32-33-03.
— *Consulat de Belgique :* 459 jalan Pattimura. ☎ 25-151.
— *Grand-poste :* jalan Bukit Barisan.
— *Garuda :* Dharma Deli Hotel, 2 jalan Balai Kota. ☎ 25-702. A l'aéroport, ☎ 51-24-44.
— *Merpati :* 41 J. jalan Jens Katamso.
— *Indosat :* jalan Prof. H.M. Yamin. Agence téléphonique qui assure d'excellentes liaisons avec la France.

Où dormir ?

Possibilités de logement assez réduites. Aucun hôtel de charme, même pas un qui soit vraiment satisfaisant (à moins d'y mettre le prix fort).
■ *Irama Hotel :* 112 S. jalan Palang Merah. Dans une petite ruelle entre Jalan Listrik et jalan Sukamulin. Face au grand hôtel Danau Toba, sur la route qui va à

l'aéroport de Polonia. Bon marché, mais arriver de bonne heure pour choisir sa chambre. Certaines sont vraiment beaucoup mieux que les autres. Accueil assez impersonnel. Dans l'ensemble, bien tenu.

■ *Sigura-Gura :* 2 K jalan Lt Jens Suprapto. A 900 m de l'aéroport, mais assez silencieux. A côté du bureau de la Garuda. 4 chambres, un dortoir et une coffee-shop. Pas très cher, mais excessivement rudimentaire (punaises), surtout les chambres doubles.

■ *Wisma Brastagi :* 627 jalan Pattimura. Situé à 3 km du centre, sur la route de Brastagi. Peu d'intérêt, à moins que tout soit complet ailleurs ou que vous rentabilisiez à 2 ou 3 les transports en becak. Au rez-de-chaussée, chambres bon marché, mais un peu sombres. Assez propre en général.

■ *Tapian Nabaru Hotel :* 6 jalan Hang Tuah. ☎ 51-21-55. Guesthouse très correcte. Dans le quartier résidentiel près de la rivière. Chambres doubles bon marché.

■ *Sarah Guesthouse :* 10 jalan Pertama. Non loin du château d'eau. Le patron vous emmène à l'aéroport gratuitement même si vous avez un avion tôt le matin. Bon marché. Ambiance familiale et bonne cuisine également.

■ *Wisma Yuli :* 79B jalan Sisingamgaraja Gg Pagaruyung. ☎ 32-31-04. Propre et pas cher mais la mosquée se situe en face (donc réveil matinal).

De prix moyens à plus chic

■ *Sumatra Hotel :* 21 jalan Sisigamangaraja. ☎ 52-08-62. Très central. Pas loin de la grande mosquée. Sans être vraiment reluisant, c'est le meilleur dans sa catégorie. Par exemple, mieux que le *Garuda* à côté. Éventail de prix allant du simple au double.

Plus chic

■ *Garuda Plaza Hotel :* 18 jalan Sisingamgaraja. ☎ 32-62-55. En face du Sumatra (ne pas confondre avec le *Garuda Hotel*). Petit déjeuner continental ou américain, dans un cadre frais et agréable.

Où manger ?

Bon marché

● *Kurnia :* 15 jalan Iman Bonjol. Excellente cuisine *Padang*. Poisson bien préparé.

● *Garuda :* 20 CD jalan Pemuda. ☎ 32-76-92. Très central. On y sert avant tout de la *Padang food*, c'est-à-dire un assortiment de petits plats très épicés. Cuisine propre. Service aimable. Un autre *Garuda* au 26 Jalan Palang Merah.

● Sur jalan Selat Panjang, nombreux petits stands de nourriture très bon marché. Ambiance populaire et sympa. Au bout de la rue apparaît, tout illuminé, le château d'eau de la ville. Goûter aux petits pâtés à la vapeur, au canard laqué, aux nouilles frites. Quant aux « gelées » de toutes les couleurs, on ne sait pas trop. Tout près du château d'eau, tout comme jalan Selat Panjang, la jalan Pekantan (qui donne sur jalan Pandu, à la hauteur du n° 2) offre une bonne nourriture chinoise. On est confortablement installé sous des auvents.

● Pour renouer avec les petits déjeuners européens, une seule adresse : *hôtel Garuda Plaza*, en face du Sumatra. Assez cher, mais « dépaysement occidental » et confort assurés.

Prix moyens à plus chic

● *Tip-Top :* 92 jalan Jend. A. Yani. ☎ 24-442. Situé dans le centre, dans le prolongement de jalan Pemuda. Un des meilleurs restos de la ville. Grande salle climatisée au fond. Cuisines chinoise, indonésienne et européenne. Vaste choix. Service impeccable. Bien entendu, cher pour les Indonésiens, mais prix très acceptables pour nous. Goûter au *gulai Kamping* (mouton au curry), au *hati* ou *otak* (foie ou cervelle au curry), au *Ikan Panggang* (poisson au Bar B.Q.), au *gado-gado* (salade à la sauce de cacahuète), au *rendang daging* (viande frite au lait de coco), etc. A l'entrée du resto, une terrasse aérée, où il fait bon le soir déguster de délicieux gâteaux ou des glaces fondantes. Bref, une excellente adresse !

- *Famili :* 21 B Jalan Singamangaraja. ☎ 32-12-85. Très grand resto populaire, à côté de l'hôtel Sumatra, proposant une bonne nourriture padang.
- *Batik Café :* 14 C. jalan Pemuda. ☎ 51-41-32. Cadre assez quelconque de photos fanées de sous-bois. Musique d'ambiance sirupeuse. Service jusqu'à 21 h 45. Bons petits *satay* de poulet, viande et salades correctes. Assez cher, mais calme assuré.

Plus chic

- *Sheraton Palace Restaurant :* 101 jalan Orion. ☎ 52-95-42. Situé dans la rue longeant le *Kompleks Medan Plaza,* le plus prestigieux centre commercial de la ville (l'occasion d'effectuer vos courses avant !). Y aller en becak. Salle à manger très clean. Tons rouges et acier. Petite cascade ringarde dans un coin. Bonne cuisine chinoise. Service diligent. Atmosphère très calme pour ceux qui veulent se reposer la tête. Spécialités de sea-food et de poisson.
- *Asean :* 5 jalan Glugur Bypass. ☎ 52-01-98. Là aussi, y aller en becak. Le resto de poisson et de fruits de mer de la middle-class. Possède une bonne réputation. Salle immense assez chics, ambiance un peu froide et service aimable. Ouvert midi et soir jusqu'à 22 h. Spécialités de *sirip Ikan Dgn Daging Kepiting* (soupe de poisson au crabe), *Kepiting pedas* (crabe farci pimenté), etc.

A voir

▶ *La Grande Mosquée :* jalan Sisigamangaraja. Pas loin du terminal des bus pour Prapat. Une des deux plus grandes d'Indonésie (celui qui sait quelle est l'autre a gagné un volume de la collection de son choix). Édifiée en 1906. Splendide architecture. Possibilité de visiter. Conseillé de venir le matin de très bonne heure pour les photos. La lumière sur le monument se révèle très belle.

▶ *Le palais Maimun :* jalan Brig Jen Katamso. Pas loin de la grande mosquée. Construction extravagante, très insolite dans ce paysage méchamment urbain. Construit en 1888. Rénové récemment.

▶ *Museum Sumatera Utara :* près du *Teladan Sports Stadium,* dans l'avenue partant du Bus Terminal. Grand édifice en forme de maison batak. Ouvert de 9 h à 14 h 30 (ferme à 11 h le vendredi et à 13 h le samedi). Collections ethnographiques. Le rez-de-chaussée est assez fourre-tout, intérêt inégal. Au premier étage : objets domestiques, instruments de musique, outils sont néanmoins mieux présentés. On arrive à y trouver quelques belles pièces.

▶ *Grand marché central :* délimité par les rues Sutomo, Veteran et Bulan. De toute façon, demander au becak *Pusat Pasar.* Immense, foule énorme, toutes les couleurs et odeurs de la terre, complètement épuisant...

▶ *Le marché aux croûtes :* près de l'hôtel Danau Toba. Une rue entière de tableaux représentant couchers de soleil sur la mer, volcans en éruption, plages de cocotiers et cimes pointues, cascades dans la jungle, maisons sur pilotis, batailles de tigres et de serpents ; camaïeux de jaunes, harmonies roses et violettes, pour un public admiratif de jeunes fiancés indonésiens.

▶ *Piscine* du grand hôtel *Danau Toba.* Pour enlever la poussière du grand marché. Pas très cher. Minigolf également.

▶ Nos lecteurs architectes ou poètes urbains, enfin tous ceux qui souhaiteraient retrouver les vestiges de la colonisation hollandaise, se baladeront autour du carrefour des rues Pemuda, Merah et Jend A. Yani. Un certain nombre d'anciens édifices coloniaux abritent banques, administrations, etc. Voir notamment la poste *(Kantor Pos dan Giro)* sur jalan Palajrota.

▶ *Ferme de crocodiles :* au village d'*Asam Kumbang* (dans le district de Sunggal). A 8 km de Medan. Ouvert tous les jours de 9 h à 17 h. Pour s'y rendre, bus ou minibus du terminal « Main Sambu ».

Achats

Medan se révèle une ville de « magasinage » assez intéressante. Quelques rues et centres commerciaux à visiter.
- *Jalan Ahmad Yani :* boutiques de souvenirs, antiquités, etc.
- *Jalan Surabaya :* « capitale » de la chaussure.

– *Medan Plaza Kompleks :* 321 jalan Iskandar Muda. Le plus beau centre commercial de Medan. Sur cinq étages et tout autour des centaines de boutiques de fringues, gadgets, restos, etc. Un choix énorme, prix hyper intéressants. Atmosphère folle. Un vrai petit temple de la consommation.

Quitter Medan

L'aéroport est à 1 km du centre ville. Taxi (cher) ou becak qui vous laisse à 400 m de l'enregistrement, car il n'a pas le droit de pénétrer dans l'aéroport.

En avion par Garuda

– *Pour Padang :* quotidien.
– *Pour Pekanbaru-Batam :* quotidien.
– *Pour Singapour :* quotidien.
– *Pour Kuala Lumpur :* mardi et vendredi.
– *Pour Jakarta :* 4 à 5 départs par jour.
– *Pour Banda Aleh :* 2 départs quotidiens.
– *Pour Amsterdam* (vol *K.L.M.-Garuda* avec correspondance pour Paris) : le mercredi.
– *Pour Penang* (par *M.A.S.* ou *Merpati*) : environ 30 mn de vol.
– *Pour l'île de Nias :* par la *S.M.A.C.*, 59 jalan Iman Bonjol. ☎ 51-66-17. Vol quotidien. Prix raisonnable. Réserver 3 à 4 jours à l'avance (en fait, sitôt que vous pouvez !).
– *Pour Denpasar :* un seul vol direct le vendredi : sinon, il faut changer à Jakarta.

Par bateau

– *Compagnie Pelni :* 5-7 jalan Kol. Sugiono/Carawati. ☎ 25-100 et 25-180. Bateaux depuis le port de Belawan pour Tg. Priok (Jakarta). En principe, 2 voyages hebdomadaires avec le « M.V. Kambuna » et le « M.V. Rinjani ».
– *Compagnie P.T. Sumatera :* 11 D/E jalan Pemuda. En principe, 2 bateaux hebdomadaires pour Penang toute l'année, le mardi et le jeudi.

Par bus

– *Pour le lac Toba :* Medan Raya Express (en face de la Grande Mosquée, 30-32 Jalan Rupat). Ce sont de gros Mercedes en principe, et certains seraient directs. Départs de 8 h à 18 h. Environ 5 h de trajet. Demander avec air conditionné, si possible.
– *Par A.L.S.* Terminal de bus : jalan Amalium (non loin du *Garuda Hotel*).
Ces bus sont souvent pleins. Nécessité de réserver à l'avance. Possibilité de réserver à l'aéroport moyennant commission.
– *Public Buses* (bus P.M.H.) : un départ toutes les heures à partir de 6 h 30. 5 h de route, mais meilleures conditions de voyage en partant tôt avec les premiers bus. Départ de la gare routière située à côté du National Stadium (au bout de jalan Sisingamangaraja). Prendre un bemo pour y aller.
– *Pour Berastagi :* prendre le bus sur jalan Pattimure. Dès qu'il est plein, il part. Compter 2 h de trajet. Le voyage par minibus est beaucoup moins long (1 h 30).

LA RÉSERVE DE LANGKAT

C'est une réserve d'orangs-outangs, à 90 km de Medan, qui complète de façon intéressante la visite de l'île. On y accède par bus de Medan ou de Binjei. Cette dernière est une petite ville agréable, à 2 h de route de Bukit Lawang, point de départ de la visite de la réserve. Dormir à la *guesthouse* de Binjei, confortable, accueillante et bon marché. Le bus venant de Medan s'arrête juste devant. Adresse : *Café de Malioboro,* Garden Restaurant and Guesthouse, Ksatria n° 1. ☎ 219-87.

– Attention, quoi qu'en disent l'office du tourisme de Medan et les chauffeurs de car, il est impossible de faire l'aller-retour dans la journée à partir de Medan. Les chauffeurs (arnaque avec les habitants du coin) n'attendent pas que les touristes soient revenus de la réserve.

Il est d'ailleurs impossible de dormir à Binjei, si on veut assister au repas des orangs-outangs (de 8 h à 9 h et de 15 h à 16 h). Les bus qui conduisent les touristes à la réserve ayant l'habitude de ne pas y repasser lors de leur dernier service (16 h) ; ils ne s'arrêtent qu'au village, à plus de 1 km. Si vous vous retrouvez coincé sur place, plusieurs guesthouses pas chères. Juste avant la traversée de la rivière, un dernier losmen, le *Drop In*, chambres vastes et bien meublées. A préférer à la *Wisma Bukit Lawang* et *Leuser Sibayak* à l'entrée du parc, chères et bondées. Possibilité de louer de grandes bouées pour descendre la rivière. Sensations assurées.

— Après avoir traversé en bateau la rivière Bohorok, on accède au centre d'observation des orangs-outangs. Paysage splendide. La visite a lieu à 16 h, au moment du repas des singes.

Formalités : le permis de visite s'obtient à la réserve directement ou à Medan, au *Dinas PPA Kantor Kehutanan* : 14 jalan Sisingamangaraja. Ouvert de 8 h à 12 h. Valable 3 jours. Se munir de bonnes chaussures. La visite se fait aisément dans la journée. Possibilité de baignade dans des eaux très claires, à la limite de la réserve. On peut aussi faire un trek de quelques jours dans la jungle, en bivouaquant. Il est même possible de rejoindre *Berastagi* (5 jours de jungle). Ambiance « Tarzan » garantie ! Mais attention, nous déconseillons de partir sans guide, même si vous avez appris par cœur le manuel des Castors-Juniors ! Autre possibilité, descente de la rivière en chambre à air. S'adresser aux autochtones.

LE NORD ET LE GUNUNG LEUSER NATIONALPARK

C'est le plus grand parc national de l'Asie du Sud-Est.

Comment y aller ?

— Aucune permission spéciale n'est nécessaire.
— De Parabat ainsi que de Medan, bus pour *Kabanjahe* (ville située à 15 km au sud de Berastagi).
A Kabanjahe, un bus vous mène à *Kutangjane* qui marque le début du parc. De là, vous pouvez prendre un samlor qui vous conduit à *Ketambe Research Centre* (30 km).
De Ketambe, reprendre le bus vers *Blankjeren*. Une grande partie de la route traverse le parc. S'asseoir sur le toit du bus. La végétation et les paysages sont superbes. Pas de problème pour dormir à Blankjeren : il y passe deux à trois routards par semaine.
De Blankjeren, environ une fois par semaine, part un bus direct pour *Takenon*. Prix assez élevé car c'est de la piste. Il y a cependant mieux à faire : on peut aller en samlor ou en camion jusqu'à *Gudang* et de là continuer à pied. Le trajet jusqu'à *Wag* est certes long et pénible (50 km) mais on peut le faire en différentes étapes. Il y a trois petites cases le long du chemin où l'on peut passer la nuit. Pensez à prendre eau et nourriture. Évitez de partir avant 9 h et de continuer après 16 h car le tigre existe encore dans ces contrées et le chasse le matin et le soir. L'effort vaut vraiment la peine, expérience inoubliable. La piste est bonne et, surtout, il n'y a aucun croisement sur tout le chemin, on ne peut pas se perdre.
De Wag, samlor pour *Takenon*, ville assez chère bien que peu touristique : les hôtels pour vacanciers du coin y pullulent. Le lac mérite un arrêt. Paysage très beau, location de barques.
Dans le nord, en général, la population est quelque peu agressive, musulmane tendance dure.
A Takenon, bus pour Birouen, puis Medan. Marchandez car les chauffeurs tentent d'arnaquer les touristes.

Java, l'île la plus peuplée d'Indonésie, compte déjà plus de 100 millions d'habitants. Elle s'étire d'ouest en est sur un bon millier de kilomètres. Même si elle est grande, aucun risque de s'y sentir seul. Elle possède une des plus importantes densités de population de la planète (747 habitants au km²).

Java offre le pire et le meilleur. A Jakarta, l'explosion économique a défiguré la ville et les laissés-pour-compte vivent dans des taudis au pied des buildings de verre. A Jogjakarta, on continue à cultiver l'art de vivre à la javanaise, souvenir de l'époque des sultans. La région de Jogjakarta possède des temples époustouflants.

Mais on vient aussi à Java pour les volcans (on en compte une soixantaine, dont 17 en activité). Une chaîne de montagnes volcaniques coupe l'île d'ouest en est. Les paysages extraordinaires qu'offrent les excursions vers les volcans constituent une expérience unique. Aucune autre île ne propose une telle beauté sauvage.

On ne vient pas à Java pour bronzer sur les plages, il n'y en a quasiment pas, mais pour découvrir une nature exceptionnelle. La forêt tropicale occupe d'ailleurs 30 % de l'île.

Sur le plan humain, vous êtes gâté, vous croiserez des gens très différents. Le groupe ethnique le plus important reste les Javanais. Ils occupent l'est, le centre, les côtes ouest de l'île. Les Sundanais vivent dans la région sud-ouest. Quant aux Madurais, on les trouve à l'est de Java ainsi que sur l'île de Madura, ce que vous auriez deviné tout seul.

Comment y aller ?

D'Europe

Voir chapitre « Comment aller en Asie du Sud-Est ? ». Mais étudiez bien votre coup, car il peut être beaucoup plus intéressant pour vous de débarquer en Thaïlande et de rejoindre l'Indonésie via la Malaisie et Singapour (voir ci-dessous).

De Singapour

– *Avion :* une fois par semaine, le charter de *Sempati* part de l'aéroport Selatar à Singapour (petit aéroport).
Par lignes régulières : pour aller de Singapour à Jakarta en avion, vous aurez peut-être quelques difficultés à avoir de la place. Ne pas hésiter à graisser la patte. Tarif beaucoup plus avantageux en aller-retour.
Par la *Thai :* vol tous les jours à 16 h 30.
– *Bateau :* relie directement Singapour à Jakarta, mais c'est cher et le service est irrégulier. Renseignements à la *Pelni Line :* Asie Insurance Bldg, près de Clifford Pier, 15ᵉ étage, Singapour. 3 à 4 jours de traversée. Départ tous les 10 jours et, très souvent, le bateau est plein en été. Liste d'attente de plusieurs semaines. Autre adresse pour prendre les billets de la Pelni Line :
German Asian Travels Ltd : Straits Trading Bldg, 9 Battery Rd, 14-03/4, Singapur I. ☎ 91-51-16/7.
On conseille d'acheter à boire et à manger avant de s'embarquer sur le bateau. Discothèque le soir.
Sinon, il faut prendre un bateau Singapour-Tanjung Pinang. Durée : 5 h. Tâchez de rallier Tanjung Pinang par vos propres moyens, car le billet vendu par German Travels est très cher. Bateau qui assure la liaison tous les jours sauf le dimanche, et ensuite prendre le bateau de la Pelni qui vient de Medan. Attention aux transbordements à Tanjung Pinang, les pickpockets pullulent. Tanjung Pinang-Jakarta : durée 36 h. Pelni accorde des réductions aux étudiants sur présentation de leur carte.

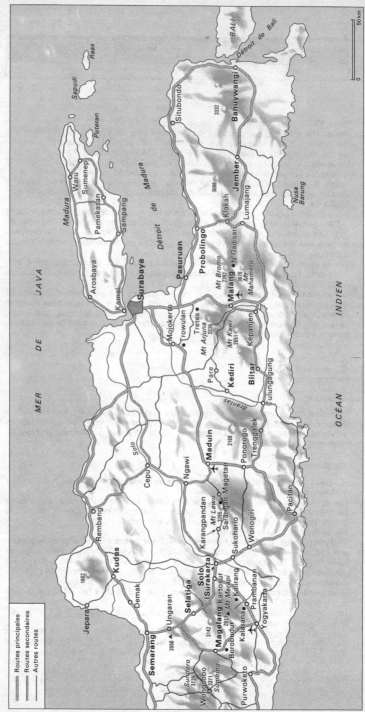

JAVA

Routes principales
Routes secondaires
Autres routes

50 km
0

MER DE JAVA

OCÉAN INDIEN

BALI
Détroit de Bali

Détroit de Madura

Raas
Sapudi
Puteran
Madura
Waru
Sumenep
Pamekasan
Sampang
Arosbaya
Kamal
Surabaya
Mojokerto
Trowulan

Nusa Barung

Situbondo
3332
Banuywangi
3088
Jember
Klakah
Lumajang
Pasuruan
Probolingo
N' Gadisari
Malang
Mt Bromo 2392
Mahameru 3676

Tretes
Mt Arjuna 3339
Mt Kawi 2651
Kepanjen
Pare
Kediri
Blitar
Tulungagung
Brantas

Maduin
2169
Ponorogo
Trenggalek
Pacitan

Cepu
Ngawi
Karangpandan
Mt Lawu 2265
Sarangan Magetan
Sukoharjo
Wonogiri

Solo
Rembang
Kudus
Demak
Selatiga
Ungaran
2050
Magelang Kartosur
Surakarta
Kalirang
Prambanan
Mt Merapi 2911
Borobudur
Kalasana
Yogyakarta

Jepara
1602
Semarang
Sundoro 3135
Sombing
3371
Wonosobo
Purwoketo

Solo

Madura

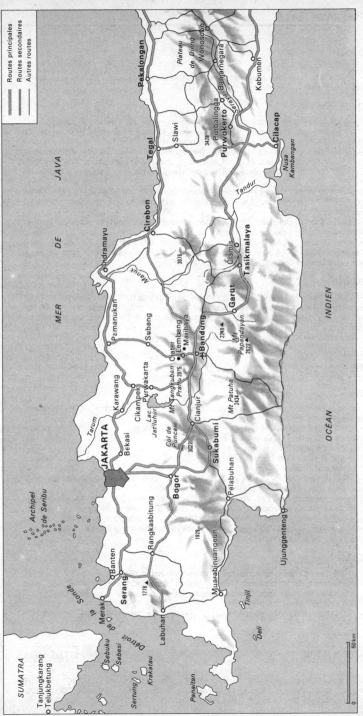

D'Inde

– *Bateau :* plus de liaisons.
– *Avion :* les lignes les plus intéressantes passent par Bangkok, puis descendre en Malaisie ou à Singapour.

De Sumatra

Nous déconseillons absolument de prendre le bus de Padang à Palembang : 26 h de voyage. Puis train. Il faut au moins 4 jours et 3 nuits pour rejoindre Jakarta. Voici deux solutions plus convenables :
– *Bateau Medan-Jakarta :* un départ par semaine. Durée : 3 jours. Apporter sa nourriture et sa boisson (il y en a à bord, mais c'est vraiment pas terrible). Essayer de trouver une place sur le pont de la 1re classe : beaucoup moins de monde.
Renseignements : *Pelni Line :* jalan Wahid Hasyin I A, Jakarta. ☎ 421-07, ou au bureau Pelni, à Medan. La Pelni assure aussi la liaison maritime Jakarta-Singapour.
– *Avion Medan-Jakarta :* liaisons quotidiennes assurées par *Garuda* (jet) et *Merpati* (à hélices mais 30 % moins cher).
– *Avion Padang-Jakarta :* 950 km. L'avion part de Padang à 11 h 15, arrivée à Jakarta à 13 h 30. A la sortie de l'aéroport, de nombreux chauffeurs de taxis vous tomberont dessus. Marchandez ferme.

De Bali

– *Bus :* à Kuta, de nombreuses agences de voyages font les réservations pour Surabaya. Il faut acheter les billets au moins 48 h à l'avance. Si vous êtes pressé, allez directement aux compagnies de bus à Denpasar. La plupart se trouvent à Suci Station.
– *Pas de train.*

Transports

Bus

Les bus « cepat » (rapides) et les routes sont en bon état à Java. De nombreuses compagnies sillonnent l'île.
– *Kembang Express* est une bonne compagnie. Pour :
Jakarta : 38 jalan Hasyim Ashari.
Jogja : 116 jalan Dipanegoro.
Solo : 116 jalan Urip Sumoharjo.
Surabaya : 58 jalan Tidar.
– *Majo Java Express* (partie est de Java) possède des bus spacieux et, pour passer la nuit, vous avez le droit à un petit oreiller.
De toute façon, si vous ne voulez pas réserver et n'êtes pas trop exigeant sur le confort, vous serez encore plus libre en allant à la gare routière (il y en a dans toutes les villes). Vous y trouverez toujours un départ pour la destination que vous désirez. Départs assez fréquents, surtout dans les grandes villes, et pour toutes les destinations.

Trains

Il y a plusieurs trains, quatre compagnies utilisent le réseau :
– *Bima :* train de grand luxe 1re ou 2e classe. Air conditionné.
– *Multiara :* train de luxe. Classe unique. Air conditionné.
– *Jaya :* train économique.
– *Gayabura :* train très économique 3e classe. C'est notre préféré, bien sûr.

JAKARTA   IND. TÉL. : 021

Ville gigantesque qui a grandi trop vite et très mal, où les buildings les plus modernes côtoient les taudis et les canaux fétides. La construction de gratte-ciel de plus de trente étages est interdite jusqu'à l'an 2005. A cette date, les

10 millions d'habitants d'aujourd'hui pourraient atteindre 20 millions, ce qui ferait de Jakarta la 3e métropole mondiale après Mexico et São Paulo. La ville est si étendue que vous vous y perdrez facilement et votre seul point de repère sera le flambeau de la place Merdeka.

Capitale grouillante et bruyante, qui vit un pied dans le tiers monde et l'autre en l'an 2000. Des enfants souvent pieds nus se faufilent entre les voitures ou même à l'intérieur des bus arrêtés au feu rouge pour vendre bouteilles d'eau, cacahuètes grillées, journaux, cigarettes, etc. Parfois, une boîte à cirage en bandoulière, ils tentent de cirer vos chaussures pour gagner quelques roupies.

La capitale de l'Indonésie, la ville la moins javanaise de Java, semble s'accommoder de tout, mais les routards, eux, ont bien du mal à s'y adapter.

Topographie

Il est bien difficile de se repérer dans cette ville tentaculaire. Quelques indications toutefois :

L'axe principal est *jalan Thamrin*, immense artère qui coupe la ville en deux, du nord au sud. De chaque côté de cette vaste saignée se dressent les buildings flamboyants des banques et sociétés d'investissements.

Le centre ville proprement dit se caractérise par la *place Merdeka* où trône un gigantesque flambeau. On ne peut pas le louper celui-là. Il vous servira de point de repère. La jalan Jaksa, rue des hôtels pas chers, n'est pas très loin.

La *vieille ville*, qui a bien usurpé son nom, se situe au nord du centre en remontant jalan Thamrin, puis jalan Pintu Besar Selatan. On y trouve Glodok (l'ancien quartier chinois) et la place Fatahillah, le coin le plus ancien de la ville. Plus au nord, le port.

Arrivée à l'aéroport

— *Soekarno Hatta Airport :* l'aéroport international récent (que l'on doit à des Français) se situe à environ 20 km de Jakarta. Les vols intérieurs de *Garuda* y atterrissent généralement. Avec ses allures de pagode chinoise et l'atmosphère calme et sereine qui y règne, l'aéroport vous offre ainsi un super accueil à Jakarta. Il vous prépare cependant très mal à la première vision que vous aurez de cette ville, ne vous y fiez pas.

On y trouve 3 terminaux : A, B et C, situés à 200 m de distance les uns des autres.

— *Kiosque de change :* ouvert toute la journée et à l'arrivée de chaque vol, même tardif. Change les chèques de voyage et le liquide.

— *Consigne à bagages :* terminal A (départs et arrivées internationales). Très bien et pas chère. Ouverte 24 h sur 24. Pratique lorsqu'on ne fait que passer à Jakarta.

— *Office du tourisme :* ouvert de 9 h à 20 h tous les jours. Rien à en tirer, si ce n'est un peu de documentation et un plan.

— *Dormir près de l'aéroport :* pour ceux qui sont en transit et ne souhaitent pas aller dormir en ville, entre deux avions, demander le Transit Hotel à la sortie de l'aéroport :

■ *Transit Hotel :* 72 jalan Benda Raya, à 5 km de l'aéroport. ☎ 554-08-47. Compter l'équivalent de 100 FF pour une chambre double, ce qui n'est pas très cher pour Jakarta.

Comment gagner la ville ?

— *En bus :* des minibus blancs marqués « Damri » se trouvent devant les terminaux B et C. De loin le meilleur moyen pour gagner le centre. Ils desservent plusieurs destinations. Monter dans celui qui va à la Gambir Station, tout près du quartier des hôtels pas chers. Départ toutes les 30 mn. (Attention aux pickpockets.) De là, prendre un bajaj ou un taxi pour la rue des hôtels pas chers, jalan Jaksa.

— *En taxi :* ils sont très nombreux à l'extérieur de l'aéroport. Vérifier qu'il s'agit d'un taxi officiel et qu'il dispose d'un compteur. Deux compagnies sûres : *Blue Bird* (bleu) et *President* (rouge et jaune). C'est au client de régler le péage de l'autoroute.

Arrivée par bateau

Prenez un bus « Arion », à la station toute proche, jusqu'à la gare routière. Puis un autre jusqu'à la gare Gambir. Enfin, bajaj ou taxi jusqu'à jalan Jaksa.

Comment se déplacer à Jakarta ?

Pas facile, il faut l'avouer.
- *Les bajajs (ou helicaks) :* petits tricycles à moteur, de couleur orange, qui se caractérisent par leur état de décrépitude avancée. Prix à négocier avant de monter. Enlever 30 à 50 % du prix annoncé pour aboutir à un tarif « normal ». Pour une distance ridiculement courte sur le plan, votre chauffeur n'hésitera pas à se faufiler dans d'infernales ruelles et à faire d'impossibles détours. Les bajajs sont interdits sur certains axes principaux de la ville jusqu'à 22 h, ce qui transforme une petite course en un parcours du combattant. C'est pourtant le meilleur moyen (avec le taxi) de circuler à Jakarta sans perdre un temps fou.
- *Les microlets (ou colts) :* minibus de 10 à 12 personnes qui, comme les bajajs, sont interdits sur les axes centraux, on se demande bien pourquoi. Pas pratique pour le centre.
- *Les bus :* dans Jakarta même, c'est l'enfer ! Le système est difficile à comprendre, les bus sont lents et certaines lignes sont carrément dangereuses. La ligne 70 par exemple, qui traverse le centre ville de jalan Thamrin et se dirige vers Kota Station, est régulièrement visitée par un gang de pickpockets. Il arrive même que ces petits malins se lassent de faire les poches en douceur et en finesse. Alors, ils bloquent les portes et dépouillent tous les passagers. Décidément, tout disparaît.
Quelques lignes pour les masos : de Cililitan à Gambir Station, bus n° 40. De Pologadun à Gambir Station, bus n° 58. De Kalideres à Gambir Station, bus n° 913.
- *Les taxis :* à Jakarta, pour une petite course, c'est la meilleure solution. D'abord, ils mettent presque tous leur compteur (spontanément ou sur demande) et puis ce sont pratiquement les seuls transporteurs à avoir l'autorisation d'utiliser les axes principaux de la ville, contrairement aux bajajs. Pour finir, le taxi ne coûte pas si cher à 3 ou 4.

Adresses utiles

- *Tourist Office :* 9 jalan Thamrin. Dans le hall d'entrée du Jakarta Theatre, sur la droite. ☎ 354-094. Ouvert du lundi au jeudi de 8 h à 16 h, le vendredi de 8 h à 14 h 30 et le samedi de 8 h à 12 h 30. Fermé en semaine entre 12 h et 13 h pour le déjeuner. Ce n'est pas le travail qui étouffe le personnel. Ou alors, il a été très étouffé et ne s'en est pas remis !
- *International Telephone :* 9 jalan Thamrin. Dans le hall d'entrée du Jakarta Theatre, sur la gauche (porte en face de celle de l'office du tourisme). Ouvert 24 h sur 24. Très pratique. Pas de temps minimum imposé. Nombreuses lignes directes. Rapide et efficace.
- *Post Office :* 2 jalan Pos Utara, à 300 m de la gare Banteng. Grande poste toute neuve et énorme, face au Pasar Baru Market. Ferme à 19 h. La poste restante fonctionne bien (ne pas hésiter à demander la lettre de votre prénom, les classements ne sont pas très rigoureux).
- *Télégrammes :* Telecommunication Department Office, 12 jalan Merdeka Selatan. Ouvert 24 h sur 24.
- *Centre culturel français :* 25 jalan Salemba Raya. ☎ 88-22-84.
- *Agences de voyages :* toutes les agences de voyages bon marché se trouvent sur jalan Pasar Baru (plan B2). Réductions sur les vols intérieurs (en particulier *Merpati* et *Mandala*) et pour les vols vers Nusa-Tenggara, les Célèbes, Sumatra et Bali. Vous aurez parfois jusqu'à 25 % de réduction. Se renseigner sur place. Fermées la plupart du temps le dimanche.

Ambassades

- *Ambassade de France :* 20 jalan Thamrin. ☎ 33-28-07 et 33-23-75. Ouvert de 8 h à 13 h et le vendredi jusqu'à 11 h 30.

– *Ambassade de Belgique :* 4 jalan Cicurug. ☎ 35-16-82. Ouvert de 8 h à 14 h.
– *Ambassade du Canada :* 29 jalan Jend Sudirman. ☎ 51-07-09.
– *Ambassade de Suisse :* jalan Rasuna Said, B-1 Kav X/3 (Jakarta Selatan). ☎ 51-60-61. Ouvert du lundi au vendredi de 9 h à 17 h.
– *Ambassade de Malaisie :* 17 jalan Imam Bonjol. ☎ 32-37-50 et 33-64-38. Ouvert du lundi au jeudi de 8 h à 16 h et le vendredi jusqu'à 11 h.
– *Ambassade de Thaïlande :* 74 jalan Imam Bonjol. ☎ 34-37-62. Ouvert du lundi au vendredi de 8 h 30 à 16 h.

Change

Banques généralement ouvertes de 8 h (ou 8 h 30) à 16 h. Fermées les samedi et dimanche. Voici une banque qui ferme à 20 h : *Megara Indonesia 1946,* située à l'intérieur de l'hôtel Indonesia. Taux normal.
A Jakarta, on change ses chèques de voyage ou ses billets sans problème dans de nombreuses banques ou *money changers.* Quelques adresses :
– *American Express :* Arthaloka Building, jalan Jend. Sudirman. ☎ 58-74-01. Ferme à 15 h. On peut y retirer de l'argent avec une carte VISA Ou American Express.
– *Ayumas Gunung Agung :* 24-26 jalan Kwitang.
– *Central Intervest Corp :* 40 jalan Pintu Besar Selatan.
– *Sumber Valuta :* Hôtel Metropole, 38 jalan Pintu Besar Selatan.
– *Gita Wiraswasta 18 :* jalan Majapahit.
– *Bank of America :* Wisma Antara Building (1er étage), 17 jalan Merdeka Selatan.
– *Société Générale :* Wisma Kosgoro, 53 jalan Thamrin (9e étage). ☎ 22-00-97.

Compagnies aériennes

– *Garuda Indonesia :* à l'aéroport international. En ville, plusieurs adresses : BDN Building, 5 jalan Thamrin. ☎ 33-44-25. Hôtel Borobudur, jalan Lapangan Banteng. ☎ 36-00-48. Wisma Dharmala Sakti, jalan Jend. Sudirman. Et aussi à l'hôtel Indonesia, jalan Thamrin. ☎ 32-52-88.
– *Bouraq :* 1 jalan Angkasa. ☎ 65-91-94.
– *Thai International :* à l'aéroport. En ville, BDN Building, 5 jalan Thamrin. ☎ 32-06-07.
– *K.L.M. :* Plaza Indonesia, jalan Thamrin. ☎ 32-07-08 ou 32-00-53.
– *Malaysian Airlines System :* hôtel Indonesia, jalan Thamrin. ☎ 32-09-09.
– *Singapore Airlines :* Chase Plaza, Ground Floor (rez-de-chaussée), jalan Jend. Sudirman. ☎ 58-40-11 et 58-40-21.
– *Sabena :* hôtel Borobudur, jalan Lapangan Banteng. ☎ 37-19-15.
– *Swissair :* même adresse que la Sabena. ☎ 37-36-08.
– *Qantas :* BDN Building, jalan Thamrin. ☎ 32-77-07 et 32-67-07.

Hôpitaux

– *Cipto Mangun Kusumo :* 71 jalan Diponegoro. ☎ 33-08-08. Hôpital d'État. Pas cher.
– *DGI Cikini :* 40 jalan Roden Saleh. ☎ 33-69-61. Hôpital privé. Plus cher évidemment.
– Pour tout pépin sérieux, l'idéal est de se faire soigner au *Mount Elizabeth Hospital de Singapour.* Un billet d'avion est vite remboursé face à une infirmité ou un risque sérieux.
– *SOS Medika :* 32-34 jalan Propanca Raya. ☎ 739-30-14 ou 94. Ce sont les représentants d'Europ Assistance. Ouverts 24 h sur 24, ils sont habitués à toutes les situations et disposent même d'un Jet pour les évacuations sanitaires sur Singapour.

Piscines

– *Kolam Renang Cikini :* jalan Cikini, près du Cikini Hotel. Piscine municipale. Très bon marché mais bondée le week-end.
– *Hyatt Hotel :* à 10 mn à pied de jalan Jaksa. Petite, mais dans un merveilleux décor balinais. Plus cher. Autre belle piscine à l'*hôtel Indonesia.*
– *Taman Ria Monas :* jalan Merdeka Salatan. Piscine publique.

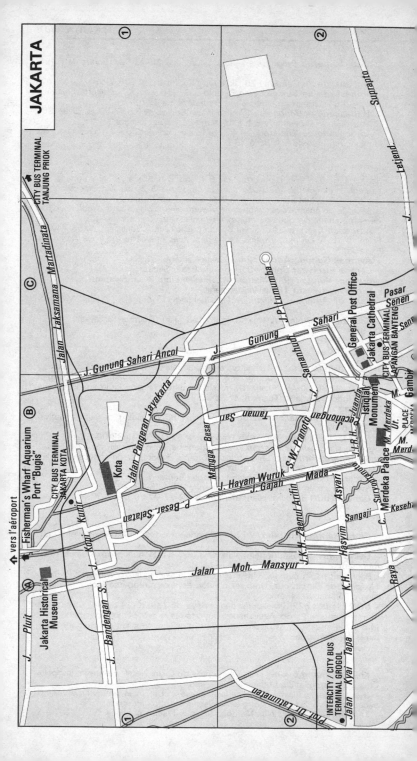

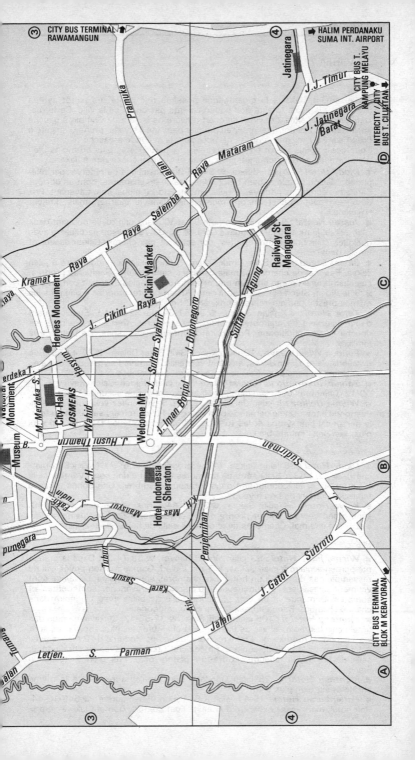

Où dormir ?

Bon marché

Curieusement, Jakarta la gigantesque possède une petite rue plutôt sympa regroupant la quasi-totalité des hébergements pas chers de la ville. Cette rue, *jalan Jaksa*, se situe à environ un quart d'heure de la gare de Gambir, à gauche en sortant de celle-ci. Traverser au premier passage à niveau, prendre ensuite à droite sur 300 m, puis à droite et, pour finir, la seconde à gauche.

Tous ces « hôtels » sont en fait des maisons particulières plus ou moins bien transformées en guesthouses. jalan Jaksa est calme, chose rare à Jakarta.

■ *Djody Hotel :* 27 jalan Jaksa. ☎ 34-66-00. Possibilité de réserver par téléphone. Maison simple et bien tenue. Une dizaine de chambres, dont un dortoir. Sanitaires communs nettoyés régulièrement. Endroit globalement avenant. Prix doux. On peut trouver encore moins cher dans le quartier, mais bonjour l'hygiène !

■ *Jusran Hostel :* 9 jalan Kebon Sirih Barat VI, dans une ruelle donnant dans jalan Jaksa, juste en face d'Angie's Café. ☎ 32-03-73. Maison particulière avec quelques chambres toutes petites, correctes et pas chères. Calme assuré et famille gentille.

■ *Bloem Steen :* K.B. Sirih Timur Dalam 1, une ruelle perpendiculaire à jalan Jaksa. Pas mal de chambres, mais certaines sans fenêtre. Sanitaires propres. Les chambres à l'étage sont un peu mieux. Adresse globalement correcte.

■ Si le Bloem Steen est complet, à côté, *Kresna Hotel* propose à peu près les mêmes prestations aux mêmes prix. ☎ 32-54-03.

■ *Tator Hotel :* 37 jalan Jaksa. ☎ 32-51-24 ou 32-39-40. Établissement d'une quinzaine de chambres, petites mais propres. Certaines équipées de douche et air conditionné. Possibilité d'y prendre ses repas. Ambiance très familiale.

■ *Pondok Wisata Jaya :* 10 jalan Kebon Sirih Barat Dalam. ☎ 32-41-35. Rue perpendiculaire à jalan Jaksa, en allant vers jalan Thamrin. Pas grand-chose à en dire. Honnête, sans plus. Certaines chambres sont minuscules.

■ *Yannie International Guesthouse :* 35 jalan Raden Saleh Raya. ☎ 32-00-12. Chambres avec sanitaires et air conditionné. Bon accueil.

■ *Wisma Delima :* 5 jalan Jaksa. ☎ 33-70-26. Le rendez-vous des routards du monde entier. On se demande bien pourquoi ! L'endroit est sale comme tout, le personnel pas sympa et les toilettes... Bon, on arrête là ! Dortoirs. Un seul plus, son prix : imbattable !

Prix moyens

■ *Djody Hotel :* 35 jalan Jaksa. Même proprio qu'au n° 27 (voir « Bon marché »). ☎ 32-17-32. Belle série de chambres au fond d'une cour. Ventilo, salle d'eau, w.-c. et air conditionné dans certaines chambres. Une bonne adresse familiale. Confort de bon niveau.

■ *Karya Hotel :* 34 jalan Jaksa. ☎ 32-04-84. Construction des années 60, sans grand charme. Plutôt propre dans l'ensemble, malgré les peintures qui s'écaillent pas mal. Chambres avec ou sans salle de bains. Assez cher.

Plus chic

■ *Wisma Indra Hotel :* 63 jalan Wahid Hasym. ☎ 33-74-32. Dans la grande rue perpendiculaire à jalan Jaksa, à 5 mn à pied. Grande maison privée qui ne ressemble pas du tout à un hôtel. Les chambres sont inégales, certaines sont vraiment spacieuses et lumineuses, d'autres, en revanche, sont petites et sombres. Demander à en voir plusieurs. Salle de bains avec baignoire dans chaque chambre. Bonne adresse dans cette catégorie.

■ *Menteng Hotel II :* 105 jalan Cikini Raya. ☎ 32-55-43. Certainement un des hôtels chic les moins chers de Jakarta. Les chambres les plus abordables sont les « economy rooms » ou « mini rooms ». Bâtiment moderne de 3 étages avec cafétéria, mais le petit déjeuner est médiocre. Chambres avec air conditionné, salle de bains, eau chaude, coffre-fort *(safety box)*. Prix d'un 2 étoiles en France.

■ *Menteng Hotel I :* 28 jalan Gondang Dia Lama. Il appartient à la même chaîne et est bien plus cher.

■ *Petamburan Hotel :* 15-17 jalan K.S. Tubun (Petamburan). ☎ 548-10-44. Bon hôtel, mais assez excentré à l'ouest. Tout confort. Du petit luxe à un prix abordable (moins cher que le Menteng). Chambres avec sanitaires et air conditionné.

■ *Marco Polo Hotel :* 19 jalan T. Cik Ditiro. ☎ 325-029 ou 326-679. A 100 m du Cikini market. Climatisé. Excellents buffets au petit déjeuner. Piscine. A la réception, parfois, hôtesse charmante parlant le français.

Encore plus chic

■ *Cikini Hotel :* 79 jalan Cikini Raya. ☎ 32-06-95. Fax : 310-04-32. Pour les routards en Delsey. Édifice chic, de classe et cher (prix d'un bon 2 étoiles en France). Chambres petites. Un des seuls établissements du centre qui ne fassent pas usine à touristes. Normal, il n'y a pas de piscine.

Où manger ?

Pas de tables fantastiques à Jakarta. Très bien pour la ligne après tout ! Certains restos vous présentent une carte... sans prix indiqués ! Ce n'est pas forcément l'arnaque, mais méfiez-vous quand même.

DANS LE QUARTIER DE JALAN JAKSA

Pas cher

● *Angie's Café :* 15 jalan Jaksa. Le rendez-vous des routards dans la rue des petits hôtels. Pour combler les petits creux. Quelques tables en longueur pour des assiettes simples et copieuses. Bon *fried rice special B.* Grand choix de toasts pour le petit déjeuner.
● *Memories Café :* 17 jalan Jaksa. Le concurrent direct du précédent. Tables en terrasse, plantes vertes et musique américaine. Bon petit déjeuner et puis les plats classiques indonésiens : *noodles* et *nasi goreng.* Pas cher.
● *Natrabu :* 29 A jalan H Agus Salim. A 5 mn de jalan Jaksa. Ouvert tous les jours jusqu'à 22 h. Un resto triste comme la pluie mais qui propose une bonne sélection de la cuisine de l'ouest de Sumatra. On conseille la formule « Minang » qui consiste à apporter sur votre table une dizaine de plats différents. On prend ce qu'on désire et on ne paie que ce qu'on a mangé. Une bonne idée qui permet de goûter à tout. Sinon, d'autres plats classiques comme le *rendang* (bœuf en sauce) ou le *gulai otak* (cervelle de bœuf aux épices).
● *Restaurant Baharu :* 45 jalan Agus Salim. Dans une rue commerçante et animée. Bonne cuisine chinoise et indonésienne. Spécialités de fruits de mer. Cadre cosy, nappes Vichy. Discret et agréable.
● *Jaya Agung :* 56 jalan Hasym (près de jalan Jaksa). De très bons *sate,* pas chers. Entre autres, sate de chèvre *(sate kambing).*

Prix moyens

● *Satay House Senayan :* 31 jalan Kebon Sirih. Bonne cuisine indonésienne classique. Toutes sortes de *sate* et *nasi.* Musique locale d'ambiance.

Plus chic

● *Indah Kuring :* 131 A jalan K.H. Wahid Hasyim. ☎ 33-45-48. A 5 mn de jalan Jaksa. Agréable adresse, propre et calme. On y vient surtout pour le poisson. Crabes délicieux. Prix un peu requins, vu les portions chiches.

MANGER AILLEURS

Pas cher

● *Marché de nuit :* jalan Jendral Sudirman. Super animé. On y mange de tout pour trois fois rien. Situé à côté de l'hôtel Hilton.
● *Sinar Minang :* 120 jalan Hayam Wuruk, dans le quartier des salons de massage. Petite gargote de quartier, sans prétention et avec néons. Populaire. Plats simples et typiques que dévorent le midi les travailleurs du coin.

Prix moyens

● *Cahaya Kota :* 9 jalan Wahid Hasyim. Ouvert jusqu'à 21 h tous les jours. Tenu par des Chinois. Grande salle propre. Menu impressionnant par la quantité de plats proposés. Cuisines chinoise et indonésienne. Vieux tubes anglo-saxons pour l'ambiance. Agréable. Attention, l'addition grimpe vite.

● **Sukiyaki-Korean Barbecue :** jalan Kendal. Du Kartika Plaza Hotel, traversez jalan Thamrin. Là, longez les restaurants et les académies de billard. Tournez à gauche dans jalan Kendal. Au bout de 300 m, une succession de petits restos en plein air. Sukiyaki est le dernier. Dans la partie sud du centre, le long de la voie ferrée et de la rivière. Sur des réchauds individuels, on cuit des petits morceaux de viande et de poisson. Excellent et fort sympathique.

● La *jalan Pecenongan,* au nord de Merdeka, aligne plusieurs petits restos chinois. Au menu : fruits de mer et cuisses de grenouilles.

Plus chic

● **Copper Chimney :** 5-7 jalan Antara, Pasar Baru. ☎ 35-67-19. Ouvert tous les jours jusqu'à 23 h. Excellent resto indien, sûrement un des meilleurs de la ville. *Tandori, tikka, nargis kofta...* Cadre sobre et même un peu sombre, mais cuisine pleine de couleurs. Cher.

● **Café de Paris :** 5 jalan Kapt Tende. Josette prépare une cuisine française excellente, mais assez chère. Pour ceux qui en ont ras-le-bol de riz !

● **The Marquee :** jalan Thamrin. Cafétéria de l'hôtel Mandarin Oriental. Buffet époustouflant dans un cadre de rêve pour un prix dérisoire, compte tenu de la qualité. Le chef est français.

Encore plus chic

● **Oasis :** 45 jalan Raden Saleh. ☎ 34-78-19. Ouvert tous les jours sauf le dimanche. Magnifique demeure où résidait un colon hollandais. Cuisine indonésienne raffinée servie dans un agréable jardin. Quand on pénètre dans le restaurant, le gong retentit. Tout cela se paie évidemment.

Où prendre un verre ?

_ **Nouveau Grand Hyatt :** jalan Thamrin. C'est le plus bel hôtel de la capitale, ouvert depuis peu. Au troisième étage, le décor évoque un paysage balinais : cascades, rizières, etc. Époustouflant. Cher pour le pays mais inoubliable. Idéal pour boire un verre. Tenue correcte exigée.

A voir

A vrai dire, peu de choses intéressantes. Jakarta, contrairement à d'autres villes moches, ne possède pas le charme qui émane parfois des cités décadentes. Pas de quartier où le tissu social ait conservé son identité, pas de coins chaleureux qui aient échappé à la modernisation massive... Vous voilà prévenu !

DANS LE CENTRE

▶ **National Museum :** jalan Merdeka Barat (près de la place Merdeka). Ouvert tous les jours de 8 h 30 à 14 h 30, sauf le vendredi (fermeture à 11 h) et le samedi (fermeture à 13 h 30). S'il n'y avait qu'une seule visite à faire à Jakarta, ce serait celle-là.

Ce musée de taille moyenne rassemble de manière étonnante la diversité de l'art indonésien. Car il est bon de rappeler que ce pays compte encore, dans la forêt vierge, parmi les tribus les moins touchées par la civilisation. On y trouve des sections ethnographique, préhistorique, numismatique, instruments de musique. Le tout typique et bien sympathique.

Au rez-de-chaussée, autour du péristyle, nombreuses sculptures de pierre du VIIe au XVe siècle provenant de Java. Beaucoup d'entre elles sont consacrées aux dieux hindous : Shiva, Ganesh et Vishnu. Vraiment un passionnant tour d'horizon de la richesse artistique de Java.

Dans la longue aile droite qui sent bon les musées du temps passé, jolies maquettes des différents types d'habitats des îles indonésiennes. Plus loin, on trouve marionnettes superbes, masques effrayants et drôles, parures délicates, objets finement ciselés ou taillés grossièrement, armes meurtrières... et une section liée à la fête. On peut aussi y voir, au milieu de dizaines d'autres pièces, la calotte crânienne du célèbre Homme de Java, plus connu sous le nom de *Pithecanthropus erectus.* Cet ossement, vieux de 350 000 ans (si, si !), fut découvert à la fin du XIXe siècle. Depuis cette trouvaille, on considère Java comme l'un des berceaux de l'humanité.

Ne pas oublier le premier étage où, outre des bronzes, on découvre le *Trésor,* farouchement gardé : de l'or et de l'argent, taillés sous toutes leurs formes au cours des siècles. Admirez les superbes kriss royaux sertis de rubis, d'opales, d'émeraudes. Lunettes de soleil obligatoires, tellement ça brille.

▶ *Marché aux antiquités :* jalan Surabaya, au sud de la place Merdeka. Ouvert tous les jours de 9 h à 17 h 30. Sur au moins 300 m, d'un seul côté de la rue, des dizaines de boutiques bien rangées, bien proprettes. Quelques jolis objets pas toujours bon marché : cuivres, marionnettes anciennes, porcelaines chinoises, sculptures sur bois de Bornéo, masques, quelques batiks anciens, boîtes à bétel, lampes hollandaises... Qualité assez élevée, les prix s'en ressentent.

▶ *Marché aux oiseaux (pasar Burung) :* jalan Pramuka. Dans la partie sud du centre. Assez intéressant. Quelques oiseaux rares et des petits singes. Les Indonésiens adorent les oiseaux et en possèdent souvent. L'oiseau préféré est la tourterelle à col bleu *(perkukut).* C'est effectivement plus sympathique que le pigeon de Paris.

▶ *Monument national :* place Merdeka (la bien nommée !). C'est la place de la Liberté. Construction gigantesque, aussi laide que haute. L'architecte a sans doute confondu grand et beau. Maigre consolation : du sommet, on a une jolie vue sur la ville laide.

▶ *La mosquée Istiqlal :* au coin nord-est de la place Merdeka. La plus grande mosquée de l'Asie du Sud-Est. Lors de la prière du vendredi, elle peut recevoir jusqu'à 20 000 personnes. Le plus grand pays musulman du monde (160 millions de fidèles) méritait bien un tel monument. Avec son minaret-fusée et ses gigantesques colonnes, elle conserve la sobriété de l'art musulman. Preuve de la souplesse et de la tolérance religieuse du pays, sa réalisation fut confiée à un architecte... chrétien.

DANS LE VIEUX JAKARTA

▶ *La place Fatahillah,* ancien centre ville et seul vestige du passage des Hollandais, possède un brin de charme pour peu qu'on ait un rien de vague à l'âme. Elle est située près de la gare de Kota, au nord du centre ville. Bus P1 ou P11.

▶ *Musée des marionnettes (Wayang Museum) :* sur la place Fatahillah. Horaires compliqués : ouvert de 9 h à 15 h les dimanche, mardi, mercredi et jeudi. Fermé à 14 h le vendredi et à 12 h 30 le samedi. Fermé le lundi. Collection intéressante de tous les types de marionnettes. Bon témoignage de cet art dont les Indonésiens se sont fait une spécialité. Dommage que les vitrines soient si mal organisées. Sûrement la personne chargée du balayage était-elle en vacances prolongées quand on est passé.

▶ *Jakarta Museum* et *musée des Céramiques (Keramik Museum and Fine Arts) :* également sur la place Fatahillah. Le premier, censé abriter des éléments du vieux Batavia, est en fait un bâtiment poussiéreux, quasiment vide. Nul ! Le second abrite effectivement quelques céramiques, mais pas de quoi en faire un plat. Collection pauvrette. La galerie d'art attenante se révèle absolument déprimante.

TOUT AU NORD DE LA VILLE

▶ *Le port (Sunda Kelapa) :* au nord de la ville. Entrée payante pour y accéder. Tout le long du quai, vous pourrez voir ces énormes bateaux (les *bugis)* à la proue très relevée qui transportent le bois des Célèbes (teck ou meranti). Sans répit, une main-d'œuvre laborieuse décharge des tonnes de planches sur le quai, sans prêter attention aux touristes qui observent cet incessant va-et-vient. Chaque travailleur gagne environ 15 F par jour pour cette tâche épuisante. Spectacle poignant d'un quotidien banal. On vous proposera sans doute de faire la balade du port en barque. Franchement, ça n'apporte rien de plus que depuis le quai.

▶ *Le marché au poisson :* juste à côté du port. Ne présente même pas le charme de la décadence. Pauvret et puant.

▶ *Le quartier chinois (Glodok) :* pas loin du port. Au milieu du XVIIIe siècle, les Chinois furent interdits de résidence à l'intérieur de l'enceinte de la ville et un quartier, une sorte de ghetto, leur fut assigné. Il reste peu de choses de la trépidante activité d'antan. Si l'on cherche un peu, on découvre quelques ruelles obscures qui fleurent bon le parfum du passé, autour de la place Glodok. Pour la petite histoire, les inscriptions chinoises sont interdites en Indonésie.

▸ Le *musée du Textile* et le **Maritime Museum** ne valent pas un clou.

A voir dans les environs

▸ **Taman Mini Indonesia :** à 20 km du centre et à 6 km au sud de l'ancien aéroport d'Halim, sur la route de Bogor. Depuis jalan Thamrin, bus P11 ou P16 jusqu'à Cililitan Station. Puis prendre un petit bus (T01 ou T02) jusqu'à Taman Mini. A partir de 3 personnes, on a intérêt à y aller en taxi. Bien moins long et pas si cher. Ouvert tous les jours de 9 h à 17 h (ça ferme à 18 h). Il existe des visites organisées avec un guide. Un peu cher mais vous avez droit au grand jeu et à plein d'explications.

Il s'agit d'un vaste parc de plus de 100 ha dans lequel on a reconstruit avec beaucoup d'intelligence les habitations traditionnelles des 27 provinces indonésiennes. L'architecture typique de chaque région a été scrupuleusement respectée et les pavillons exposent le mobilier et l'artisanat propres à chaque province. Précisons que cet habitat n'est pas celui de monsieur Tout-le-Monde. C'est celui de la noblesse des XVIIe et XVIIIe siècles. Tout y passe : temple de Bali, constructions d'Iran Jaya, habitations de Sulawesi... et même un château genre Walt Disney (on se demande bien ce qu'il fait là).

La visite du parc représente une balade d'environ 2 h et constitue un agréable avant-goût culturel pour ceux qui visiteront toutes ces régions, et un lot de consolation pour ceux qui n'iront pas. Le lac central, agrémenté d'îlots, représente en fait une « carte » miniature de l'Indonésie. Tous les dimanches, danse et musique. Ce jour-là, c'est le rendez-vous de toutes les familles de Jakarta qui viennent y prendre un bol d'air. Voir aussi le film très patriotique *Indonesia Indam* qui présente les merveilles de l'Indonésie. Enfin, on y trouve une piscine pour se détendre. L'une des rares visites vraiment intéressantes de Jakarta.

▸ **Centre d'attractions d'Ancol :** au nord de la ville. Depuis jalan Thamrin, prendre le bus n° 10 jusqu'à Senen Station. Puis le bus n° 60 jusqu'à Ancol. Pas très pratique. Le plus grand parc d'attractions d'Asie du Sud-Est. Le prix d'entrée du parc est dérisoire, mais chaque attraction est payante. Grand 8, bowling, location de barques, toboggan géant, océanorium, cinéma drive-in, salon de massage... Le dimanche soir, spectacles et danses indonésiennes. Bon, nous on préfère de loin la fête à Neu-Neu.

▸ **Le zoo de Ragunan :** situé à 20 km au sud du centre ville. Minibus P19 à prendre sur jalan Thamrin, jusqu'au terminus. Même si on n'est pas très favorable à ce genre d'endroit, ce zoo est remarquablement aménagé dans un gigantesque parc à la végétation luxuriante. Les animaux sont bien présentés, dans leur environnement naturel, lorsque cela est possible. Les vedettes des lieux sont, bien entendu, les varans de Komodo pour ceux qui ne peuvent aller les voir sur place, ainsi que le couple d'orangs-outans, ces grands singes des forêts de Sumatra et de Bornéo, dont la taille atteint 1,40 m. Sans oublier le couple de tigres blancs, un animal rarissime qu'on ne peut voir qu'ici. Et dans la jungle... Et puis la multitude d'oiseaux bariolés, de rhinocéros unicornes, d'éléphants... La promenade dans ce parc zoologique permet aussi de rencontrer des familles javanaises en promenade. Nombreuses gargotes.

Achats

- **Jalan Pasar Baru :** conseillé à ceux qui veulent s'habiller pour pas cher avant de repartir. Nombreux magasins. Pas toujours super.
- **Jalan Surabaya :** rue où l'on vend de tout. Plus d'une centaine de petites boutiques les unes à côté des autres. Ne pas se précipiter pour acheter si l'on fait le tour de l'Indonésie. Idéal pour se rendre compte. Si vous craquez, pensez cependant à bien négocier.
- Pour les souvenirs, aller au **marché aux antiquaires.**
- **Sarinah Department Store :** 11 jalan Thamrin. Deux étages consacrés à l'artisanat indonésien de série. Assez cher, mais unique en son genre. Visite conseillée.

_ **Block M :** dans le quartier de Kebayoran Baru, au sud-ouest de la ville. Regroupe un nombre incroyable de grands magasins. Une sorte de vaste centre commercial. Pas grand-chose pour le touriste cependant.

Retour à l'aéroport

Prendre un des minibus blancs « Damri » qui partent toutes les 30 mn de la Gambir Station ou du Block M. Fonctionnent de 3 h à 18 h.
Attention : taxe d'aéroport payable en roupies. Compter 11 000 rp pour les vols internationaux et de 3 000 à 4 500 rp pour les vols domestiques.

Partir en train

On peut acheter des billets à la gare de Gambir au guichet spécial « Tourist » où l'on parle l'anglais. Quelques heures avant le départ suffisent. Si c'est complet, allez voir le « Station Master » sur le quai. Peut-être pourra-t-il faire quelque chose pour vous.
Si vous achetez un billet à l'avance, vous paierez tout de suite, mais le coupon délivré n'est pas un billet. Avant le départ, vous devrez vous rendre au guichet indiqué (block) pour y retirer le ticket proprement dit. Ne faites pas la queue aux guichets « ekonomi » où l'on vous vendra un billet ordinaire marqué « debout ». Pour Bandung, pas besoin de réserver. Achetez votre billet au dernier moment. Pour acheter vos billets de train ou d'avion, vous pouvez aussi passer par les compagnies aériennes ou une agence de voyages.
Le train ne part que lorsque le dernier voyageur a troqué sa réservation contre son ticket. D'où quelques retards substantiels.
Plusieurs gares ferroviaires à Jakarta. La principale est *Gambir Station.* On peut y laisser ses bagages.

Vers Jogjakarta

Comptez 10 à 13 h de voyage. Les départs se répartissent sur trois gares : Gambir Station, Kota Station et Pasar Senen Station. Pas facile d'y voir clair. L'office du tourisme distribue une brochure avec tous les horaires. A signaler que cette ligne est la favorite des pickpockets, vu que c'est la préférée des touristes. Les voyageurs dépouillés sont légion sur ce parcours, principalement la nuit. Se montrer vigilant. Certains travaillent en bande et rançonnent les voyageurs. Cela fera (sans doute) plaisir aux nostalgiques des bandits de grands chemins. Tous les horaires indiqués sont à vérifier.
— *De Gambir Station :* 5 trains dans la journée. Le meilleur selon nous est le « Fajar Utama » (départ 6 h 20, arrivée 15 h 20). Le « Gaya Baru Malam Selatan » (départ 12 h 10, arrivée 23 h 07) est peu commode. Le dernier train (départ 20 h, arrivée 7 h) est assez pratique. Les deux autres (« Senja Utama Solo » et « Senja Utama Jogja ») arrivent au milieu de la nuit. Pas conseillé.
— *De Kota Station :* le « Bima » (départ 16 h, arrivée 1 h 15) est un train de luxe de nuit. A éviter car il arrive en pleine nuit. En revanche, il est très bien pour aller à Surabaya.
— *De Pasar Senen Station :* le « Cepat Solo » (départ 7 h 05, arrivée 19 h 05). Déconseillé, car assez lent.
Attention : les trains économiques ne sont pas affichés et il y en a presque toutes les heures de 11 h à 14 h. Délivrance des billets 1 h avant au guichet « Tourist ».

Vers Bogor

Trains toutes les 30 mn environ depuis Gambir Station et Kota Station.

Vers Bandung (164 km)

6 trains par jour qui partent tous de Kota Station et qui passent 9 mn après à Gambir Station. Comptez 3 h. Départs réguliers de 5 h 25 à 15 h 15. Pour les horaires précis, voir à la gare même. On peut prendre son billet 1 h avant le départ, c'est suffisant. Le trajet est absolument sensationnel et plein d'émotions. Escalade de la montagne, précipices, pont suspendu sans parapets. Parfois des vides de 50 à 100 m... Panorama extraordinaire.

Vers Surakarta (Solo)

La plupart des trains vers Jogjakarta poursuivent leur route vers Surakarta.

Vers Surabaya

4 trains par jour. Le « Bima » qui part de Kota Station est le plus pratique (départ 16 h, arrivée 6 h 57). Le « Gaya Baru Malam Selatan » part de Gambir Station (départ 12 h 10, arrivée 5 h 05).

Vers Denpasar (capitale de Bali)

— Le mieux est de prendre l'avion. Nombreux vols par jour.
— Pour les autres moyens de transport, voir chapitre Bali, « Comment y aller ? ».

Partir en bateau

Tous les bateaux sont gérés par la *Pelni Lines,* 18 jalan Angkasa. ☎ 416-262 ou 417-136. Les départs se font de Tanjung Priok (port de Jakarta). Jours et horaires à vérifier sur place.
— *Vers Surabaya :* départ les mardi, mercredi et jeudi à 17 h. Arrivée le lendemain à 14 h.
— *Vers Padang* (ouest de Sumatra) : départ toutes les 2 semaines le vendredi à 13 h. Arrivée le samedi à 16 h.
— *Vers Medan* (nord de Sumatra) : départ le samedi à 13 h. Arrivée le lundi à 9 h. Fonctionne en général toutes les semaines.
— *Vers Singapour :* départ 2 fois par mois le lundi. Arrivée à Tanjung Pinang le mercredi. De là, plusieurs bateaux assurent la liaison vers Singapour.

Partir en bus

Le bus est un moyen de transport très prisé à Java, car il est plus rapide que le train. Pour être rapide, il l'est, et souvent même un peu trop. Tous les conducteurs sont persuadés d'être des as du volant ! A dire vrai, le bus est assez dangereux. Des dizaines d'accidents tous les ans. Pas étonnant quand on voit la conduite des Indonésiens. Reste qu'il est plus fiable au niveau des horaires et que, dans certains endroits peu touristiques, c'est une expérience folklorique.

Plusieurs stations de bus à Jakarta

Pour se rendre aux stations de bus, le plus facile est de gagner Gambir Station. De là, nombreux bus pour Cililitan, Pulogadung et Kalideres.
— *Cililitan Bus Station :* départs toute la journée pour Bogor, Bandung et Banjar. Pas besoin de réservations. Achat des billets directement au terminal.
— *Pulogadung Bus Station :* départs pour Bandung, tout le centre et l'est de Java (Semarang, Surakarta et Jogjakarta) et Bali. Beaucoup de bus de nuit. Les agences de jalan Kapt. Tendean vendent toutes les billets.
— *Kalideres Bus Station :* départs pour Sumatra et toutes les destinations situées à l'ouest de Jakarta. Bus de jour comme de nuit. On peut acheter les billets au dernier moment, au terminal de bus.

PULAU SERIBU (les mille îles)

Au nord de Jakarta, en plein océan, une centaine de miettes d'îles jusqu'à présent oubliées commencent à attirer les touristes. La plus développée est sans doute *Pulau Bidadari* où se donnent rendez-vous les bourgeois de Jakarta le week-end. On peut y loger. Les îles les plus proches font sans problème l'objet d'une excursion à la journée.
Pulau Putri et *Pulau Pelangi* possèdent quelques bungalows rudimentaires et pas trop chers. Plages de sable, eaux limpides et farniente. Tout cela à quelques heures de Jakarta ! Un petit paradis à découvrir. Pour s'y rendre, renseignements à la *Ancol Marina.*

– A L'OUEST DE JAKARTA –

La région à l'ouest de Jakarta ne fait pas encore réellement partie du parcours classique des routards peu aventureux. Cette région réserve pourtant son lot de surprises : elle abrite les farouches Baduis qui vivent en autarcie depuis bien longtemps, sa pointe sud-ouest est le cadre d'une réserve naturelle d'animaux exceptionnels et, pour finir, on y trouve de jolies plages, point de départ éventuel vers le volcan *Krakatau,* qui tient une place à part dans le cœur des Javanais.

LES TRIBUS BADUIS

Ce sont des tribus sundaneses vivant plus ou moins retirées du monde depuis plusieurs siècles. Villages difficiles d'accès sans guide. De religion animiste, les Sunda-Witan croient en Adam et Mahomet ! Ils refusent toute sorte de modernisation quelle qu'elle soit et ne veulent pas participer à la vie politique du pays. Ils ont voté pour la première fois en 1988. Ne parlent ni l'anglais ni l'indonésien. Deux sortes de Baduis :
– Les *Baduis blancs* ou *Badui Dalam :* tout de blanc vêtus, ils vivent dans des villages entourés de murs, retirés totalement du monde extérieur. Les étrangers n'y sont pas admis ; ils n'ont envie de voir personne. Aucun permis accordé aux touristes pour les visiter. Leurs principaux villages sont : *Cibeo, Cikeusik* et *Cikertawana.* Il est parfois possible d'apercevoir un Badui blanc se promenant dans la jungle, mais c'est rare. De toute façon, dans de telles conditions il est tout à fait inintéressant de tenter quoi que ce soit pour s'en approcher.
– Les *Baduis noirs* ou *Badui Luar :* ceux-là sont accessibles avec un permis car ils gardent quelques contacts commerciaux avec l'extérieur. Ils sont vêtus tout de noir et de bleu marine.

Comment s'y rendre ?

Aller d'abord à Rangkasbitung, au *Kantor Karbupaten, Social Politik.* L'autorisation s'obtient sans trop de problèmes. Prévoir des photos d'identité.
Marchandez dur pour le tarif du laissez-passer. L'argent va dans leurs poches. N'oubliez pas de demander un papier signé et tamponné spécifiant que vous avez payé.
Le trajet Jakarta-Rangkasbitung est plus rapide et moins cher en train qu'en bus. Prendre le train (3ᵉ classe) à la gare Tanah Abang. Compter 3 h de trajet.

Où dormir à Rangkasbitung ?

■ *Wisma Jaya :* très propre et bon accueil. Assez cher. Petit déjeuner compris et riz frit.
■ *Hôtel Terminal :* petit déjeuner compris. A peine moins cher que l'autre. Possibilité de manger au marché, vraiment pas cher et excellent warung.
■ *Ksatrya Hotel :* situé à côté du Kantor Karbupaten. Moitié prix des deux précédents et plus agréable.

Votre itinéraire

– De Rangkasbitung, aller à *Lewidamr* en bus. Ou directement à Cisimeut en bemo ; mais c'est très éprouvant.
Allez voir le *Lamat Kepala Wilayah Kecamatan.* C'est le grand chef administratif des Baduis. Il vous donnera deux lettres pour le Kepala Desa du village de Kaduketug (village principal où vit le chef réel des Baduis). La femme du responsable de Lewidamr parle le français.

– Ensuite, de Lewidamr, prendre un minibus pour **Cisimeut.** La route est épouvantable, mais c'est sans doute l'un des plus beaux paysages de Java. Attention : aux dernières nouvelles, un pont s'est écroulé entre les deux villes. Vérifiez.

A Cisimeut, on peut loger chez *Sudirman.* A votre demande, il vous procurera un guide. Cisimeut, par lui-même, est un village très agréable et les gens y sont très gentils. L'islam est plutôt cool dans le coin. Possibilité d'y rester une semaine.

– De Cisimeut à **Kaduketug,** environ 2 h de marche. Un autre village intéressant, **Cadu Jankung,** est à 30 mn de ce dernier. On ne peut pas dormir dans les villages baduis sauf accord du chef (d'où l'importance des « cadeaux »). Plus facile dans le village à côté de Kaduketug.

Vers les autres villages, la route est beaucoup plus longue et difficile. La jungle est superbe. Les rizières sont peut-être plus belles qu'à Bali et les gens d'une gentillesse qui n'a d'égal que leur étonnement de voir des touristes. Les villages baduis surgissent tout d'un coup dans un virage, très bien camouflés. Leurs maisons sont en bambou tressé, sur pilotis ou sur pierre. De grandes avancées style auvents pour se reposer à l'ombre du soleil. Cependant, quelques Baduis ayant des contacts avec l'extérieur demandent de l'argent. Dans ce cas, montrer le papier signé. Ces quelques jours loin de tout resteront pour vous un souvenir inoubliable. Loin de la cohue des touristes, les paysages vous paraîtront oniriques et vous serez étonné de rencontrer des gens sans aucune agressivité. D'après les registres, il y a à peu près un touriste tous les trois mois.

N'offrez pas d'argent, mais plutôt du sel, du pain et des cigarettes (*kretek,* de préférence). Ces produits ont une grande valeur pour les autochtones.

– Pour revenir, nous conseillons le retour direct en bus du village à côté de Kaduketug jusqu'à Rangkasbitung. Route très éprouvante, mais paysages absolument magnifiques. C'est principalement là que l'on traverse les si belles rizières.

LA PLAGE DE CARITA

Belle plage de sable à environ 8 km au nord du village de Labuhan et lieu de villégiature des Indonésiens aisés. On peut y nager sans problème car il n'y a pas de courant. La température de l'eau est délicieuse et il n'y a pas vraiment beaucoup de monde. Bungalows assez chers.

Où dormir ? Où manger ?

■ *Carita Krakatau Beach Hotel* et *Rakata Hostel* proposent des hébergements propres mais pas donnés. Situés sur la plage même. Relativement confortables et sympa. Font resto.
■ Possibilité de dormir aussi au *Gogona.*
● Pour manger, essayer d'acheter du poisson directement aux pêcheurs.

LE KRAKATAU

Déjà son nom effraie. De cette répétition de consonnes dures et cassantes, on ne s'étonne pas que l'enfer puisse jaillir. Cette île terrible, au beau milieu du détroit de la Sonde, vivait jusqu'au XIXe siècle dans une sereine tranquillité. Le cratère ronronnait doucement, preuve de son bon fonctionnement. Mais le 26 août 1883, le Krakatau se réveilla en sursaut... et ce fut le cauchemar. Durant 19 h, des explosions apocalyptiques dévastèrent l'île, emportant dans cet enfer de lave et de fumées toxiques plus de 36 000 personnes. L'île, précédemment composée de trois cratères volcaniques, explosa littéralement. Le Krakatau disparut en partie à l'intérieur de son propre abîme. Les populations assistèrent à un véritable suicide d'une terre qui s'engouffrait au fond d'elle-même. La formidable colère du volcan créa des lames de fond d'une force démente qui ravagèrent les côtes sud de Sumatra et les rives ouest de Java. La légende avance que le bruit de tonnerre parvint jusqu'aux oreilles des Australiens et des Philippins.

Puis, à partir de 1927, des explosions sous-marines furent signalées. Petit à petit, sur les restes de feu Krakatau, se développa une nouvelle île qui grandit au cours des décennies ! *Anak Krakatau,* le « fils de Krakatau », tel fut le nom que prit l'île toute nouvelle. Krakatau, un volcan à suivre pour de nouvelles aventures... explosives.

Comment y aller ?

Située à 50 km des côtes, l'île est accessible en louant un bateau sur la plage de Carita ou depuis le port de Labuhan. L'excursion n'est pas aisée car la mer est souvent agitée et le vent souffle violemment. Il faut savoir que la traversée est particulièrement longue, 4 ou 5 h aller et autant pour le retour. L'ascension du volcan est possible.

LE PARC NATIONAL D'UJUNG KULON

Ça, c'est pour les amoureux de la vraie nature sauvage. Située dans la presqu'île de *Panaitan,* à l'extrémité sud-ouest de Java, cette réserve abrite crocos, panthères, iguanes, une multitude de serpents et surtout les derniers rhinocéros blancs unicornes de l'île. Ceux qui s'effraient à la vue d'un orvet iront directement de Jakarta à Jogjakarta. Les autres devront réunir un certain nombre de qualités : avoir pas mal d'argent (mais est-ce bien une qualité ?), pas mal de temps, et surtout une santé à toute épreuve. Cette excursion n'a rien à voir avec un parcours Vitatop. Mieux vaut le savoir.

Comment y aller ?

L'excursion s'organise depuis le petit village côtier de *Labuhan.* On se rend dans le parc en bateau de pêcheur qu'il faut négocier ferme. Le permis de visite s'obtient au *P.P.A.* de Labuhan, 42 jalan Caringin. Ouvert uniquement le matin. Même en louant un bateau à plusieurs, cela revient prodigieusement cher et la balade est particulièrement ardue. Bref, le site reste assez difficile d'accès.

Sur place, le parc se visite à pied et en bateau. On dort dans une sorte de campement forestier ou sur l'île de Peucang.

Infos utiles

— Bien préparer son excursion depuis Labuhan.
— Meilleure période : d'avril à juillet, pendant la saison sèche.
— La petite île de *Peucang* possède quelques bungalows pour se loger.
— Prévoir sa nourriture pour tout le séjour. Faire ses provisions à Labuhan avant de partir.
— Apporter de bonnes chaussures, un chapeau et une paire de jumelles pour apercevoir les animaux.

— *AU SUD ET A L'EST DE JAKARTA* —

BOGOR   IND. TÉL. : 0251

Cité résidentielle au climat agréable, située à 60 km de Jakarta. Bogor ne constituerait en rien une étape obligatoire s'il n'y avait cet extraordinaire parc botanique, l'un des plus importants du monde. Même Danielle Mitterrand l'a visité, c'est dire ! Stamford Raffles venait à Bogor de temps à autre, car il trouvait le coin charmant. Ça a bien changé depuis.

Aujourd'hui, Bogor est une petite ville provinciale sans grand charme, mais les bourgeois de Jakarta aiment y séjourner en fin de semaine.

Pour y aller, bus (Cililitan Station) ou train (Gambir Station). Si vous aimez le folklore, en train vous serez servi. Plusieurs liaisons quotidiennes.

Adresses utiles

- **Tourist Information Centre :** 46 jalan I.R.H. Juanda. ☎ 321-350. Ouvert de 7 h à 16 h en semaine, de 7 h à 11 h le vendredi. Fermé le dimanche. Délivre une petite carte de la ville.
- **Change :** BNI, 46 jalan I.R.H. Juanda. Ouvert de 8 h à 14 h.
- **Poste :** jalan I.R.H. Juanda.

Où dormir ?

Pas cher

■ **Wisma Ramayana :** 54 jalan I.R.H. Juanda. Adresse absolument délicieuse dans l'enceinte d'une maison particulière, impeccablement tenue. La famille est adorable et les chambres sont spacieuses et tranquilles. Thermos de thé en permanence. 12 chambres en tout, avec ou sans douche et w.-c. Petit déjeuner inclus.

■ **Abu Pensione :** 7 jalan Mayor Oking. ☎ 322-893. Derrière la gare ferroviaire. Vous êtes chez le Dr Abu. Les chambres sont dans une partie distincte de la maison. Propre mais un peu sombre. Cela va du dortoir à la chambre avec salle de bains. Petit jardin devant, surplombant la rivière. Donne une bonne adresse pour acheter des *wayang golek*.

■ **Wisma Duta :** jalan Barangsiang II, Kav. 7. ☎ 328-494. Proche du terminal de bus. Propre et bon marché.

■ **Gandasari Hotel :** 57 jalan Veteran. ☎ 322-540. Propre. Petite terrasse pour chaque chambre. Pas de ventilo. Douche à l'indonésienne. Prix corrects pour la ville. Seulement si les trois premiers sont complets.

■ **Firman Pension :** 48 jalan Paledang, à 500 m de l'entrée du jardin botanique. Pas très facile à trouver. Marchander le prix des chambres.

Prix moyens

■ **Elsana Transit Hotel :** 36 jalan Sawojajar. ☎ 332-552. Dans un quartier résidentiel, hôtel sur un seul niveau, plaisant et tranquille. Chambres avec ventilo, douche et w.-c. Petit déjeuner compris.

Plus chic

■ **Wisma Karunia :** 35-37 jalan Sempur. ☎ 323-41. Pas très loin du jardin botanique. Toutes les chambres sont propres. Leur choix va de l'économique, qui n'est vraiment pas chère, à la supérieure. Il y a 6 types de chambres à des prix différents. Bon service et petits déjeuners bien servis.

■ **New Mirah :** 2 jalan Megamemdung. ☎ 328-044. Charme un peu lourd mais bonne tenue générale. Endroit accueillant. Réfrigérateur, air conditionné, baignoire, piscine... Terrasse pour le petit déjeuner. Bon rapport qualité-prix dans cette catégorie.

Où manger ?

● **Trio Restaurant :** 42 jalan I.R.H. Juanda. A deux pas de la Wisma Ramayana. Un des endroits les plus réputés en ville. On dispose devant vous une bonne dizaine de plats typiques de la région et vous mangez ce que vous désirez. Vous payez en conséquence. On aime bien ce côté cantine pour employés. Pas cher du tout.

● **Indonesian Fast-Food :** à quelques dizaines de mètres à droite du Trio, à côté de la banque Danamon. Toute petite pancarte. Quelques tables cachées sous un peu de verdure. On y sert des plats simples et typiques selon la même formule que le Trio.

Prix moyens

● *Lautan Restaurant :* 15 jalan Jenderal Sudirman. Ouvert midi et soir. Resto chinois ouvert sur la rue. Cadre lumineux, nappes à carreaux, cuisine chinoise classique et copieuse.

A voir

▶ *Le jardin botanique* (dites plutôt *Kebun Raya*) : jalan I.R.H. Juanda. Ouvert de 8 h à 17 h tous les jours. Moins cher le dimanche. Le jardin occupe tout le centre ville, sur plus de 100 ha, et fut ouvert au début du XIXe siècle sur une idée de Raffles. Le terme de jardin est d'ailleurs assez peu approprié. Il s'agit plutôt d'une véritable forêt aménagée où l'on trouve le plus grand rassemblement d'essences d'arbres rares et de plantes tropicales jamais réalisé ailleurs. On se balade au milieu de ces immenses espèces végétales pendant 1 h ou 2 avec plaisir.

▶ *Museum Zoology Bogor :* à gauche du jardin botanique. Ouvert tous les jours de 8 h à 17 h. Petit musée d'histoire naturelle avec animaux empaillés de toutes sortes (mammifères et oiseaux) présentés sous forme de dioramas. Bien pour tuer le temps en attendant un bus ou un train.

▶ Le *palais présidentiel* de Sukarno n'est pas ouvert au public. On s'en doutait !

Quitter Bogor

Terminal de bus : jalan Pajajaran, à un petit quart d'heure à pied du jardin botanique.

- *Pour Bandung :* pas de train depuis Bogor pour Bandung. Bus toutes les heures, toute la journée. Durée : 3 h. Certains bus disposent de l'air conditionné mais la plupart en sont dépourvus. Attention, les bus réguliers n'empruntent pas la superbe route de Puncak les samedi, dimanche et jours fériés. Ils passent par une autre route pour éviter le trafic. C'est plus long et on manque le plus beau. Si par malchance vous y êtes en fin de semaine, des minibus passent tout de même par Puncak, mais c'est bien plus cher.

- *Pour Jogjakarta :* quelques bus en début d'après-midi qui arrivent le lendemain matin. Très long.

- *Pour Jakarta :* bus sans arrêt.

De Bogor à Bandung

La route de montagne qu'emprunte le bus est tout bonnement superbe. Collines et montagnettes couvertes d'une belle végétation et de plantations de thé.

▶ *Puncak Pass :* c'est le point de passage le plus haut, d'où l'on bénéficie d'un étonnant panorama sur les collines verdoyantes. Stands de nourriture et de fruits.

▶ *Le jardin botanique de Cibodas :* à mi-chemin entre Bogor et Bandung et à 5 km de la route principale. Ce fantastique jardin botanique fut conçu au milieu du XIXe siècle comme une extension de celui de Bogor. Là encore, l'occasion d'une bien belle balade au milieu d'espèces inconnues.
Ce jardin est aussi le point de départ d'une excursion en montagne (pour les spécialistes du genre) vers le *Gunung Gede* qui culmine à 2 958 m. Pour cela, il faut demander un permis au bureau du *P.P.A.*, à l'entrée du jardin (fermé le dimanche). La randonnée peut s'effectuer une journée (environ 13 h aller-retour). Partir tôt le matin. Au bureau du P.P.A., carte gratuite. D'autres routes sont possibles pour l'ascension du Gunung Gede. Ne pas l'entreprendre pendant la saison des pluies.

- *Cipanas :* on y trouve un palais présidentiel d'été datant du milieu du XVIIIe siècle. Arrêt pas franchement utile.

BANDUNG

Ville universitaire et technologique peu intéressante. La seule raison d'y faire halte est d'aller voir le *Tangkuban Prahu,* volcan situé à 35 km. Bandung est bruyante, étendue et ne propose aucune attraction particulière. A l'époque des Hollandais, on y pratiquait les cultures du thé, café, cacao, kapok, manioc, giroflier et tabac... On rencontre encore ces plantations dans la région.

Adresses utiles

– **Office du tourisme :** place Alun-Alun. En plein centre. ☎ 566-44. Ouvert tous les jours de 9 h à 19 h et le dimanche de 11 h à 16 h. Se charge des réservations pour les trains et les bus. Personnel compétent.
– **Alliance française :** 32 jalan Paranawatman. ☎ 528-64.
– **Immigration Office :** jalan Mustopha (Suci). ☎ 720-81. Ouvert du lundi au jeudi de 8 h à 14 h et le vendredi jusqu'à 11 h. Pour les prolongations de visa.
– **Post Office :** place Alun-Alun.
– **Change :** Bank Bumi Daya, jalan Asia-Afrika. *BDN :* jalan Asia-Afrika, face à la poste.
– **Central téléphonique :** 64 jalan Merdeka. Appel téléphonique 24 h sur 24.

Où dormir ?

Pas cher

■ **Sakadarna :** 34 jalan Kebon Jati. ☎ 435-312. Le meilleur rapport qualité-prix-sympathie de la ville. Le rendez-vous de tous les routards. Chambres vraiment très bon marché, toutes simples mais propres. Tenu par une famille prévenante qui organise des excursions tous les jours vers le cratère, les chutes d'eau et une plantation de thé.
■ **Sakadarna (2) :** 50/76 jalan Kebon Jati. Même famille qu'à l'adresse précédente. Plus rudimentaire. La maisonnette est située au fond d'une allée, à deux pas de la précédente adresse. On conseille d'aller tout d'abord à la première, et si c'est complet, utiliser celle-ci.
■ **Mawar Hotel :** 14 jalan Pangarang. ☎ 519-34. Modeste maison au fond d'une courette. Chambres rudimentaires, mais c'est une des adresses les moins chères.
■ **Surabaya Penginapan :** 71 jalan Kebon Jati. Ancienne bâtisse coloniale, tout en bois, mais qui commence à être bien vermoulue. Les chambres ne sont pas chères et ne reçoivent que très rarement la visite de M. Propre. Vraiment pour les fauchés-fauchés ou si tout est complet et qu'il pleut à torrent.
■ **Losmen Malabar :** 3 jalan Kebon Juhut. Quelques chambres correctes, pas chères et honnêtes. En dernier recours là aussi.

Prix moyens

■ **Sahara Hotel :** 3 jalan Otto Iskandardinata. ☎ 516-84. A 300 m de la gare, c'est sûrement son principal et unique atout. Les chambres ne sont pas données vu le confort des lits. Pour plus de bien-être, aller à l'hôtel Guntur.
■ **Guntur Hotel :** 20 jalan Otto Iskandardinata. ☎ 507-63. Près du centre et à 5 mn de la gare. Hôtel moderne, calme, sur un étage, avec un modeste jardinet central. Bon rapport qualité-prix. Chambres avec salle d'eau, air conditionné et toilettes. Fait resto. Correct.

Où manger ?

Pas cher

● Le soir, à côté du PLN Complex, sur le côté gauche de celui-ci (sur jalan Asia-Afrika), des dizaines de *warungs* dans une petite rue perpendiculaire. Surtout de la cuisine sundanaise et des soupes, *goreng, seafood, satays...* L'endroit le plus populaire pour manger le soir. C'est un peu la sortie des jeunes de Bandung. Les stands commencent à remballer vers minuit. Même chose près de la gare, au terminal des minibus.

● **Warung Nasi M. Udju Restaurant :** 7 A jalan Dewi Sartika. Tout petit resto qui propose de bons plats sundanais. Service souriant.

● **Canary Bakery :** 16 jalan Braga et 28 jalan Dago. Une petite chaîne de pâtisseries dont voici deux adresses. Friands à la viande, au poulet ou aux crevettes, tourtes, gâteaux, quiches... Pas la qualité de Daloyau, mais bon quand même !

Prix moyens

● **Queen Restaurant :** 79 jalan Dalem Kaum. Resto chinois réputé. Toute la liste des plats classiques. Décor à la chinoise et prix souriants.

Plus chic

● **Braga Permai :** 58 jalan Braga. ☎ 505-19. Ouvert jusqu'à 22 h. Chic, ce resto, avec ses nappes blanches, ses serviettes en tissu, ses bougies et son service de haute volée. On y trouve quelques plats orientaux et pas mal de plats européens (ça fait du bien, de temps en temps)... Médaillon de bœuf, fondue, goulasch... Adresse idéale pour une soirée agréable. Pas donné.

● **Babakar Siliwangi :** 7 jalan Siliwangi. Y aller en taxi, c'est plus simple. Situé dans un cadre de verdure. Sans doute le resto le plus chic de la ville, là où les notables viennent déjeuner. On mange sous des structures en bambou typiques de Sumatra. Cadre folklorique pour déguster des spécialités sundanaises. Y aller si possible le dimanche midi pour voir les familles javanaises aisées y débarquer et y manger. Beaucoup d'atmosphère. Cher.

A voir

En fait, il n'y a rien de particulier à voir à Bandung, ce qui nous simplifie le travail.

▶ Vous pouvez cependant aller voir l'**Afro Asiatic Building** où eut lieu, en 1955, la célèbre conférence de Bandung (à 100 m de la place Alun-Alun).

▶ **Marché aux puces :** jalan Arjuna. Tous les jours de 8 h à 15 h. On y trouve de tout et de rien. Il faut chercher, fouiller et avoir de la chance pour tomber sur l'occasion.

▶ Si vous avez vraiment du temps à tuer, allez donc sur **jalan Cihampelas** où l'on trouve une suite extraordinaire de boutiques de jeans extravagantes. On se croirait à Las Vegas ! Toutes les façades font penser à des stands de fête. Bandung est en effet un important centre de textile et exporte une bonne partie de sa production.

▶ **Artisanat de marionnettes (Pa Ruhiyat) :** 22 jalan Pangarang.

Activités culturelles

– **Ram Fights :** Cilimus, dans le district de Ledeng, à 6 km de Bandung. Le 1er et le 3e dimanche de chaque mois.

– **Danses folkloriques :** au *Panghegar Hotel,* tous les mercredi et samedi à 19 h 30. Entrée gratuite, mais consommation obligatoire.

– **Wayang Golek** (théâtre de marionnettes) : au Yayasan Pusat Kebudayaan, 7 jalan Naripan. Le samedi, à 21 h.

– **Cupu Manik (Puppet Factory) :** Ke bon kawung, Pais Street. A 10 mn à pied de la gare. Visite chaque jour de 9 h à 16 h sauf dimanche. Belles marionnettes pas chères. Bandung est un bon endroit pour acheter des wayang Kulit.

– **Danses classiques sundanaises :** au *Purwa Setro,* Gang Tegal Lega, à 21 h tous les soirs. C'est à côté de la jalan Iskandardinata.

Aux environs de Bandung

▶ **Dago Tea House :** au nord de Bandung. Bus depuis la gare. Joli point de vue sur la ville. Située dans l'enceinte de l'université. Bien agréable pour un thé en fin d'après-midi. Vient d'être rénovée.

▶ **Tangkuban Prahu :** volcan situé à 35 km de la ville. Vu que c'est le seul volcan de Java accessible par la route, c'est devenu une sacrée entreprise commerciale (parkings, restos...).

Pour y aller, prendre un minibus depuis la gare des trains en direction de Subang, jusqu'à la porte du parc Tangkuban Prahu. Petit droit d'entrée. Le cratère principal est à 4 km à pied. Au bout de 2 km, vous trouverez un embranchement qui vous mènera au premier cratère actif. Puis on rebrousse chemin pour trouver une série d'escaliers conduisant au cratère principal, non actif. Montée fatigante mais réalisable. Il existe un chemin qui évite la remontée des marches lorsque l'on est au cratère secondaire, en bas. Monter seulement une dizaine de marches jusqu'au poste IV. S'engager sur le petit chemin à gauche. Après 1 500 m, on retrouve la route à 1 300 m de la route principale. Des guides vous proposeront leur aide. C'est inutile. Dernier minibus pour revenir vers 19 h.

▶ **Sources d'eau chaude de Ciater :** 8 km après le volcan, sur la route de Subang. Bien joli petit endroit dans un coin de plantations de thé. Possibilité de s'y baigner. Très propre et bien agencé. Bassin à 40°. Accès payant. Escapade agréable.

Quitter Bandung

En bus

- **Vers Jogjakarta :** par le « Bandung Express ». Bus de nuit qui part théoriquement à 19 h. Arrivée vers 5 h. Se prend au 7 jalan R.E. Martadinata. Le « Jogja Express » part à la même heure. Départ au 56 jalan Sunda.
- **Vers Solo :** départ le soir à 19 h au 3 jalan Dr. Cipto. Bus direct.

En train

- **Vers Surabaya :** avec le « Mutiara Selatan ». Départ à 17 h 30, arrivée vers 8 h.
- **Vers Jogjakarta, Solo et Surabaya :** départ à 5 h 20, arrivée à Surabaya à 21 h.

D'une manière générale, il est préférable d'acheter son billet le matin pour le soir, ou la veille pour le matin. Ces trains ont des 1re et 2e classes.

CIREBON   IND. TÉL. : 0231

A 200 km à l'est de Jakarta. Ancien sultanat, c'est aujourd'hui la ville de la crevette ; très peu de touristes. Dans cette ville repose Sunun Gunung Jati, l'un des neuf sages qui introduisirent la religion musulmane à Java. De nombreux pèlerins viennent à Cirebon se recueillir. La ville est assez agréable. Les bateaux dans le port sont superbes. Il faut visiter le *Kese Puhan*, avec sa belle mosquée. Pour y aller, 2 express par jour depuis Jakarta. Ou bus direct depuis Bandung toutes les demi-heures.

Nombreux petits hôtels près de la gare.

A *Trusmi*, à 5 km au nord, coopérative de batiks à visiter (prix intéressants). Y aller en becak.

PANGANDARAN

Sur la route en venant de Bandjar, c'est une petite station balnéaire où les touristes abondent, indonésiens et autres. Normal, c'est pratiquement l'unique endroit de l'île où l'on trouve des plages. Pangandaran abrite aussi une réserve naturelle. La végétation y est très dense mais les animaux assez rares.

Jolis couchers de soleil avec les pêcheurs qui ramènent les filets. Si vous dormez dans un losmen au bord de la plage, vers 3 h, ils vous réveilleront en mettant leurs barques à la mer.

Comment y aller ?

De la gare routière de Bandung, minibus public (durée 5 h et parfois 26 passagers pour 14 places assises). L'office du tourisme de la gare de Bandung propose des minibus directs. 2 départs quotidiens, le matin et en début d'après-midi.

Où dormir ?

Nombreux losmen ; pas de problèmes, ils sont tous concentrés dans la partie du village qui se trouve le long de la plage. Il faut prendre un becak pour y aller. Ils vous attendent à l'arrêt du bus et se précipitent sur vous sans vous laisser le temps de descendre du bus et encore moins de respirer. Pas de panique, dites simplement où vous voulez aller et décidez rapidement avec qui, car sinon ils ne vous lâcheront pas. Ils touchent des commissions dans les losmen et veulent tous vous y emmener.

Avant de choisir son losmen il faut savoir que, sur le côté ouest de la presqu'île, plus on s'éloigne du National Park et plus c'est calme. Grandes plages avec des vagues superbes. C'est propre mais très dangereux pour la baignade. Du côté est de la presqu'île, c'est nettement moins propre, plus fréquenté donc plus bruyant mais cependant très typique. On assiste à la pêche selon les heures des marées.

– Les tarifs des losmen sont jusqu'à 4 fois plus chers de juin à fin août.
– Pour aller vers la plage, il faut acquitter un péage.

■ *Losmen Mini :* très typique. Les tarifs sont à peu près les mêmes partout.
■ *Panorama Losmen :* récent, très bien tenu. Appartient à une Indonésienne mariée à un Français, Michel, très sympa. Prix très corrects. Vue sur la mer. Dans la rue principale, en allant vers le parc, tournez à gauche dans l'impasse juste avant le restaurant Cilacap. Peut-être le meilleur.
■ *Sun Set :* sur la plage. ☎ 392-93. Six chambres très bon marché et 5 bungalows. Très belle vue sur la mer depuis les chambres. Les patrons sont très gentils.
■ *Argaloka Beach Inn :* jalan Pamugaran. Situé du côté ouest, à 50 m face à la mer. Chambres confortables. Bon accueil et bon petit déjeuner.
■ *Anggia Motel :* à 50 m de la mer. Allez-y en becak, tous les chauffeurs connaissent. Chambres confortables. Petit déjeuner inclus. Très calme. Accueil agréable. Possibilité d'y louer des motos.
■ Évitez le *Bathera Jaya Losmen.* Patron arnaqueur.

Où manger ?

Profitez de votre séjour à Pangandaran pour y faire une cure de langoustes, de poisson et de crabes. Pour les langoustes pas chères, allez négocier au marché au poisson où on vous les prépare, ou attendez qu'on vous les propose sur la plage.

● *Restaurant Cilacap « Chez Mama » :* dans la rue principale, à gauche en allant vers le parc. Appartient à la famille de la femme de Michel, donc même maison que le Panorama Losmen. On y mange très bien (poissons, langoustes, etc.), sans mauvaises surprises.
● *Restaurant Inti Laut 1 :* 28 jalan Pamugaran. A côté des losmen cités plus haut. On peut choisir son poisson et ses crustacés. Excellent et pas cher.
● *Restaurant Inti Laut 2 :* à côté du Cilacap de Mama. Spécialisé aussi dans le poisson. Bien et un peu moins cher encore que le 1.
● *Restaurant Bamboe :* sur la rue principale, 170 A jalan Pananjung. Encore une bonne adresse et pas chère.

A voir

– Se rendre à l'*office du tourisme*, dans la rue principale, à 50 m de la poste. Accueil sympa. Tenu par une Hollandaise qui loue des motos (comme tout le monde) et propose un itinéraire à découvrir soi-même : côte sauvage, lagune où se baigner, pont de liane... en tout, environ 60 km.

▸ *Côté ouest de la presqu'île,* on peut demander aux pêcheurs de les accompagner (de 18 h à 23 h). C'est un peu long mais très intéressant. La traversée en bateau pour aller sur la plage de sable blanc est une arnaque. Le trajet peut se faire à pied très facilement en suivant le chemin qui longe la plage. La plage a effectivement un très beau sable mais l'eau n'est pas claire et les coraux sont détruits à plus de 50 % par l'invasion touristique. Se méfier des singes voleurs à l'affût de tout ce qui ressemble à un sac plastique susceptible de contenir quelque chose de comestible.

▸ Sur les deux côtés de la presqu'île, on peut assister à la *pêche au filet* tiré de la plage par toute la famille et au tri et partage des poissons entre les différents membres. On y voit des *fugu*, poissons très prisés des Japonais (mais trop petits ici), dont les entrailles contiennent un poison mortel. Ce poisson est donc abandonné sur la plage et, avant de succomber, il se gonfle comme un ballon ; c'est son seul moyen de défense. Ne pas s'amuser à mettre son doigt dans sa gueule car il vous le couperait très facilement.

▸ *La réserve :* tout au bout de la rue principale. Elle est en partie fermée 6 mois par an pour régénération. Se renseigner car dans ce cas le guide que nous vous conseillons est alors inutile pour la seule partie ouverte. Allez-y vers 7 h.
L'entrée est payante (pas très chère). Une fois dans le parc, le mieux est de prendre un guide sinon vous risquez de vous perdre. Il vous fera faire un *jungle tour* d'environ 3 à 4 h. Vous jouerez à Tarzan sur des lianes. Vous vous doucherez dans une cascade... La végétation est très belle.

Quitter Pangandaran

— Bus jusqu'à Banjar, puis jusqu'à Joggjakarta. Ou de Banjar vous pouvez aller en train à Joggjakarta. Voyage long mais très beau.
— Bus jusqu'à Kalipucang (30 mn). De là on rejoint la rivière à quelques centaines de mètres jusqu'au bateau (*kapal* en indonésien) qui part à 7 h. Environ 4 h de trajet, nombreuses escales et nombreux échanges avec les Indonésiens qui vont au marché ; vous traversez des cités lacustres, vraiment à ne pas manquer. Arrivé à Cilacap, prendre un bus jusqu'à Kroya, attendre ce dernier au City Minibus Stop devant le magasin *Lokopojok*. Ce bus vous mènera au terminal des bus. Puis, là, prendre un autre bus jusqu'à Joggjakarta où l'on arrive dans la soirée.
Tous les hôtels sont en cheville avec des agences et organisent ce trajet jusqu'à Joggjakarta ou Wonosobo pour un prix tout à fait correct (tout compris). Vous êtes pris en charge devant votre hôtel. Toutes les agences pratiquent des prix identiques.

JOGGJAKARTA   IND. TÉL. : 0274

Il est difficile de dire pourquoi il fait bon vivre à Joggjakarta (Jogja pour les intimes). Le calme, les toits bas lui donnent l'aspect d'un gros village. Ses environs recèlent des vestiges fabuleux, les batiks sont magnifiques. Voici donc la grande halte des routards. Jogja et ses environs méritent un arrêt de plusieurs jours.
Jogja est, comme Solo, une ville royale. Le sultan, héritier de l'ancien royaume de Mataram, y réside toujours. Jusqu'au milieu du XVIIIe siècle, le sultan de Solo régnait seul. Son neveu qui trouvait qu'il confiait trop de pouvoir aux Hollandais et plus particulièrement au gouverneur général de la Compagnie des Indes se rebella et fit bâtir son propre palais à Jogja. La ville rentra à nouveau dans l'histoire en 1946 lorsque Sukarno se réfugia à Jogja et proclama l'indépendance. L'actuel sultan réside toujours au palais. Il est député au parlement et possède une cimenterie.

Comment y aller ?

En train

De Jakarta et de Surabaya, le train est préférable au bus, long et épuisant. Le train de nuit qui part à 19 h 15 tous les jours est très bien. Beaucoup de monde le samedi. Il est préférable de réserver quelques jours à l'avance à la station Gambir. Penser à demander une place à gauche. Vu de ce côté, vers 5 h 30, le spectacle est magnifique avec les enfilades de rizières se détachant dans la lumière orangée du soleil levant.

Arrivé à la gare de Jogja, demander le plan de la ville mais éviter de changer de l'argent : le taux n'est pas favorable. Se méfier des rabatteurs qui proposent des logements où ils touchent leur commission. Mieux vaut s'en tenir à notre sélection d'adresses.

En bus

Nous pensons cependant que le bus est beaucoup moins fatigant que le « train économique ». Bien s'assurer que les bus ont des places numérotées et que les sièges sont inclinables : c'est un élément essentiel si vous voulez dormir en route (dans le « train économique », aucun espoir de dormir). Si vous arrivez au terminal des bus pour revenir au centre ville, prendre le petit bus orange n° 2 Biskota, très bon marché par rapport aux becaks. Descendre dans Suryotomo, rue parallèle à Maliaboro.

En avion

Vols fréquents de Jakarta (6 minimum par jour) et de Denpasar (4 par jour). Vols quotidiens de Surabaya et d'Ujung Pandang. Jogja est aussi relié par avion à Ampenan (Lombok) et Maumere.

L'aéroport de Jogja, *Adisucipto,* à 10 km de la ville, est très bien équipé. Restaurant correct. Les principaux losmen et hôtels y ont un comptoir et assurent le transfert gratuit de leurs clients. Comptoir de taxis où l'on paie un tarif fixe lors de la réservation. Pas d'arnaque. Pour ceux qui ont peu de bagages, colt pour le centre ville depuis la jalan Solo, à la sortie de l'aéroport. Consigne à bagages ouverte de 7 h 30 à 16 h.

Adresses utiles

– **Office du tourisme :** 16 jalan Malioboro (plan A2). Ouvert de 8 h à 20 h sauf dimanche. Très sympa et compétent ; on y donne de nombreux renseignements ainsi que les dates des représentations de théâtre d'ombres. Demandez Anti ou Tina, deux hôtesses qui parlent le français. Les horaires des trains et des bus sont affichés. Propose une excursion d'une journée sur Prambanan et Borobudur. Bien organisée. Il y a un autre bureau de tourisme privé sur jalan Parangtritis, qui donne de bons tuyaux.

– **Post Office :** jalan Senopati, en bas de Malioboro (plan A2). Ouvert de 8 h à 13 h. Ferme à 11 h le vendredi. Un guichet extérieur est ouvert le soir de 17 h à 22 h. Achetez vos timbres au guichet de la poste et non aux vendeurs dans la rue qui prennent une commission, sous prétexte qu'ils vous les collent sur l'enveloppe.

– **Téléphone international :** Warpostel Micota, 2 jalan Malioboro. Il existe, depuis peu, de nombreux endroits où l'on peut téléphoner 24 h sur 24. Nous en avons localisé certains sur le plan. Vous avez une petite échoppe sur pasar Kanbang, en face de la gare, ouverte aussi jour et nuit. Elle dépend du Batik Palace et n'accepte pas les appels en PCV. Il existe aussi une cabine en étage dans le bas de Malioboro, bien signalée par un panneau. C'est la plus importante et la plus moderne de la ville. A signaler aussi celle de Perumtel, à 200 m de Prawirotaman, ouverte jour et nuit.

– **Piscine municipale Umbang :** Tirta. S'y faire conduire en becak.

– **Piscines :** à l'hôtel Mendut, en face de la gare. Accueil très sympa. Ou à l'*Ambarrukmo Palace Hotel* (payante).

– **Regular Bus Station :** au sud-est de la ville, Menteri Square, sur la route de Kotagede.

– **Garuda :** 56 jalan P. Mangkumbi, au bout de Malioboro (plan A1). ☎ 44-00/ 51-84. Fermé samedi après-midi et dimanche.

- *Merpati :* 63 jalan Surdiman. ☎ 42-72/27-27 (plan B1).
- *Bouraq :* 60 jalan Mataram (plan A2). ☎ 626-64.
- *Centre culturel français* (se dit *LIP*) : 3 jalan Sagan (plan B1). ☎ 41-09. Ouvert de 10 h à 12 h et de 14 h à 19 h. Fermé le samedi et le dimanche. Édite un bulletin tous les 2 mois, *la Revue.* Très bien fait, distribué à l'office du tourisme. Expositions. Bibliothèque. Projections de films. Renseignements par téléphone et fax : 02-74-41-09.
- *Agence consulaire française :* au centre culturel. ☎ 41-09. Très efficace.
- *Bureau de l'immigration :* jalan Adisucipto, à côté de l'*hôtel Ambarrukmo* (hors plan).
- *American Express :* dans la galerie marchande de l'hôtel Ambarrukmo.
- *Banques :* nombreuses mais deux seulement permettent d'effectuer des retraits avec la carte VISA : *Bank Niagar,* jalan Sudirman (plan B2) et *Bank Central Asia,* sur la route de Solo.
- *Médecin :* Dr Marda, 19 jalan Supati, quartier de Kota Baru. ☎ 32-76. Reçoit du lundi au jeudi de 15 h à 19 h.
- *Hôpital Panti Rapih :* jalan Cikditiro (plan B1). Service d'urgence 24 h sur 24 h. Très efficace. Un médecin parle le français.
- *Pharmacie ouverte 24 h sur 24 :* P.T. Kimia Farma, 123 jalan Malioboro. ☎ 49-80.
- *Photo :* Duta Foto, 42 jalan Solo. ☎ 51-63. Ou *Fuji Image Plaza,* 159 jalan Malioboro. ☎ 874-88.

Avertissement

Jogja est un terrain de prédilection pour les faux guides locaux qui se prétendent étudiants et pour les pickpockets. Ils ont tendance à exercer leurs activités coupables aux gares, au marché (leur lieu favori) et sur Malioboro. Un peu de prudence et de discernement vous éviteront bien des ennuis. Sous prétexte de « Practice English », ils vous conduiront inévitablement dans leur école de batik, perdue dans un dédale de ruelles. Que vous achetiez ou non, ils ne vous raccompagneront pas mais essaieront de vous extorquer le maximum de roupies.
Il y a aussi de vrais étudiants qui ont envie de parler le français et sont totalement recommandables. On peut les rencontrer au Centre culturel français (LIP).

Circuler à Jogja

En becak

On découvre ici la civilisation du becak, ce cyclo-pousse actionné par un conducteur haut perché sur sa selle. Le becak est un moyen de transport agréable, suffisamment lent pour que l'on puisse profiter de l'animation de la rue et suffisamment rapide pour que l'on ne souffre pas de la chaleur. Ce véhicule à trois roues a une caisse assez basse et des garde-boue généralement décorés de scènes kitsch. On compte plus de 10 000 becaks sillonnant les rues de Jogja. Les conducteurs ne sont pas propriétaires de leur becak qui est loué à la journée. Donc, ils tentent par tous les moyens de rentabiliser leur location. Il y a plusieurs techniques pour conduire un becak sans trop se fatiguer. L'une consiste à pédaler d'une seule jambe pendant que l'autre se repose. Technique valable uniquement... en terrain plat.
Les becaks connaissent la ville par cœur mais assurez-vous qu'ils ont bien compris la destination. Ils ont, avec les touristes, une fâcheuse tendance à s'arrêter devant des boutiques. Ne jamais prendre un becak devant un losmen. Le prix annoncé peut paraître bas dans certains cas, mais le conducteur espère bien vous faire effectuer des achats sur lesquels il gagnera beaucoup plus qu'avec la course. Vous aurez beaucoup de mal à vous en débarrasser. Certains conducteurs sont assez collants et n'hésitent pas à vous poursuivre sur plusieurs dizaines de mètres. Restez calme et souriant en leur disant « jalan jalan » (je marche), formule magique pour qu'ils vous laissent tranquille. Plutôt que de payer à la course, on recommande de louer à l'heure, c'est plus intéressant (se baser sur un prix moyen de 1 000 roupies l'heure).
Attention à une certaine technique qui semble se dessiner avec des conducteurs malhonnêtes : ils donnent le prix en centaines de roupies et le trans-

forment en milliers à l'arrivée. Le mieux est alors au moment de la négociation de tendre un stylo au chauffeur qui écrit la somme dans la paume de sa main. Les conducteurs essayent de fidéliser leur clientèle et peuvent alors donner mille tuyaux sur leur ville, dont ils ont seuls le secret. Ils sauront vous reconnaître dans la foule et vous attendre. Possibilité de rendez-vous. Le becak est le meilleur moyen pour parcourir la ville.

Pour ceux qui ont des difficultés en anglais, voici le nom d'un conducteur qui parle couramment le français : Sugiyono. Il se tient tous les matins devant *Wisma Gajah*, 4 jalan Prawirotaman I. Il loue ses services à la mi-journée. Vieil habitant de Jogja, il connaît parfaitement sa ville et parle bien notre langue. Il n'est pas guide mais donne de nombreux tuyaux à ceux qui en demandent.

En taxi

La grande nouveauté à Jogja, car jusqu'en 1990 seuls les becaks faisaient la loi dans la rue. Maintenant, plusieurs compagnies de taxis équipés de compteur et de radio permettent de circuler plus vite et à l'abri des intempéries. Prix vraiment raisonnables : *Jas Taxi*, ☎ 61-200 ; *Asa*, ☎ 88-018 ; *Centris*, ☎ 25-48 ; *Indra Kelana*, ☎ 58-19.

En andong

Calèche à quatre grandes roues peintes en jaune. Les chauffeurs ont gardé le costume traditionnel avec le turban. Il ne faut pas être pressé, mais c'est une manière agréable de se déplacer, si on est plusieurs.

A bicyclette

Nombreux loueurs. S'adresser à son losmen. Bon marché. Attention, pas d'assurance. Vols fréquents.

A moto

Les losmen connaissent les meilleurs loueurs. Aucun intérêt pour circuler en ville. Intéressant seulement pour découvrir la région. Problèmes de mécanique fréquents.

En voiture

Pourquoi pas ? Un Français installé à Bali a ouvert une succursale à Jogja, face à l'aéroport.
– *Adisucipto Bali Car Rental*. ☎ 625-48. Possibilité de prendre une voiture à Jogja, traverser Java-Est et la rendre à Bali. Nos lecteurs sont particulièrement bien reçus.
– Une autre adresse : *Putri*, 27 jalan Prawirotaman I.T. ☎ 884-56. Dans le sud de la ville. Agence sérieuse qui pratique des prix raisonnables et dégressifs. Assurance comprise dans le prix annoncé.

En bus

Bon réseau desservant toute la ville. Les bus *Biskota* sont orange. Ils portent des numéros. Leur utilisation est très simple et très économique. Ils fonctionnent de 6 h à 20 h. Les autres bus *Aspada* ne s'arrêtent qu'à 22 h. Tous les Biskota, à l'exception du n° 9, conduisent à la Bus Station (plan B3), à 6 km de la gare des trains. De la Bus Station, départ chaque heure d'un minibus direct pour Pranbanan et Borobudur.

Où dormir ?

Il y a trois quartiers où sont regroupés les hébergements : près de la gare où sont situées principalement les adresses les plus économiques, dans le centre et à Prawirotaman dans le sud de la ville. C'est dans ce quartier que se trouvent les meilleures adresses. On est loin du bruit et les losmen se succèdent le long de deux rues parallèles : Prawirotaman I et II. C'est là que l'on vous conseille de loger en vous prévenant toutefois que l'on est un peu loin du centre. On ne peut pas tout avoir ! Si on veut une serviette de toilette, il faut verser une caution. Pour ceux qui en ont les moyens, l'air conditionné n'est pas un luxe.

PRÈS DE LA GARE

En sortant de la gare, après le passage à niveau, tournez à droite, vous tomberez sur jalan Pasar Kembang. De la gare routière à la gare, bus n° 2.
Ou bien sortez par le côté « consigne », vous arriverez directement sur la rue en question, sans faire le tour par le passage à niveau. Les petits hôtels sont nombreux. Ils ne sont pas très reluisants, mais ce sont les moins chers.
A notre avis, il est préférable de ne pas séjourner dans ce quartier bruyant et sans grand intérêt. Si vous persistez cependant, voici notre choix :

Bon marché

■ *Bagus Hotel :* Sosrowijayan Wetan, GT 1/137. De jalan Pasar Kembang (la rue du Kota Hotel), prendre une petite ruelle juste à la hauteur du *Batik Hotel* (plan A2). Propre et confortable. Thé à volonté. Possibilité de faire laver son linge (c'est pour rien). Très calme. Souvent complet, seulement 12 chambres. Particulièrement bon marché. Ventilo, ce qui est rare à ce prix. Pas de panneau indicateur.
■ *Kota Hotel :* au bout de jalan Pasar Kembang (plan A2). Simple et très bruyant mais d'une propreté exemplaire. Fermé de 23 h 30 à 5 h 30. Les chambres donnent sur des patios où poussent des bananiers. Trois catégories de prix. Les plus petites sont de vraies cellules de moine, vraiment tristes. Le patron demande une caution déductible de la facture finale. Bibliothèque à disposition. Un peu cher pour des chambres sans ventilateur et le patron n'est vraiment pas aimable.
■ *Madya Hotel :* jalan Gandekan, dans la rue perpendiculaire à jalan Kembang, le long du Kota Hotel (plan A2). Deux catégories de chambres avec douche individuelle ou commune. Petite cour intérieure. Bon accueil et propre.
■ *Karunia Hotel :* 78 jalan Sosrowijayan (plan A2). ☎ 650-57. Très propre et prix raisonnables. Offre l'avantage d'être près du cœur de la ville et de la gare. Ils ont 30 chambres. Le propriétaire a aussi un restaurant : le *Cirebon*, 15 jalan Jend A Yani.
■ *Panginapan Dua Satu :* 21 jalan Pasar Kembang. Pas cher, presque familial et tranquille. Très propre.
■ *Ratna :* 17 jalan Pasar Kembang. Agréable. Plusieurs catégories de chambres avec ou sans salle de bains.
■ *Asia Africa :* 25 jalan Pasar Kembang. Six catégories de chambres. Jardin intérieur assez agréable. Clientèle indonésienne, et pour cause, ici il y a une partie pour les hommes et une autre pour les femmes ; même les couples légitimes sont séparés...

Plus chic

■ *Mendut :* 49 jalan Pasar Kembang. ☎ 31-14. Établissement assez récent. Piscine kitsch dans le jardin avec rochers en carton-pâte. Accepte les cartes de crédit. Bonne adresse mais aurait besoin d'être un peu mieux entretenu.
■ *Batik Palace :* 29 jalan Pasar Kembang. ☎ 21-49. A l'entrée, collection de vieux véhicules. Carte American Express acceptée. 29 chambres donnant sur un jardin intérieur. Petit lavabo et douche locale. Pas trop cher et agréable.

DANS LE CENTRE

Prix moyens

■ Plusieurs petits losmen sur jalan Sosrokusuman, ruelle sur la gauche quand on descend Malioboro, un endroit très calme et en plein centre, ainsi que sur jalan Dagen, la rue du Peti Mas (plan B2).
■ *Zamrud Hotel :* 1/180 jalan Sosrokusuman (plan A2). ☎ 24-46. Entièrement refait à neuf. Salle de bains privée (attention, certaines n'ont pas de douche). Frigo. 19 chambres avec petit déjeuner inclus. Bon accueil. Ils acceptent les cartes de crédit.
■ *Puri Hotel :* 22 jalan Sosrokusuman. ☎ 41-07. Moins cher que le précédent et juste en face. 16 chambres qui donnent toutes sur un petit patio. Très calme. Thé à volonté. Pas de toilettes ni de lavabo dans les chambres. Ventilateur.
■ *Lilik Guesthouse :* 16 jalan Dagen (plan A2). ☎ 26-80. Propreté médiocre, ventilo. Douche dans le couloir. Pas cher.

Plus chic

■ *Peti Mas :* 39 jalan Dagen (plan A2). ☎ 612-38. Petite rue donnant sur Malioboro. Très central et très propre. Chambres avec eau chaude ou eau froide

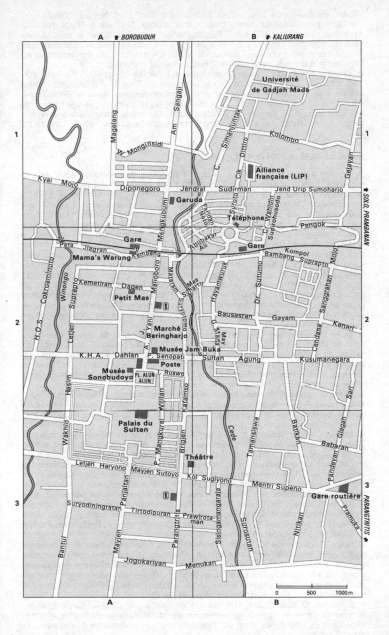

A ↑ *BOROBUDUR* B ↗ *KALIURANG*

Université de Gadjah Mada

Alliance française (LIP)

Garuda

Téléphone

Gare

Gare

Mama's Warung

Petit Mas

Marché Beringharjo

Musée Jam Buka

Poste

Musée Sonobudoyo

Palais du Sultan

Théâtre

Gare routière

↗ *SOLO, PRAMBANAN*

↓ *PARANGTRITIS*

0 500 1000 m

A B

(légère différence de prix), mais toutes sont très bien tenues. Ventilateur. Agréable patio intérieur fleuri. Piscine très propre. Oiseaux en cage partout. Très bon rapport qualité-prix. *Evening snack* compris dans le prix. Assez souvent complet, car c'est un hôtel de charme avec une belle architecture. Les 44 chambres sont réparties autour du jardin. Un peu bruyant cependant et on est vraiment les uns sur les autres. Resto cher et ordinaire.

■ *Wisma Persada* : 6 jalan Dagen (plan A2). ☎ 36-85 et 637-80. Fax : 63-147. Chambres avec ventilateur ou air conditionné. Tout neuf. Sanitaires impeccables. Pas de piscine. Demander une chambre derrière, dans le patio fleuri, décoré de cages à oiseaux. N'a pas le charme du précédent, mais le personnel est adorable et le service très attentionné. On vous fournit gracieusement toutes les informations sur les transports, excursions, spectacles. Une toute nouvelle adresse bien agréable.

DANS LE SUD, A PRAWIROTAMAN

A la sortie sud de la ville, sur la route de Parangritis. Malheureusement, un peu excentré. Pour y aller prendre le bus Bis Kota 14 ou 15 et, pour revenir au centre ville, emprunter le bus Bis Kota 2. Des hôtels nombreux et très agréables. Ils proposent presque tous des chambres à différents prix. C'est pourquoi on ne les a pas classés par catégories. Il y a Prawirotaman I et II, deux rues parallèles qui donnent dans Parangtritis. Tous ces losmen ont une navette gratuite depuis l'aéroport. Vous leur téléphonez et ils envoient une voiture.

■ *Metro Guesthouse* : 71 Prawirotaman II (plan B3). ☎ 50-04. Une adresse que l'on aime bien pour de nombreuses raisons. Propreté impeccable. 42 chambres dont 14 avec air conditionné au premier étage (celles que l'on préfère) et autour de la piscine. 10 avec ventilo dans le jardin. 8 standard à l'intérieur et 5 medium dans un corridor. Il y en a pour tous les budgets. Piscine de l'autre côté de la rue. *Evening snack* et bon service. Change. Excursions bien organisées. Réservations. Demander à la réception Sonni qui parle le français. A l'arrivée du train de Jakarta le matin, il y a généralement quelqu'un à la gare pour vous y conduire.

■ *Duta Guesthouse* : 26 jalan Prawirotaman I (plan B3). ☎ 50-64. Une trentaine de chambres avec air conditionné ou ventilateur et salle d'eau démente en forme de grotte. Quelques « economy rooms ». Très belle architecture. La piscine aussi est très réussie. Jardin intérieur de style japonais. Un hôtel de charme, avec un excellent accueil, que nous apprécions aussi beaucoup. Carte VISA acceptée.

■ *Wisma Gajah Guesthouse* : 2 jalan Prawirotaman I. ☎ 56-59 et 50-37. Encore une excellente adresse, propre, calme, avec jolie piscine et jardin. Personnel sympa. Vastes chambres, décorées de beaux meubles indonésiens. Deux catégories de prix.

■ *Delta* : Prawirotaman I, à côté de Metro Guesthouse. Même direction que Duta Guesthouse. ☎ 50-64. Chambres très bien entretenues réparties autour d'une piscine. Deux catégories. Les plus petites sont de véritables cellules de moine sans aucun rangement possible. Serviettes de toilette fournies dans les salles de bains. Les « economy » ont des sanitaires communs. Le tout est d'une grande propreté. Prix raisonnables. Cartes de crédit acceptées.

■ *Perwita Guesthouse* : 23 jalan Prawirotaman I (plan B3). Le patron est très accueillant, donne un plan et organise des excursions. Beaucoup de Français dans cet hôtel sympa. Une piscine vient d'être construite dans le jardin. Très calme et hyper propre. 17 chambres dont 10 « economy ». Restaurant *French Grill*. Home, sweet home !

■ *Rose Guesthouse* : 22 jalan Prawirotaman I. Chambres avec ventilo ou air conditionné et salle de bains privée. Quelques « economy rooms ». Jolie piscine. Breakfast très quelconque compris dans le tarif ainsi qu'un *Evening snack*. Ils acceptent la carte American Express. Bar-restaurant correct, mais un conseil si vous consommez : commandez, baignez-vous, prenez votre douche tranquillement et vous n'attendrez plus que 10 mn !

■ *Sunarko Guesthouse* : 105 jalan Parangtritis. ☎ 20-47. 20 chambres. Ambiance familiale, petits déjeuners copieux. Réceptionniste très sympa. Chambres économiques propres. Plus bruyant que les losmen des Prawirotaman. A côté du marché couvert.

■ *Vagabond* : jalan Prawirotaman (plan B3). Une nouvelle adresse tenue par un jeune styliste. Un endroit soigné et très propre. Chambres avec sanitaires communs. Prix très bas. Le patron refusant de verser des commissions aux conducteurs de becak, ceux-ci auront tendance à dire qu'ils ne connaissent pas ou que ce losmen est complet.

■ *Sumaryo Guesthouse :* 18 jalan Prawirotaman. ☎ 28-52. Agréable. Belle piscine. Chambres avec ventilateur. Bons petits déjeuners et prix très raisonnables.

■ *Airlangga :* jalan Prawirotaman I, juste après Wisma Gajah. ☎ 33-44. Probablement la guesthouse la plus sélecte de la rue et qui ressemble plutôt à un hôtel par ses dimensions. Chambres à différents prix, parfois moins élevés que dans d'autres adresses. Belle piscine. Restaurant. Disco très fréquentée, donc assez bruyant. Jardins agréables. Réceptionniste parlant le français.

■ *Agung Guesthouse :* 68 jalan Prawirotaman II, à côté du Metro. ☎ 50-04. Chambres avec robinetterie parfois un peu poussive. Piscine avec un mur de rochers digne des meilleurs Tarzan. Le patron a une excellente chaîne hi-fi et de bonnes cassettes. 23 chambres à des prix différents. Change et cartes de crédit acceptées.

■ *Borobudur Hotel :* jalan Prawirotaman I, en face d'Airlangga. Établissement très propre, proposant des chambres à différents prix mais toujours abordables. Les chambres donnent sur un petit jardin. L'hôtel est calme. Personnel sympathique.

■ *Muria Guesthouse :* jalan Prawirotaman II, avant le Metro. Chambres simples. Plusieurs prix. Accueil familial exceptionnel.

■ *Sartika Homestay :* 44 A jalan Prawirotaman 1. Nouveau et propre. Les chambres sont assez vastes avec baignoire dans la salle de bains. Bons petits déjeuners. Le patron donne tous les renseignements utiles.

Où manger ?

La spécialité de Jogja est le *nasi gudeg,* un mélange de salé et de sucré composé de riz et de morceaux de fruits du jaquier liés avec du lait de coco. Le *ayam goreng,* petit poulet frit, est une autre spécialité locale. A part le *Pesta Perak* et le *Legian,* les meilleurs restaurants sont ceux tenus par des Chinois ou ceux situés dans Prawirotaman.

Une usine à glace moderne étant installée à la périphérie de la ville, les risques sont donc limitées pour les glaçons, et vous pourrez consommer, sans risques, des jus de fruits frais.

DANS LE CENTRE VILLE ET PRÈS DE LA GARE

● *Heru Jaya :* dans le Gang 2, au niveau du numéro 40 de la Sosrowijayan GT 1/79 (plan A2). Excellent et pas cher.

● *Manna :* 60 jalan Dagen, dans la rue du Peti Mas, un peu plus loin et du côté opposé. Un resto javanais qui fait aussi boulangerie. Pas cher. Grand choix à la carte, y compris des plats japonais. Dommage que les proprios soient blasés et ne fassent plus d'effort. Qualité en baisse.

● *Anna Restaurant :* Sosrowijayan Wetan Gg II-GT 1/115 (rue du Bagus Hotel ; plan A2). Pas cher. Ambiance cool. Cuisine européenne et locale. Service désespérément lent. Propreté limite. Pour fauchés.

● *Mama's :* jalan Pasar Kembang. Excellents *satay.* Vérifiez l'addition. Juste en face du *Batik Palace Hotel.* Beaucoup de routards de tous pays. Très simple et pas très propre. Choix limité.

● *Le Rendez-Vous :* à côté du précédent (plan A2). Bonne cuisine et, là, les règles d'hygiène sont respectées.

● *Cappuccino Pub et Restaurant :* en face de Mama's. Mêmes prix, nettement meilleur et plus propre.

● *Bladok Coffee-House :* 76 jalan Sosrowijayan (plan A2), dans une rue perpendiculaire à Malioboro sur le côté droit en descendant de la gare. Une toute nouvelle adresse où l'on mange des spécialités indonésiennes bien présentées dans un décor agréable. Fond musical. Bon rapport qualité-prix. Les patrons ont même mis des jeux de société à la disposition des clients pour qu'ils puissent finir la soirée d'une manière agréable.

● *Superman :* Gang Sosrowijayan I, dans une ruelle donnant sur jalan Pasar Kembang. Bonne cuisine indonésienne. La cuisine européenne est à proscrire. Bonne musique. Service désinvolte.

● *New Superman :* à côté, même genre. Bon, mais faut-il aller jusqu'à Java pour être gavé de Marley et des Stones, en entendant parler anglais ou allemand à toutes les tables ? Il y a des restos plus typiques à découvrir dans le dédale des ruelles.

● **French Grill :** resto de l'Arjuna Plaza sur la Mangkubuni (plan A2). Salle agréable avec tables rondes et nappes à carreaux. Cuisine indonésienne mais on sert aussi un steak-frites pour les nostalgiques. 20 % de service.

● **Bu Sis Garden Restaurant :** Sosrowijayan Wetan Gg I-GT 1/7. Même proprio et même carte qu'Anna Restaurant, mais resto plus grand, service plus rapide et ambiance plus agréable.

● **Cirebon :** dans Malioboro, face au marché. Grande salle où il fait bon manger une tarte ou un yaourt. Bons jus de fruit.

● **Tio Ciu :** 16 jalan Jen Sudirman (plan B1), juste avant le pont. On peut manger en terrasse. Bonne cuisine chinoise. Un autre resto chinois dans la même rue mais l'ambiance est un peu surchauffée et enfumée.

● **Happy :** 95 jalan Jend A. Yani, dans le prolongement de Malioboro. Un petit resto proposant aussi de la nourriture chinoise.

Prix moyens

● **Legian Garden :** au 1er étage, en face du 123 Malioboro. Entrée dans une rue perpendiculaire. On peut manger en plein air, sous des tonnelles de verdure. Décor vraiment très agréable. La cuisine est bonne et les prix restent très raisonnables.

● **Pesta Perak :** 8 jalan Tentara Rakyat Mataram, près de la gare (plan A2). ☎ 632-55. Ouvert de 10 h à 21 h 30. Une bonne table de cuisine traditionnelle avec un excellent *rijstaffel*. Prix très abordables. Beaucoup de touristes, ce qui est normal car il est rare de pouvoir goûter à ce plat indonésien à Jogja.

DANS LE SUD DE LA VILLE

● **New Oriental :** 300 jalan Brigjen Katamso (plan A3). Décor nul mais le meilleur chinois de la ville. Les amateurs de nouvelle cuisine seront comblés, légumes croquants à souhait. Soupe au crabe réputée. Commander les plats les uns après les autres, sinon ils apportent tout en même temps. Une des bonnes tables de Jogja. Un peu cher.

● **Palm House :** jalan Prawirotaman I, sur le côté droit. Notre meilleure adresse dans le quartier. Beau décor. Service impeccable, quoique parfois un peu lent, et cuisine de qualité. Prix très raisonnables. A la carte : bœuf Strogonoff, porc à la hawaïenne, excellents jus de fruits.

● **Tante Lies :** 75 jalan Parangtristis, à l'angle de Prawirotaman I. Une gargote où l'on mange un bon *nasi goreng* autour des tables qui envahissent le trottoir. Très simple et bon marché. Animation et bruits de la rue garantis. Ne soyez pas étonnés non plus de la compagnie des cafards.

● **Hanoman's Forest :** 9 jalan Prawirotaman I. Cadre très agréable. Dîner-spectacle à partir de 19 h 30 : lundi, *wayang Golek ;* mardi, danses javanaises ; mercredi, *wayang Kulit ;* jeudi, *wayang Golek ;* vendredi, *wayang Kulit ;* samedi, danses javanaises ; dimanche, danses contemporaines. Cuisine correcte et prix raisonnables. Léger supplément pour le spectacle.

● **Café Lotus :** jalan Prawirotaman II, à l'entrée juste en face du marché. Bon restaurant dirigé par une Australienne mariée à un Javanais. On dîne très bien dans un agréable jardin. Spectacles le mardi, jeudi et samedi soir. On a un tour d'horizon du folklore de toutes des îles de l'Indonésie. Excellente table de riz très copieuse.

● **Putri Restaurant :** 27 jalan Prawirotaman I. Face à Rose Guesthouse. Dans un agréable décor de bambou, cuisine internationale, chinoise ou indonésienne. Bon et pas cher. Une bonne adresse.

● **Beng-Beng :** 20 jalan Prawirotaman I, à 50 m d'Airlangga. Là aussi agréable décor de bambou, nombreux ventilateurs, fond sonore de musique locale. Cuisine à des prix vraiment très raisonnables.

● **Griya Bujana :** jalan Prawirotaman I. Sympathique, bon, économique et copieux.

LOIN DU CENTRE

● **Selera Kuring :** jalan Gejayan, au km 7 (hors plan par B1). S'y faire conduire en taxi. Restaurant de poisson, simple et pas cher du tout. Très agréable. On mange à l'extérieur. Surtout des Indonésiens.

● **Dépôt Amek-Amek :** jalan Gejayan, à 500 m à partir du croisement de la route de l'aéroport. Desservi par les Bis Hota n° 3, 8 et 10. Un self-service bien pratique pour découvrir la cuisine indonésienne. Économique et, là aussi, peu de touristes.

A voir

▶ **Palais du Kraton** (plan A3) : ouvert de 8 h 30 à 13 h (jusqu'à 11 h 30 les vendredi et samedi). Visite obligatoirement accompagnée par un gardien parlant votre langue. Palais du sultan. Construit en 1756. Atmosphère hors du temps. Se compose de plusieurs pavillons et de cours carrées. Le petit musée renferme des porcelaines qui n'ont rien d'exotique (elles ont été offertes par Napoléon III).
La férocité des gardiens du sultan, jadis bien connue, s'est fort émoussée. D'ailleurs, le grand âge de certains ne leur permet que de jouer les figurants en costume, véritable aubaine pour les photographes. Un des rares endroits en Indonésie où certains guides parlent français (ils sont cinq).
Tous les dimanches, de 10 h 30 à 12 h, on peut assister à des danses au son du grand gamelan (sauf pendant le ramadan).
Tous les lundi et mercredi, à 10 h 30, cours de gamelan. Le guide est compris dans le droit d'entrée.
On peut également assister à des spectacles de *wayang Kulit*.
En complément de cette visite, on peut voir aussi le **musée des Carrosses**. Même horaires que le Kraton. Entrée payante. Intérêt limité. Les carrosses sont pieusement conservés en souvenir des sultans qui les utilisaient pour leur sortie lors des grandes cérémonies. A signaler que le nouveau sultan circule en Mercedes ! C'est effectivement plus confortable que l'éléphant.
On peut aussi visiter d'autres parties du palais, là aussi d'un intérêt très limité ; le guide ne manquera pas de vous faire passer par un dédale de petites ruelles pour vous montrer un atelier de batik. Si vous ne voulez visiter que le palais du Kraton, le seul qui soit intéressant, précisez-le bien.
▶ **Le marché Beringharjo** (plan A2) : sur la gauche, en descendant Malioboro. Gigantesque marché couvert, très animé. Extrêmement intéressant. Prendre garde aux pickpockets et aux faux guides. Même les alentours du marché sont intéressants. Malheureusement les commerçants ont déjà commencé à prendre possession du nouveau bâtiment voisin, flambant neuf et mieux adapté. Avec ce transfert dans un grand cube de béton, il est à craindre que le marché perde son âme. A suivre.
▶ **Watercastle (Taman Sari ;** plan A3) : ancien réservoir d'eau de la ville. Il ne reste plus qu'une seule piscine, généralement vide en été, mais l'endroit est surtout intéressant pour les artisans de batiks et de marionnettes à l'intérieur. Faites-vous accompagner par un gamin pour découvrir cette surprenante mosquée souterraine *(underground mosquee)* et son superbe escalier.
▶ **Marché aux oiseaux** (plan A3) : à l'entrée du Watercastle. Particulièrement animé le matin. Faites-vous montrer les oiseaux rares. Les oiseaux chanteurs sont accrochés en haut de mâts gigantesques : en effet, ils chantent mieux quand ils sont éloignés du vacarme des hommes. Avec un peu de chance, vous verrez ces chiens que les Javanais adorent... dans leur assiette. Aussi quelques vampires. Combat de coqs certains matins vers 9 h. Se méfier des fourmis rouges. Normalement c'est la nourriture de certains oiseaux, mais la nourriture des fourmis, ce serait bien vos jambes. On y voit aussi deux varans et un *garuda*, un vrai, qui à chaque photo rapporte 500 rp à son propriétaire.
▶ **Cours de batik Hadjir :** Taman Kraton (entrée principale du Watercastle sur la gauche). Le cours dure 6 jours (fermé le mardi) de 14 h à 18 h. On vous enseigne l'art du batik, les compositions des différentes cires utilisées, comment préparer les teintures... Bonne connaissance de l'anglais nécessaire. Bien sûr, vous pouvez garder vos œuvres à la fin.
▶ **Sono-Budoyo Museum :** en bas de Malioboro, pas loin du Kraton (plan A2). Ouvert du mardi au jeudi, de 8 h 30 à 13 h 30 ; le vendredi, de 8 h 30 à 11 h ; les samedi et dimanche, de 8 h 30 à 12 h. Fermé le lundi et les jours de fête. Un endroit plein de charme où sont rassemblés des objets de qualité. Belles collections des produits de l'art local, en particulier des anciens gamelans, des poupées, wayangs, masques en bois sculpté. Jolies maquettes de bateaux de pêche. Portes et armoires balinaises sublimes.

▶ *Malioboro :* le spectacle, surtout le soir, est permanent. Cette large avenue, sorte de Champs-Élysées locaux, est très animée. Nombreux vendeurs sur le côté droit en descendant de la gare et restaurants sous les arcades de l'autre côté. Couleur locale et ambiance garanties.

▶ *Zoo :* à Gembira Loka, à 4 km du centre ville. Prendre le bus n° 4 devant l'office du tourisme. Ouvert tous les jours de 8 h à 18 h. Seul intérêt, les deux jeunes varans de Komodo, s'ils ne font pas la sieste sous les buissons.

Spectacles

Jogja est le centre culturel de Java, véritable conservatoire des traditions. Les spectacles y sont de qualité. On donne ci-dessous le calendrier des principales manifestations. L'office du tourisme diffuse un dépliant et fournit tous les renseignements complémentaires, les horaires pouvant être modifiés ainsi que les lieux. Il faut acquitter un droit assez élevé pour pouvoir filmer certains spectacles comme le Ramayana de Prambanan.

Jour	Heure	Spectacle	Lieu
Dimanche	10 h 30 à 12 h	Danses javanaises	Sultan Palace
	15 h à 17 h	Wayang Kulit	Agastya
	20 h à 22 h	Danses javanaises	Thr Sasanasuka
Lundi	10 h 30 à 12 h	Gamelan	Sultan Palace
	11 h à 13 h	Wayang Golek	Nitour
	15 h à 17 h	Wayang Kulit	Agastya
	20 h à 22 h	Ramayana	Dalem Pujokusuman
Mardi	11 h à 13 h	Wayang Golek	Nitour
	15 h à 17 h	Wayang Kulit	Agastya
	20 h à 22 h	Danses javanaises	Thr Sasanasuka
Mercredi	10 h 30 à 12 h	Gamelan	Sultan Palace
	11 h à 13 h	Wayang Golek	Nitour
	15 h à 17 h	Wayang Kulit	Agastya
	20 h à 22 h	Ramayana	Dalem Pujokusuman
Jeudi	11 h à 13 h	Wayang Golek	Nitour
	15 h à 17 h	Wayang Kulit	Agastya
	19 h 30 à 22 h	Danses traditionnelles	Temple de Prambanan
Vendredi	11 h à 13 h	Wayang Golek	Nitour
	15 h à 17 h	Wayang Kulit	Agastya
	20 h à 22 h	Ramayana	Dalem Pujokusuman
Samedi	11 h à 13 h	Wayang Golek	Nitour
	15 h à 17 h	Wayang Golek	Agastya
	20 h à 22 h	Danses javanaises	Thr Sasanasuka

Adresses des spectacles

— *Agastya Art Institute-School for Narrators :* jalan Gedongkiwo MO III/237 (dans le sud de la ville). Wayang Kulit : cette association essaie de maintenir la tradition de ce spectacle qui tend à disparaître. Représentations tous les jours sauf le samedi de 15 h à 17 h.
— *Nitour Inc. :* 71 jalan Ahmad Dahlan.
— *Dalem Pujokusuman :* jalan Katamso.
— *Thr Sasanasuka :* jalan Katamso.

Autres spectacles

— A Prambanan, *spectacle de Ramayana* chaque jour, de 19 h à 21 h, de mai à octobre, dans un théâtre récemment construit en plein air. Danses traditionnelles et chorégraphie moderne. Le transport est assuré. Se renseigner à l'office du tourisme et dans toutes les agences. On peut prendre les places les moins chères qui se trouvent sur les côtés et près de la scène. Les plus chères, de face, coûtent 6 fois plus. Un moment inoubliable si vous aimez les danses traditionnelles. Le spectacle n'a pas lieu pendant le ramadan.

— Certains restaurants de Prawirotaman comme le *Hanuman Forest* ou le *Café Lotus* organisent des dîners-spectacles qui n'ont pas la prétention de rivaliser avec ceux donnés par des troupes professionnelles.

— Jogja a produit au festival d'Avignon un épisode du Ramayana, le *Langen Mandra Wanara*, créé à la fin du siècle dernier par un Premier ministre du sultan. Ce spectacle de théâtre chanté et dansé est interprété par des acteurs qui évoluent pendant des heures à genoux. Ce spectacle a été monté pour les cérémonies en l'honneur du nouveau sultan, Sri Sultan Hamengkubuwono X. Mais ce Langen Mandra est appelé à disparaître parce qu'une telle troupe est trop coûteuse à entretenir et les qualités requises pour l'interprétation sont énormes (en tout cas plus que pour la bourrée auvergnate).

— En haut de jalan Sangaji, un cinéma projette des films en version anglaise. A voir rien que pour les affiches dessinées selon un style personnel. Pour les films en français, aller au centre culturel (LIP).

Achats

Jogjakarta est le meilleur endroit de Java pour les achats. Toutefois ceux qui vont à Bali trouveront là-bas un choix beaucoup plus grand et une qualité bien supérieure. Les grands maîtres du batik indonésien travaillent à Jogja. Évidemment, ils sont chers. Les ateliers situés dans le Watercastle exposent des œuvres de moins bonne qualité mais bien plus abordables. Difficile d'en citer, les avis différant trop selon les goûts de chacun.

Quelques conseils de base : visiter un grand nombre de boutiques avant de faire son choix. Arriver à pied dans la boutique ; sinon, la commission du chauffeur est automatiquement ajoutée dans le prix de vente. Marchandage paisible hautement conseillé.

Demandez à un Indonésien de vous expliquer le chemin de la *coopérative*. Très difficile à trouver et il n'y a pas d'enseigne. Il y en a notamment une dans Gandekan pas loin du Peti Mas (voir « Où dormir »). En demandant à droite, à gauche, vous y parviendrez sûrement. Marchandage là aussi de rigueur bien sûr.

– *Articles de cuir* : nombreuses boutiques mais la qualité est inégale. Le plus grand choix et la meilleure qualité se trouvent chez *Kusuma*, 49 jalan Kauman (pas loin de Kraton).

– *Marionnettes* (wayang Kulit et wayang Golek) : une seule chose à savoir, la peau de buffle est bien plus souple que la peau de vache. Vous pouvez cependant attendre d'aller à Bali (Legian) où elles sont moins chères.

— Deux boutiques qu'on aime bien pour la diversité des objets qu'ils vendent : *Toko Sita*, au 165 Malioboro, et *Toko Subur*, au 167 Malioboro. Difficile de marchander.

– *Bijoux en argent* : à Kota Gede, faubourg de Jogja, à 3 km à l'est du centre. Y aller en becak ; la route est jolie. Plusieurs boutiques sur la rue principale. Surtout des bagues, bracelets et petites chaînettes. Marchandage difficile.

Au magasin *SN'S Silver*, jalan Kota Gede, sur la gauche les artisans se feront un plaisir de vous montrer comment ils travaillent les métaux.

– *Yogya Art House Handicraft* : 57 jalan Parangtritis, et *Yogya Curio and Antique*, au n° 49 de la même rue. Même propriétaire très sympa et surtout un professionnel qui prendra son temps (si vous le prenez aussi) pour vous expliquer le sens de tous ses objets. Il ne pousse pas à la vente et apprécie les visiteurs qui s'intéressent plus à l'art qu'à de simples souvenirs. Contrairement à l'Occident, les antiquaires asiatiques ont leurs merveilles, non pas en vitrine, mais dans le fond d'une armoire dans un recoin de l'arrière-boutique. Demander le patron, Amrin Baenndin.

– *Tansen art shop* : Kadipaten Kulon K P I/308, pour ses magnifiques marionnettes de wayang Golek. Pour les wayang Kulit, aller chez *Sanggar Sawo Art shop* : Ngadisuryan K P 4/97. Eddy Wahyudi, fournisseur du Kraton et de collectionneurs étrangers, a désormais une renommée internationale. Travaille sur commande uniquement. Cher mais travail merveilleux. Il faut aller chez lui au moins pour comparer.

– *Musique* : grand choix de K7 au *Kota Mas*, dans le haut de Malioboro, et au *New Pomodoro Music Centre*, 32 jalan Malioboro.

– *Batiks* : faire un tour chez *Amri Yaya*, 67 jalan Gampingan. C'est le top, un artiste de renommée internationale qui a remis à l'honneur la technique du batik ; ses œuvres sont originales, très chères pour l'Indonésie (prix en dollars de 500 à 5 000). Avis aux amateurs fortunés. Possibilité de marchander dans tout le magasin, même pour les toiles du maître.

Pour les batiks économiques, voir au *marché Beringharjo,* ce sont les moins chers et il y a du choix.

– *Tampons en caoutchouc :* dans Malioboro de nombreux artisans peuvent réaliser en quelques heures des cachets originaux. Vous pouvez choisir un modèle sur leur catalogue et le faire personnaliser. Une idée de cadeau très originale et qui ne vous ruinera pas. Observer la minutie de ces graveurs est déjà une chose intéressante ; leur habileté est stupéfiante.

– *Linge de maison et chemises en batik :* voir chez *Keris,* dans le bas de Malioboro, sur la droite. Choix considérable sur deux étages. Les prix sont très intéressants mais fixes. Cartes de crédit acceptées.

– C'est aussi à Jogja que vous trouverez le plus grand choix de *kriss* (poignards javanais) à la lame sculptée et ondulée. Les acheter sur le marché Beringharjo. Les fourreaux doivent se composer d'un seul morceau de bois et non de deux parties collées. Assez difficile de faire baisser les prix.

Autour de Jogja

Pour les excursions autour de Jogja, grand choix de tours organisés par tous les losmen et les agences de voyages ainsi que par l'office du tourisme. Les prix sont raisonnables mais le chauffeur trouvera toujours le moyen de vous arrêter à un moment quelconque devant une fabrique de batik ou un magasin de souvenirs.

▶ Il n'est pas pensable de séjourner à Jogja sans aller à *Borobudur* et à *Prambanan* ; ce sont deux excursions très facilement réalisables par les moyens de transport locaux. A plusieurs, la meilleure solution consiste à partager les frais de location d'une voiture ou d'un minibus avec chauffeur.

▶ *Imogiri :* à 20 km au sud de Jogja. Prendre un bemo ou un bus en direction de Parangtritis. Les bus passent par jalan Sisingamanraja. *Attention :* le site n'est ouvert que le lundi de 10 h à 13 h et le vendredi de 13 h à 16 h. Il convient donc de viser juste pour aller voir, après avoir grimpé 350 marches, les huit tombeaux des sultans de Java. Il faut en outre faire une donation, payer un droit d'entrée plus un droit photo, la location d'un déguisement, sans compter le bakchich. Tout cela gâche un peu le plaisir de la visite.

Quitter Jogja en train

Les horaires exacts des trains et des bus sont affichés à l'office du tourisme et dans tous les losmen qui se chargent aussi des réservations. Conseillé de réserver et d'acheter ses tickets de train à l'avance. Il peut arriver qu'il n'y ait plus, pendant plusieurs jours, de places disponibles. La seule solution est alors d'acheter son billet au noir à des revendeurs qui les cèdent avec des bénéfices de 50 à 70 %. Fréquent surtout au moment des fêtes.

A la gare, ce n'est pas parce qu'on est en début de queue dès 8 h devant un guichet qui n'ouvrira qu'à 10 h qu'on obtiendra des billets pour Jakarta. Restent bien sûr les 3ᵉ classe pour les amateurs de voyages éveillés et de sudation intense.

Vers Jakarta

– Éviter le train *Cepat Solo,* trop lent. Préférer, par exemple, le train *Ka Bima,* partant vers 21 h 40 et arrivant vers 8 h. Couchettes 1ʳᵉ classe. Réserver dès la veille chez le chef de station et revenir le lendemain vers 15 h pour savoir si l'on a une place ou si l'on doit aller faire la queue. N'hésitez pas à faire jouer le fait que vous devez être dans la capitale pour prendre un avion ; les places sont limitées et le chef de station les répartit selon son envie. Il y a aussi le *Fajar Utama,* qui part à 7 h pour arriver à 17 h. Il faut réserver la veille. Le *Senja Utama* part à 21 h 35 (1ʳᵉ classe) et arrive à 8 h 30.

A Jakarta, s'arrêter aux gares de Gambir ou Pasar Senen, les plus centrales.

Vers Surabaya

– 5 trains par jour. Compter 6 à 7 h de trajet. *Bima Express :* départ à 1 h, arrivée à 8 h. Train de jour *Express Siang,* départ à 14 h 30, arrivée à 20 h 50.

Quitter Jogja en bus

Vers Denpasar (Bali)

– Plusieurs compagnies de bus semblent s'être donné le mot pour renouveler leur matériel. Les climatisations fonctionnent, la télé (!) aussi, et les toilettes annoncées font bien partie du voyage. Compter 14 h de trajet. Les billets doivent être pris de préférence la veille pour être sûr d'avoir de la place. Certains losmen s'occupent de la réservation et le bus de la *Bali Indah* passera même vous prendre à domicile. Toutes les compagnies pratiquent des tarifs à peu près identiques.
– La compagnie *Safari Dharma Raya* semble être actuellement l'une des plus recommandables. On y mange bien, entre autres. Réservation : 113 jalan Diponegoro, Loket Terminal n° 3.
– La compagnie *Cakrawala* est sérieuse et pas plus chère que d'autres si on ne choisit pas l'option air climatisé. Départ à 15 h de la rue de la Gare (Pasar Kembang) où l'on peut prendre ses billets, et à 16 h du terminal des bus (se présenter à l'avance). Arrivée le lendemain vers 7 h.

Vers Jakarta

– Départ vers 16 h 30. Arrivée à 6 h, mais au terminal de Pulo Gadung situé à l'est de la capitale, loin du centre et de la gare de Gambir. Mieux vaut être prévenu.

Vers Solo

– Départ toutes les 30 mn. 1 h 30 de bus.

PRAMBANAN

A 17 km de Jogja. De la station de bus de Jogja, nombreuses liaisons quotidiennes. Du Minibus Terminal, jalan Simanjuntak, des minibus bleus vous conduisent à Prambanan en 45 mn. On peut aussi y aller à vélo pour mieux profiter de chaque temple. Une piste cyclable permet d'éviter un trafic important. Site ouvert tous les jours de 6 h à 17 h. L'entrée est loin de l'arrêt des bus.

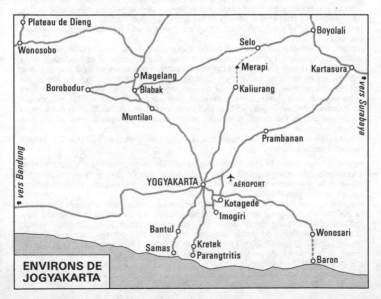

ENVIRONS DE JOGYAKARTA

Pour une somme modique, des guides officiels proposent, à l'entrée, une visite guidée d'une heure qui permet de mieux comprendre ces monuments. Certains guides parlent un peu le français. Ne pas confondre avec les faux guides qui peuvent être parfois très sympathiques mais ne savent pas grand-chose.

Intéressant pour ceux qui n'ont jamais vu de temple hindou. Prambanan se disputa l'hégémonie de Java avec Borobudur (bouddhique) pendant plusieurs siècles. Vers le XVe siècle, la pénétration, puis la victoire de l'islam stoppèrent définitivement l'influence de ces deux centres religieux.

Danses du Ramayana de juin à octobre, les jours de pleine lune. Achetez les billets à l'office du tourisme de Jogja. Gigantesque gamelan avec une centaine de joueurs. Mais assez cher et bourré de touristes.

Des 220 temples bâtis à Prambanan, il n'en reste guère. Vous verrez sur le site des tailleurs de pierre effectuant les mêmes gestes qu'il y a plusieurs siècles. Ne manquez pas le temple *Sambi Sari*, construction carrée très harmonieuse, et ceux qui l'entourent. Le *palais du ratu Boko*, lui, est situé sur une colline d'où l'on a une très belle vue sur le *grand temple de Prambanan* et la région environnante. Valable surtout pour le coup d'œil, car il ne reste que des ruines. Pour atteindre ces monuments, mieux vaut louer une carriole à cheval à Prambanan. En effet, ils sont très éloignés les uns des autres et presque impossibles à trouver tout seul. Visitez le *musée de l'Institut archéologique*.

LE VOLCAN MERAPI

Il existe plusieurs volcans Merapi en Indonésie, Merapi signifiant « lieu du feu ». Celui-ci, situé à 29 km de Jogja, est le plus connu et le plus intéressant. C'est aussi le plus dangereux d'Indonésie. Altitude : 2 911 m. Activité permanente avec nuées ardentes. C'est un énorme dôme d'éboulis dans un cratère, qui ne cesse de gonfler sous l'action de la pression et de la chaleur. Ses éruptions se caractérisent par des nuées ardentes, nuages de cendres brûlantes qui dévalent ses flancs. Au sommet, côté sud, un énorme chenal est creusé sur son flanc dans lequel dévalent parfois des énormes blocs chauffés au rouge, visibles uniquement la nuit.

L'escalade du Merapi est interdite à certaines époques de l'année. Donc, avant de partir, se renseigner à l'office du tourisme de Jogja. D'autant que le volcan, courant 1990, venait d'entrer dans une phase éruptive constatée par les plus grands vulcanologues. Il est donc probable que son approche soit interdite. De toute façon, se méfier des faux guides ; la plupart des accidents sont dus à ces prétendus guides qui connaissent mal les chemins et vous font emprunter des passages à risques.

Un certain nombre de mises en garde s'imposent avant l'ascension, sinon, en grimpant au sommet, vous risquez de ne plus redescendre. Il est indispensable tout d'abord d'être dans une excellente condition physique et déjà entraîné à la marche en montagne. Si l'on en croit les agences de tourisme de Jogja, de petites chaussures suffisent... Ce qui les intéresse, c'est votre inscription et votre argent. Il est nécessaire d'avoir un bon équipement : des chaussures qui accrochent bien, un imper, un bon pull-over, un foulard (il fait froid la nuit), de la nourriture solide (bananes, gâteaux), une torche et des piles neuves. Ne pas oublier la boisson.

Pas la peine d'envisager l'excursion si le volcan est dans les nuages. On ne voit rien. Plusieurs solutions :

Première solution : la plus rapide en venant de Jogja, mais pas de possibilité d'escalade du volcan, ce côté étant trop dangereux. En revanche, vous pourrez observer le spectacle de l'observatoire de *Kaliurang*. Vous serez peut-être déçu car on ne voit pas toujours grand-chose.

Prendre un bus pour Kaliurang ou chartériser un bemo quand on est plusieurs. La balade de jour pour atteindre l'observatoire en traversant la forêt est très agréable (450 m de dénivelée). On peut aussi assister au lever du soleil. (L'office du tourisme de Jogja propose une excursion en bus pour aller voir le lever du soleil. Départ à 20 h.) Pour revenir à l'hôtel *Vogels* de Kaliurang, le soir, apportez une lampe de poche because les ravins (ce n'est pas un conseil, c'est une obligation). Le patron de l'hôtel fournit des plans détaillés de l'endroit. Récemment, le volcan était calme et il n'y avait pas de coulée de lave visible la nuit. Mais dans ce domaine les choses changent vite.

Deuxième solution : pour ceux qui veulent faire la grimpette. De Jogja, prendre un bus ou un bemo en direction de Solo. En cours de route, s'arrêter à Kartasura pour attraper un autre bemo qui conduit à Boyolali. Puis bemo jusqu'à *Selo*.

Troisième solution : prendre le bus pour Magelang. S'arrêter à Blabak. Prendre ensuite le bus qui fait la navette entre Magelang et Boyolali et s'arrêter à *Selo*. Le parcours est superbe... Il dure 2 h. L'agence *Kartika Travel* (10 jalan Sosrowijatan, en haut de Malioboro) assure une liaison directe en minibus, aller-retour, pour Selo. La *Metro Guesthouse,* entre autres, organise aussi l'excursion tout compris au départ de Jogja.

Où dormir ?

■ A Selo : 3 hôtels, dont 2 corrects et confortables. Le **Losmen Park Auto**, ressemble plus à un refuge. L'auberge, on ne peut plus rustique, est tenue par le premier guide de l'histoire du Merapi. Il a conduit, jadis, Haroun Tazieff au sommet. Il ne guide plus, mais son fils a pris la relève. Si le losmen est modeste, l'accueil y est chaleureux. Ceux qui ne supportent pas le riz très pimenté devront manger à l'extérieur.

■ *Plus loin, dans le village :* **Homestay Melasti.** Moins cher que le précédent. Négocier avec Yudi, le jeune guide qui vous accompagnera. En face de chez lui, petits restos très simples mais il faut prendre des forces avant l'effort. Petit déjeuner et départ à 1 h.

La montée est extrêmement raide et il fait froid (température proche de 0 au sommet). Les guides font des feux pendant l'ascension qui, il faut l'avouer, est assez pénible : c'est une escalade parmi les éboulis et les ravins dans une odeur de soufre. Non-sportifs, petites natures et peureux s'abstenir. La montée dure entre 4 et 5 h mais la difficulté de la grimpette est récompensée par le spectacle hallucinant à l'arrivée... Il faut encore ensuite trouver la force de redescendre pendant 5 h.

Quatrième solution : le *Merapi Club* (Bukmory dj/a Sanggar Ilmu, jalan Oiponegoro 63173 à Jogja) est une association d'étudiants de Jogjakarta qui organise au départ de Jogja, tous les jours, une ascension guidée pour un prix raisonnable, incluant transports (bus), deux repas avec thé, coucher chez l'habitant. Niveau intellectuel élevé des guides, qui connaissent très bien leur île. (Attention, il fait très froid pendant l'ascension.) Il se peut qu'en raison de l'activité du volcan cette association ait suspendu ses activités temporairement.

BOROBUDUR

A 41 km de Jogja. Bus direct de la gare routière (1 000 rp). Ouvert de 6 h à 18 h. Les guichets ferment à 17 h 30. Y aller tôt le matin, si possible dès l'ouverture pour ne pas transpirer dans vos baskets et surtout pour éviter le flot des touristes. De toute façon, éviter le dimanche. Départ des bus de la rue Magelang (au-dessus de la gare). Prendre le bus 124 (bus *Kota,* bus urbains de couleur orange) et se rendre à la Regular Bus Station, jalan Veteran. Là, prendre le bus pour Magelang (le bus ressemble à un pullman), qui s'arrête à Muntilan. On descend et on prend le bus pour Borobudur.

L'agence de voyages *Yogya Rental,* face au Batik Palace Hotel, organise un tour Borobudur-Dieng, à un prix très raisonnable.

Le plus grand monument bouddhique du monde ressemble étonnamment à un gigantesque gâteau d'anniversaire, avec six terrasses carrées surmontées de trois terrasses circulaires. Dominant le tout, un immense stūpa creux symbolisant le vide métaphysique, le détachement spirituel.

Haut lieu du bouddhisme, Borobudur n'est ni un temple ni un sanctuaire. Personne n'a encore découvert la signification précise de cette étonnante structure. Jusqu'à présent, tous les chercheurs et archéologues s'y sont cassé les dents. Peut-être est-ce juste une construction pour pousser à la réflexion, à la méditation ?

Borobudur fut édifié vers le IXe siècle par la dynastie bouddhiste régnant alors sur l'île. Il fut certainement abandonné peu après, à une époque où, semble-t-il, les activités religieuses de l'île furent transférées plus à l'est. Ce qui frappe ici c'est l'harmonie globale et les proportions parfaites de l'édifice (123 m de côté et 35 m de hauteur).

Il est décoré de centaines de sculptures de Bouddha et de bas-reliefs sur l'ensemble des cinq terrasses qui racontent la vie du saint. Autour de la première terrasse sont sculptés tous les désirs de l'homme ainsi que des scènes de la vie quotidienne. Saisissant de vérité. D'autres endroits décrivent avec minutie les châtiments reçus par ceux qui font le mal. Le tout est composé de pierres volcaniques et fut assemblé sans utiliser de mortier. Il faut, fidèlement à la tradition bouddhique, parcourir les terrasses dans le sens des aiguilles d'une montre.

Les trois terrasses circulaires sont ornées respectivement de 32, 24 et 12 stūpa ajourés (sorte de cloche). Chacune d'elles protège un Bouddha assis dont la position de la main droite varie pour chaque sculpture. Si vous arrivez à passer la main à travers une des ouvertures et à toucher le Bouddha, faites un vœu : il sera exaucé. Du haut du sanctuaire, paysage étonnant de sérénité. On aperçoit même plusieurs volcans, dont le Merapi.

Borobudur fut livré aux moussons, et à l'invasion de la végétation depuis son abandon. Ce n'est qu'au début du XVIIIᵉ siècle que les colonisateurs, ayant entendu parler de l'édifice, envoyèrent des spécialistes sur les lieux. Borobudur connaissait alors de graves problèmes d'affaissement car le tout repose sur des roches volcaniques extrêmement poreuses qui retiennent l'eau. Soumis depuis onze siècles au régime de la mousson et à cause du poids énorme de l'édifice, Borobudur perdit toute solidité. L'ensemble de l'édifice s'enfonça de 80 cm.

En 1955, avec l'aide de 27 pays, l'Unesco, maître d'œuvre de cette gigantesque restauration, utilisa les méthodes les plus modernes de l'architecture. Chaque pierre fut démontée dans un ordre précis, enregistré sur ordinateur. Puis des drains furent creusés et une dalle de béton coulée dans le soubassement de chacune des terrasses. Les travaux s'achevèrent en 1984. C'est donc un Borobudur tout neuf qui s'offre désormais à vous.

Pour compléter la visite du temple, se rendre au petit *musée* qui retrace l'histoire de la restauration et fournit des explications sur les bas-reliefs.

GEDONG SONGO

A 90 km de Jogja. Compter 3 h pour y aller. Prendre le bus de Jogjakarta à Semarang. Demander un billet jusqu'à Ambarawa. Là, un minibus vous conduit à Gedong Songo. De là, monter à pied (1 h de marche) ou à moto (discuter le prix). Vous découvrirez cinq temples, accessibles depuis 1984, en pleine montagne, dans un cadre inoubliable. Architecture hindoue un peu plus récente que Prambanan. A combiner avec Borobudur, parce que sur la même route.

PLATEAU DE DIENG

A 137 km au nord-ouest de Jogja. Généralement, on couple cette excursion avec la visite de Borobudur mais c'est à éviter, car crevant en une journée.

Bon nombre de routards sont déçus par Dieng. C'est loin et pas vraiment extraordinaire. Les cinq temples hindous sont tout petits et ne valent guère tripette. Quant au bouillonnement de certains petits lacs, cela n'a rien d'exceptionnel.

La route qui conduit à Dieng est peut-être la seule chose intéressante. On y voit de jolies terrasses où tabac, pommes de terre et fèves se partagent le terrain. Voilà, c'est tout.

Comment y aller ?

- *Yogya Rentals :* 85 jalan Pasar Kembang, près de la gare. Excursion en minibus couplant Dieng et Borobudur. Ils viennent vous chercher à votre hôtel vers 7 h. Retour vers 17 h. 10 % de réduction accordés à nos lecteurs.
- *En bus :* pour Magelang et, de là, un autre pour Wonosobo. Enfin, bemo ou minibus jusqu'à Dieng (les derniers kilomètres sont complètement défoncés).
- *A moto :* intéressant mais la route est mal indiquée.

Où dormir ? Où manger ?

Évitez de dormir à Dieng, les quelques rares losmen comme le *Gunung Mas* sont sales, les nuits très fraîches et on vous attend de pied ferme pour les prix.

En revanche, pas de problème pour trouver un hébergement correct à *Wonosobo :*

■ *Wisma Arjuna :* jalan Sindaro. Tout neuf. Chambres un peu chères mais les « economy rooms » sont très correctes. Au nord de la ville.

■ *Nirwana Hotel :* jalan Tanggung, en face du marché. Les « economy rooms » sont moins chères que dans le précédent. Mais moins de classe.

■ Signalons deux bons restaurants dans jalan Kawedanan, à côté du marché : *Dieng* et *Asia.*

PARANGTRITIS ET LES PLAGES

Situé à 27 km au sud de Jogja. Bus *Jatayu* (direct) toutes les 30 ou 45 mn, de la Bus Station de Jogja. 1 h de trajet. Le plus agréable est d'y aller à moto.

La plage est très dangereuse et le village laid. On n'indique pas cet endroit pour s'y baigner mais parce que c'est l'un des plus cool que l'on connaisse. Le paysage est chouette, une grande falaise très verdoyante longe la mer. Hélas, tourisme oblige, ça commence à se gâter sérieusement. Préférez plutôt Kukup (voir plus loin). Dernier bus pour Jogja à 18 h.

De très nombreux losmen se sont construits récemment mais ils sont souvent rudimentaires et rarement bien entretenus. On fera bien de les visiter avant de fixer son choix.

A l'est de Parangtritis, à 20 km environ, s'étendent des plages immenses et désertes avec des vagues d'une grande violence, comme celles de *Baron,* *Kukup* ou *Kerakal.* Attention, danger !

A l'ouest de Parangtritis, à 30 km de Jogja, plage de *Glagah Indah* (Wates). Nombreux pêcheurs. Possibilité de louer une cabane.

SEMARANG

Ville portuaire importante du centre de Java. Industrieuse et polluée. Inutile de s'y arrêter.

Si, par malchance, vous êtes contraint d'y passer une nuit, allez au moins voir la représentation de wayang Orang qui a lieu au théâtre situé au 116 jalan Pemuda, tous les soirs à 19 h. Spectacles de Ketropak également.

SURAKARTA ou SOLO   IND. TÉL. : 0271

Située à 65 km de Jogja, Solo est une bonne grosse ville de province accueillante, bien plus calme que Bandung ou Surabaya. Les immeubles du centre sont peu élevés et il y règne une agréable atmosphère. Ses deux sympathiques musées sont des raisons supplémentaires de ne pas la supprimer de votre itinéraire. Peu de monde vient à Solo, car Jogja, si proche, lui fait de l'ombre. C'est dommage.

Fondée au milieu du XVIIIᵉ siècle, c'est une ancienne capitale royale de la dynastie Mataram (comme Jogja). C'est pourquoi on y trouve de superbes résidences. Le sultan de Solo y vit encore dans son *Kraton* (palais). Sûrement est-ce son atmosphère royale qui lui donne ce côté paisible. La ville possède une importante tradition culturelle. Les batiks y sont particulièrement séduisants.

Adresses utiles

- *Office du tourisme* (Kantor Dinas Pariwisata) : 275 jalan Slamet Riyadi.
☎ 365-08. Ouvert de 7 h à 17 h du lundi au samedi. Fermé le dimanche. Accueil
agréable et quelques brochures. Location de bicyclettes.
- *Poste :* jalan Jendral Sudirman.
- *Change : Bank Central Asia,* jalan Slamet Riyadi. Ouvert de 8 h à 15 h. *Money
Changer* (PT Sahid Artha Sari) : au Prince Hotel, 22 jalan Suryopranoto. Ouvert
de 8 h à 19 h tous les jours et le dimanche de 11 h à 19 h. Seul change ouvert le
dimanche. Retrait avec la carte VISA à la *Bank Data Visa.*
- *Garuda :* kiosque au Kusuma Sahid Prince Hotel, 22 jalan Suryopranoto.
☎ 68-46. Ouvert du lundi au vendredi de 7 h 30 à 16 h 45, le samedi de 9 h à
13 h et le dimanche de 9 h à 13 h.
- *Immigration Office :* jalan L.U. Adisu Cipto, vers l'aéroport.
- *Centre téléphonique* (Kantor Telepon Negeri) : jalan Jendral Sudirman.
Ouvert 24 h sur 24.
- *Piscine :* au Kusama Sahid Prince Hotel. Payante.

Topographie et transports

Rues principales de la ville : *Slamet Riyadi* et *Gatot Subrato*. La plupart des
commerces y sont réunis.
Le meilleur moyen de se déplacer à Solo est d'emprunter les tricycles à pédales
(becak). Pas cher et on en trouve partout.

Où dormir ?

Pas cher

■ *The Westerners :* 11 Kemlayan Kidul. C'est une allée minuscule qui donne
dans une plus grande artère qui s'appelle jalan Yos Sudarso. Tous les taxis
connaissent. Une fois que vous avez trouvé l'allée, demandez. L'entrée est une
grosse porte métallique blanche qui s'ouvre sur une maison particulière
agréable. Elle propose une dizaine de chambres simples avec douche extérieure. L'endroit le moins cher de la ville et le rendez-vous des routards de tout
poil. Location de vélos. Souvent complet.
■ *Mawar Melati :* 44 jalan Imam Bonjol. ☎ 64-34. Dans une allée donnant sur
Slamet Riyadi. Chambres simples. Pas cher, c'est son unique avantage.
■ *Central Hotel :* 32 jalan K.H. A. Dahlan. ☎ 34-378. Dans une petite rue
calme. Bâtisse de style colonial avec son large couloir sur lequel donnent les
chambres. Matelas un peu défoncés. Sanitaires à l'extérieur. Calme et bon mar-
ché. Modeste, mais on en a pour son argent.
■ *Losmen Kota :* 113 jalan Slamet Riyadi. ☎ 28-41. Dans la rue principale.
Très modeste. Rudimentaire et triste.

Prix moyens à plus chic

■ *Ramayana Guesthouse :* 15 jalan Dr. Wahidin. La meilleure adresse dans
cette catégorie. Belle et vaste maison privée avec jardin. On se sent vraiment
comme chez des amis ici. Une dizaine de chambres avec ventilo ou air conditionné, confortables. Excellent rapport qualité-prix. Petit déjeuner inclus, ainsi
que le thé et le goûter servi entre 17 h et 19 h. Quand on vous disait que c'était
comme chez les amis !
■ *Putri Ayu Hotel :* 293 jalan Slamet Riyadi. ☎ 61-54. Hôtel assez classique,
un peu triste, avec ses chambres autour d'un jardinet. Agréable. Une bonne
alternative si le Ramayana est complet.
■ *Dana Hotel :* 286 jalan Slamet Riyadi. ☎ 33-891. Dans la rue principale.
Hôtel tout en rez-de-chaussée, bien aéré, dont les chambres sont disposées
autour d'une pelouse. Le tout très au calme. Bon confort général (air conditionné ou ventilo, douche et toilettes) et pas mal de personnalité. Calme, central
et propre.
■ *Putri Sari Hotel :* 382 jalan Slamet Riyadi. ☎ 53-17. Hôtel moderne, sans
charme, mais fonctionnel. Prix honnête, vu le confort. Air conditionné ou ventilo. Calme et central.

Où manger ?

Le *nasi liwet* constitue la spécialité culinaire de Solo : blancs de poulet marinés dans de la crème de coco, accompagnés de riz et légumes, le tout pimenté comme il se doit. Pour le dessert, essayez le *srabi*, fameux gâteau au coco.
● *Night Market :* jalan Tauku Umar, une petite rue bordée le soir de stands de cuisine indonésienne (*warungs*). Plats épicés, soupes, gâteaux à la noix de coco. Souvent il n'y a qu'une table ou deux et quatre chaises. Les gens de Solo aiment venir ici. Évidemment, on mange pour trois fois rien.
● *A dem Ayam :* 296 Slamet Riyadi. Plats indonésiens classiques dans ce petit resto au décor sans importance.
● *New Holland Bakery :* 151 Slamet Riyadi. Surtout pour les pâtisseries. Quelques plats sont également servis.

Plus chic

● *Boga Restaurant :* dans le parc d'attractions Sriwedari, situé dans le centre ville. Vaste salle où se retrouvent les familles le dimanche. Grand choix : cuisine indonésienne classique, plats chinois et même des préparations européennes et américaines (T-bone ou chateaubriand...). Assez cher, mais ça change un peu.

A voir

Aussi étonnant que cela puisse paraître, Solo possède pas mal de curiosités intéressantes.
▶ *Mangkunegara Palace :* jalan Tauku Umar, rue perpendiculaire à Slamet Riyadi. Ouvert de 9 h à 14 h et le dimanche jusqu'à 13 h. Beau palais dans lequel réside encore une partie de la famille royale. Fondé au milieu du XVIIIe siècle, il témoigne assez bien du style architectural javanais de l'époque. On ne visite pas toute la demeure mais uniquement quelques pavillons. Tenue correcte exigée. On passe d'abord sous le grand pavillon ouvert aux quatre vents qui servait de salle d'audience. Ce vaste hall possède un plafond orné de huit panneaux aux couleurs différentes. Chacune d'elles est censée exorciser les huit défauts principaux (peur, envie, luxure... vous connaissez sans aucun doute les autres !). On entre ensuite dans un autre pavillon aménagé en musée. Le prince y présente une foule d'objets de toutes sortes, représentatifs de l'art indonésien : vitrines de bijoux et de parures étonnantes, instruments de circoncision, série de petits bouddhas, objets d'origine arabe... On se dirige ensuite vers quelques pièces de la demeure proprement dite, tout autour du petit jardin, pour finir par les dépendances où est entreposée une série d'attelages hollandais. L'ensemble de la visite vaut le déplacement.
▶ *Kraton Museum :* Alun-Alun Utara. Ouvert de 8 h 30 à 15 h tous les jours. Fermé le vendredi. Il s'agit des anciens pavillons royaux. Bien que vastes et certainement somptueux à l'époque, aujourd'hui la visite de ces lieux s'avère un peu fadasse. Un musée a été installé, histoire de combler le vide de quelques salles. Quelques éléments intéressants comme une série d'armes, un peu de mobilier, de la vaisselle, de beaux attelages et un quatuor d'instruments de musique et folkloriques. On y passe une petite heure sans réel déplaisir mais rien de véritablement palpitant.
▶ *Radya Puspaka Museum :* à côté de l'office du tourisme. Ouvert de 8 h à 12 h 30. Un peu le contraire du précédent. Il s'agit ici d'un petit musée rempli d'objets pas excessivement beaux mais dont l'ensemble mérite qu'on s'y arrête. Un peu de mobilier, quelques marionnettes, des armes, des services de vaisselle, une vitrine de chapeaux et divers objets quotidiens. Un gentil poème à la Prévert quoi !
Devant le musée, sur la gauche, plusieurs cantines de rues (*warungs*).
▶ *Marché aux puces et aux antiquités (Pasar Triwindu) :* près de jalan Diponegoro. Ouvert tous les jours. Grand marché aux puces et à la brocante. Seule une petite partie (quelques ruelles) de ce marché est consacrée aux antiquités. Bien fouiner. En cherchant vraiment, on y trouve un peu de tout : porcelaine, batiks, vaisselle, lustres, grosses potiches, marionnettes. Tout est à négocier ferme.
▶ *Marché Pasar Klewer* (aussi connu sous le nom de *Hanging Market*) : Pasar Klewer. Ouvert tous les jours de 8 h à 17 h. Dans un grand bâtiment en dur, sur

deux étages, des centaines de stands vendant principalement des tissus, batiks, chaussures... En fouillant bien, on peut y trouver son bonheur. C'est un peu le Tati local, tout le monde s'y précipite. Prix compétitifs et beaucoup d'articles de bonne qualité. Peu de touristes.

Il existe d'autres marchés. Tous sont intéressants. Chacun a sa spécificité : le Pasar Simgasaren pour les jouets, le Pasar Widuran pour les oiseaux...

▶ *Le parc d'attractions Sriwedari :* en plein centre ville. Comme tous les parcs qui sont ouverts à l'année, celui-ci est toujours à moitié plein ou plutôt aux trois quarts vide. Si vous n'y venez pas lors d'une manifestation quelconque, il semble bien triste. Seul intérêt, tous les soirs, sauf le dimanche, spectacle de wayang Orang, de 20 h à 23 h environ. Demander où se trouve la salle de représentation une fois à l'intérieur du parc.

▶ *Batik Keris Factory :* Cemani Selatan. Visite d'une usine de batiks. Ouverte de 8 h à 17 h, sauf le dimanche. Bonne qualité générale. Prix fixes.

▶ *Cinémas :* nombreux sur l'artère principale. La plupart des films sont du genre violent. Il passe de temps à autre un vieux Rambo des familles doublé en indonésien. La crise de rire ! Ouvrir l'œil et tendre l'oreille.

Achats

– *Antiquités :* Iskandar, au Pasar Triwindu. Très beaux kriss parfois restaurés et nombreux objets moins chers qu'à Jogja.

– *Boutiques du Kraton Mangkunegara :* bon rapport qualité-prix. Une référence : la vendeuse est aussi princesse.

A voir aux environs

▶ *Temple de Candi Sukuh :* situé à environ 35 km de Solo, en pleine montagne, sur les pentes du volcan Lawu.

– *Pour y aller,* deux solutions : l'une simple mais chère ; l'autre, carrément compliquée, permet d'économiser des sous mais fait perdre un temps fou. La première : aller à la gare des trains et négocier avec quelqu'un qui possède un van ou un minibus le trajet aller-retour et l'attente sur place. La seconde : se rendre à la Tirtonadi Bus Station au nord de la ville et prendre un bus direction Tawangmangu. S'arrêter à Karangpandan, puis prendre un minibus ou un « colt » pour Sukuh Temple directement. Compter presque 2 h en tout pour s'y rendre. Pour le retour, manœuvre inverse.

Bon, l'endroit est intéressant, certes, mais la difficulté pour y accéder n'est pas vraiment proportionnelle à sa beauté. D'autant plus que la manière de s'y rendre par les transports en commun reste toute théorique, car parfois vous arrivez à Karangpandan et il n'y a pas de minibus ! Sinon, des agences de voyages organisent l'excursion, mais mieux vaut encore négocier un véhicule par soi-même près de la gare. Si vous avez le courage d'y aller et qu'il fait beau, pourquoi ne pas apporter votre pique-nique et casser une petite croûte dans le coin ? (Ramassez vos reliefs derrière vous !)

– *Que voit-on au juste ?* Déjà la route escarpée (sur la fin) qui y mène est splendide. Un raidillon aboutit, à 900 m d'altitude, à un temple pyramidal en terrasses, entouré par un groupe de bas-reliefs assez curieux. Ce temple hindou daterait du XIIIe siècle. Il occupe une place particulière dans l'esprit des jeunes de Java. Ceux qui n'ont pas encore rencontré l'amour viennent déposer des fleurs au pied des bas-reliefs les plus érotiques. La ressemblance est frappante avec les temples mexicains. Sur les bas-reliefs, on distingue des animaux ainsi que des scènes où apparaissent des divinités. On note aussi la présence de vilains monstres aux yeux exorbités, de grosses tortues aux dos tout plats et même un personnage qui se masturbe. Pas de doute, l'architecte était un obsédé. Le site en lui-même est petit et en 15 mn la visite est terminée. Reste que ce lieu dégage une atmosphère particulière.

▶ *Sangiran :* à une quinzaine de kilomètres de Solo. Il s'agit d'un centre archéologique important où fut découvert la boîte crânienne de l'Homme de Java (voir « National Museum » à Jakarta). A part quelques centaines d'ossements (dont certains de mammouths), pas grand-chose à voir. Petit *musée*, ouvert de 9 h à 16 h. Fermé le dimanche. Pour ceux qui insistent, le moyen le plus sympa de s'y rendre c'est le vélo (l'office du tourisme en loue). Les bus ne vont pas directement sur le site.

Quitter Solo

En bus

Presque tous les départs s'effectuent de la *Tirtonadi Bus Station* sur jalan A. Yani, au nord de la ville. Quand ce n'est pas le cas, on l'indique. Bus pour toutes les directions.
— *Vers Jakarta* : les « night buses » restent le meilleur choix. Tous les départs ont lieu à 16 h. Plusieurs compagnies assurent le trajet. Se rendre directement au terminal pour acheter les billets. Arrivée vers 4 h. Bus A.C. ou non A.C. Préférer les A.C.
— *Vers Bandung* : depuis la *Gilingan Bus Station* sur jalan A. Yani. Plusieurs départs en fin d'après-midi. Arrivée le lendemain matin.
— *Vers Semarang* : depuis la Tirtonadi Bus Station. Départs toutes les 15 mn environ. Durée : 3 h. Plusieurs compagnies effectuent la liaison.
— *Vers Malang* : même fréquence et même point de départ que pour Semarang.
— *Vers Surabaya* : depuis la Tirtonadi Bus Station. Bus A.C. ou non A.C. toute la journée. Nombreuses compagnies. Durée 6 h 30.
— *Vers Tawangmangu* : bus depuis Tirtonadi Bus Station toute la journée, environ toutes les heures.
— *Vers Denpasar* (capitale de Bali) : depuis Tirtonadi Bus Station. Bus de nuit A.C. ou non A.C. Là aussi, plusieurs compagnies se battront pour vous avoir comme client. Tous les départs ont généralement lieu vers 17 h. Vérifier sur place. Le prix du ferry est inclus dans le billet.
— *Vers Jogjakarta* : bus sans arrêt de Tirtonadi Bus Station. Durée : 1 h 30.

En train

Départs de la gare *Balapan*.
— *Vers Jakarta* : 5 ou 6 trains par jour. Les meilleurs sont ceux qui partent en fin d'après-midi et arrivent dans la capitale le lendemain matin. Demander les horaires sur place.
— *Vers Jogjakarta* : pour une distance si courte, le bus est préférable. On perd beaucoup moins de temps.
— *Vers Bandung* : 2 ou 3 départs par jour.
— *Vers Surabaya* : 3 trains de jour, 3 trains de nuit. S'informer des horaires sur place.

En avion

La *Garuda* assure des liaisons quotidiennes avec Surabaya et Jakarta. Bureaux au Kusuma Sahid Prince Hotel et à l'aéroport.

LA RÉGION DU SUD-EST

Dans les villes et villages des montagnes du Sud-Est, si les hôtels sont un peu chers, en revanche, les paysages sont splendides et la fraîcheur de l'air très agréable. Très peu de touristes, hormis indonésiens.

Les coins les plus intéressants :
▶ *Tawangmangu* : bourgade assez chère. Puis Sarangan.

▶ *Ngerong* : marché tous les matins.

▶ *Madium et Kediri.*

▶ *Malang* : ville calme et sans intérêt, avec un grand marché. Base de départ pour faire le Bromo. Bus de Malang à Probolingo, puis bemo jusqu'à Ngadisari.
■ *Wisma Mahasisna Webb* : 35 Semeru St., Malang. Endroit très correct pour dormir. En fait, c'est une sorte d'A.J. Possibilité de s'y procurer un plan de la ville et de la région.

SURABAYA   IND. TÉL. : 031

Surabaya n'a rien d'une jolie ville. Grand port étendu, bruyant et sale, elle n'est qu'une étape. Pas grand-chose à y voir. Grâce à son statut de port franc, la ville s'est dotée d'une bonne dizaine de centres commerciaux de luxe. Incroyable ! Surabaya est surtout le point de départ pour se rendre aux Célèbes en bateau. C'est aussi de là que l'on débute l'excursion pour le Bromo. Si vous n'allez pas au Bromo, ni à Bali, ni aux Célèbes, inutile d'y séjourner.

Arrivée à l'aéroport

— On y trouve un *office du tourisme* inefficace, un *centre de téléphone international*, une *banque*.
— Pour gagner la ville, bus *Dimra* en sortant de l'aéroport. Dessert plusieurs endroits dans le centre.

Adresses utiles

– *East Java Government Tourism :* 35 jalan Darmokali. ☎ 65-448. Ouvert de 7 h 30 à 14 h 30, le vendredi jusqu'à 11 h, le samedi jusqu'à 12 h 30. Fermé le dimanche. Compétent et accueil vraiment aimable.
– *Tourist Information Office :* 118 jalan Pemuda. Ouvert de 7 h à 21 h. Office du tourisme local, absolument nullissime. Perte de temps et agacement assurés.
– *Poste :* 10 jalan Kebon Rojo. Fait poste restante. Autres bureaux de poste sur jalan Pemuda et sur jalan Taman Aspari.
– *Consulat de France et centre culturel français :* 10-12 jalan Darmokali. ☎ 68-639.
– *Consulat de Belgique :* 27 jalan Raya Kupang Indah.
– *Garuda :* 29 jalan Tunjungan. ☎ 440-82 et 83. Compagnie qui dessert le plus de villes à Java.
– *Mandala Airlines :* 49 jalan Raya Diponegoro. ☎ 664-73.
– *Centre téléphonique :* plusieurs adresses. *Darmo :* jalan Raya Diponegoro, au coin du 51 jalan Kapuas. *Autre centre* au sud de la ville : 1/3 jalan Margoyso. Tous deux ouverts 24 h sur 24.
– *Immigration Office :* jalan A. Yani. ☎ 45-496.
– *Change :* grand nombre de banques, en voici quelques-unes centrales. *Bank Niaga :* 47-51 jalan Tunjungan. *Bank Bumi Daya :* 2-4 jalan Jend Basuki Rakhmad, à côté du Hyatt Hotel.
– *Piscines :* bassin public sur jalan Margorjo Indah, dans le sud de la ville. L'*hôtel Hyatt*, 124-128 jalan Jend Basuki Rakhmad, possède également une piscine accessible aux non-clients.
– *Hôpitaux :* Budi Mulia, 70 jalan Raya Gubeng. ☎ 41-821.

Circuler en ville

– *Bus :* le système est trop compliqué. Pas utile vu que vous ne séjournerez pas longtemps ici.
– *Bemos :* pas chers et assez pratiques car ils suivent des itinéraires fixes. Les lignes M et V partent de la station de bemos de Joyoboyo et traversent la ville. La ligne 2 est pratique aussi. Elle part de la gare des bemos et remonte jusqu'au port.
– *Taxis :* pour ceux qui restent peu de temps et ne veulent pas en perdre. Ils possèdent des compteurs qui fonctionnent !

Où dormir ?

Pas cher

■ *Bamboe Denn Campus :* 6A jalan Ketabang Kali. ☎ 40-333. Le plus classique des rendez-vous de routards de Surabaya. L'ensemble est loin d'être nickel, mais c'est tout bêtement l'endroit le moins cher pour dormir. 2 dortoirs bon marché et quelques chambres doubles. Sanitaires douteux. Sinon, c'est une maison calme et on s'y sent plutôt en sécurité. Donne quantité d'infos pour le Bromo. Dommage que les patrons aient tendance à entasser les touristes. On est des routards, pas des sardines !

■ *Paviljoen Hotel :* 96 Genteng Besar. ☎ 43-449. Vieille bâtisse coloniale à la façade décrépie. Une fois passé le vaste hall d'entrée, on accède à un jardin (où est le jardinier ?) autour duquel s'organise une série de modestes chambres. Calme et pas désagréable. Confort simple. Petite terrasse avec table et chaise devant. Pas cher.

■ *Gubeng Hotel :* 18 jalan Sumatra. Seulement si tous les autres sont complets. Rudimentaire et bon marché.

■ *Mawarani Hotel :* 73 jalan Embong Kenongo. 9 chambres seulement. Correct et calme. Très bon marché.

Prix moyens

■ *Wisma Ganesha :* 41 jalan Taman Prapen Indah, Block B. ☎ 81-87-05. Excellente adresse. Il ne s'agit pas d'un hôtel mais d'une jolie maison particulière dans un quartier résidentiel à l'extérieur du centre ville. Jardinet soigné et calme parfait. Les proprios proposent 5 chambres vraiment bien, toutes avec toilettes et ventilo. Sanitaires impeccables. Adresse très recommandable pour à peine plus cher que les adresses bon marché. Seul inconvénient : pas vraiment central et pas facile à trouver. Mais, contrairement à ce que pourront dire les chauffeurs de taxis, l'endroit existe !

■ *Pondok Asri :* 108 jalan Kalibokor Selatan. ☎ 684-33 et 693-77. Petit hôtel très propre. Même les chambres les moins chères ont l'air conditionné. Sanitaires communs. Petit déjeuner inclus dans le prix qui est très raisonnable. Beaucoup d'infos à la réception.

Plus chic

■ *Tanjung Hotel :* 43 jalan Panglima Sudirman. ☎ 42-431. Hôtel moderne et central. Demander les chambres « economy » qui n'ont pas de douche mais disposent d'air conditionné. Les autres sont deux fois plus chères.

Où manger ?

● *Pasar Keputran :* le long de jalan Keputran. Marché gigantesque avec des centaines d'échoppes. Bon endroit pour se balader et manger pour un prix dérisoire. Atmosphère authentique et populaire.

● *Phoenix :* 72-74 jalan Pemuda. Grande salle à la chinoise avec ses tables rondes et ses nappes rouges. Atmosphère musicale. Carte longue comme le bras, serveurs gentils, portions copieuses... Large éventail de prix. Bien lire la carte.

● *Granada Modern Bakery :* 44 jalan Pemuda. Ferme à 22 h. Fameuse pâtisserie en ville. Gâteaux, sandwiches, petites pizzas, gâteaux secs... tout est « fresh from the oven » comme l'indique la pancarte.

● *Rumam Makan Handayari :* 42 jalan Kertajaya. Cadre agréable. Bonne cuisine pas chère.

● *Panglima Sudirman :* jalan Sudirman. Resto chinois fréquenté par les autochtones uniquement. Petite cuisine bien préparée.

● Les nombreux centres commerciaux hyper modernes de la ville possèdent tous leur lot de fast-foods et restos aussi bien indonésiens qu'américains (Pizza Hut, Machin Burger...).

Plus chic

● *Chez Rose :* 12 jalan Sudirman. Ouvert de 12 h à 15 h et de 18 h à minuit. Chic et soigné. Pour contenter tous les palais, on y sert aussi bien des steaks de Nouvelle-Zélande que du bœuf Strogonoff, des spaghetti carbonara, des pizzas et même de la fondue. Assez cher.

A voir

Pas grand-chose assurément.

▶ La ville arbore fièrement une bonne dizaine de superbes centres commerciaux flambant neufs, plaqués de marbre pour certains. Un luxe qui rappelle plutôt Singapour ou Hong-Kong que l'Indonésie.

▶ Sur le port, on peut admirer de beaux voiliers *bugis*. Pour ceux qui ne vont pas aux Célèbes.

▶ *Le marché aux fleurs :* jalan Kayoon, après le pont en venant de la gare. Un coin de fraîcheur dans cette ville trop polluée. Plantes, orchidées et aquariums...

▶ *Le zoo (Keburn Binatang) :* au bout de jalan Darmo (au sud de la ville). Ouvert de 7 h à 17 h 30, tous les jours. On se demande pourquoi on vous donne tous ces renseignements vu qu'on vous déconseille cette visite. Animaux tristes, tigres boiteux, auges vides, cages immondes... A bas les zoos !

▶ *Shanti Loka :* 60 jalan Ronggowarsito. Un des plus grands centres de méditation de Java. Le maître Ananda Suyono donne des cours gratuits deux fois par semaine (information à vérifier).

Quitter Surabaya vers Bali (Denpasar)

- *En train :* 2 trains quotidiens, 1 le matin (« Mutiara Timur Siang ») et 1 le soir (« Mutiana Timur Malam »). Acheter un billet complet à la gare comprenant le train, le ferry puis le bus jusqu'à Denpasar.
- *En bus :* tous les départs de nuit des compagnies privées pour Denpasar se font depuis le terminal de Bugunsami. Comparer les prix et les prestations. Parcours assez fatigant.
- *En avion :* aéroport à 15 km de la ville. Ne pas prendre un bus « Damri » car il ne passe que toutes les 2 h. Un taxi ne revient pas plus cher dès qu'on est 3 et évite beaucoup d'attente. Plusieurs vols par jour pour Denpasar.

Quitter Surabaya

En bus

A Surabaya, il existe deux terminaux de bus.
— *Joyoboyo Terminal :* au sud de la ville. Tous les départs des bus de jour y ont lieu. Ces bus assurent les liaisons avec le nord, le sud et l'ouest de l'île (Jogjakarta, Solo, Bandung...).
— *Bugunsami :* à 20 mn du centre. Tous les bus de nuit des compagnies privées partent de là. Départs pour Jakarta, Bandung, Denpasar et de nombreuses autres villes. Toutes les compagnies y sont représentées et elles se font une concurrence acharnée. Pour Jakarta, on préfère le train.
Voici quelques compagnies fiables (jusqu'à présent) : *Sari, Indah, Kembang Express* et *Lorena.* Il en existe bien d'autres.

En train

Deux gares possibles : *Gubeng Station* ou *Pasar Turi Station.* On indique le point de départ pour chaque train.
— *Pour Jakarta :* 5 trains par jour en moyenne. Le « Bima » part à 16 h 10 et arrive à 7 h 14. Le « Gaya Baru Malam » part à 14 h 15 et arrive à 6 h 32. Ils partent tous deux de la Gubeng Station et passent par Solo et Jogjakarta. Le premier est confortable, cher et c'est le seul à disposer de couchettes. Le « Mutiara-Utara » part à 16 h 30 de la Pasar Turi Station. Arrivée à 6 h 47. Passe par Semarang. Pas de couchette. Dernier train intéressant : le « Gaya Baru Malam Utara » qui part de Pasar Turi Station à 17 h 35 et arrive à 7 h 35. Le train de jour n'est pas intéressant.
— *Pour Semarang :* 3 trains par jour.
— *Pour Jogjakarta et pour Solo :* voir les trains à destination de Jakarta qui y passent.

En bateau

— La *Pelni Lines* dispose de 3 bateaux vers Kalimantan, Sulawesi et Sumatra. Pour acheter les billets, s'adresser au bureau : 20 jalan Pahlawan. ☎ 21-041.

Ouvert de 8 h à 16 h théoriquement. 3 bateaux en fonction des jours : le « Kerinci », le « Kambuna » et le « Rinjani ». Pour les dates des départs et les fréquences, se renseigner au bureau.
Pour les Célèbes (Sulawesi), prendre une place en 4e classe plutôt qu'en classe « Economic ». A peine plus cher et douches à volonté.
— Des *bateaux-cargos* sillonnent régulièrement les eaux de l'océan Indien et de la mer de Java vers toutes les îles. Se renseigner au port de *Tanjung Perak* sur la fréquence des liaisons.

En avion

Connexions pour Jogjakarta, Jakarta, Bandung, Solo et Denpasar. Voir *Garuda* au chapitre « Adresses utiles ».

LE VOLCAN DE BROMO   IND. TÉL. : 0335

Volcan sacré pour les Javanais, situé au sud-ouest de Probolinggo. Culminant à 2 392 m d'altitude, le Bromo appartient à un massif volcanique d'un périmètre d'une quarantaine de kilomètres. Le Bromo est un cratère de 800 m de diamètre et de 200 m de profondeur, situé avec d'autres dans un cratère encore plus grand de 11 km de diamètre appelé « caldeira ». C'est un site absolument unique mais très touristique. L'excursion du Bromo restera sans doute un des plus beaux souvenirs de votre passage à Java. Elle n'est pas exténuante et tout le monde peut la réaliser sans problème.
Le Bromo n'est plus, à proprement parler, en activité depuis environ 20 ans, seul un lac d'eau chargée de soufre y bouillonne.
Nous rappelons que la balade peut être dangereuse en cas d'activité du volcan, mais que le souvenir en est évidemment proportionnel. Certains routards ont eu droit à des explosions éruptives. Spectacle inoubliable et impressionnant.

Comment y aller ?

Deux formules au choix selon le temps dont on dispose : excursion en une journée et demie ou en une seule journée.
Première solution (dormir sur place) : prendre le bus à la Joyoboyo Station (à Surabaya) en fin de matinée pour *Probolinggo* (environ 100 km). Puis se rendre à la station des bemos à quelque 200 m du terminal des bus. En prendre un pour *Ngadisari*. La route est particulièrement escarpée et on met 1 h 30 pour parcourir 40 km. Le prix de la course est donné par l'office du tourisme (ça évite les arnaques). Ngadisari est un petit village sur la route du Bromo. Possibilité d'y dormir (mais le lendemain matin, vous aurez 2 h de marche). On conseille plutôt d'aller jusqu'à *Cemoro Lawang* en empruntant à pied, dès que vous arrivez, le chemin (1 h de grimpette) ou la Jeep.
Le lendemain matin, départ à 4 h pour effectuer les 3 derniers kilomètres qui vous séparent du sommet. Durée : 1 h. On arrive vers 5 h, à l'heure du fantastique lever de soleil. Cette formule prend plus de temps, est plus chère (il faut payer l'hôtel) mais est moins fatigante et on profite plus du merveilleux site.
Deuxième solution (on ne dort pas sur place) : prendre le bus à Joyoboyo Station pour *Probolinggo* vers 23 h. Le bus arrive vers 1 h 30. Puis prendre un bemo jusqu'à *Ngadisari*. Arrivée vers 3 h. Reste à parcourir les 6 km (compter 2 h) qui vous séparent du cratère et du lever du soleil. Fatigant, mais on économise une nuit d'hôtel. Nous, on préfère la version cool et tranquille.

Formalités et infos utiles

— Il était jusqu'à présent possible de laisser ses bagages au poste de police de Probolinggo ou à la gare. Vérifier si c'est toujours le cas.
— Il fait souvent très froid la nuit et au petit matin. Prendre une couverture. Se munir aussi d'un foulard en raison des vapeurs parfois suffocantes.
— A Ngadisari, il faut signer le livre de police et payer un petit droit d'entrée.

Où dormir ?

■ *A Probolinggo :* plusieurs hôtels, mais pas vraiment de raison de passer la nuit ici. **Victoria Hotel :** 1-3 jalan Suraya. Pas cher et nourriture honnête. Quelques autres hôtels tout proches.

■ *A Ngadisari :* une excellente adresse. **Yoschi's :** 1 jalan Wonoderto, à 2 km de Ngadisari, au village de Mekto Wono. Tenu par une Allemande. Jolies chambres pas chères. Nourriture délicieuse et variée. Musique européenne. Organise des excursions vers le volcan. Service et accueil charmants. Si c'est complet, dormir chez l'habitant. Prix et confort très bas. On trouve des endroits pour se nourrir.

■ *A Cemoro Lawang :* dormir au **Bromo Permai Hotel.** Cher, mais belle vue sur le Bromo et endroit sympa. Atmosphère de randonnée. Les chambres les moins chères ont des lits superposés et sont propres. Les sanitaires le sont moins. On peut essayer aussi le **Lawa Guesthouse,** sommaire mais propre. Bon marché. Les plus fauchés dormiront chez l'habitant. Cemoro Lawang est situé au bord du cratère Tengger. Apportez une couverture si vous êtes du genre frileux.

A voir

La marche s'effectue sans grands efforts, ce qui n'est pas le cas du Merapi. Un trek très faisable par tous.

Vous pouvez vous passer de guide, le volcan étant fléché dès le départ. Bornes blanches dans la caldeira.

On rappelle que si vous partez de Ngadisari il faut démarrer la balade à 3 h et de Cemoro Lawang à 4 h pour assister au lever du soleil. Bien se couvrir car il fait très froid.

Les habitants de cette région sont les *Tengger* et ils se distinguent fortement des gens de la vallée par leurs rites ancestraux. Le moment le plus marquant est la fête du *Kosodo* pendant laquelle ils rendent hommage au volcan. Elle a lieu lors de la pleine lune du 12e mois de leur calendrier. Des offrandes sont alors jetées dans le cratère (poulets, fruits, denrées diverses... quel gâchis !). Si vous passez par là à cette époque, ne ratez pas cet événement.

Fête ou pas fête, la vision qui s'offre à vous est une des plus spectaculaires qui soient. Rarement on a l'occasion d'observer une terre aussi désolée.

On avance dans une sorte de mer de sable et de lave. Vision étrange que la lumière diffuse du petit matin aide à mettre en scène. De Cemoro Lawang, on descend au fond d'un cratère en marchant dans un incroyable univers de sable, puis on gravit 250 marches pour atteindre le sommet du Bromo. Le but de la promenade est de parvenir au sommet lorsque le soleil pointe. Vous ne serez pas seul évidemment, mais l'impression reste forte, très forte.

Pour les paresseux, les habitants du village louent des petits « chevaux » (bardots) qui vous emmènent jusqu'au pied du cratère actif. Le propriétaire marche à côté de vous et ne se lasse pas de faire avancer votre monture à coups de pied ou de bâton...

Vous pouvez aussi louer à plusieurs une Jeep à l'hôtel *Permai.* Elle peut vous conduire sur le *mont Penanjakan* (2 702 m) d'où vous dominerez tous les volcans alentour, y compris le Bromo. Paysage assez spectaculaire également.

Autre possibilité plus originale, et plus coûteuse, pour atteindre le volcan par la même face

S'arrêter en train à Pasuran et se rendre à Tosari en bemo. De là, aller à pied au dernier village (2 km). Il arrive qu'au village on ne puisse pas trouver de chevaux mais, à la dernière maison en sortant du village, un petit propriétaire, qui ne parle pas l'anglais, peut vous emmener en Jeep faire les 10 km restant, sur un sentier infernal qui mène au même endroit que si vous venez par Cemoro Lawang. Foulard indispensable contre la poussière. On peut dormir et manger chez lui.

Où dormir ?

■ Au village, on est logé d'office par l'armée dans un losmen infect. Refusez le logement et dites que vous allez dormir au resto **Kusuma,** qui possède quelques chambres relativement propres, situé à quelques dizaines de mètres du poste militaire, sur la route du Bromo.

Dans les environs de Probolinggo : Pasir Puthi

Après l'effort du Bromo, le réconfort de la plage, des cocotiers et de la bonne cuisine.

- **Bus** depuis Probolinggo. Se faire arrêter à la plage ; pas de village.
■ Pour dormir : quelques hôtels, mais notre préférence va au **Sito Muncul**, juste sur la mer. Différentes catégories de chambres avec terrasse et même air conditionné. Pour moitié prix, on peut avoir une chambre avec l'annexe, à 50 m. Il s'agit d'une petite maison de 4 chambres seulement avec salle de bains, moustiquaire et petite terrasse. Très bien.
● Pour manger : **Oriental Restaurant**, à 5 mn à pied. Poisson, crabes et crevettes au menu. Excellent.

Pasir Puthi est située au milieu d'une immense baie de sable blanc avec une barrière de corail et des bateaux à balancier aux voiles colorées. Rien à faire sinon récupérer à l'ombre des palétuviers et des cocotiers. Promenade en mer avec les pêcheurs du coin très agréable mais les coraux sont plutôt décevants. Pas de touristes, pour l'instant, sinon quelques Indonésiens qui connaissent le coin. Le week-end, sur la plage, vendeurs de coquillages et quelques petits restaurants. Un endroit encore préservé.

Quitter Probolinggo

– _Vers Surabaya :_ bus très fréquents. Trains plusieurs fois par jour.
– _Vers Denpasar :_ éviter les tickets combinés train-ferry-bus. En effet, le train arrive bondé et il n'y a qu'un seul bus pour charger les passagers. Alors panique, ruée, resquille. Le ferry ne démarre que lorsque son parc à voitures est complet, cela demande parfois des heures. Et on arrive très tard à Denpasar. Prendre un train pour _Barrywangi_, puis le ferry pour _Gilimanuk_ et enfin un bus pour _Denpasar_, tout cela séparément.
De Probolinggo, il existe des minibus directs pour Denpasar avec repas et traversée en ferry compris dans le prix. Deux départs quotidiens : le VIP, avec air conditionné, à 8 h 30, et le 1re classe (sans air conditionné), à 11 h. Plus cher que la solution précédente mais rapide et confortable.

L'ILE DE MADURA

Madura est une île située en face de Surabaya, connue pour ses courses de taureaux _Kerapan sapi_. Un soc en bois pend entre deux bœufs auxquels un homme s'agrippe. Pour aiguillonner les taureaux, on les fouette avec des branches épineuses. Il arrive souvent que l'attelage ne puisse pas s'arrêter après la ligne d'arrivée et fonce dans la foule.

Comment y aller ?

Prendre le ferry vers 6 h 30 ou 7 h au plus tard car les courses débutent à 9 h. A 12 h, tout est terminé. Vous pouvez aussi vous y rendre dès la veille mais vous risquez d'avoir des problèmes pour vous loger. De toute façon, c'est la fête toute la nuit. Laissez vos bagages à Surabaya si vous n'y allez que pour les courses, vous ne le regretterez pas.
Le moyen idéal pour se rendre à Madura est de prendre un bus de la _Cie Akas_, au départ de la gare routière, là où se trouve le terminus des bus venant de Bali.

Sinon, au port, prenez le ferry pour *Kamal* (débarcadère du ferry à Madura, durée de la traversée : 20 mn) et, de là, un taxi collectif, bus ou bemo se rendant au village où a lieu la course. Il n'y a pas d'hôtel à Kamal.

Où dormir ?

■ Si les courses ont lieu à *Sampang,* un seul losmen pour se loger : il est situé jalan Iman Bonjol. Pour s'y rendre, il faut prendre un becak depuis la gare. Mais attention, son propriétaire demande des prix exorbitants aux touristes. Autrement, juste en face, il y a un habitant de Sampang qui accepte de vous loger exceptionnellement pour la nuit.
Les courses se déroulent en principe le premier dimanche du mois. Celles de *Pamekesan,* la capitale, sont les plus spectaculaires et les plus colorées. Renseignements et dates précises au *Regional Tourist Board*, 118 jalan Pemuda, Surabaya.
■ Si la course a lieu à *Bangkalan,* vous trouverez deux losmen : *le Purnama,* jalan Kartini, près de la gare. À déconseiller. Insalubre. Les chambres sont des placards sans fenêtres. Matelas crevés. A fuir. En revanche, le *Ningrat hotel :* 113 jalan K H M Chalil, est propre et réserve un bon accueil à ses clients.

Les villes

PAMEKASAN

La capitale, à 100 km de Kamal. Liaison par bus.
■ *Hôtel Trunojoyo :* à 200 m de la grande place, est un établissement propre et agréable avec plusieurs catégories de chambres. Les plus chères, très raisonnables cependant, disposent de l'air conditionné. Les hôtels Purnama et Garuda sont sales et à déconseiller.

SUMENEP

A 60 km de Pamekasan. Liaisons par bus.
■ Pour se loger, on aura le choix entre : *hôtel Wijaya I,* 45 jalan Trunojoyo. Pas cher et propre. Ou le *Wijaya II,* juste en face (même direction) dans la jalan K H Wahid Hasyim, 3, qui offre des prestations identiques ; à moins que l'on retienne le *Safari losmen,* à l'entrée de la ville, en venant de Pamekasan, à 2 km du centre, qui est tout neuf et très propre (chambres à des prix variant selon le confort).
● Nombreux restos mais, contrairement à Java, il est assez difficile d'y trouver des fruits de mer. Au *Sari Rasa,* jalan Kapten Tesna, crabes et langoustines à prix modique. Le *Mauwar,* jalan Diponegoro, propose aussi des fruits de mer à sa carte. On peut manger aussi au *Wijaya,* restaurant attenant à l'hôtel du même nom.

A voir

▶ En dehors des Kerapan sapi ou courses de bœufs, il n'y a vraiment pas grand-chose à voir à Madura. Le *kraton* de Sumenep est vraiment décevant, pour ainsi dire nul. Il y a, bien sûr, les *plages de Pamekasan et Sumenep* où l'on peut se rendre en bemo. Il est indispensable de se faire préciser le prix du trajet avant le départ (il peut décupler pendant le trajet). Pour une poignée de roupies, quand on est un bon négociateur, on se laisse conduire à des plages de sable blanc comme celle de *Lombang,* à 30 km au nord de Sumenep, ou celle de *Salopeng,* à 20 km de Sumenep, où la mer est dangereuse avec de forts courants. La plage de *Camplong,* à 15 km de Pamekan, est desservie par bus. On peut y ramasser, à marée basse, des crabes et des coques.

▶ Madura est encore à l'écart des sentiers touristiques et les habitants dans certains coins sont surpris de voir des visiteurs blancs. La circulation dans les villes se fait de préférence en becak. Il est très difficile et onéreux de louer un véhicule à Madura. On peut acheter de l'or, deux ou trois fois moins cher qu'en France. Marchander.

Bali, « l'île des dieux », respire encore le charme et la beauté. L'île est une des plus petites d'Indonésie, mais c'est de loin la plus convoitée par les touristes. Ce petit paradis rassemble tous les éléments indispensables à des vacances réussies. De longues et superbes plages dans le sud, des montagnes extraordinaires couvertes de forêts, des collines riantes sur lesquelles les rizières étagées dessinent de jolies courbes où danse la lumière, une culture vivante et authentique et surtout, l'essentiel, une population d'une étonnante gentillesse, d'une douceur de tous les instants.

Face à l'invasion touristique des plages du Sud et à leur tendance concentrationnaire, les Balinais conservent leur calme et leurs coutumes. Quel plaisir de voir, au petit matin, hommes et femmes déposer leurs offrandes devant leur demeure et faire leur prière comme si rien d'autre n'importait. Sûrement est-ce cette perception de l'essentiel, commune à tous les Balinais, qui les rend si affables. Bali est certainement une des dernières îles au monde qui, malgré le boom touristique, n'ont pas complètement vendu leur âme... même si les Balinais ont toujours quelque chose à vous vendre.

Comment y aller ?

De Paris

– *En avion* : Air France assure chaque samedi un vol direct en Boeing 747-400. Départ de Charles-de-Gaulle à 22 h 45 et arrivée à Denpasar le lendemain à 20 h 50, heure locale.

De Java

– *En bus* : tous les jours, de Surabaya, 2 départs (1 le matin et 1 le soir) pour Denpasar. Durée du voyage : 12 h. Parmi les compagnies les meilleures, *Balimas* : Jalan Hasannundin, à Denpasar.
Kempang Express : 13 jalan Diponegoro, à Denpasar, ou 58 jalan Tidar, à Surabaya.
– *En train puis en bus.*
Une fois à Surabaya, deux moyens : un ticket global train et bus, ou un ticket bus.
2 départs de train par jour (à 11 h et 23 h). Théoriquement, on peut attraper l'un de ces trains si l'on est parti la veille de Jakarta ; mais il arrive que les retards s'éternisent. Le billet comprend le prix du train jusqu'à Banjuwangi, la traversée en ferry, et le bus jusqu'à Denpasar. 12 h de trajet. Trois classes. Réduction étudiants.
– *En bateau* : des ferries relient Banjuwangi à Gilimanuk. Plus cher de nuit. Puis Gilimanuk-Denpasar en bus.
– *En avion* : Jakarta-Denpasar ; Joggjakarta-Denpasar. Vols fréquents, mais souvent complets. Réserver longtemps à l'avance et bien reconfirmer les vols de retour, principalement en haute saison.

De Jogjakarta

De très nombreuses compagnies de bus se disputent le marché. Elles n'offrent pas toutes le même confort ni les mêmes garanties en ce qui concerne la sécurité et le respect des horaires.
– *Kembang Express* : 116 Jalan Diponegoro Jaya. Les billets s'achètent dans la rue où se trouve l'hôtel *Aziatic*. Un repas et un petit déjeuner sont servis dans le bus (compris dans le prix). Pas très cher, et cela évite Surabaya qui n'a, après tout, guère d'intérêt. Départ à 18 h, arrivée à 11 h le lendemain.
– *Cakrawala* : voyage plus confortable mais plus cher (dîner et petit déjeuner compris). Deux catégories de prix : avec ou sans air conditionné mais dans les deux cas les sièges sont inclinables. Départ vers 16 h et arrivée à Denpasar le lendemain vers 6 h. A Jogja, les billets peuvent s'acheter à l'hôtel Aziatic ou à la Metro guesthouse.

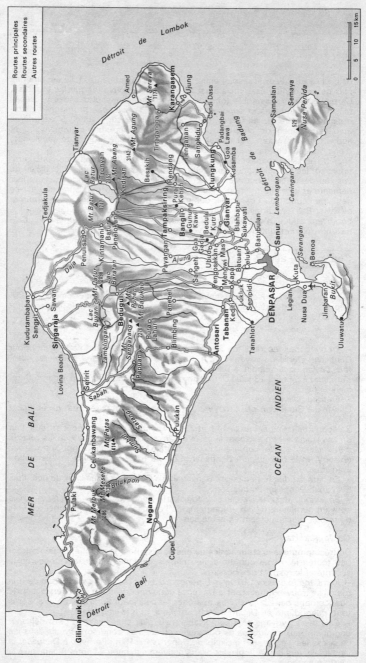

Routes principales
Routes secondaires
Autres routes

0   5   10   15 km

Détroit de Lombok

Amed
Mt Seraya 1171
Karangasem
Ujung
Candi Dasa
Tianyar
Mt Agung
Tirtagangga
3142 Mt Abang
Rendang
Tenganan
Sangkidu
Badung
Sampalan
Semaya
Nusa Penida
529
Lac Batur
Trunyan 2152
Kedisan
Besakih
Pura Kehen
Klungkung
Goa Lawa
Kusamba
Padangbai
Détroit de
Tedjakula
Mt Batur 1717
Penulisan
Batur
Kintamani
Tampaksiring
Bangli
Gunung Kawi
Bedulu
Gianyar
Blahbatu
Sukawati
Lembongan
Ceningan
Kudutambahan
Dala
Payangan
Goa Gadja
Ubud
Mas
Batuan
Celuk
Batubulan
Serangan
Sanggsit
Mt Catur 2098
Lac Buyan
Lac Baratan
Ajung
Sangeh
Pengosekan
Mengwi
Kapal
Lukluk
Sanur
Benoa
Singaraja Sawan
Sefirit
Tamblingan
Bedugul
Mt Pohen 2276
Mt Batukau
Kediri
Sempidi
DENPASAR
Serangan
Lovina Beach
Sabah
Mt Sengayang
Purao Lahuri
Panebel
Blimbing
Panbel
Antosari
Tabanan
Tanahlot
Legian
Kuta
Nusa Dua
Jimbaran
Bukit
MER DE BALI
Papuan
Mt Merbuk 1386
Mt Mesehe 1300
Selana
Indums
Mt Patas 1414
Pulukan
Uluwatu
OCÉAN INDIEN
Celukanbawang
Bilukpon
Pulaki
Negara
Cupel
Gilimanuk
Détroit de Bali

JAVA

BALI

— *Safari Dharma Raya :* a d'excellents bus de nuit aussi. Les billets s'achètent à Jogja : 113 jalan Diponegoro, et pour le retour, à Denpasar, 1 jalan Diponegoro. ☎ 364-01. Terminal Ubung.

L'arrivée en avion

L'aéroport de *Ngurah Rai*, à 15 km de Denpasar et à 2 km seulement de Kuta, est récent et bien équipé. On y trouve un bureau de réservation d'hôtels et, à la sortie, un office du tourisme, un bureau de change et un comptoir de réservation de taxis.
Pour se rendre à Kuta, sortir du terminal international, longer la façade du terminal national et continuer jusqu'au croisement de la route sur la gauche (400 m). C'est là que s'arrêtent les bemos (taxis collectifs). On peut aussi s'offrir un taxi. Après une vingtaine d'heures de vol, ce n'est pas un luxe et les prix, vraiment très abordables, sont affichés au bureau de contrôle. On paie la course au comptoir avant de monter à bord. Pas d'arnaque possible. Maximum accepté : 4 personnes.

L'hébergement

Bali possède bien des facettes et il ne faut pas se tromper. Bien choisir votre lieu de résidence sera votre tâche la plus importante. La plupart des routards optent pour la mer. On les comprend. Cela dit, le panachage constitue une bonne formule. Si vous disposez de 10 ou 15 jours, n'hésitez pas à goûter aux plaisirs de la montagne. Beaucoup de gens qui montent à Ubud pour une journée regrettent de ne pas avoir prévu d'y séjourner quelques jours. D'une manière générale, on loue un véhicule et on rayonne à partir de son lieu de résidence.
En dehors des hôtels (assez chers), il existe des établissements baptisés *losmen, wisma* ou *pondok*. Ce sont généralement de petits établissements de quelques chambres, tenus par une famille, et où l'on retrouve un peu l'ambiance d'une maison balinaise. Normalement, la guesthouse serait un losmen amélioré et la wisma une pension de famille ! Pour simplifier les choses, on a donné l'appellation de « losmen » à tous les établissements conseillés.
Les prix dépendent de la saison, de la proximité de la plage et des sanitaires individuels ou collectifs. Entre la haute et la basse saison, on peut enregistrer des écarts de prix considérables.
La recherche d'un bon losmen peut se comparer à la chasse au tigre dans la jungle. Un beau spécimen est difficile à dénicher mais vous pouvez tomber sur de véritables palais, dans des endroits magnifiques et à des prix extrêmement raisonnables.
Ici, tout se détériore très vite. Ne pas foncer les yeux fermés aux adresses indiquées par tous les guides (même les mieux informés !). Il peut arriver que l'état des lieux ait totalement changé. Fiez-vous à votre flair ! N'hésitez pas à demander aux voyageurs que vous rencontrez où ils ont logé. On fait ainsi, parfois, d'excellentes découvertes. Il est préférable de chercher un losmen le matin. Plus on avance dans la journée et plus les places se font rares. Attention à l'environnement (route, night-club, basse-cour, etc.). Demander si le petit déjeuner est compris. Le thé est-il à discrétion dans la journée ? Eau chaude ? Ventilo ? Ne pas oublier tous les détails qui peuvent rendre le séjour beaucoup plus agréable.
Voici en quelques mots un tour d'horizon des différents lieux de résidence possible :
— *Kuta* et *Legian* sont deux villages distincts au bord de la même plage, la plus belle de l'île, bien que dangereuse. C'est là que se concentre la « populacus touristicus ». A choisir, Legian est moins envahie que Kuta, qui est devenue insupportable. Au fin fond du village de Legian, il existe encore, camouflés, de chouettes petits losmen.
— *Nusa Dua* et *Sanur* sont les deux endroits les plus chers de l'île. Mais Sanur possède malgré tout quelques logements abordables.
— *Candi Dasa*, au sud-est de l'île, était une plage encore désirable il y a quelques années. Ce n'est plus le cas. Quant à *Lovina Beach,* tout au nord de l'île, elle est calme mais pas exceptionnelle.

— Ceux qui ne sont pas obsédés par la plage et qui fuient la foule ne logeront ni à Kuta, ni à Legian, ni à Sanur, mais plutôt à l'intérieur de l'île. De nombreux *los-men* un peu partout. C'est en montagne que l'on trouve les hébergements les plus exceptionnels, aux meilleurs prix. Nous conseillons évidemment toute la région d'*Ubud*, de *Bangli* et de *Batur*.

Le climat

Étant située près de l'équateur, Bali n'a que deux saisons :
— Saison sèche : de mai à septembre.
— Saison pluvieuse : d'octobre à avril. En général, le mois de juillet est le plus frais et le plus sec de l'année, alors qu'au mois de décembre la pluviosité atteint son maximum. Même en saison sèche il pleut souvent, mais plutôt en fin de journée ou la nuit. Sinon les rizières ne seraient pas aussi belles !
La température moyenne est de 26 °C. Bali dispose vraiment d'un climat idéal : il fait suffisamment chaud pour rester au bistrot toute la journée et il fait suffisamment frais pour avoir le courage d'aller d'un bistrot à l'autre. Les jours, quelle que soit la saison, gardent toujours la même amplitude. Le soleil se lève vers 6 h et se couche au plus tard à 17 h 45.

L'heure

Il y a 1 h de décalage entre Java et Bali. L'Indonésie a 5 h d'avance sur la France en été et 6 h en hiver.

Transports locaux

Le bemo

En débarquant à Bali, on découvre la civilisation du bemo, ce minibus qui tisse une toile à travers le pays reliant tous les villages entre eux. Pour les utiliser, il faut connaître un certain nombre de règles :
— Leur parcours est toujours fixe.
— Le bemo est un transport en commun qui n'exclut pas, éventuellement, les animaux.
— Le prix dépend de la distance. Seuls les locaux paient le prix réel. On vous fera payer 2 ou 3 fois plus cher. Regarder ce que les autres donnent et faire comme eux. Toujours avoir de la monnaie sur soi pour payer le *harga biasa*, c'est-à-dire le prix indonésien.
— Le bemo s'arrête sur un simple signe de la main (sauf s'il est complet).
— Un bemo n'appartient pas à son conducteur. Il est loué par un propriétaire, comme la plupart des véhicules en Indonésie. Le chauffeur et le receveur *(ker-net)* ont tout intérêt à augmenter la recette pour rentabiliser leur affaire.
— Ne pas s'étonner si les receveurs de bemos crient « Badung Badung ». Cela signifie Denpasar. Ils utilisent encore l'ancien nom du royaume pour désigner la capitale.
— Les bemos circulent uniquement le jour. Ils commencent tôt le matin, vers 5 h, et s'arrêtent en fin d'après-midi. Les derniers bemos partent généralement vers 16 h pour être au garage avant la tombée de la nuit. Les bemos qui circulent la nuit sont des bemos charterisés qui demandent des prix plus élevés. Habile transition.

Le bemo charterisé

Si on ne veut pas être tributaire de bemos publics pour visiter certains sites et conserver son indépendance, on peut charteriser un bemo en se mettant d'accord avec le chauffeur sur le tarif, la durée de la location et l'itinéraire emprunté. Le chauffeur augmentera encore sa rentabilité en vous demandant de prendre quelques passagers si l'occasion se présente dans le courant de la journée. Il les fera payer, bien entendu, et empochera l'argent. C'est de bonne guerre.
— Les bemos sont toujours des minibus japonais confortables. Les chauffeurs sont intrépides et ont parfois des tendances suicidaires. Ils sont généralement protégés par des offrandes qui ornent leur tableau de bord. On ne sait pas si la garantie divine couvre aussi les passagers.

Le dokar

Pour les nostalgiques et ceux qui disposent de tout leur temps ; ce sont de petites voitures à cheval que l'on trouve encore à Denpasar et dans les environs.

Le taxi

Si on en a les moyens, c'est la formule la plus confortable et la plus sûre. Il y a désormais des taxis avec compteur. Le prix de la course dépend de l'itinéraire, de l'heure et des encombrements de la circulation.

La location de voitures

Une bonne formule si on est plusieurs à partager les frais. La location se généralise de plus en plus à Bali avec l'apparition d'un parc automobile adapté à la demande (petites voitures ouvertes). Les prix sont très raisonnables. A 4, compter environ 200 FF par personne pour une semaine.
Rappelons quelques détails non négligeables avant de prendre le volant :
— Conduite à gauche, en théorie. En pratique, on fait n'importe quoi, comme les autres...
— ATTENTION : quand un loueur affirme que l'assurance est incluse, sachez que seule la voiture est couverte. En effet, l'assurance au tiers n'est pas obligatoire. Il est donc important de la demander (third party insurance), d'autant plus que le supplément est modique.
— Évitez absolument de conduire la nuit. C'est dingue, le nombre de vélos pas éclairés. Prévoyez vos balades de façon à pouvoir rentrer avant le coucher du soleil.
— Permis de conduire international exigé.
— Ne pas louer la voiture dans la première boutique venue. Faire un tour pour avoir une idée des prix. On conseille de vous adresser à André Reich, un Français qui a une agence sérieuse : *Bali Car Rental Service*, 17 jalan Ngurah Rai, Sanur. ☎ 885-50, 883-59, 887-78. De plus, il vous donnera tout un tas de tuyaux sur les itinéraires. Si vous voulez passer partout, louez de préférence un véhicule 4 × 4. Un peu plus cher mais ça vaut la peine.
— Pensez à vos bagages lorsque vous vous arrêtez pour visiter. Se méfier aussi des singes qui adorent examiner les bagages et sont de grands voleurs.
— Il n'y a pas de points de vente d'essence partout. Le tarif, très bas, est toujours affiché dans les stations-service.
— Les routes sont encombrées, parfois dangereuses, et la signalisation mal faite ; c'est pourquoi on conseille pour votre tranquillité de louer un véhicule avec chauffeur. Cela coûte encore un peu plus cher. Mais que de soucis en moins !
— Attention à Denpasar où les sens uniques peuvent être modifiés plusieurs fois dans la même journée, en fonction de la circulation. La police guette les touristes en infraction (retrait du permis et convocation à la police). Il est préférable, lorsque cela est possible, de payer l'amende tout de suite pour éviter toutes les tracasseries.

La location de bicyclettes

Les Hollandais ont laissé quelques bons et solides vélos increvables. On peut les louer à l'heure ou à la journée dans tous les endroits touristiques. Pas cher. Attention aux vols.

La location de motos

Le meilleur moyen pour aller partout mais aussi le plus dangereux. Avec le développement du tourisme, les jeunes Balinais ont découvert leur nouvelle idole : la moto japonaise.
Pour eux, la civilisation de la moto a remplacé celle du bemo de papa. Indépendance et vitesse garanties. On voit de jeunes Balinais remonter leur sarong jusqu'à la taille, ajuster leur coiffure de cérémonie et enfourcher leur Kawasaki pour foncer à une cérémonie au temple, le casque sur le porte-bagages comme un objet inutile. Le casque est obligatoire. On peut pratiquement porter une casserole en guise de casque. On en voit de tous les genres, allant du casque de soldat à l'intégral, mais il est trop souvent considéré comme un accessoire ornemental.
On trouve des motos à louer partout.

• *Tableau des distances kilométriques à Bali*

Distances en km	Amlapura	Bangli	Batubulan	Batukau	Bedugul	Bedulu	Benoa	Besakih	Celuk	Denpasar	Gelgel	Gianyar	Gilimanuk	Goa Gajah	Goa Lawah	Nusa Dua	Kintamani	Klungkung	Kuta	Mas	Mengwi	Padanghay	Penelokan	Sanur	Sangeh	Sempidi	Singaraja	Tabanan	Tampak Siring	Tanah Lot	Ubud
AMLAPURA	-	-	70	-	126	-	89	-	67	78	-	51	206	-	30	-	79	38	-	62	94	24	78	81	99	85	137	99	65	109	-
DENPASAR	78	40	8	45	48	25	11	61	11	-	43	27	128	24	48	23	68	40	9	22	16	56	60	7	21	7	78	21	37	31	25
GIANYAR	51	13	35	72	75	7	39	34	16	27	15	-	155	7	21	30	41	13	36	11	43	29	33	30	48	34	92	48	15	58	10
GILIMANUK	206	168	136	173	148	153	139	189	139	128	176	155	-	172	-	131	-	168	137	-	116	184	188	135	-	-	85	107	-	-	153
KLUNGKUNG	38	18	40	-	88	-	51	21	29	40	3	13	168	8	-	37	-	-	49	24	56	16	40	43	61	47	98	61	27	71	28
KUTA	88	49	17	55	57	3	7	64	14	9	-	36	137	-	57	-	70	49	-	31	-	-	-	16	-	-	-	30	46	40	-
SANUR	81	43	-	-	55	-	18	-	-	7	46	30	135	27	51	7	72	43	16	25	23	59	-	-	28	14	85	28	40	38	28
SINGARAJA	137	-	-	-	30	-	89	119 139	89	28	-	92	85	-	107	-	52	98	-	-	-	-	60	85	99	71	-	92	107 117	81	103
TABANAN	99	61	-	-	43	-	32	82	32	21	-	48	107	69	-	24	89	61	30	43	9	77	81	28	42	14	92	-	48	16	46

Conseils judicieux et avisés sur la conduite à moto

C'est incroyable le nombre de touristes avec des bandages et badigeonnés de teintures rouges à Kuta. Rien n'est plus facile, lors d'un périple à moto, de jouer à la tamponneuse avec l'objet de votre choix : chien, camion, bemo...
— L'assurance n'est pas comprise. Déjà, ce n'est pas drôle de subir ou de provoquer un accident, mais si en plus vous n'êtes pas assuré, c'est une catastrophe. Donc, assurance absolument nécessaire (bien demander le contrat).
— Pensez à leur demander un antivol.
— Attention aux tas de gravillons situés au bord de la route mais que les voitures ont souvent dispersés jusqu'au milieu de la route.
— Vérifiez bien que vous avez de bons freins, de bons pneus, un bon Klaxon et de la lumière.
— De toute façon, les poules et les gamins vous empêcheront d'aller vite. Si un camion arrive en face, même si vous avez la priorité, rangez-vous. Ah ! On est censé rouler à gauche.
— Pour toute excursion à moto, emportez un K-way et, si vous faites un périple dans la montagne, munissez-vous aussi d'un pull.
— Pompes à essence dans les grandes villes ou petites échoppes dans les villages arborant une pancarte « Premium ». On les distingue par de gros fûts devant la porte. Et puis, n'hésitez pas à vérifier le niveau de temps en temps.
— N'oubliez pas qu'à Bali, le jour commence à 6 h et la nuit tombe vers 17 h 30. Or il est particulièrement dangereux de rouler de nuit.
— Posséder quelques notions de mécanique rend bien des services. Si vous êtes capable de rebrancher un fil ou une durite, vous gagnerez bien du temps.
— Enfin, si vous ne vous sentez pas en sécurité sur une moto, rendez-la. En effet, on peut très bien visiter Bali en bemo (il y en a partout).

Le scandale et l'escroquerie du permis moto balinais

a) *Le scandale*
On ne s'étonne pas qu'il y ait eu une dizaine de touristes tués l'année dernière à moto quand on voit comment se passe le permis. L'épreuve dure une minute : il suffit de slalomer entre cinq plots de bois. Bref, pratiquement tout le monde l'obtient, ce qui n'est pas forcément une bonne chose quand on connaît le danger réel de la conduite à moto à Bali.
Le permis n'est valable qu'un mois.
Important : le permis international avec tampon pour motos est valable
b) *L'escroquerie*
Les policiers n'acceptent pas vos photos d'identité. Vous devez donc payer pour les photos, puis pour les taxes.

Comment passer le permis moto ?

Vous devez être obligatoirement accompagné par un loueur de motos. Prendre suffisamment d'argent et son passeport. Enfin, être convenablement habillé (bermuda et pieds-nus proscrits). Il est stipulé que si vous n'êtes pas habillé convenablement pour conduire, c'est un motif de suppression !
L'examen se déroule, le matin seulement, au bureau de police *(Kantor Polisi)* situé sur jalan Suprati à Denpasar. Il comprend deux épreuves : la première, écrite, consiste à mettre des croix dans des cases pour le code.
La seconde consiste à passer entre deux plots et à faire 3 « huit » sans mettre pied à terre. Ensuite on passe sur une planche à 5 cm du sol. L'examen se termine par une épreuve de freinage.

Tuyaux

— Si vous avez déjà votre permis moto en France (permis A) ou en Suisse, faites-vous faire un permis international à la préfecture de police. Le permis international est reconnu à Bali. Vous gagnerez de l'argent et une demi-journée.
— Si vous avez déjà votre permis auto (permis B), faites-vous faire un permis international à la préfecture de police. Attention, bien leur faire ajouter le tampon donnant droit de conduire les motos de moins de 125 cc (permis A1).

Soins médicaux

Les hôpitaux de Bali sont à éviter pour les interventions sérieuses. N'allez surtout pas à l'hôpital de l'armée RSAD, baptisé « antichambre de la mort ». Bonnes vacances !

Si une hospitalisation s'avère indispensable, on recommande l'*hôpital Surya Husadha* : 1 jalan Serangan. ☎ 254-29. Bien sûr, en cas de pépin sérieux, l'idéal est de se faire soigner au *Mount Elizabeth hospital de Singapour,* le nec plus ultra d'Asie du Sud-Est. Après tout, un billet d'avion est vite remboursé face à une infirmité ou un risque sérieux.

Comment se faire évacuer sur Singapour ?

— Téléphonez à votre compagnie d'assistance pour lui expliquer le problème.
— Contactez le consul de France à Bali. Philippe Petiniaud est compétent et de bon conseil. *Consulat de France* : 3 jalan Sekarwaru, à Sanur. ☎ 871-52 ou 886-39. En venant du Sanur Beach hotel, passez devant le Surya hotel puis prendre la 1ʳᵉ rue à droite. Drapeau français hissé dans le jardin.
— *Bali Tourist International Assist* : 40/58 jalan Hayan Wuruk (Kadatan), Denpasar. ☎ 62 (361) 289-96. Antenne à Jakarta : ☎ 739-30-14 ou 94. Ce sont les représentants d'Europ Assistance. Ouvert 24 h sur 24, ils sont rompus à toutes les situations et possèdent même un Jet pour les évacuations sanitaires sur Singapour.

Comment s'habiller ?

N'emporter que le strict minimum. On trouve à Bali des vêtements appropriés au climat et destinés aux étrangers à des prix ridiculement bas. Se reporter à la rubrique « Bagages et vêtements » dans le chapitre « Généralités » en début de guide.

Faire et ne pas faire

— Revêtir une ceinture *(sash)* pour pénétrer dans les temples ou assister à une cérémonie. Mettre un *sarong* si on vous le demande pour couvrir vos jambes nues.
— Ne jamais désigner quelqu'un du doigt.
— Se servir de la main droite surtout pour recevoir quelque chose, la main gauche étant considérée comme impure.
— Ne pas se mettre au-dessus du prêtre qui officie dans une cérémonie religieuse.
— Éviter de photographier les Balinais prenant leur bain en fin de journée au bord de la route.
— Ne jamais donner d'argent à ceux qui tendent la main. La mendicité à Bali est un produit du tourisme. Ne pas l'encourager.
— Retirer ses chaussures et les laisser à l'extérieur avant d'entrer dans une maison.
— Donner une obole lorsque celle-ci est demandée à l'entrée d'un temple. Votre donation sera contresignée sur un livre.
— Pour une femme qui a ses règles, ne pas pénétrer dans un temple.

La drogue

Attention, on ne plaisante plus avec la drogue ! Se reporter à la rubrique « Drogue » dans le chapitre « Généralités », en début de volume.

Achats

Le marchandage est une règle d'or. Tout, mais vraiment tout marchander. A commencer par sa chambre si on reste plusieurs jours dans le même losmen. Les Balinais sont habitués au marchandage.

De toute façon, vous trouverez de très jolies choses à Bali et la tentation sera permanente, mais ne rien acheter à Kuta, surtout sur la plage (arnaque monstre si vous ne savez pas marchander). Sur les plages précisément, vous observerez l'incessant ballet des petits vendeurs qui viendront gentiment vous proposer de tout, mais alors vraiment de tout : bracelets, montres, sculptures sur bois, barrettes, journaux, boissons fraîches, location de parasols... Toutes les 3 mn en moyenne, on vous sollicitera. Le tertiaire est également présent : on vous proposera de vous natter les cheveux, de vous manucurer, de vous pédicurer ou de vous masser ! Pour cette dernière activité, il s'agit plutôt d'un pelotage dorsal que d'un vrai massage. Ce qui n'enlève rien au plaisir qu'on peut y prendre d'ailleurs. Les masseuses sont patentées, portent un badge et un numéro sur leur chapeau. Ne faites pas perdre leur temps à ces petits vendeurs si dans le fond de vous-même vous savez que vous n'achèterez rien. Cela dit, ils ne dédaignent pas la conversation et seront souvent ravis que l'on s'intéresse à eux. Parfois, ce sont eux qui s'amuseront à vous poser des questions. Mais l'échange ne durera parfois que quelques minutes, vu qu'il leur faut assurer le gagne-pain. La plupart d'entre eux viennent de Java, attirés par le boom touristique de Bali.
Ne rien acheter dans les « grands centres de production ». Rien ne vaut la boutique au bord de la route où l'on peut découvrir de petites merveilles.

Monnaie et change

On change toutes les monnaies dans tous les endroits touristiques. Inutile d'aller à la banque, sauf opération spéciale. Les *money changers* ont l'avantage d'être ouverts en permanence. Leur taux de change est toujours affiché à l'extérieur. Bien les comparer, car on voit parfois des écarts de plus de 10 % sur des monnaies comme le franc français. Pour ceux qui proposent des taux intéressants, changez si possible le matin car, passé une certaine heure, ils n'ont plus de devises.
Pour des raisons de sécurité, il est préférable d'avoir des chèques de voyage en francs français. Le franc est accepté partout. Les cartes de crédit sont acceptées dans les boutiques, grands hôtels et compagnies aériennes.
Conserver avec soi ses bordereaux de change si on veut, lors du départ, reconvertir en devises étrangères les roupies restantes.

Sécurité, vols et prostitution

Les Balinais ne sont pas voleurs. Malheureusement, le succès de leur île a rendu jaloux pas mal de Javanais qui voudraient bien avoir, eux aussi, leur part de gâteau. Résultat, les vols à la tire sont fréquents et les chambres souvent visitées. N'emportez jamais de valeurs sur les plages... ou n'allez pas vous baigner sans les surveiller.
On conseille de louer un coffre dans une des banques de Kuta pour y déposer billet d'avion, argent, passeport. Cela ne coûte pas trop cher et évite bien des ennuis.
Un certain nombre de précautions s'imposent. Ne jamais mettre son argent et ses papiers dans un sac que l'on porte en bandoulière. Une moto est si vite passée pour l'arracher. Éviter les signes extérieurs de richesse.
Pas de parano cependant. Si l'on vous vole, la déclaration à la police sera payante et ne servira à rien, sauf pour votre assurance en France. Si vous perdez votre passeport, une déclaration est indispensable pour obtenir une autorisation de sortie des services d'immigration.
On vous proposera des *Balinese girls* surtout à Kuta et Legian. En fait, il s'agit de prostituées indonésiennes qui préfèrent le sable des plages balinaises aux trottoirs de Jakarta où elles exercent hors saison. L'intermédiaire n'est autre qu'un proxénète local, même s'il se prétend le frère ou le cousin. On ne saurait trop vous conseiller la plus grande prudence dans ce type de rapport. Si l'aventure vous tente, ne sortez pas sans un imperméable.

Les Balinais

Bali est un paradis. Ça, tout le monde le sait. Le pays respire la douceur de vivre, non seulement pour son climat merveilleux et ses paysages somptueux, mais Bali est aussi peuplée de gens connus pour leur gentillesse extraordinaire. Parfois curieux (ils regarderont par-dessus votre épaule pour voir ce que vous lisez ou ce que vous écrivez même en français), souvent bruyants (et ils se lèvent tôt !), mais toujours aimables et souriants.

L'intérêt principal de Bali réside dans la vie de tous les jours. Une erreur à ne pas commettre, c'est de visiter tous les sites en un temps record. A Bali, plus qu'ailleurs, il faut savoir perdre son temps et prendre son temps.

Il faut développer toute occasion de contact avec les Balinais si l'on veut découvrir le Bali des rites, des cérémonies nocturnes, des danses de transes. Il n'y a pas de recette. Avec beaucoup de gentillesse, du savoir-vivre, quelques rudiments de *bahasa indonesia,* et quelques nuits blanches, on découvre facilement un autre monde, insoupçonné par les touristes qui se rendent par vague à des spectacles de transes « bidon » ou à des crémations largement annoncées.

Pour participer à cette vie active et originale de l'île, il suffit d'être disponible, de savoir observer pour prévoir une future fête, une future cérémonie. En voyageant ainsi, vous approcherez vraiment le pays et vous aurez peut-être la chance d'être invité dans de nombreux villages qui parsèment l'île et qui ne figurent sur aucun dépliant touristique, sur aucun guide.

L'hindouisme à la balinaise

Bali est le centre principal de la religion hindouiste en Indonésie. Cependant, l'hindouisme de Bali est très différent de celui pratiqué en Inde. C'est une religion revue et corrigée par les Balinais, qui se rapproche fort d'une religion animiste. En effet, les Balinais sont très près de la nature et consacrent beaucoup de temps à leur religion. Chaque jour, les dieux reçoivent leurs offrandes. Il y a les fêtes au temple de quartier, de village, les rites de purification, les processions, les danses, les crémations. Les Balinais ont un calendrier des fêtes très chargé. Un jour, c'est la *fête des cocotiers,* deux jours plus tard celle des cochons de lait ou encore la *fête des jeunes filles.* L'hindouisme est d'abord pour les Balinais un excellent moyen d'organiser des fêtes toute l'année. Il ne se passe pas une journée sans que l'on rencontre une cérémonie ou une sanctification. Ici, la religion se vit dans la plus parfaite décontraction.

A Bali, l'hindouisme a été remodelé par la mentalité de ses habitants. Bien sûr, les grands principes (système des castes, crémation...) que l'on trouve en Inde existent aussi à Bali mais adaptés et bien souvent moins contraignants, Ainsi verra-t-on des Brahmanes (caste la plus élevée) travailler dans les rizières.

Il y a trois castes à Bali, héritage de la religion hindoue. Ce système n'a pas la rigidité de celui de l'Inde. Mais la plupart des Balinais appartiennent à une... quatrième catégorie, celle des sans-caste, les *sudra,* qui correspondent un peu aux intouchables.

On reconnaît la caste en connaissant le nom de son interlocuteur : *Ida Bagus* pour les brahmanes (les prêtres), *Agung* ou *Dewa* pour les satria (les rois), *Gusti* pour les wesia (les guerriers).

Chez les sudra, il est même facile de connaître l'ordre de naissance et le nombre éventuel des enfants. Le premier se nomme toujours Wayan, le second Made, le troisième Nyoman et le quatrième Ketut. Quand le cycle est fini on recommence avec Wayan pour le quatrième et ainsi de suite, qu'il s'agisse d'un garçon ou d'une fille.

Chaque caste a son langage. Les membres des castes supérieures parlent l'*alus,* raffiné, assez proche du javanais. Les sudra parlent le *kasar,* d'origine malo-polynésienne. Entre ces deux langues très différentes, il existe le *madya,* un dialecte que l'on utilise quand on ignore la caste à laquelle appartient son interlocuteur. Les prêtres et les érudits utilisent le *kawi,* qui est une langue littéraire. Heureusement que le *bahasa indonesia,* enseigné à l'école, permet aujourd'hui à tout le monde de se comprendre. Ajoutons que l'anglais est parlé par tous les jeunes un peu évolués et par tous les commerçants en contact avec les étrangers.

Le village

Le village balinais est avant tout une grande communauté sociale d'inspiration religieuse. L'unité est faite par le *krama desa,* conseil composé d'hommes mariés qui choisissent un chef de village. Celui-ci, chargé du respect de la tradition *(adat)*, organise les fêtes, contrôle les biens collectifs et joue à la fois les rôles de juge, de conseiller et de médiateur.

Dans les villages importants, il existe des associations appelées *bandjar* qui regroupent les occupants de maisons voisines. Ces communautés sont constituées de plusieurs dizaines de familles chargées de s'entraider pour la réparation d'un temple, la construction d'une maison, l'entretien d'une route ou la participation à un gamelan.

Chaque propriétaire de rizière appartient en plus à un *subak,* coopérative agricole qui réunit dans un travail collectif tous ceux dont les terres bénéficient de la même source d'irrigation.

La vie sociale ne laisse aucune place à l'individualisme. C'est pourquoi les bâtiments publics, principalement les temples, tiennent une place aussi importante dans la structure du village :
— le *pura desa* : temple des cérémonies officielles ;
— le *pura puseh* : temple consacré au culte des ancêtres ;
— le *pura dalem* : temple réservé au culte des morts.

Ajoutons le *kulkul* pour sonner le tocsin, le *wantilan* pour les combats de coqs et le *bale* pour se réunir, faire de la musique ou répéter un spectacle après le travail. Enfin, n'oublions pas le traditionnel *banian*, l'arbre sacré, très majestueux.

Fêtes, danses, crémations et autres « spectacles »

Les rites et les cérémonies

Ils ont une importance considérable. Tous les jours, il se passe quelque chose ! Sachez qu'au moment de la pleine lune les activités redoublent. Certaines cérémonies (notamment les crémations en masse) sont un peu trop claironnées et deviennent des foires à touristes ; mais en vous baladant dans l'île, vous tomberez sur des fêtes de village extraordinaires et authentiques. Il faut savoir que les Balinais, hindouistes, croient aux esprits et à la réincarnation. Le pire est de se réincarner en chien (ce qui explique leur attitude envers ces bêtes). Remarquez, vu le look absolument galeux des clébards dans le coin, on les comprend !

Parmi les principales cérémonies :

— Le limage des dents
Cette cérémonie marque l'entrée de l'adolescent dans le monde adulte. Elle consiste à égaliser six dents correspondant à six défauts. Les deux canines supérieures et les quatre incisives sont livrées à la lime et au marteau d'un prêtre, sans aucune anesthésie. Pour cette cérémonie assez cruelle, les patients revêtent leurs plus beaux vêtements. Le tout se déroule dans une atmosphère de fête et au son du gamelan. Chaque limage dure une quinzaine de minutes et la bouche du patient est maintenue ouverte par une tige de canne à sucre. Un limage de dents n'est pas facile à trouver, car c'est un événement familial, donc intime. Cette coutume a une telle importance qu'il n'est pas concevable de se marier avec ses dents de chien, et si l'on meurt jeune, on procède au limage avant la crémation.

— Le mariage
Il est généralement célébré bien après sa consommation. Les Balinais sont très libres. Ils n'ignorent rien des « choses de la vie » dès leur plus jeune âge, ce qui leur permet d'aborder leur adolescence en toute plénitude. Mais le mariage est toujours la conclusion attendue par les familles. Dans le mariage *ngro rod*, le fiancé enlève la jeune fille consentante, dépose des offrandes aux dieux et passe à l'action. Le couple revient chez les parents qui ont fait semblant de les chercher. On fixe alors la date de célébration de la cérémonie publique qui va officialiser les choses.

Dans le mariage *mapadik*, ce sont les parents qui organisent l'union, mais avec le consentement des deux protagonistes. La polygamie n'existe plus, principalement pour des raisons économiques. Si une femme veut divorcer et qu'elle peut en justifier les raisons, il lui suffit de quitter le domicile conjugal. Si un homme veut faire de même, il prend une autre épouse après en avoir averti le chef de village, mais conserve la première au foyer.

— Les jours fériés
Tous les 210 jours, c'est *Galungan,* une fête importante du calendrier balinais qui dure 3 jours. A cette occasion, tout le monde retourne dans son village

familial pour honorer les dieux et les ancêtres. 2 jours plus tard c'est *Kuningan* qui est aussi férié mais ne dure qu'une journée. Pendant cette période, la vie s'arrête en partie : service réduit dans les hôtels et restaurants, banques et magasins fermés.

— Les crémations

Les cérémonies les plus surprenantes.
Pour les trouver, il suffit de se balader. Les préparatifs sont bien souvent visibles de la route. Le plus simple est toutefois d'aller dans les hôtels pour touristes. La plupart disposent d'un tableau indiquant les dates des crémations et les danses. Les rabatteurs des hôtels sont au parfum de tous les événements intéressants. Contrairement à une idée reçue, il n'y a pas de crémation secrète. Toutes les crémations sont prévues et annoncées longtemps à l'avance. Toutes les agences de voyages et tous les grands hôtels y envoient leurs clients. Il y a parfois plus d'étrangers que de Balinais ! Ces crémations, aussi somptueuses soient-elles, perdent beaucoup de leur intérêt.
Lorsqu'un Balinais meurt, son grand voyage commence. L'âme immortelle, enfin libérée de son enveloppe charnelle, peut renaître sous une nouvelle forme. La crémation doit avoir lieu 42 jours après le décès pour que le cycle de la vie accomplisse sa boucle parfaite. En réalité, il est rare de pouvoir en si peu de temps rassembler l'argent nécessaire à cette cérémonie très onéreuse. La famille du défunt doit non seulement couvrir tous les frais de la crémation, mais aussi nourrir les invités, venus parfois de loin, pendant la durée des festivités. Certaines crémations coûtent le prix d'une voiture ou d'une maison. Mais personne ne s'y dérobe, car tant que le corps d'un défunt n'a pas été brûlé son âme erre et peut faire du mal. L'incinération est donc un devoir sacré. La date est choisie par les astrologues. Le corps (ou ce qu'il en reste quand on a trop tardé à rassembler les sous) est alors brûlé dans un sarcophage qui a toujours la forme d'un animal. Si le mort est dans un taureau, il s'agissait d'un brahmane ; s'il est dans un lion, c'était un satria ; s'il se contente d'un poisson-éléphant, ce n'est qu'un sudra.
La tour, sur laquelle on transporte le corps, symbolise le cosmos reposant sur la fondation du monde. Le tout est recouvert d'étoffes et de papiers de couleurs. Certaines tours sont de véritables œuvres d'art. Le corps est installé dans la tour, et le cortège la tourne dans tous les sens en dansant autour... afin d'éviter que l'esprit ne retrouve le chemin du village.
L'âme n'est pas contenue dans le corps. Elle est partout et c'est elle qui contient le corps. Aussi faut-il que le corps soit complètement brûlé. L'incinération est le moment où l'âme prisonnière du corps s'évade, d'où la joie.
Lorsque le bûcher est éteint, la famille recueille les cendres dans des noix de coco et les disperse dans la mer ou dans les eaux d'une rivière.

Quelques petits trucs à savoir
— Les touristes, même armés d'appareils photo, sont toujours les bienvenus dans une crémation. Au pire, ils sont ignorés.
— Ne pas monter sur des chaises ou autre chose, la tête du prêtre doit dominer tout le monde.
— Ne pas applaudir !
— Il n'y a pas de quête !
— Les pickpockets adorent les crémations qui sont de grandes occasions pour exercer sans aucune difficulté leur talent.

Les danses

Que l'on ne considère que la valse comme danse véritable ou qu'on soit un fana du rock, on doit reconnaître que les danses de Bali sont exceptionnelles, peut-être les plus gracieuses du monde. Les principales danses sont le legong, le barong kriss, le tamulilingan, le kecak, le pendet et le janger.

— *Le legong* est la plus attrayante et la plus classique des danses balinaises. Trois jeunes filles l'interprètent. L'histoire est celle d'un roi amoureux fou d'une princesse qui ne partage pas ce sentiment. Il fera tout pour la séduire (enlèvement, exploits guerriers...).
Le legong kraton est toujours interprété par de très jeunes filles. Il fut longtemps réservé aux jeunes filles impubères. Les deux legongs, nymphes célestes, ont le corps serré dans un riche vêtement de brocart et la tête couronnée d'une tiare d'or avec des fleurs de jasmin et de frangipanier. Les danseuses changent de

rôle, passant d'un personnage à un autre. On est vite perdu. Restent la beauté des gestes et un envoûtement irrésistible à cette musique qui fait balancer et onduler les corps en cadence.

— *Le baris* est tout le contraire du *legong*, puisqu'il met en valeur la force d'un jeune guerrier qui occupe seul la scène. Cette danse est due au chorégraphe I. Mario qui la créa il y a un demi-siècle. Les bons danseurs de baris sont rares. Ils doivent exprimer la force, la ruse et « toutes les humeurs changeantes du guerrier », tout en gardant la pointe des pieds vers l'extérieur.

— *Le kebyar* est un duo entre un danseur et un orchestre. Le danseur dispose d'ailleurs d'un *terompong* pour accompagner celui-ci. Le bon danseur de kebyar doit pouvoir exprimer tous les états d'âme d'un adolescent, passant de la crainte à la joie, en suivant toutes les nuances de la musique. Il doit aussi savoir manier l'éventail avec grâce, et prendre parfois des allures un peu efféminées.

— *Le jauk* est un solo de danseur masqué jouant le rôle d'un démon frénétique et assoiffé, toujours prêt à bondir sur sa proie et à la saisir avec ses ongles de sorcière démesurément longs.

— *L'oleg tamulilingan* : une danse d'amour. L'histoire de la coquette courtisée.

— *Le janger* oppose la virilité des garçons à la féminité des danseuses. Ils sont 12 de chaque côté. Spectacle gracieux et puissant en même temps. Le *janger* est un dérivé de danses plus anciennes. On peut en voir certains soirs à Denpasar.

— *Le pendet* est une danse d'accueil par laquelle débutent bien des spectacles. Ce n'est pas une des danses les plus intéressantes, quoique les danseurs se déhanchent en guise de bienvenue, et lancent des pétales de fleurs avant de quitter la scène. C'est une ancienne danse de procession de temple.

— *Le kecak* : la plus impressionnante. Un fond musical est obtenu par les voix de plusieurs dizaines d'hommes qui imitent le cri des singes. Tous ces Balinais (souvent tous d'un même village) sont assis en cercle et ondulent en cadence. Ils constituent le décor vivant d'un spectacle inspiré du Ramayana qui va se dérouler au centre de la corolle formée par leurs corps. Ce spectacle est particulièrement envoûtant avec ses incantations destinées à chasser l'esprit du mal. On ne peut quitter Bali sans avoir vu au moins un *kecak*. La magie qui s'en dégage est telle que l'on n'est pas près d'oublier cette cérémonie qui met les nerfs à l'épreuve et conduit jusqu'à l'état de transe.

— *Le barong kriss* est la représentation du perpétuel combat entre le Bien et le Mal. Le Mal, c'est *Rangda*, une veuve ou une belle-mère. *Barong*, c'est le Bien. Il arrive que les danseurs qui supportent Barong en dansant entrent en transe et retournent l'arme (le *kriss*) contre eux. Une véritable thérapie de groupe !
Là, on schématise un peu et on passe sur les principaux épisodes de ce long spectacle. Car c'est le plus connu et le plus répandu. Il s'en donne trois représentations en plein air, chaque matin, à Batubulan. Un résumé est distribué à tous les assistants dans leur langue. Inutile donc de vous résumer la pièce.

— On peut assister aussi à des spectacles de *topeng*, c'est-à-dire de masques, ou à une représentation d'*arja*. C'est une sorte d'opéra qui peut durer toute la nuit et dont l'histoire est inspirée des meilleurs mélos. On ne comprend pas grand-chose mais les clowns font rire.

— Les danses d'offrandes sont utilisées comme exorcisme contre les mauvais esprits. Elles mettent en contact avec l'au-delà, c'est pourquoi elles se déroulent avec la participation d'un prêtre *(pemangku)*. On peut assister, lors de certaines fêtes, à un *sanghyang dedari*, ou « danse des anges vénérés » : deux fillettes endormies par des forces magiques vont obéir aux voix qui les feront danser dans une parfaite harmonie. Spectacle troublant : lorsque les voix s'arrêtent, les danseuses évanouies doivent être réanimées par le prêtre qui les asperge d'eau.

— *Le sanghyang djaran* est encore plus impressionnant. Il est interprété par un homme en transe qui, à califourchon sur un cheval de bois, marche et danse pieds nus sur un tapis de braises incandescentes. Les dieux protègent le médium lorsqu'il piétine le feu pour éloigner du village les maléfices de la maladie et de la mort. Lorsque l'homme reviendra à lui, après la bénédiction du prêtre, il ne se souviendra de rien, ayant agi dans un état second. Déconseillé aux cœurs sensibles.

Distractions locales

— Les combats de coqs sont désormais interdits, de nombreux Indonésiens s'étant ruinés au cours de paris insensés. Vous pourrez peut-être en voir dans les temples au cours de cérémonies religieuses (ils sont alors autorisés) ou encore, par hasard, dans certains villages. C'est très cruel. Mais extrêmement intéressant pour étudier le comportement des Balinais qui se défoulent à cette occasion et montrent leur agressivité et leur passion du jeu.

Plongée sous-marine

On se doute que Bali est un paradis pour les amateurs de plongée.

Quelques spots intéressants

— *Sanur et Nusa Dua :* plongée à la hauteur de la barrière de corail, à 200 m du rivage. Plongée de 2 à 12 m. Poissons de corail et même quelques petits requins. Eau un peu trouble si la mer est agitée.
— *Nusa Penida :* île à 20 km à l'est de Sanur. 90 mn en bateau à moteur. Fonds sablonneux. Plongée de 3 à 40 m. Eau très claire, notamment à l'ouest de l'île.
— *Padang Bai :* à 90 km au nord-est de Sanur. Plongée de 3 à 20 m. Jolie barrière de corail. Anse assez abritée protégée par de belles falaises.
— *Amed :* à 120 km au nord-est de Sanur. Plongée de 3 à 40 m. Jolis fonds peuplés notamment d'éponges et d'anémones.
— *Tulamben :* à quelques kilomètres au nord-ouest d'Amed. On peut y voir un navire américain coulé par les Japonais durant la dernière guerre mondiale. L'épave est envahie par les anémones, coraux et toutes sortes de poissons. L'un des spots les plus intéressants de Bali. Plongée de 10 à 30 m.
— *Menjangan island :* à 140 km au nord-ouest de Sanur. L'île est à 20 mn en bateau de Bali. Le spot le plus éloigné mais évidemment l'un des plus beaux. Praticable en toute saison.

Quelques adresses

— *Bali Marine Sports :* jalan Raya, après Ngurah Rai, Blanjong, Sanur. ☎ 878-72. Fax : 878-72. Ils viennent vous chercher gratuitement à votre hôtel.
— *Baruna :* 300 B jalan by pass Ngurah Rai. Denpasar. ☎ 538-09 et 512-23. Fax : 527-79.
— *Barrakuda :* à Candi Dasa, au Candi Dasa Beach Bungalow : ☎ et fax : (0361) 355-37 ; à Lovina Beach : ☎ (0362) 413-85.

Descente de rapides (rafting)

Le point de départ se situe à 5 km au nord de Sangeh. L'Ayung river est accessible depuis peu au rafting. Sans danger, on traverse une forêt tropicale parfois encaissée dans des gorges.
Le prix des agences comprend le transfert de votre hôtel, l'équipement (y compris gilet de sauvetage), l'assurance et un repas. Généralement deux départs par jour. Compter 6 h aller-retour.

– **Adventure rafting :** ☎ 512-92.
– **Sobek :** ☎ 887-96. Légèrement plus cher que le précédent.

DENPASAR
IND. TÉL. : 0361

Ancienne capitale du royaume de Badung Denpasar, dont le nom signifie « marché de l'Est », elle risque de décevoir cruellement ceux qui débarquent à Bali. Capitale économique et administrative de l'île, cette ville de près de 200 000 habitants n'a aucun charme. Extrêmement bruyante, poussiéreuse, chaude et toujours envahie par une circulation intense. Il ne reste rien de la pittoresque cité dessinée par les Hollandais au début du siècle, la ville n'ayant cessé de croître avec le développement touristique.

Fort heureusement, depuis quelques années, les banques, agences de voyages et autres services destinés aux vacanciers ont joué la carte de la décentralisation en ouvrant des succursales à Sanur, Kuta, Legian et Nusa Dua. Denpasar

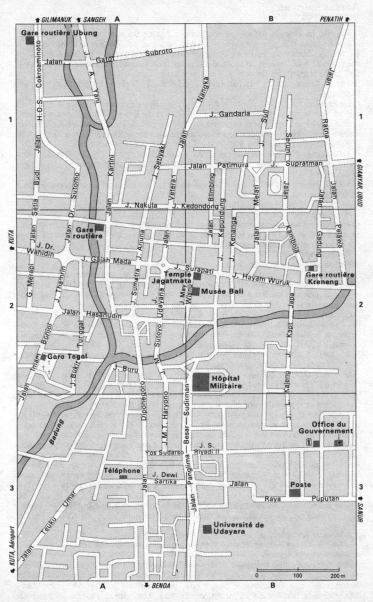

DENPASAR

reste malgré tout le lieu de passage obligé des bemos et des bus venant du Sud. Vous devrez donc obligatoirement traverser cette cité polluée pour atteindre les différents centres d'intérêt de l'île.

Adresses utiles

- **Tourist Indonesia** (office du tourisme) : 7 jalan Surapati, à proximité du Bali Museum (plan B2). Ouvert de 8 h à 14 h. Le vendredi, de 8 h à 11 h. Fermé le dimanche. Demander toute la documentation disponible : carte, plans et calendrier des fêtes. Il existe un journal mensuel, Bali Tourist Indonesia Guide, distribué gratuitement. Réclamez-le, il est très utile.
Bureau à l'aéroport de Ngurah Rai. ☎ 25-08-13. Ouvert, en principe, en permanence.
- **General Post Office** (Sentral Kantor Pos) : Raya Puputan Renon, à 3 km du centre, sur la route de Sanur (plan C3). Ouvert de 8 h à 14 h du lundi au jeudi. Ferme à 11 h les vendredis et samedis. Il n'y a pas de liaison régulière de bemo depuis Denpasar. Il est donc préférable de se faire adresser son courrier à la poste restante de Kuta ou à celle de Sanur qui sont plus centrales.
- **Téléphone** (Kantor Telpon) : 6 jalan Teuku Umar (plan B2). Ouvert 24 h sur 24. **Télégraphe** : même adresse, de 7 h 30 à 19 h en semaine et de 8 h à 12 h le dimanche.
- **S.O.S. Médical** : ☎ 333-41 à 44. Représentant d'Europ Assistance, ils disposent d'un Jet privé.
- **Médecin** : Connie Pangkahila. ☎ 881-28.
- **Hôpital privé Surya Husadha** : 1 jalan P. Serangan. ☎ 254-29. On peut y souscrire une assurance maladie pour la durée de son séjour. Toutefois en cas de pépin sérieux, il est préférable de se faire rapatrier en France ou sur Singapour, au Mount Elizabeth hospital.
- **Ambulance** : ☎ 279-11 ou 118.
- **Police** : Diponegoro. ☎ 110.
- **Banques** : elles sont nombreuses ainsi que les money changers. Banque Duta, 165 Hayam Wuruk. Pour retirer de l'argent avec la carte VISA et sans chéquier. Ouverte de 8 h à 14 h. Il est conseillé d'y aller après 9 h. On peut retirer l'équivalent de 2 500 FF. Attente de 30 mn minimum.
- **Garuda** : à l'hôtel Bali Beach de Sanur où ils sont efficaces. ☎ 82-43 ou 85-11. Ou encore à l'hôtel Sanur Beach. ☎ 80-11. Ou alors à l'office de Denpasar : 61 jalan Melati, en face du stadium (plan B1). ☎ 351-69 ou 346-06. Ouvert de 7 h à 16 h tous les jours, sauf samedi (7 h-13 h) et dimanche (9 h-13 h). Y aller tôt le matin pour éviter l'attente. Peu de monde le dimanche matin. Accepte les cartes de crédit.
- **Merpati Office** : 57 jalan Melati, à côté de Garuda (plan B1). ☎ 228-64. Ouvert de 7 h à 16 h, sauf samedi (7 h-14 h) et dimanche (8 h 30-12 h). Attention, cette compagnie n'acceptait pas les cartes de crédit auparavant. Vérifiez. Les autres compagnies ont leur bureau dans l'hôtel Bali Beach de Sanur.
- **American Express** : jalan Arcade, à l'hôtel Bali Beach de Sanur. ☎ 84-49 et 85-11. S'adresser au comptoir de Pacto. Ouvert de 8 h à 16 h du lundi au vendredi et le samedi de 8 h à 12 h. Ils ont aussi un représentant à Kuta.
- **Loueurs de voitures** : nombreux. Ils n'offrent pas tous les mêmes garanties. Nous conseillons (voir le chapitre « Location de voitures ») Bali Car Rental Service, 17 jalan Ngurah Rai, à Sanur. P.O. Box 382, Denpasar. ☎ 883-59 et 885-50. A 300 m du Kentucky Fried Chicken. Tenu par André Reich, un Français installé depuis 20 ans à Bali qui propose des tarifs intéressants avec des forfaits pour 4, 7 et 10 jours de location. Assurance tous risques. Possibilité d'aller à Java avec le véhicule et même de le restituer à leur bureau de Jogja, situé en face de l'aéroport, ce qui constitue la meilleure façon de visiter l'est de Java.
- **Aéroport Ngurah Rai** : à Tuban, à 15 km. ☎ 510-11.
- **UTA** : Golden Kriss. ☎ 333-41. Pour les confirmations de vols. Bureau : 58 A jalan Sanur (Kedaton).
- **Agent consulaire français** : Philippe Petiniaud, 3 Jalan Sekarwaru, rue qui mène au Surya Beac (Blarjong). ☎ 871-52 ou 886-39. En venant du Sanur Beach hotel, passer devant le Surya hotel puis prendre la 1re rue à droite. Drapeau français hissé dans le jardin (on se sent chez soi !). Le consul est très accueillant.

– *Immigration :* Niti Mandala Renon (plan A4). ☎ 278-28. Bureaux ouverts jusqu'à 14 h pour ceux qui habitent Sanur et Denpasar. Ceux qui résident à Kuta auront intérêt à aller à l'office d'immigration devant l'aéroport de Ngurah Rai.
– *Agence de voyages Bil Tours :* à Sanur. ☎ 884-34 et 884-63. Correspondant de *Jet Tours* et de *Jumbo*, ce bureau a en permanence un représentant parlant le français. Il conseille dans le choix des excursions et propose des randonnées à la carte à travers l'île.
– *Agence de voyages Golden Kriss :* 58A jalan Hayam Wuruk (plan B2). ☎ 333-41. Réputée aussi pour son sérieux. Correspondant de UTA et de la plupart des compagnies d'assurances. Le directeur parle très bien le français. En cas d'accident, vous pouvez les contacter si vous avez eu la sagesse de souscrire une assurance avant le départ.

Où dormir ?

Il est préférable, nous l'avons dit, de ne pas séjourner à Denpasar sauf si vous ne pouvez pas faire autrement. Le choix est considérable, les hôtels destinés aux touristes indonésiens étant nombreux.
■ Auberge de jeunesse *Wisma Taruna Inn :* 31 jalan Gadung. ☎ 269-13. Au nord de la ville et excentré. Bâtiment des années 50. Chambres simples individuelles, doubles, triples ou dortoirs au choix. Le prix très bas est calculé au lit. Réduction avec la carte des A.J. Pas terrible. Seulement si vous êtes fauché.
■ *Adi Yasa Hotel :* 23 jalan Nakula (plan 2). ☎ 226-79. Notre meilleur choix. Au nord-ouest du centre ville. 15 chambres avec ou sans salle de bains privée. Prix très raisonnables. Elles donnent sur des allées très fleuries avec des bananiers. La famille qui dirige cet hôtel est très serviable.
■ *Marta Pura :* 22 jalan Belimping. ☎ 250-36. 14 chambres à 2 ou à 3 lits. 4 chambres donnent sur la rue, les autres sur un couloir un peu sinistre. Les peintures auraient bien besoin d'être refaites. La maison du propriétaire, juste à côté, est magnifique. Très propre et calme mais personne ne parle l'anglais. Ne vaut pas le précédent.

Plus chic

■ *Puri Alit :* 26 jalan Sutomo (plan A1-2). ☎ 288-31. Une bonne adresse, en plein centre ville. Chambres avec ventilateur et salle de bains privée.
■ *Bali Hotel :* 3 jalan Veteran (plan B1). ☎ 256-81. Un 3 étoiles à l'architecture rétro des années 1930. Immense salle à manger avec vieux ventilateurs qui tournent inlassablement. Les chambres avec ventilateur sont les moins chères. Piscine. Cher.

Où manger ?

● *Puri Selara :* 12 jalan Gajah Mada. Bonne cuisine chinoise et indonésienne servie dans un cadre très « clean ».
● *Hong-Kong :* jalan Gajah Mada. Un peu cher, mais très bonne cuisine chinoise. Langouste, crabe, etc. Vous ne serez pas déçu.
● *Atom Baru :* jalan Gajah Mada. En face du précédent. Moins cher. Là aussi, bonnes spécialités chinoises.
● *Nusa Indah :* 34 jalan Kartini. Ça ne paie pas de mine. Excellentes cuisses de grenouilles que l'on mange dans une boutique d'appareils électriques...

A voir

▶ *Bali Museum :* jalan Wisnu (plan B2). Ouvert tous les jours de 8 h à 14 h (jusqu'à 12 h 30 les samedi et dimanche, et jusqu'à 11 h le vendredi). Fermé le lundi.
Construit en 1932 par les Hollandais qui ont voulu donner dans un espace restreint des répliques des principaux monuments de l'île, constituant ainsi une excellente initiation à l'architecture locale. On y découvre des portes monumentales et une tour de *kulkul* (tambour d'alarme). Dans des bâtiments évoquant les palais de Tabanan, Karangasem et de Singaradja ont été rassemblés

des poupées wayang, des collections de *kriss,* des masques de bois, une maquette représentant une crémation. Intéressante rétrospective de l'art balinais au cours des siècles. Les salles de la *Bali Art Foundation* abritent des expositions de peinture contemporaine souvent intéressantes.

▶ *Pura Jagatnata :* à côté du musée (plan B2). Consacré au dieu suprême Sanghyang Widi. Le trône, ou *Padmasana,* symbole de la création de l'univers, en corail blanc, est un lieu de pèlerinage les soirs de pleine lune. Ouvert seulement les jours de fête.

▶ *Art Centre Sanggraha Kriya Asta :* sur la route de Batubulan juste après le virage. Ouvert du lundi au samedi de 8 h 30 à 16 h 30. Une bonne occasion de

Destinations	Stations	Via
Aéroport	Tegal	–
Amlapura	Batubulan	
Bangli	Batubulan	
Besakih	Batubulan	Klungkung
Banjar	Ubung	Singaraja
Benoa (village de)	Tegal	–
Benoa (port de)	Suci	–
Bedugul	Ubung	–
Bedulu	Batubulan	Gianyar
Batubulan	Kreneng	–
Celuk	Batubulan	–
Candi dasa	»	–
Gianyar	Batubulan	–
Goa Lawah	»	–
Goa Gajah	»	Gianyar
Gunung Kawi	Batubulan	Gianyar
Gilimanuk	Ubung	–
Kehen (temple de)	Batubulan	Bangli
Kusamba	»	–
Kerambitan	Ubung	Tabanan
Klungkung	Batubulan	–
Kuta	Tegal	–
Lovina Beach	Ubung	Singaraja
Mas	Batubulan	–
Mengwi	»	–
Mont Agung	Batubulan	Klungkung
Mont Batur	Batubulan	–
Mont Batukau	Ubung	Tabanan
Nusa Dua	Tegal	–
Peliatan	Batubulan	–
Padangbai	»	–
Putung	»	Amlapura
Penelokan	»	Klungkung
Penulisan	»	–
Pejeng	Batubulan	Gianyar
Singaraja	Ubung	–
Sukawati	Batubulan	–
Sangeh	Wangaya	–
Sangsit	Ubung	Singaraja
Sanur	Batubulan	–
Tabanan	Ubung	–
Tampak Siring	Batubulan	Gianyar
Tenganan	Batubulan	–
Tirta Gangga	Batubulan	Amlapura
Trunyan	Batubulan	Bangli
Tanah Lot	Ubung	Kediri
Ubud	Batubulan	–
Uluwatu	Tegal	Pecatu

voir regroupés des artisans qui travaillent sous vos yeux et vendent des objets de bonne qualité à des prix fixes.

▶ *National Art Centre :* jalan Nusa Indah, entre jalan Abiankapas et jalan Palawa Pagan. Ouvert du mardi au dimanche de 8 h à 17 h. Expositions d'art ontemporain et d'œuvres d'artisanat. Chaque soir, spectacle de kecak par une troupe d'étudiants parfois survoltés dans un théâtre en plein air. En été seulement.

▶ Sur le terrain situé au centre de la ville (plan A2), en face du palais du gouverneur, qui sert de nos jours de stade de football, eut lieu l'ultime combat entre les envahisseurs hollandais et les guerriers balinais au début de ce siècle. Les Balinais, plutôt que de tomber vivants entre les mains de leurs ennemis et de connaître le déshonneur de la défaite, préférèrent se suicider jusqu'au dernier. En juillet 1975 est mort à Bangli le descendant d'un des derniers rois de Bali.

▶ *Marché de nuit (pasar Kerneng) :* au nord de la ville, en face du Stadium (plan A2), le soir, à partir de 16 h. Petites échoppes éclairées par des lampes à acétylène qui proposent notamment du *babi guling* (cochon grillé) et du gâteau à la noix de coco.

▶ *Marché de jour :* dans le centre (plan A2), le long de la rivière. Beaucoup moins intéressant depuis qu'il est installé dans un bâtiment moderne.

▶ Ruelle avec plein de boutiques de souvenirs entre jalan Veteran et jalan Gadjah Mada.
Les magasins de Denpasar sont ouverts de 8 h à 14 h et de 18 h à 21 h, sauf le dimanche.

Quitter Denpasar

Gares routières

Il existe plusieurs gares routières. Chacune dessert des villes bien précises.
La première de ces gares, celle de Kreneng, ne reçoit plus de bus, en raison des difficultés de circulation dans le centre ville, et une nouvelle gare très moderne a été construite à plusieurs kilomètres du centre sur la route de Batubulan ; les bemos qui transportent les passagers jusqu'à cette nouvelle gare partent toujours de la station de Kreneng.
Les différentes stations de Denpasar sont :
– *Batubulan,* en partant de *Kreneng* (plan C2) pour l'est et pour Lombok.
– *Tegal* (plan C2) pour le sud.
– *Ubung* (plan B4) pour le nord et l'ouest et pour Java via Gilimanuk.
– *Suci* (plan B2) pour Benoa port.
– *Wangaya* (plan A2) pour Sangeh.
Ces stations sont reliées entre elles par des petits bemos de ville à trois roues.

Bateaux

– *Vers Serangan :* départ de Suci et bateau à Suwung.
– *Vers Nusa Penida :* départ de Kreneng et bateau à Sanur.
– *Vers Lombok :* départ de Kreneng et bateau à Padangbai.
– *Vers Java :* départs de Ubung et bateau à Gilimanuk.

Bus

Départs quotidien de la gare d'Ubung pour :
– *Surabaya :* en fin de journée.
– *Malang :* en fin de journée.
– *Jogja et Solo :* début après-midi et soir.
– *Semarang :* début après-midi et soir.
– *Jakarta :* le matin tôt.
– *Bandung :* le matin tôt.
– *Bogor :* le matin tôt.
Pour Jogja, voir les compagnies conseillées dans le chapitre consacré à cette ville. Se renseigner dans les agences pour les réservations et les heures exactes de départ.

SANUR

A 5 km de Denpasar, sur la côte est, cette station fut lancée vers les années 30 par quelques artistes européens comme le peintre belge Le Mayeur. La plage était belle et l'endroit désert, les Balinais croyant cette côte hantée par le monstre marin de Nusa Penida, l'îlot voisin.

La station prit véritablement son essor au lendemain de la Seconde Guerre mondiale lorsque les architectes dressèrent, avec l'argent des dommages de guerre versés par les Japonais, ce bloc de béton du *Bali Beach Hotel* destiné à recevoir les touristes américains fortunés. Maintenant, la plage n'est plus, sur toute sa longueur, qu'une succession d'hôtels luxueux qui, fort heureusement, sont d'une architecture plus discrète. Ils ne doivent, en aucun cas, dépasser la hauteur des cocotiers.

Sanur fut longtemps réputé comme l'endroit le plus chic de l'île ; ce qui n'est plus le cas depuis la création des zones touristiques de Jimbaran et de Nusa Dua. Kuta étant devenue une véritable kermesse géante où l'on a l'impression d'être n'importe où, sauf à Bali, il est temps de redécouvrir les charmes de Sanur, d'autant que la plage, protégée par une barrière de corail, a le gros avantage de ne pas être dangereuse.

L'endroit est certes plus cher que Kuta ou Legian mais nous avons déniché quelques adresses qui permettent de séjourner ici, au calme, à proximité des somptueux palaces nichés au cœur d'une végétation exotique.

Adresses utiles

– **Post Office :** jalan Segara.
– **Téléphone public :** près du carrefour Sindhu.
– **Poste de police :** jalan By-Pass.
– **Stations d'essence :** sur la route de Denpasar et sur celle de l'aéroport.
– **Super Market :** jalan By-Pass Ngurah Rai. On y trouve de tout. Le plus cocasse reste les Balinais en sarong de cérémonie poussant leur caddie.
– **Banques et bureaux de change :** à l'intérieur des hôtels *Hyatt* et *Bali Beach*. Nombreux *money changers* un peu partout, principalement dans la Tanjung Sari. Le cours est toujours affiché à l'extérieur.
– **Agence de voyages :** *Bil Tours*, jalan Tanjung Sari, Po Box 110, Denpasar. ☎ 884-34. Télex 351-59. Demander le correspondant de *Jet Tours* et *Jumbo*, qui parle le français.
– **Librairies :** *Sanur Book Shop* et *Family Book Store* sur jalan Hyatt.
– **Location de voitures :** *Bali Car Rental Service*, 17 jalan Ngurah Rai. ☎ 883-59 et 885-50.
– **Pharmacie :** à l'angle de jalan By-Pass et jalan Segara, près du carrefour.
– **Alliance française :** 3 jalan Hang Tuah (Bundaran Renon). ☎ 885-37. Près du Mondee, sur la route de Sanur à Denpasar.
– **Garuda :** dans les hôtels *Bali Beach* (☎ 882-43) ou *Sanur Beach*.
– **Assurances :** *Aken Life,* sur la route du Segara village.
– Pour une remise en forme, offrez-vous une séance de massage chez un masseur aveugle installé en face de l'hôtel Gazebo, indiqué par l'enseigne « Refleksi pijat pertuni and Iwapi ». Beaucoup plus sérieux que ce qui vous est proposé sur la plage.

Où dormir ?

Prix moyens

■ **Ananda Hotel :** 1 jalan Pantai Sanur. ☎ 883-27 et 887-13. 18 chambres dotées de ventilateur et de salle de bains (eau froide). Chaque chambre est décorée d'une peinture balinaise. Celles du premier étage sont un peu plus chères mais encore plus agréables. La mer est à quelques mètres. Accueil sympathique. Le petit déjeuner n'est pas inclus dans le prix de la chambre. Bar et restaurant.

■ **Home Stay Agung Swe Watering Hole :** jalan Sanur. ☎ 884-18. 13 chambres impeccables réparties dans des bungalows derrière le restaurant du même nom. Très propre et bien tenu par une famille chinoise. Nourriture bon marché.

■ *Wirasana Hotel :* 126 jalan Danau Tamblingan. Un peu en retrait de jalan Tanjung Sari, avant le Swastika cottage. ☎ 886-32. Chambres à des prix variant selon le confort. Elles sont très propres. Ventilo. Douche froide. Les serviettes de toilette sont fournies et changées régulièrement. Bons petits déjeuners. Bon accueil.

■ *Kalpatharu Hotel :* jalan Tanjung Sari, face au Tanjung Sari Hotel. Établissement de 8 chambres situé dans un jardin, derrière le restaurant du même nom. Certaines chambres ont l'air conditionné, les autres des ventilateurs. Elles sont très correctes et possèdent de belles salles de bains. Central et d'un prix raisonnable. Carte VISA acceptée.

Plus chic

■ *Taman Agung Beach Inn :* Batujimbar. ☎ 885-49. Un peu avant le Bali Hyatt, côté opposé. 14 chambres dans des bungalows construits dans un magnifique jardin. Trois catégories de prix : chambres avec air conditionné, avec ventilateur et eau chaude, ou avec ventilateur et eau froide. Belles salles de bains. L'ensemble est admirablement entretenu et le prix très raisonnable.

■ *Alit's Beach Bungalows :* jalan Sanur (la rue qui longe le Bali Beach quand on regarde la mer). ☎ 885-67. 98 chambres de style balinais dans des bungalows, au milieu d'un immense jardin tropical. Piscine. Accès direct à la plage. Tennis. Minigolf. Squash. Plus cher que le précédent mais toutes les chambres ont l'air conditionné et la mer est à côté.

■ *Gazebo Cottage :* jalan Tanjung Sari. ☎ 883-00. Ensemble de maisons balinaises éparpillées dans un somptueux jardin. 51 chambres avec air conditionné dont 17 sont de véritables maisons à trois étages reliées par un escalier intérieur. Plus chères que les précédentes. Le tout a un charme fou. La plupart des maisons sont différentes mais toutes meublées avec beaucoup de goût. Ne pas se laisser refiler une chambre en dur au même prix. Bon restaurant correct et pas cher donnant sur la mer. Plage privée, piscine. Le prix est encore raisonnable, compte tenu du cadre et de la qualité des services.

■ *Semawang Beach Hotel :* jalan Cemara Beach. ☎ 886-19 et 887-61. Coincé dans un petit chemin menant à la plage, entre le Sanur Beach et le Santrian (deux palaces). Une quinzaine de chambres propres sur deux étages, avec plantes, oiseaux, piscine (enfin, minuscule !). Le prix est moins élevé si vous réservez depuis l'aéroport. Bien situé.

■ *Santai Hotel :* jalan Batu Jimbar. ☎ 873-14. Entre le Bali Hyatt et la Taverna. Bel hôtel hyper propre avec piscine. Faites baisser le prix si vous y séjournez.

Vraiment très chic

■ *La Taverna :* jalan Tanjung Sari, à côté du Gazebo. ☎ 884-97 et 883-87. Fax : 871-26. Un établissement exceptionnel par son charme, la beauté de son jardin et le raffinement de son décor. Dans les chambres extrêmement confortables sont rassemblés de vieux meubles et des collections d'objets balinais rares. Chacune de ces chambres a un style différent. Les suites, dans des maisons individuelles, sont exceptionnelles. Grande recherche de détails jusque dans les salles de bains où les baignoires sont parfois de petites piscines incrustées de coquillages. Piscine et plage privée. Un endroit inoubliable. Les prix sont en conséquence. Une adresse de rêve pour ceux qui en ont les moyens. Bien préférable aux usines à touristes qui l'entourent. Malheureusement le restaurant n'est plus ce qu'il a été et ses prix sont injustifiés. Accès direct à la mer.

■ *Santrian Beach Bungalows :* PO Box 55, Sanur, Denpasar. ☎ 881-84. Fax : 881-85. Construction récente et architecture traditionnelle balinaise. Jolie piscine, au bord d'une plage privée. Beau jardin tropical. Trois catégories de chambres selon vos moyens : standard, supérieure ou bungalows. Toutes avec A.C., bains privé et terrasse individuelle. Plusieurs restos. Vendu en France par Asia et Jumbo.

■ *Surya Beach Hotel :* jalan Mertasari, PO Box 476, Sanur. ☎ 888-33. Fax : 873-03. Tout au sud de Sanur, dans l'un des endroits les plus calmes de la ville. Grande plage entourée de cocotiers. 196 chambres dans des bungalows de 1 ou 2 étages, d'architecture locale. Terrasse privée ou balcon, bains avec douche ou baignoire, A.C., téléphone. Room service et resto 24 h sur 24. Superbe piscine et tennis éclairé. Chambres standard, superior ou de luxe. Gratuité pour les enfants de moins de 12 ans. Prix d'un 3 étoiles en France.

Où manger ?

Bon marché

● Partout de petits **warungs,** ces restaurants ambulants qui servent pour quelques roupies des soupes et des plats de cuisine locale. Vous trouverez aussi quelques adresses servant uniquement du *nasi goreng* ou des *sates* que l'on accompagne d'un verre de thé. Souvent elles n'ont pas d'enseigne mais vous verrez les locaux, entre autres les chauffeurs de taxi, s'y restaurer.
● **Warung Aditya :** jalan Bali Hyatt, face au Santrian. Une adresse simple où l'on mange correctement pour un prix très raisonnable.
● **Jawa Barat :** jalan Sanur Beach Hotel. Resto probablement le moins cher de Sanur. Bonne cuisine locale. Accueil sympa.
● **Sakura restaurant :** 37 jalan Hang Tuah. Presque en face de la route qui mène au Bali Beach Hotel. Bonne cuisine. Accueil sympa et le serveur parle le français.

Prix moyens

Les restaurants se succèdent tout le long de la jalan Tanjung Sari, proposant des plats similaires à des prix souvent identiques. C'est le décor qui fait la différence. Beaucoup n'ouvrent que le soir. Ils pratiquent tous la *free transportation* (« transport gratuit ») sur Sanur et disposent donc d'un véhicule pour vous raccompagner.

● **Grey Hound :** jalan Tanjung Sari, à côté du Ronny's et du Oka's. Ouvert de 8 h jusqu'au départ du dernier client. Décor simple et plutôt banal. Petit déjeuner bon marché. Grand choix de toutes sortes de plats.
● **Kalpatharu :** jalan Tanjung Sari, face au Tanjung Sari Hotel. ☎ 884-57. Ouvert midi et soir. Les tables sont réparties dans un grand jardin. Le décor est très agréable et on y mange une bonne cuisine à un prix très raisonnable.
● **Umasari :** jalan Tanjung Sari. ☎ 887-51. Petite salle au décor simple donnant sur la rue. Plusieurs menus au choix ou à la carte. Le lundi, à 19 h 30, legong, et le jeudi danse des masques.
● **Oka's :** jalan Tanjung Sari. Ouvert de 7 h du matin à 24 h. Décor assez sophistiqué mais très réussi. Grand choix d'apéritifs et de cocktails. Réduction sur les boissons de 18 h à 19 h. Orchestre le soir.
● **The Corner :** jalan Tanjung Sari. ☎ 884-62. Ouvert de 8 h à 22 h. Grand choix de plats européens ou asiatiques. Poisson et fruits de mer.
● **Dulang :** jalan Tanjung Sari, face à l'hôtel Santrian Beach Bungalows. Bonne cuisine indonésienne. Excellent Rijstaffel.

Plus chic

● **Melanie :** 174 jalan Danau Tamblingan. ☎ 880-20. En face de l'hôtel Hyatt. Tenu par une Française, qui propose aussi bien des plats indonésiens qu'occidentaux : T-bone steaks entre autres. Attention, le prix des vins est exagéré. Ils viennent vous chercher gratuitement à votre hôtel sur simple coup de fil.

● **Kulkul :** jalan Tanjung Sari, face au Penida View Hotel. ☎ 880-38. Ouvert de 18 h à 22 h. Beau décor balinais. On dîne au milieu d'un jardin. Là aussi une bonne adresse avec des spécialités de poisson et fruits de mer.

Beaucoup plus chic

● **Buffet du Bali Hyatt :** de l'avis d'Européens établis à Bali, c'est peut-être la meilleure table de l'île et tout compte fait pour le prix d'un resto moyen chez nous. Alors, allez-y au moins une fois. Les fauchés éviteront de prendre du vin car ce liquide augmente le taux d'alcoolémie et surtout l'addition.
Bon, il faut y aller absolument le soir. On dîne sur une esplanade dans un merveilleux jardin tropical, tout éclairé. Somptueux spectacles de danses balinaises, au cours du repas ; comme le buffet est à volonté, vous aurez une vue d'ensemble sur toute la cuisine balinaise, notamment des plats assez difficiles à trouver dans les restos modestes (le fameux *baby guling* entre autre). Les desserts sont à se damner. On ne vous en dit pas plus. Et on ne fait pas cette pub parce que papa est le proprio.

Où boire un verre ?

La plupart des grands hôtels pratiquent le *Happy Hour* (cocktails à moitié prix, entre 18 h et 19 h). Essayez le *Corohead* et le *Big Bamboo* qui sont déments.

Distractions

– Nombreux spectacles de danse organisés par les hôtels. Les billets sont vendus sur la plage et dans les rues.
- *Discothèques :* le *Number One* à Batujimbar. ☎ 880-97. Transport gratuit. Tenue très correcte exigée à l'entrée. Assez cher. Sinon, le *Subec,* jalan Tanjung Sari, ou le *Mata Hari,* night-club de l'hôtel Hyatt (droit d'entrée élevé).

A voir

▶ *La plage :* immense et peu profonde. Absolument aucun danger pour les enfants, mais quasiment impossible de nager, surtout à marée basse. Beaucoup de chiens. Aspect de la mer peu propre : les ordures sont enterrées dans le sable. Tapis d'herbes marines avec oursins et morceaux de corail en prime. Très jolies barques de pêcheurs à balancier, les *prahus,* à bord desquelles il est possible d'effectuer des promenades en mer. Parachute ascensionnel et ski nautique, si vous en avez les moyens. Pour la bronzette, dérouler sa serviette de plage, de préférence devant un grand hôtel surveillé, ce qui découragera les vendeurs ambulants. La population qui ramassait auparavant les coraux préfère maintenant proposer aux touristes des copies de montres de marques célèbres, des coquillages, des sarongs, des massages, des boissons, etc. Admirez les cerfs-volants. Certains, de la taille d'un aigle, sont de véritables œuvres d'art.

▶ *Le Mayeur Museum :* prendre jalan Sanur puis tourner sur la droite en arrivant à la mer. Ouvert de 8 h à 14 h (jusqu'à 11 h le vendredi). Fermé lundi. Le Mayeur était un peintre belge qui vécut dans cette maison, décorée de meubles balinais, jusqu'à sa mort en 1958. Mais depuis sa disparition et celle de sa femme, l'ensemble, qui appartient à l'État, est un peu à l'abandon.

▶ Nombreuses promenades possibles à bicyclette ou à pied dans la campagne et les cocoteraies, en prenant toujours soin de s'éloigner de la mer et de la zone des grands hôtels.

▶ *Marché local pittoresque :* au carrefour Sindhu. Pour les lève-tôt, car il se déroule de 6 h à 8 h. Si vous arrivez après, il ne reste rien à voir.

Quitter Sanur

Pour aller à Denpasar, prendre les bemos bleus, ou à défaut les verts, qui vont à la station de Kreneng. Le dernier passe vers 18 h. A Kreneng, de petits bemos à trois roues desservent les autres gares.

KUTA ET LEGIAN   IND. TÉL. : 0361

Au début des années 60, Kuta, à 9 km au sud de Denpasar, était un endroit désert où l'on trouvait difficilement à se restaurer. Ceux qui voulaient y séjourner devaient se contenter de modestes chambres louées par les quelques habitants du village. Legian n'était qu'un petit hameau, à l'autre extrémité de cette plage, la plus belle de l'île, et que les Balinais connaissaient bien pour les couchers de soleil. Ils y venaient aussi parfois en procession, pour disperser dans la mer les cendres d'un défunt.
Aujourd'hui, Kuta et Legian ne forment plus qu'une seule et même ville, et la route qui les relie est bordée de magasins, de restaurants et de bars. Les premiers hippies qui découvrirent Kuta ne reconnaîtraient plus rien. Les agences de voyages leur ont succédé avec beaucoup d'efficacité. Le piéton qui rentre de la

plage devra slalomer jusqu'à son losmen entre les vendeurs de montres, de bracelets, de bijoux... et les voitures qui encombrent la rue. Les sorties de plage à Kota, c'est Saint-Trop le 15 août à 18 h !

Chaque année, cette Babel du tourisme ne cesse de s'étendre. On a rasé les anciennes maisons et les jardins. Le terrain vaut cher. Il faut le rentabiliser. Alors, on a construit n'importe quoi et n'importe comment. Malgré cela, la capacité d'accueil est insuffisante et souvent y trouver un lit relève de l'exploit. La moyenne d'âge des estivants monte avec les prix. Toutes les monnaies sont acceptées et les cartes de crédit deviennent une formule magique permettant de tout s'offrir.

La plage est fermée par des barrières métalliques ! Il faut prendre son ticket pour aller voir le soleil se coucher ! Les arbres qui en faisaient tout le charme et procuraient un peu d'ombre ont été arrachés...

Kuta et Legian ne vivent plus que du tourisme. Ce n'est plus Bali mais une station où les vacanciers du monde entier se retrouvent pour célébrer ensemble la grande kermesse des vacances. En cherchant bien, on y trouvera encore quelques Balinais (tous commerçants), des offrandes avec des bâtonnets d'encens (devant les portes des boutiques) et on y entendra le son discret d'un gamelan vite couvert par les pétarades des motos et les hurlements de la stéréo.

Il faut avoir vu Kuta mais savoir aussi quitter à temps cette foire de l'exotisme si on veut vraiment connaître Bali. Ceux qui préfèrent un séjour plus tranquille iront à Candi Dasa ou Lovina Beach. Mais Kuta et Legian possèdent la plus belle plage de l'île assurément. Elle s'étire sur plusieurs kilomètres, très large, rythmée par de grosses vagues (danger, on se répète !) qui font la joie des surfers, et ressemble étrangement aux plages de l'Atlantique en France.

Vols, brigandage

En raison de la concentration touristique, Kuta et Legian sont le terrain de prédilection des Indonésiens ne pouvant espérer un même niveau de vie, et des touristes fauchés qui choisissent le vol et la prostitution. Redoubler de prudence, principalement le soir. Losmen visités. Agressions sur la plage, la nuit, et dans les endroits déserts. Pas de parano toutefois, ce n'est pas encore Chicago.

Adresses utiles

- *Tourist Information Office :* à l'angle de la jalan Airport Ngurah Rai et de la rue qui prolonge la jalan Bakungsari. Un autre bureau au bout de jalan Bakungsari, au milieu de l'Art Market (Pusat Pasar Seni). Ouvert jusqu'à 11 h. Un tuyau : quand vous verrez dans les agences de voyages une date de crémation, demandez au Tourist Information où elle se trouve. Vous pourrez ainsi y aller par vos propres moyens sans passer par les agences.
- *Police :* jalan Ngurah Rai (route de l'aéroport). En cas de vol ou d'accident.
- *Médecins :* renseignez-vous dans les grands hôtels. Ces médecins sont plus chers mais parlent l'anglais et prescrivent des médicaments connus.
- *Pharmacie :* 2 ou 3 boutiques dans le centre.
- *Post Office :* jalan Ngurah Rai, en allant vers l'aéroport. Ouvert du lundi au jeudi de 8 h à 14 h, le vendredi jusqu'à 11 h et le samedi jusqu'à 12 h 30. Fermé le dimanche.
- *Poste restante :* Postal Service, jalan Melasti, Legian Kuta, Bali. Fonctionne bien.
- *Téléphone et télégramme :* jalan Pantai, à la sortie de Kuta en allant vers Denpasar. Centre téléphonique également au tout début de la plage de Kuta, sur la plage même. Ouvert tous les jours de 8 h à 23 h. Peu de monde. Autre poste sur la plage de Kuta, à 20 m à droite de l'entrée. Les 3 minutes y sont moins chères qu'à Ubud. Pas d'attente.
- *Masaja Bank :* jalan Ngurah Rai, en allant vers l'aéroport. Ouvert de 7 h à 16 h et le dimanche de 7 h à 12 h.
- Nombreux *money changers* en ville, ouverts tous les jours. Comparez les taux de change qui peuvent varier d'un point à un autre.
- *Livres d'occasion à Kuta :* Sriyani, sur jalan Kuta. Surtout des livres de poche et des policiers.

- **Livres d'occasion à Legian** : *Sunset Book Shop,* jalan Padama, dans un renfoncement de la rue. Pas mal de choix de bouquins français. Bon marché et patron adorable. Autre *Book Shop* dans le Night Market.
- **Garuda Office** : au *Kuta Beach Hotel,* au bout de jalan Kuta (en allant vers la mer). ☎ 511-78 et 79. Ouvert de 7 h 30 à 16 h 30 du lundi au vendredi ; samedi, dimanche et fêtes, de 9 h à 13 h. Le responsable, Wayan Subagia, parle un peu le français. L'agence principale se trouve jalan Airport Ngurah Rai, pas loin de l'office du tourisme.
- Pour louer un moyen de transport (y compris bus) ou réserver une chambre d'hôtel, aller au **Perama Tourist Office**. Il offre des réductions équivalentes à celles obtenues après un marchandage serré et les hôtels qu'il propose appartiennent à toutes les catégories. Plusieurs lecteurs se plaignent du mauvais état des véhicules loués par Graha Wisata, 60 jalan Legian.
- **Surya International** : jalan Legian. Une bonne agence pour ceux qui veulent voyager en tour. Made Rena vous y accueille très bien et consent, en discutant, à vous baisser le prix d'un tiers.
- Superbe piscine au **Legian Beach Hotel**.

Location de vélos ou de motos

Si vous restez entre Kuta et Legian, le vélo est suffisant et ne vous coûtera pas grand-chose.
Pour se promener dans l'île, la moto est un moyen fantastique... mais dangereux. Il existe de nombreux loueurs de motos à Kuta ou Legian. Les losmen en ont souvent pour leurs clients. Vérifiez le contenu du réservoir, car certains loueurs indélicats trafiquent la jauge.

Où dormir ?

Les losmen se multiplient, il est difficile de donner la préférence à l'un ou à l'autre car lorsque vous arriverez, vous vous apercevrez qu'il s'agit plus de trouver de la place que de faire son choix. Et puis, ils se valent à peu près tous. Si nous avons un seul conseil à vous donner, eh bien, allez dormir le plus loin possible dans Legian. Les losmen y sont nombreux mais deviennent aussi fréquentés que ceux de Kuta.
Ils sont, à peu de chose près, très semblables aux niveaux prix et propreté. Legian se compose de deux rues parallèles se dirigeant vers la mer.
Un second conseil : ne cherchez pas un losmen avec vos bagages. Déposez-les en consigne dans un losmen qui affiche complet ou dans une boutique en leur disant : *nitipini,* ce qui signifie « je vous laisse cela, gardez-le moi ». En juillet et août, plusieurs heures sont parfois nécessaires pour dénicher une chambre. S'y prendre tôt le matin.

A KUTA

Bon marché

■ **Bamboe Inn** : au début de jalan Bakungsari. En plein centre de Kuta, mais très calme car situé dans une petite ruelle où les voitures ne passent pas. Les chambres donnent sur un patio très fleuri. L'ensemble se dégrade et la chaleur est parfois insupportable avec les toits de tôle au-dessus des chambres.
■ **Nagasari Beach Inn** : jalan Bakung Sari. Près de la plage. Prix doux. Petit déjeuner compris.
■ **Surfers Paradise** : au croisement de la route principale de Kuta et de jalan Melasti. ☎ 511-03 et 519-22. Agréable losmen en retrait du bruit. Chambres donnant sur un beau jardin. Attention, cependant, école à proximité. Surtout calme pendant les vacances scolaires.
■ **Puspa Beach Inn** : jalan Bakungsari. Assez simple mais matelas mousse, douche privée et ventilateur. En plein centre mais éloigné du bruit. Breakfast compris dans le tarif.
■ **Tamansari Cottages** : chez M. Stroethoff, jalan Legian 12ᵉ Popieslane. ☎ 518-92. Un peu cher mais cadre très agréable. Chambres avec douches et toilettes. Tenu par un Hollandais très sympa. En pleine verdure, calme.

■ *Yulia Beach Inn :* au bout à gauche de la jalan Pantai Kuta. Très propre, bungalows agréables et bien ventilés. Patron sympa. Coffre pour y laisser passeport et argent.

■ *Artawan losmen :* jalan Poppies land II. 23 chambres correctes avec salle de bains. Ventilo. Deux catégories de prix. Petits déjeuners copieux.

■ *Gora Beach Inn :* jalan Legian, Gang Poppies land II. Calme et propre. Chambres avec salle de bains. Jardin agréable. Coffre-fort individuel.

Plus chic

■ *Yasa Samudra :* au bout de jalan Pantai Kuta. ☎ 513-05. A ne pas confondre avec le Legian Sari Yasa Samudra qui se trouve un peu plus loin. C'est l'hôtel avec piscine (une pour les enfants, une autre pour les adultes), donnant directement sur la mer, certainement le moins cher de Kuta. Bien sûr, contentez-vous d'un bungalow avec ventilateur. Salle de bains privée avec douche. Pas d'eau chaude. Restaurant donnant sur la plage. Coffre-fort.

■ *Ida Beach Inn :* dans une ruelle entre jalan Pantai Kuta et jalan Bakungsari. ☎ 519-34. A 3 mn à pied de la plage surveillée. Même l'entrée, typiquement balinaise, est superbe. Piscine. Essayez d'avoir un de ces bungalows où la décoration locale a été particulièrement respectée (chambres n°s 16, 20, 21, 34 ou 35). Restaurant. Certains bungalows ont l'air conditionné. Vendu en France par *Voyageurs en Indonésie* (adresse au début du guide).

■ *Melasti Bungalows* (ne pas confondre avec le *Melasti Beach Bungalows*), tout à côté de l'Art Market, à la sortie sud de Kuta. ☎ 510-66. Charmants bungalows encore de style traditionnel dans un joli jardin tropical, entièrement clos de mur. Ventilateur. Accès gratuit à la piscine de l'hôtel d'à côté.

■ *Walar :* dans la ruelle du Poppies, un peu plus près de la mer. Les bungalows sont impeccables. Construction récente. Salle de bains individuelle. Petit déjeuner compris. Très propre et calme.

■ *Kuta Cottages :* au bout de jalan Bakungsari. ☎ 511-01. A 50 m de la mer et à deux pas du marché. Vaste complexe hôtelier avec 5 types de cottages. Pour la catégorie la moins chère, ventilateur et salle de bains privée. Deux piscines (adultes et enfants). Excellent rapport qualité-prix. Bungalows spacieux et calmes.

■ *Bali Summer Hotel :* 38 jalan Pantai Kuta, à 100 m de la plage dans la rue commerçante. ☎ 515-03. Ne pas se fier à l'aspect extérieur du bâtiment. Cadre superbe à l'intérieur : jardin, fleurs et fontaines. Piscine très agréable. Excellent rapport qualité-prix. Équivalent de 150 F la nuit.

A LEGIAN

Bon marché (sur le côté gauche de jalan Melasti)

Jalan Melasti est la rue conduisant au Legian Beach Hotel.

■ *Suratha :* prendre la ruelle juste en face de l'entrée du Legian Beach Hotel. Petite salle de bains privée avec douche. Ventilo. On vit au milieu des enfants et de la famille. A 3 mn de la mer.

■ *Adus :* Melasti Street, prendre la rue à droite après le Legian Garden, c'est à 300 m à droite. Assez calme. On est seulement réveillé par le chant du coq. Chambres sans charme particulier, sous les cocotiers. Deux bungalows sont d'une architecture plus balinaise. Douche privée, et certains matelas sont en mousse. L'un des moins chers de Legian Beach. A 5 mn de la mer. Thé à volonté. Petits déjeuners un peu justes.

■ *Loji Garden :* jalan Legian, presque à l'angle de Melasti Street. ☎ 515-72. Dans un jardin avec des chambres en duplex. Vue sur le jardin et la piscine. Plus cher que les précédents.

■ *Three Brothers II :* en face de Melasti Street. Agréables bungalows, dont certains (pour 4 personnes) sont équipés d'une cuisine.

Plus chic

■ *Bruna Beach Inn :* ☎ 515-65. Trois types de prix qui restent néanmoins abordables, mais bien se les faire préciser à l'arrivée. Ventilateur. Salle de bains privée avec douche. Accès direct à la mer. Le resto est très bien. Bon accueil.

Bon marché (sur le côté droit de jalan Melasti)

■ *Puri Damai Cottage :* Padma Street. ☎ 517-23. Chambres avec ventilateur, salle de bains. Bungalows individuels avec terrasse, disposés en carré autour de deux fontaines. Serveurs sympa. Petit déjeuner inclus.

■ *Madia Beach Inn :* bien tenu, mais ni salle de bains ni ventilateur. Le patron a un goût très prononcé pour les couleurs vives. Le tout est très correct. A 200 m de la mer.

■ *Suri Wathi Beach Home :* isolé au fond d'un champ planté de cocotiers. A l'entrée, deux superbes rangées de buissons. Accueil sympa, mais moyennement propre. Salle de bains privée avec douche. Ventilateur.

Plus chic

■ *Ady's Inn :* au bout du chemin, 50 m après Sorgia Beach Inn. Maison particulière autour de laquelle, dans un généreux petit jardin, sont alignés des bungalows de 2 types. Les premiers en bambou, tout simples mais avec douche, et les autres impeccables, tout blancs, grands et soignés. Salle d'eau dans le fond, avec grande baignoire (mais pas d'eau chaude). Prix honnêtes pour la prestation. Coffre-fort.

■ *Sorgia Beach Inn :* chambres donnant sur un ravissant jardin planté de bananiers et d'hibiscus. Salle de bains privée avec douche. Ventilateur. Piscine en construction. Coffre pour vos valeurs. A peine plus cher que les précédents. Dommage que l'établissement se dégrade un peu. Petit déjeuner copieux. En indonésien, *sorgia* signifie « paradis ».

■ *Ayudia :* encadrant un jardinet, chambres assez petites et un peu les unes sur les autres. Ventilo. Choisir les chambres éloignées de l'entrée. Moins bien que Ady's Inn.

■ *Johnny Inn :* jalan Padma (rue au nord de jalan Melasti). Bungalows à air conditionné assez chers. En revanche, quelques chambres sans charme avec ventilateur pas vraiment bon marché. A 3 mn à pied d'une plage surveillée.

■ *Matahari Bungalows :* jalan Legian. ☎ 516-16. Cadre reposant dans un jardin exotique. Service chaleureux. Chaque chambre dispose d'un meuble fermant à clé. Un peu cher.

■ *Bali Niksoma :* donne directement sur la plage. ☎ 535-87. 42 chambres en tout, dont 14 avec ventilateurs qui sont encore abordables. Celles avec air conditionné sont chères. Piscine et jardin à quelques mètres de la mer. Souvent complet avec des groupes.

■ *Blue Ocean :* au bord de la plage. Très loin dans Legian, un peu isolé de tout, et il n'y a pas de bemos collectifs. Ils disposent aussi de quelques paillotes bon marché. Le resto du même nom appartient à un autre propriétaire.

■ *Baleka Beach Inn :* ☎ 519-31. Encore un tout nouvel établissement de 38 chambres à un prix raisonnable. Salle de bains privée. Ventilateur. Plage à proximité.

Encore plus chic

■ *Legian Garden Cottage :* ☎ 518-76. Très loin dans Legian, à côté du « Double 6 ». Cadre magnifique. La piscine est une réussite comme tout l'ensemble d'ailleurs. Bravo au décorateur. 25 chambres très confortables dans ce bel établissement rénové.

Où manger ?

A KUTA

Les restaurants sont nombreux à Kuta. Il est difficile d'en conseiller certains car ils peuvent évoluer très rapidement. Il suffit que le patron change (ou le cuisinier) et tout peut se casser la figure. Sinon, on mange bien à Kuta. Très bien même. De la cuisine indonésienne ou européenne, histoire de se refaire une santé.

● *Night Market* (*Pasar Malam*) : grand panneau indicateur sur la route de Denpasar. A 5 mn à pied du centre. Ouvert seulement le soir. Plusieurs restos particulièrement bon marché. Certaines échoppes en plein air et d'autres en dur. On est certain d'y manger des plats indonésiens (*gado-gado, babi guling* et poisson notamment). Très agréable de dîner dans cette ambiance, à la lumière des lampes à acétylène.

● *Le Mini jalan Legian :* comme son nom ne l'indique pas, immense restaurant. Les cuisines sont à l'entrée et vous pouvez choisir votre poisson dans le vivier. Langoustes assez chères. Bonne cuisine chinoise et européenne. Derrière les cuisines, pour entrer dans la grande salle, vous passez sur un pont qui traverse un petit bassin où vivent les poissons destinés à votre assiette. Un inconvénient, malgré les ventilos, il fait très chaud dans cette grande salle.

● *Gemini Restaurant :* au début de jalan Bakungsari. Cuisine chinoise et indonésienne. Connu pour ses produits de la mer. D'ailleurs, poissons, crabes et langoustes sont à l'entrée et vous pouvez les choisir. Ensuite, on les grille sous vos yeux. L'un des moins chers de sa catégorie.

● *Dayu I :* jalan Bakung Sari. Très simple mais bon marché. Moins cher que le Dayu 2. Cadre assez agréable. On réussit un peu à s'écarter du bruit de la rue.

● *Dayu 2 :* jalan Buni Sari. Dans le coin le plus animé de Kuta, le soir. Pas cher. Décor bambou, ouvert sur la rue. Canard, poisson grillé, langouste thermidor et une dizaine de plats indonésiens. Souvent complet. Ça se comprend, car excellent rapport qualité-prix-accueil.

● *Bali Indah :* jalan Buni Sari. Poisson et crustacés préparés avec des sauces chinoises. L'endroit pour déguster une langouste à un prix convenable ou des *king prawns* excellentes. Aucun effort de décoration. Tant mieux : tout ce que vous payez se retrouve dans votre assiette.

● *Nagasari Beach Inn :* jalan Bakungsari. Assortiments très variés. Resto indonésien. Excellent accueil.

● *Topikoki :* jalan Pura Bagus Teruna, juste en face de l'hôtel Kuta Palace. ☎ 237-88. A recommander : le pâté et la mousse au chocolat. Le patron est très sympa.

● *Bounty :* jalan Legian. Le galion se remarque de loin ! On se croit sur le Bounty. Bonne cuisine. Ouvert 24 h sur 24. 3 bars sur 3 niveaux. Vidéo toute la nuit. Dément !

● *Made's Warung :* jalan Kuta. Attention, pas d'inscription en devanture et il y a trois autres Made's à Kuta ! Toujours animé, c'est un lieu de rencontre très prisé. Fantastique le soir. Ouvert complètement sur la rue, ce qui permet de voir et d'être vu. On y mange aussi très bien. Goûtez leur *nasicampur*. *Rijstaffel* servi tous les samedis.

● *Warung Indra :* jalan Rum Jungle, Legian Kaja, à droite dans une ruelle juste avant l'entrée de Kuta Palace. Bonnes gambas grillées et délicieuses crêpes aux fruits.

Plus chic

● *Poppies :* dans une petite ruelle donnant sur jalan Kuta. Certainement l'endroit le plus agréable pour dîner. Réserver le matin de préférence ou arriver au plus tard vers 18 h pour avoir une table le soir. On vous sert dans un jardin envahi par les plantes tropicales. Un tas de petits recoins qui donnent une certaine intimité, même si l'endroit est très fréquenté. Une pièce d'eau égaie le tout. En entrée, goûtez à la salade de poisson cru (*sashimi*). Sinon, plats américains (hamburgers, spare ribs). Pour terminer, d'excellents yaourts. Essayez aussi la *pina colada*, somptueusement servie dans une noix de coco sculptée.

A LEGIAN

Pas cher

● *Rainbow :* sur le Night Market, jalan Melasti. Rendez-vous des routards le soir. Carte longue comme le bras. Plats simples et bon marché. Jus de fruits et bières à prix incomparables. Beaucoup de monde et c'est justifié.

● *Dinasty :* sur le Night Market. On l'indique surtout pour ses copieux petits déjeuners les moins chers du quartier. Bon *guacamole* sur toast.

● *Alamo Restaurant :* toujours sur le Night Market. Encore une petite adresse pas chère pour ceux qui en ont assez du Rainbow. Bonnes soupes.

● *Zas :* jalan Legian, juste à côté de Melasti Street. Cuisine indonésienne et européenne. On y trouve même des croissants pour le petit déjeuner.

● *Galith :* Melasti Street, rue à droite après le Legian Garden, à 150 m avant Adus. Bon service et bon accueil. Font aussi location de bungalows. Éviter le restaurant voisin Kupu (mauvais service).

Prix moyens à plus chic

● **Legian Garden :** le long de la rue qui conduit au Legian Beach Hotel. Style paillote ouverte sur la rue. Bons plats indonésiens. Leur spécialité est le *rijstaffel*. Atmosphère agréable, serveurs en costumes balinais, cuisine soignée et délicieuse. Leur poisson au barbecue est une merveille et les autres plats ne sont pas en reste. Certains soirs, folklore indonésien proposé par le patron et ses enfants. Adresse hautement recommandable.

● **Glory :** jalan Legian, à 300 m, à gauche, après jalan Padma. Choisir une table qui donne sur le minijardin. Très belle carte. Plats du jour. Table de poisson et de fruits de mer à l'entrée. Sans conteste le meilleur resto de Legian. *Balinese feast* le samedi soir. *Glory buffet* le mercredi. Uniquement des plats indonésiens servis à volonté. Grand choix de cocktails et d'alcools. Paraît un peu plus cher que les autres, mais pas de surprises : taxes et service sont inclus. Pour les soirs de fête, leur langouste thermidor est un régal, surtout accompagnée du vin blanc maison.

● **Depot Viva :** sur la route reliant Kuta à Legian. Grande salle ouverte. Cuisines indonésienne et chinoise. Assez cher et devenu trop touristique.

● **Norman Garden :** Padma Street. Bon et service agréable. Essayer le *Norman special steak* (viande + poisson + langoustines).

● **Go-Sha :** Melasti Street. A peu près au milieu sur la droite en allant vers la mer. Paillote sur toute la longueur. Bonne cuisine mais pas donnée.

Où boire un verre ?

Ce ne sont pas les endroits qui manquent. Dans ce domaine, les adresses changent vite.

– **Casablanca :** jalan Tegal Wangi. Un endroit branché. Sur deux étages. Les amateurs de bière s'y retrouvent. Beaucoup d'Australiens.

– **Le bar du Poppies** (voir plus haut) : très agréable mais les boissons sont plus chères qu'ailleurs. Drague gentille.

– **Goa :** jalan Legian, après jalan Melasti. Bons cocktails que l'on sirote allongé sur des coussins au fond du bar. Vraiment cool, et pas trop d'Australiens. Filles ravissantes.

– **Pirata :** ouvert 24 h sur 24. C'est là que se retrouvent ceux qui vont jusqu'au bout de la nuit.

– **Gado Gado** et **Double Six :** les 2 boîtes les plus à la mode du coin. Ambiance assurée à condition d'arriver vers 1 h. Fait aussi resto. Bien surveiller son verre : les serveurs ont tendance à tout ramasser même si vous n'avez pas terminé votre consommation. Goûtez à l'*arak madu,* le cocktail local.

Où prendre son petit déjeuner ?

● **Aleang :** au début de la route allant sur Kuta. Tout est prévu pour composer des petits déjeuners somptueux. Les meilleurs yaourts de Kuta.

Achats

Kuta et Legian sont La Mecque du commerce. On trouve de tout. Il faut absolument marchander. Si vous y allez trop fort, les commerçants vous diront *Bankrut*, ce qui a le mérite d'être explicite.

– **Artisanat :** masques, marionnettes, objets en bois, batiks... Tout ceci abonde dans les boutiques, mais certainement à des prix plus élevés que dans les villages. Le mieux est de repérer ce qui plaît puis d'essayer de le trouver au cours de vos balades. Si vous ne trouvez pas, alors achetez à Kuta.

– **Chemises et t-shirts :** choix incroyable. Très bon marché.

– **Autres vêtements :** mesdames, vous serez surprises par les 3 ou 4 couturiers qui ont pignon sur rue à Kuta. Des tailleurs, jupes, corsages très mode, à des prix Tati. Des affaires à faire, le tout très mettable au retour.

Remarque : si vous leur achetez du tissu, la plupart des boutiques peuvent exécuter des vêtements sur mesure. Pensez à apporter un modèle (généralement

une photo leur suffit !). Une bonne adresse parmi d'autres : *Nyoman Selunbung*, jalan Melasti Kuta. Travaille bien, vite et pas cher.
- **Cassettes** : plusieurs magasins vendent des tubes anglo-saxons. Très bon marché mais faites attention à la qualité de l'enregistrement. Voir *Dynasty* sur Bakung Sari. Grand choix. Pas cher et possibilité d'écoute avant l'achat.
- **Développement des pellicules** : plusieurs magasins proposent ce service en 1 h... ou 24 h. Bien moins cher qu'en Europe, d'autant plus que la concurrence est acharnée.

A voir

Une plage magnifique. La mer est extrêmement dangereuse. Se baigner dans les zones surveillées et jamais seul. En dehors de ces zones, se contenter de faire trempette en restant au bord. Les rouleaux sont traîtres et les lames de fond imprévisibles. Noyades trop fréquentes. Ne vous fiez pas aux exploits des surfeurs australiens qui, eux, ont l'habitude.
Ballet incessant des vendeurs qui proposent tout ce que l'on peut imaginer. Le racolage est permanent. Difficile même de photographier un coucher de soleil sans être importuné. Les masseuses se reconnaissent à leurs chapeaux peints en bleu. La municipalité a dû en limiter le nombre en leur donnant des numéros peints sur leurs couvre-chefs. Souvent le même chapeau sert à plusieurs ! Essayer un massage à l'huile de coco. Apaise les coups de soleil.
Le spectacle du soleil couchant commence vers 17 h et dure 40 mn environ. Forcément sublime (certains soirs !).
Le soleil couché, la plage se vide au profit des bars et des boutiques. Parfois, spectacles de danse en fin de soirée. Impossible de les ignorer. Les billets vous seront proposés sur la plage et dans la rue.
La seule curiosité de Kuta est la *pagode chinoise* entourée d'un mur couvert de statuettes peinturlurées et de masques. Dans la rue derrière le marché.

Quitter Kuta et Legian

- **Pour Denpasar** : ballet permanent de bemos.
- **Pour Ubud** : plusieurs liaisons quotidiennes en 1 h, s'il n'y a pas de problème de circulation. L'arrêt se fait au bureau de Perama, à 2 km du centre d'Ubud où des loueurs attendent les clients pour leur proposer des chambres. Service de bemos assuré pour le centre ville. Il est préférable de réserver sa place de bus la veille au bureau de Perama.

LA PRESQU'ILE DE BUKIT

Ce grand morceau de terre est rattaché au reste de l'île par un isthme étroit qui abrite l'aéroport. Vue d'avion, la presqu'île apparaît comme un autre monde, avec son sol calcaire, ses grandes plages et ses falaises. Un autre monde, c'en est un puisque cette péninsule que personne ne visitait auparavant est en voie de devenir un centre de vacances de luxe.
Tout a commencé vers les années 80 avec le projet d'aménagement de Nusa Dua qui ne prévoyait que des palaces regroupés dans cette région pour limiter les dégâts causés par un tourisme de masse. L'opération a réussi. Les milliers de touristes de luxe restent parqués dans les 5 étoiles construits à leur intention. Ce n'est pas un coin pour routard mais il y a cependant des choses à voir. Cette petite balade à travers une végétation pauvre et désolée est idéale pour s'habituer à la moto avant d'affronter la circulation balinaise. Le coin est calme. L'itinéraire au milieu de paysages arides n'a toutefois pas le charme des autres circuits dans l'île.

JIMBARAN

A une dizaine de kilomètres de l'aéroport, dans le prolongement de la plage de Kuta, se trouve Jimbaran. Un charmant petit village de pêcheurs, bordé par une immense plage vraiment tranquille, frangée de cocotiers, où l'on peut nager

sans danger et donc sans Australiens (car, on s'en doute, les surfeurs n'aiment pas l'eau plate).
La route passe ensuite devant les nouveaux bâtiments de l'université de Denpasar. Au croisement, à 2 km environ, tourner à droite pour Uluwatu. Il reste encore 20 km de terrain accidenté à parcourir. Si on a chartérisé un bemo, lui demander d'entrer par le Puri Bali. On accède ainsi directement à la plage. Possibilité d'assister au retour des barques de pêcheurs. Pas de touristes sur la plage. Mais ça « bétonne » tout autour. Nombreux hôtels en construction.

Où dormir très chic ?

■ *Le Relais Pansea Puri Bali :* de superbes petits cottages confortables et climatisés (c'est mieux pour la sieste) construits dans le style balinais : toit de chaume et portes sculptées, le tout dans un vaste jardin tropical face à la plage. Chaque bungalow dispose d'une salle de bains, terrasse privée et A.C. Babysitting. Piscine, tennis, planche à voile : demandez Madé à la réception.
Louez une bicyclette pour découvrir les environs qui valent vraiment le coup.
Réservation à *Asia :* 3, rue Dante, 75005 Paris. ☎ 43-26-10-35.

ULUWATU

Temple à la pointe sud de Bali, connu à la fois pour ses singes et pour son emplacement exceptionnel en haut d'une falaise. Le temple en lui-même n'a qu'un intérêt mineur. Mais la vue est magnifique et considérée comme l'une des plus belles de Bali (donation).
Se méfier des singes « pickpockets » qui dérobent tout ce qu'ils peuvent attraper. Possibilité de se restaurer. Nombreux snacks.
Pour atteindre la plage des Australiens, champions de surf, il faut marcher sur des sentiers tout tracés pendant au moins une demi-heure. Mais ça vaut vraiment le coup. La plage est tout simplement superbe. Vagues immenses. Ceux qui n'aiment pas la marche en plein soleil peuvent louer les services d'une moto-taxi. Le conducteur vous attend sur place pour vous raccompagner. Bien négocier le prix. Pour les amateurs, ne pas oublier son appareil photo ni son téléobjectif. Le spectacle est permanent et les surfeurs les plus doués se donnent rendez-vous ici.
Pour aller à Uluwatu, on vous conseille de partir tôt le matin pour éviter de faire la marche par grosse chaleur. Pas de bemos publics l'après-midi. Seule possibilité, quelques bemos privés plus chers. Les couchers de soleil, vus depuis le temple considéré par les Balinais comme l'un des plus importants, méritent aussi que l'on reste à Uluwatu jusqu'à la fin de la journée.

NUSA DUA

Nouveau village créé sur la côte est de la presqu'île. Tous les grands hôtels récemment construits sont regroupés ici, à côté du *Club Med* qui n'a pas, suivant sa tradition, choisi la plus mauvaise place. Certains établissements peuvent être visités. D'autres sont très surveillés comme le *Beach Hotel* qui accueille les chefs d'État en visite officielle et où séjourna Ronald Reagan.
Le Club Med accepte la réservation de clients, sur place, pour des séjours même courts (week-ends par exemple). Prix très raisonnables, compte tenu du luxe des installations, de l'accès aux activités diverses et de la qualité exceptionnelle de la table. Se renseigner à la réception.
A Nusa Dua, de nombreux sport nautiques proposés dans le coin (parachute ascensionnel, jet ski, ski nautique) à des prix intéressants quand on sait bien marchander.

BENOA

Il y en a deux : le port et le village. Ce dernier, *Tanjung Benoa,* était le plus intéressant mais il a perdu un peu de son caractère avec l'aménagement de la presqu'île. Benoa est célèbre pour ses parcs à tortues sur l'île de Serangan. Certaines, bien nourries, peuvent peser jusqu'à 200 kilos. Leur chair, excellente, est très appréciée, surtout de la communauté chinoise.
A voir au coucher du soleil, quand les pigeons à balanciers rentrent de la pêche, chargées de thon, et que les femmes portent les dits thons sur leur tête jusqu'au marché. Le spectacle des *prarus* (bateaux multicolores de pêcheurs) est

tout simplement inoubliable. Dommage que les moteurs aient remplacé les voiles.

Il est possible de faire un tour en bateau. Arriver avant 9 h. C'est un peu l'arnaque. A faire le matin de préférence.

De Benoa, barque pour l'*île de Serangan* qui a, il faut l'avouer, un intérêt très limité. L'île, très plate, est couverte de palmiers et c'est là que l'on gave les tortues enfermées dans d'étroites maisonnettes où elles se meuvent difficilement dans une eau fétide. D'ailleur les fauchés n'ont pas besoin d'aller sur l'île car on trouve des parcs à tortues près de l'embarcadère.

Où dormir ?

■ *Hassan Inn :* juste avant l'entrée du village, sur la gauche de la grande route du bord de la plage. 10 chambres bien tenues avec salle de bains et ventilo. Prix très raisonnables, petit déjeuner compris.

Où manger ?

● *Jeladi Suta :* à la sortie sue de Benoa. Paillote donnant sur une jolie plage de sable fin. En face, les falaises de l'île de Serangan. Bonne cuisine.
● *Dalang Sea View :* au centre de Benoa, face à la mer. Même qualité que dans le précédent.
– *Éviter le Surya Restaurant,* dans le centre ville, désespérément trop sale.

LE GUIDE DU ROUTARD
« ALPES »
(hiver, été)

SAVEZ-VOUS...

... où dormir dans un superbe chalet pour 40 F la nuit ?
... que, dans le plus haut village d'Europe, des gens vivent encore à l'ancienne, avec leurs bêtes dans la maison ?
... que l'air de Longefoy est très recherché pour la conservation et le séchage des jambons ?
... où l'on parle encore lo terrachu, le patois des contrebandiers ?
... que le glacier de Bellecôte était une propriété privée ?

Les vacances de ski sont certainement les plus coûteuses qui soient ; pas étonnant que depuis des années des centaines de lecteurs nous réclament un tel ouvrage !
Voici donc nos 40 meilleures stations : les plus célèbres côtoient des villages oubliés mais toutes ont été sélectionnées selon des critères très rigoureux : ambiance, prix, type de ski (alpin, fond, été...), vie nocturne, activités d'après-ski, activités sportives, randonnées, etc.
Mais les citadins qui en ont assez d'avoir leur voisin de palier comme voisin de serviette sur des plages bondées où dégouline l'huile à bronzer aimeront aussi ce guide : on y trouve toutes les adresses pour des vacances d'été à la montagne et des itinéraires originaux qui sentent bon le soleil et les alpages fleuris.
Le Guide du Routard des Alpes hiver-été : des coups de cœur et des coups de gueule... En tout cas, le résultat passionnant d'une enquête de six mois, menée par des spécialistes amoureux de la montagne.

– *LES ROUTES DU CENTRE ET DU NORD* –

BATUBULAN

A seulement 8 km de Denpasar. Vous serez accueilli par une armée de monstres : démons, animaux fantastiques, divinités rangés des deux côtés de la route. Ne vous inquiétez pas : ils sont en pierre. Ce sont les dieux protecteurs des autels familiaux que les Balinais achètent pour orner leur temple.

Vous êtes dans le village des sculpteurs de pierre et il est intéressant de voir les jeunes garçons manier le ciseau, parfois dès leur plus jeune âge, avec une habileté surprenante. Souvent, plusieurs sculpteurs travaillent ensemble à la même œuvre ; ils se relaient comme s'il s'agissait d'un travail à la chaîne.

▶ Quelques beaux temples dont le *Pura Puseh*, à 150 m de l'entrée du village. Porte principale magnifique avec tout un panthéon de divinités hindoues voisinant avec un *Bouddha en méditation.*

▶ Pour les touristes, Batubulan est surtout connu par ses spectacles de *barong* qui se déroulent chaque matin à 9 h 30 dans trois endroits différents. Ce sont les mêmes troupes qui tournent et changent de scène chaque semaine. Il s'agit de spectacles destinés aux étrangers et qui n'ont pas, bien entendu, l'authenticité de ceux que l'on pourrait voir (avec un peu de chance) dans un village, lors d'une fête de temple. En contrepartie, vous serez confortablement installé et vous pourrez photographier un spectacle de qualité donné par des habitants qui troquent pendant une heure leur vêtement de travail pour se transformer en sorcière, princesse, clown, ou singe, dissimulant leur véritable visage derrière des masques. Il est recommandé d'arriver au moins une demi-heure avant pour avoir une bonne place. Les billets sont vendus à l'entrée. Dommage que les photographes sans scrupule viennent perturber la représentation en montant pratiquement sur la scène. Ne pas hésiter à les inciter à plus de discrétion.

Nous conseillons d'assister, de préférence, au barong qui se donne, non pas sur la route principale, mais dans une route perpendiculaire sur la droite. Le cadre est plus agréable. La célèbre école de danse Kobar a été transférée de Denpasar à Ubud. Ceux qui voudraient assister à des cours peuvent se renseigner sur place.

CELUK (se prononce Tjeluk)

Après Tegalmatu, la route passe par Celuk, village d'orfèvres connu pour les bijoux en argent réalisés selon de très anciennes techniques. Les jeunes orfèvres travaillent le métal précieux avec des outils on ne peut plus sommaires.

Les bijoux en filigrane surchargés, très prisés des Balinais, risquent de vous décevoir. Certains artistes réalisent cependant des pièces correspondant davantage à nos goûts. Les échoppes des petites rues sont plus intéressantes que celles de la rue principale. Il faut discuter les prix. La tradition se transmet de père en fils depuis des générations. Presque tout le village travaille ou vend de l'orfèvrerie. Nombreuses boutiques tout le long de la route principale. Mis à part les orfèvres, le village ne présente pas beaucoup d'intérêt.

De Celuk, possibilité de gagner la côte, à travers les rizières, en passant par Tebune, Telabah, Pinda et Saba.

BATUAN, GOA GADJA, BEDULU

La route, en direction de Gianyar, franchit un pont avant de traverser *Sukawati* célèbre pour son marché (tous les matins), ses troupes de danse et son école de wayang Gulit.

BATUAN, à quelques kilomètres, est spécialisé dans le tissage, mais possède aussi des écoles de danse et une école de peinture. Cela explique le nombre de boutiques tout au long de cette route.

Après Sakak, la route franchit une rivière maudite. D'après la légende, l'eau avait été empoisonnée par les dieux et, jusqu'au début de ce siècle, on se gardait de l'utiliser même pour l'irrigation des rizières. Toute la région est marquée par les forces secrètes de la magie, puisque le temple de Blabhatuh abrite une monstrueuse tête de pierre, celle de Kebo Iwa, un géant qui aurait construit de nombreux temples dans l'île avant d'être exécuté par les troupes javanaises lors de la conquête de l'île en 1343.

GOA GADJA se signale par un vaste parking et des boutiques de souvenirs. Le site a été mis au jour en 1923. Il a beaucoup de charme quand il n'y a pas de touristes ! Dans un bassin, six statues de femmes laissent échapper un mince filet d'eau de leur vasque. Cette eau est censée vous conserver jeune. N'hésitez pas à vous mouiller le visage comme tout le monde le fait... Nous avons essayé, ça marche !

▶ A côté, la **cave de l'éléphant**, un ancien ermitage. L'entrée de cette grotte représente une monstrueuse tête sculptée de démon dont la gueule ouverte est prête à avaler les visiteurs (entrée payante). A l'intérieur, deux autels avec une effigie de Ganesh, des lingams et des petites niches servant probablement de cellules aux ermites. Ce bel exemple d'art balinais datant du XIe siècle a beaucoup influencé les artisans contemporains de l'île, principalement les sculpteurs.

● Le *resto* est très touristique, plutôt cher et d'un accueil peu sympa.

▶ *Des enfants proposent de vous conduire à Yeh Puluh*, à plus de 1 km de marche dans les rizières, pour voir une étrange fresque qui déroule sur plus de 25 m des scènes n'ayant rien d'épique ni de religieux mais qui évoquent la vie quotidienne. Les figures sont assez abîmées et la visite de Yeh Puluh vaut surtout pour la promenade dans la campagne en compagnie de hordes d'enfants qui cherchent à apprendre quelques mots d'anglais en vous soutirant quelques roupies. L'entrée du site est payante, ce qui n'exclut pas la donation pour l'entretien du site.

BEDULU fut la capitale d'un empire très puissant, ce qui explique les vestiges de son passé historique que l'on peut trouver dans le coin. Ceux qui aiment les records pourront voir à Pejeng la plus grande pièce de métal fondu que l'on connaisse au monde. Elle aurait été fondue avec un morceau de météorite, au IIIe siècle avant notre ère. Ce gigantesque gong, appelé « Lune de Pejeng », est placé sur un autel à plusieurs mètres du sol, dans le *Pura Panataran Sasih*. Un peu décevant pour une pièce unique remontant à l'âge du bronze. Cela prouve que l'on connaissait déjà, dès cette époque, des techniques de pointe. Les Balinais ont une belle légende pour expliquer la présence de ce tambour insolite au milieu de leur village : ce serait la treizième lune (on en connaît douze) tombée un jour du ciel dans un arbre. Elle brillait tellement dans les branches que les voleurs s'enfuirent effrayés. Les pierres, rassemblées dans l'enclos du temple, seraient des étoiles mortes que la lune aurait entraînées dans sa chute.
Toute la région est riche en légendes. A Bedulu, le dernier roi de la dynastie, avant l'arrivée des armées javanaises, possédait des pouvoirs surnaturels, entre autres celui de se faire couper la tête et de se la replacer sans dommages (quelle bonne pub pour la colle machin !). Par malheur, un jour, un serviteur fit tomber la tête dans le ruisseau et ne put la récupérer. Il se précipita alors sur un porc qui passait, le décapita et posa le groin sur les épaules royales. Le monarque ordonna aussitôt, par édit, de ne plus lever la tête vers son auguste personne. Un enfant ne put résister et clama partout que le roi était devenu *Beda Ulu*, c'est-à-dire celui qui change de tête, d'où le nom de la région.

UBUD

Village de peintres et d'artisans, Ubud est le noyau de l'art balinais et le conservatoire des traditions. De nombreux peintres et sculpteurs continuent d'y exercer. Le *legong* y est né. Depuis quelques années, les touristes ont découvert à leur tour les charmes indiscutables de ce gros bourg de près de 8 000 habitants, entouré de rizières, qui a l'avantage d'être à un carrefour à partir duquel on peut rayonner dans toute l'île. Si vous voulez observer la vie des Balinais, assister à des cérémonies, voir des spectacles de qualité, observer le travail des peintres et des sculpteurs, c'est ici qu'il vous faudra passer quelques jours, à l'écart des plages surpeuplées. Ne vous imaginez pas cependant que vous serez seul. Dans la rue principale, on croise plus de touristes que de Balinais. Les plus fortunés ont acheté des résidences secondaires, renouant ainsi avec la tradition des artistes occidentaux qui, depuis le début de ce siècle, ont choisi de planter leur chevalet à Ubud. On les comprend : il est difficile de résister au charme de ce lieu exceptionnel malgré la bonne centaine de boutiques qui se sont ouvertes ces dernières années.

Adresses utiles

— *Office du tourisme Bina Wisata :* dans la rue principale. Ce n'est qu'un petit comptoir en plein air, face au Ary Temple, à proximité du marché ; ouvert de 8 h 30 à 19 h 30, sauf les jours de fêtes balinaises. Personnel compétent. Dès votre arrivée, achetez le plan de la ville, très bien fait, accompagné d'un petit fascicule : le *Bali Path Finder,* plein de tuyaux. Les fêtes, crémations et danses sont affichées à l'office qui vous indiquera aussi les tarifs des bemos publics.
— *Change :* partout des *money changers* avec le cours affiché à l'extérieur.
— *Location de vélos, de motos ou de voitures :* grand choix. Un peu plus cher qu'à Kuta.
— *Post Office :* petit bureau avec poste restante, à l'entrée d'une rue à gauche dans Main Street, en venant de Peliatan.
— *Pharmacie :* sur la route de Penelokan, sur la gauche à 800 m du carrefour d'Ubud. Ouverte de 7 h à 21 h tous les jours.
— *Poste de police :* sur la route de Penelokan.
— *Marché :* tous les trois jours. Très intéressant pour les tissus, les masques et le travail du bois.
— *Confirmation de vols dans les agences :* ne pas attendre le week-end. Il n'y a pas de liaison télex avec Denpasar les samedi et dimanche.
— *Médecin :* Dokter Darwata, sur la gauche avant le pont suspendu. Parle très bien l'anglais et compétent. Consulte sur rendez-vous de 16 h à 18 h. Fournit les médicaments et le reçu pour le remboursement éventuel.
— *Téléphone international, télécopieur et fax :* dans la rue principale, avant le marché de jour. Pour le téléphone, le minimum est de 3 mn. Pour le fax, un tableau prévient les destinataires.
— *Expéditions à l'étranger :* si vous avez des colis encombrants, adressez-vous aux 2 agences de la Monkey Forest Road, à côté du restaurant Denny's. Elles sont sérieuses.

Où dormir ?

On compte désormais plus de 200 losmen à Ubud. Malgré cela, il est parfois difficile d'y trouver une chambre en haute saison. La plupart des losmen se succèdent le long de la rue perpendiculaire à la route principale et qui mène à la Monkey Forest. Cette rue décrit en fait une boucle et revient vers la grande route. Ubud est à la montagne ce que Kuta est à la mer. Les losmen changent terriblement vite. Nous avons classé les établissements en 3 catégories, mais il n'est pas rare qu'ils proposent des chambres dans une gamme de prix très étendue, selon le confort (salle de bains privée ou collective). A Ubud, en haute saison, comme à Kuta, il s'agira surtout d'arriver à se loger plutôt que de choisir la meilleure adresse. En basse saison, vous avez les cartes en main et tout se négocie. Vous découvrirez ici quelques losmen absolument merveilleux, enfouis au fond d'un jardin, avec vue sur les rizières, dans un calme absolu.
Si vous rentrez de nuit à votre hôtel, emportez une lampe de poche, les chemins n'étant pas éclairés.

Bon marché

■ *Jati Home Stay nº 1,* ou *Old Jati* (prononcer Yati) : jalan Pendang Tegal, la rue des peintres, perpendiculaire à la voie principale. ☎ 953-43. Petit losmen de 17 chambres installées dans des maisons balinaises. Vous êtes ici dans l'atelier en plein air du propriétaire, le peintre Madé Jati dont les œuvres sèchent dans la cour. 3 catégories de chambres selon vos moyens. Les moins chères (très bon marché) sont vraiment bas de gamme. Les 10 nouvelles chambres, construites dans des bungalows confortables, donnent sur les rizières. Location de motos, de voitures. Réservation de tickets pour les spectacles. Lingerie. Excellents petits déjeuners. Souvent complet.

■ *Jati Home Stay n° 2 :* jalan Pendang Tegal, mais très loin du précédent. L'architecture est différente. Beaucoup plus récent. 8 chambres au total. Les plus agréables, un peu plus chères, sont au premier. Elles ont toutes des lits à baldaquin. Très calme. Pas de jardin et excentré. Si vous voulez dîner sur place, restaurant avec un décor de bambou. Leur canard est excellent. Petit déjeuner copieux et varié. On peut voir les élèves du peintre Jati travailler dans son atelier couvert. Personnel très serviable.

■ *Jati Home Stay n° 3 :* Monkey Forest Road, à proximité du Wayan Café. Un peu à l'écart de la route. Calme et beaucoup plus central que le n° 2. Plus luxueux aussi. 4 très beaux bungalows donnant sur les rizières.

■ *Kertha Accommodation :* Monkey Forest Road. Encore un atelier d'artiste dans ce losmen de 11 chambres très simples mais propres. Accueil chaleureux. Le petit déjeuner est compris dans le prix, très bon marché. Si vous le désirez, le patron organise des excursions.

■ *Losmen Sustrina :* jalan Pendang Tegal, à 30 m du marché. Petit déjeuner bon et copieux. Accueil chaleureux de toute la famille attentionnée. Central, mais bruyant.

■ *Happy Inn :* c'est le premier losmen de la Monkey Forest Road, sur la gauche. 14 chambres disposées autour d'un patio décoré de plantes tropicales et d'autels votifs où la famille vient prier tous les matins. Accueil très sympa, qui fait oublier la propreté assez moyenne. Adresse pour petits budgets.

■ *Yuni's House :* 4 Karna, derrière le marché. ☎ 957-01. Tranquille, avec beaucoup de végétation autour. Accueil familial.

■ *Agris Home Stay :* 65 jalan Sweta, rue entre le Puri Saren et le Wantilan Hall, juste en face du Tourist Information. A 1 km environ du carrefour. Très calme et agréable. A proximité des rizières.

■ *Gayati Accommodation :* Monkey Forest Road. On entre par un petit temple. Endroit calme avec de grands bungalows équipés de salle de bains. Bon rapport qualité-prix.

■ *Arjana accommodation :* 6 jalan Kajeng, à 200 m de la rue principale, en allant vers la maison du peintre Han Snel's. A ne pas confondre avec Arjana Inn. 11 chambres avec salle de bains dans un jardin. Agréable et propre. Patrons très sympathiques. Excellent rapport qualité-prix.

■ *Rojas Accommodation :* jalan Kajeng n° 1. Dans la même rue mais du côté opposé au précédent. Une adresse où l'on vit avec des Balinais. Très simple. Confort sommaire dans 3 bungalows et 2 chambres qui composent cet établissement très propre.

■ *Adi Pension :* à 200 m sur la gauche, à partir de la route principale après l'entrée du village, sur un chemin de terre. Très calme, verdure, chambres avec douches et w.-c. Bon rapport qualité-prix.

■ *Surawan's House :* jalan Baru Lapomgan Bola, près du Playground, sur la route de la forêt des singes. Propre et calme.

Prix moyens

■ *Mawar Home Stay :* dans la rue principale, en allant vers le nouveau pont, sur la gauche, tout en haut d'un escalier. 5 grandes chambres fermées par de belles portes balinaises. Des peintures accrochées partout. Fait aussi galerie. Accueil charmant. Bon restaurant.

■ *Wayan Munut :* à Campuhan, juste après le pont, tourner à gauche et monter la petite route. 9 chambres très agréables et calmes donnant sur les rizières. Même famille que la Mawar Home Stay. Une bonne adresse assez connue. Souvent complet.

■ *Nick's Pension :* sur la route de la Monkey Forest. Après 300 m, prendre une minuscule ruelle sur la droite (un panneau indique *Oka Wati losmen*). Il faut marcher 5 mn le long des rizières. 8 chambres confortables en brique, un peu sombres mais fraîches. Vue plongeante sur les rizières en terrasses. Les meilleures chambres sont les n°s 3 et 4. Panorama fantastique, loin du vacarme. Recommandé.

■ *Artini Home Stay :* jalan Pendang Tegal, entre les Jati n° 1 et n° 2. Complexe tout nouveau et très agréable, situé directement sur une rizière. Excellent rapport qualité-prix. Le responsable vous donnera de nombreux tuyaux sur les manifestations.

■ *Nuriani :* jalan Pendang Tegal, en allant vers le Jati n° 2 mais avant. C'est aussi tout nouveau et au milieu des rizières avec de belles maisons balinaises. Les vastes chambres tout en roseau tressé sont décorées de meubles en bambou. Les salles de bains sont très réussies et chaque chambre a sa terrasse avec un lit de repos. Pour l'instant, il n'y a que 4 chambres, mais 3 sont en construction. Très bonne adresse, un peu plus chère que les précédentes.

■ *Puri Asri :* juste à côté de Jati, sur la route de la Monkey Forest. ☎ 953-53. 2 bungalows seulement, dans le style balinais de luxe. Salle de bains extra, avec eau chaude et grande baignoire. Terrasse donnant sur le jardin, avec banquette et table. Intime, calme et délicat. Le rêve !

■ *Sehati Guesthouse :* 74 jalan Jembawan. Derrière la poste. ☎ 954-60. Grandes chambres avec terrasse privée. Belles salles de bains avec eau chaude. Petit déjeuner copieux. Personnel serviable.

■ *Indra Home Stay :* 26 jalan Hanuman. Quatre chambres seulement avec salle de bains. Petite cour avec salon de plein air. Possibilité de dîner si l'hôtesse est prévenue le matin.

Plus chic

■ *Sudharsanas Bungalows :* en plein centre, en face du marché, mais assez calme cependant. Jardin. Chambres très propres. Petit déjeuner copieux. Ils ont aussi un bar-restaurant. Cadre exceptionnel. On a l'impression de dormir dans de petits temples balinais. Terrasses individuelles.

■ *Fibra Inn :* Monkey Forest Road, à 1 km du centre dans un coin isolé. ☎ 954-51 et Fax 951-62. 15 chambres avec d'étonnantes salles de bains. Chaque chambre, portant un nom de fleur ou de héros du Ramayana, est décorée avec goût. On y trouve même des fleurs d'hibiscus déposées sur les oreillers. Jardin tropical avec piscine. On vous conduit gratuitement au spectacle dans la voiture de la propriétaire. Une adresse de charme que nous avons beaucoup aimée.

■ *Ubud Inn :* Monkey Forest Road, juste à côté du précédent. 18 chambres réparties dans un beau jardin avec piscine. Style local pour les bungalows en bambou. Là aussi la plupart des salles de bains sont de véritables jardins avec végétation luxuriante. Mêmes prix que le précédent.

■ *Puri Saraswati :* sur la rue principale et en plein centre. Et pour cause, cet établissement qui jouxte le temple royal d'Ubud appartient à la famille princière. Une douzaine de bungalows respectant merveilleusement l'architecture balinaise, au milieu d'un jardin tropical. Dommage cependant qu'on y étale le linge à sécher ! Deux catégories de chambres. Les 5 chambres standard le sont un peu trop et pour le même prix on a beaucoup mieux ailleurs. Les 10 chambres de luxe, nettement mieux, sont parmi les plus chères de la ville. Compter le prix d'un 2 étoiles en France.

■ *Sania's House Bungalows :* 89 jalan Karna, à 50 m derrière le marché et à 50 m de Monkey Forest Road. 7 bungalows de style balinais avec salle de bains et véranda. Jardin agréable. Bon petit déjeuner. La famille Sania est jeune et sympathique.

■ *Puri Garden :* Monkey Forest Road. ☎ 953-95. 8 chambres seulement réparties dans 4 beaux bungalows. En face du Wayan Café.

■ *Penestenan Bungalows :* à Campuhan, un peu après l'hôtel Tjampuhan, emprunter l'escalier sur la gauche. C'est fléché. Impossible d'y accéder en voiture. Après avoir gravi la centaine de marches, tourner à gauche et longer la rizière. L'hôtel est en pleine nature dans un endroit isolé. Lampe de poche obligatoire si vous sortez le soir. Les bungalows construits dans le jardin ont de vastes chambres avec salle de bains et une grande terrasse. Très calme mais un peu loin du centre. Les petits déjeuners pourraient être plus copieux.

■ *Ubud Village Hotel :* Monkey Forest Road, juste avant le Wayan Café. ☎ et Fax : 950-69. 15 très beaux bungalows au milieu d'un magnifique jardin doté d'une agréable piscine. Une excellente adresse. Il est préférable de réserver.

■ *Abangan Bungalows :* dans la rue principale. ☎ 950-82. Une dizaine de bungalows entre rizières et forêt. La chambre est à l'étage sous un toit de paille. Pas d'air conditionné mais la ventilation naturelle permet de profiter de la fraîcheur de la nuit et des bruits de la forêt. Piscine.

Encore plus chic

■ *Cahayada Dewata Country Villas :* à 5 km du centre. Prendre la route du *Museum Neka* et, au premier croisement, tourner à droite en direction de

Payangan. Une petite route sur la gauche conduit à cet établissement exceptionnel par son luxe et par sa situation. Il surplombe la vallée de la rivière Ayung
avec ses terrasses de rizières. Les chambres sont de véritables appartements
meublés avec beaucoup de goût. Étonnantes salles de bains. Jardin. Piscine.
Végétation tropicale. Le restaurant domine tout le paysage ; même si vous ne
séjournez pas dans cet hôtel, venez y prendre un verre pour profiter de sa
situation mais évitez d'y manger car la cuisine est très médiocre pour un prix
plutôt élevé. Les amateurs de beaux paysages et de photos seront comblés.

Où manger ?

Il semble qu'Ubud soit aussi la capitale de la gastronomie ; ce ne sont pas les
bonnes adresses qui manquent. L'une des spécialités du coin est le canard,
qu'il faut généralement commander à l'avance.
Si vous êtes en fin de voyage ou vraiment fauché, nombreux *warungs* le soir
sur la place du marché. Très simples, copieux et économiques. Beaucoup de
routards. On s'échange des tas de tuyaux autour d'une grande table commune.
Vraiment chouette certains soirs.

● Pour les petites faims, goûter les pâtisseries de chez *Miro's*, un coin très
calme dans la rue principale, en face du Puri Lukisan.
Les deux premières adresses que nous indiquons ne sont pas les moins
chères, mais il s'agit de restaurants exceptionnels pour la qualité de leur cuisine.
● **Wayan's Café :** Monkey Forest Road. ☎ 954-47. Nous recommandons
cette adresse depuis plusieurs éditions et les lecteurs sont emballés. Nous par-
tageons leur enthousiasme. Préférer à la petite salle de la façade trop exiguë les
tables du jardin. Il faudrait pouvoir goûter à tout ce que prépare la patronne qui
est aux fourneaux avec toute sa famille. Si elle était installée en France, elle
aurait probablement plusieurs étoiles. Son mari Krinting, qui est peintre, s'occupe de la pâtisserie et du pain qu'il prépare dans un petit village des environs.
Non seulement ici la cuisine est excellente mais on s'aperçoit très vite que tous
les clients deviennent des habitués et même des amis. Buffet le midi.
● **Murni's :** à la sortie de la ville, juste avant le pont suspendu de Campuhan.
Ouvert de 10 h 30 à 1 h. Restaurant réparti sur plusieurs étages entre la route
et le lit de la rivière. Décor très agréable. Excellente cuisine. Grand choix de
plats occidentaux et locaux avec des spécialités du jour. C'est une table renommée, qui ne vous décevra pas. On y prépare, comme presque partout, un
canard fumé à commander la veille.
● **Café Lotus :** en plein centre ville, dans la rue principale. Ouvert tous les jours
en saison. La terrasse donne sur le bassin aux nénuphars du temple Lotus. Un
endroit où il faut aller, éventuellement, pour le site exceptionnel mais pas pour
la cuisine. Le service, indifférent, manque de chaleur, mais en attendant les
plats on peut toujours admirer les nymphéas dignes d'un tableau de Monet.
● **Lilies Restaurant :** Monkey Forest Road. Cadre agréable. On mange sous un
bale qui donne directement sur la rue. Grande carte variée. Bonne cuisine.
● **Surya :** dans la rue principale, face au *Puri Lukisan Museum*. Bon rapport
qualité-prix. Goûter aux crevettes à la sauce balinaise.
● **Beggar's Bush :** juste à côté du Murni's, mais après le pont et sur la droite.
Encore une bonne adresse. Tous les plats de la carte sont excellents. Canard
fumé à commander, comme partout, 24 h à l'avance.
● **Griya Barbecue :** sur la rue principale, après avoir dépassé le Puri Lukisan
Museum, en direction du pont suspendu. Cadre très agréable. Délicieuses brochettes. Excellents *coconut pie* et *lemon pie*.
● **Denny's :** Monkey Forest Road. Petit resto sympa. Plein de jus de fruits délicieux. Très bon marché. Tenu par un Chinois. Très pratique les jours de fête
quand les autres sont fermés.
● **Nomad's :** dans la rue principale. Très joli cadre. Goûtez les deux spécialités : le canard fumé, inoubliable, ainsi que le yaourt fruit-miel. Boire aussi un
cocktail *sweet dream* (génial). Ils vendent, le matin, d'excellents croissants et
de la pâtisserie française à emporter. Bon marché.
● **Tjanderi's :** sur la route de la Monkey Forest. ☎ 950-54. Une des plus
anciennes adresses d'Ubud. Pas mal non plus mais service très lent.

● *Satri's :* aussi sur la route de Monkey Forest, Gang Arjuna, près du Community Hall. Décor en bambou. Très bon accueil et prix très bas pour une bonne nourriture de très bonne qualité.

● *Roof Garden :* dans la rue principale, près de Mawar Home Stay. Le restaurant domine la rue. Les nostalgiques pourront commander une soupe à l'oignon ou une salade niçoise.

● *Okawati's :* Monkey Forest Road. ☎ 950. Une véritable institution et un des plus anciens restaurants d'Ubud. Excellent canard balinais. Goûtez la salade de fruits au miel et yaourt. Service lent. Ils ont également des chambres.

● *Dirty Duck Diner :* Padang Tegal, ou rue des Poètes, juste avant la fin de la rue. Bon resto donnant sur de magnifiques rizières.

● *Café Bali :* sur la Monkey Forest Road, juste après le terrain de foot. On y accède par un petit sentier. Cadre superbe. La cuisine est plutôt européenne ; accueil et service parfaits.

● *Ubud Dance center restaurant :* le long du terrain de foot. Accueil sympa. Bonne cuisine. Pain français. Excellents petits déjeuners. Même direction que le Legian Garden de Jogja, ce qui est une garantie.

● *Diam :* Monkey Forest Road. Bonnes brochettes de crevettes grillées. Glaces pour les amateurs. Service sympa.

● *Shakuntala Dewi Café :* jalan Pendang Tegal, sur la route du Jati Home Stay I. Bon accueil. Prix très doux dans ce nouveau restaurant où l'on mange sur la terrasse.

● *Kul-Kul :* Monkey Forest Road. Huit tables seulement. Souvent complet. La cuisine est bonne et le service rapide. Patronne attentionnée.

A voir

▶ *Puri Lukisan Museum :* dans la rue principale, au centre du village. Ouvert de 8 h à 16 h, entrée payante. Fondé en 1954, ce musée regroupe des œuvres capitales de la peinture balinaise. Cette collection est en partie composée par une donation de Rodolphe Bonnet, peintre hollandais venu s'installer à Ubud en 1929 et dont l'influence fut très importante sur l'évolution de la peinture locale. Nombreux tableaux de Gusti Nyoman Lempad (1875-1978), célèbre peintre balinais. Dans un bâtiment récemment aménagé, expositions temporaires d'œuvres contemporaines que l'on peut acheter. Les prix sont très abordables.

▶ *Neka Museum :* à l'extérieur de la ville, à 1 km après le pont de Campuhan. Ouvert de 8 h 30 à 17 h. Entrée payante. Ce musée ouvert en 1982 par le fils du fondateur de la Neka Gallery propose, dans plus de dix salles réparties dans des bungalows au milieu d'un jardin, toute une collection d'œuvres peintes par des artistes locaux ou inspirées par Bali à des étrangers de renom. L'ensemble constitue une excellente initiation à la peinture de l'île.

▶ *Maison d'Antonio Blanco :* juste après le pont suspendu de Campuhan sur la droite. Cette maison particulière du peintre philippin vaut déjà le déplacement pour sa situation. Il est possible, moyennant un droit d'entrée, d'en visiter l'intérieur et de voir les œuvres de l'artiste. Ce sera peut-être la femme du peintre qui vous guidera. Nombreux portraits ainsi que des poèmes érotiques enluminés.

Spectacles

Un séjour à Ubud est une occasion de sortir tous les soirs pour assister à divers spectacles. Vente des billets à l'office du tourisme. Transport gratuit, compris dans le prix. Tous les spectacles ne sont pas du même niveau. Le Kecak de Bona n'a aucune authenticité. Le cadre, éclairé par des néons, ressemble à une salle de patronage. Les acteurs ne peuvent pas être plus mauvais. Le sanghyang dedari est une escroquerie, seul le sanghyang djaran possède encore un peu d'authencité. Les plus beaux spectacles avaient lieu à Teges, dans un cadre exceptionnel, mais, faute de crédits, la célèbre troupe a été dissoute.

L'office du tourisme distribue des programmes de toutes les manifestations. Il y en a jusqu'à 4 le même soir.

Randonnées à pied autour d'Ubud

Suivre les itinéraires du *Bali Path Finder* (sur la rue principale) qui propose des excursions à :

Singakerta : partir par Campuhan et la maison de Blanco et passer par les villages de Katik Langtang, Nyuh Kuning, Pengosekan (spécialisé dans la sculpture sur bois), Lodh Tunduh et Mas. Revenir à Ubud en bemo.

Keliki : sortir d'Ubud toujours par le pont de Campuhan. Cet itinéraire traverse les villages de Bangkiang Sidem, Keliki, Sebali, après être passé par des rizières. Revenir par Payagan où vous prenez le bemo pour Ubud.

Pejeng : très chouette balade en passant par les rizières. On peut y aller aussi par la route qui démarre en face du carrefour près du panneau « Pharmacy », sur la gauche quand on quitte Ubud pour Denpasar. Route étroite mais bonne. Ça monte par moments. Peut aussi se faire en voiture. Selon la légende, il s'agit de la 13e lune tombée du ciel parce qu'un voleur, perturbé dans ses activités nocturnes par cette céleste lumière, l'avait arrosée pour s'en débarrasser. Il en reste un gros tambour de bronze fait de morceaux de météorite et qui serait la plus grande pièce de métal fondu connue dans le monde.

Dans les environs

PELIATAN

A 3 km avant Ubud, en venant de Denpasar. Ce petit village est beaucoup plus tranquille. On peut y aller à pied ou en bemo. Peliatan est surtout célèbre par sa troupe qui a parcouru le monde. Son gamelan passe pour être un des meilleurs de l'île. Il faut, entre autres, assister à une représentation de *legong,* le samedi soir. Étonnant.

Où dormir ? Où manger ?

■ *Pande Home Stay :* dans la rue principale, tout en haut du village en direction d'Ubud. Le cadre est très agréable. Toute la famille est aux petits soins. Pande est peintre, comme presque tout le monde ici. Il réinvestit le bénéfice de ses locations pour améliorer le confort de son Home Stay.

■ *Sari Bungalows :* situés dans un superbe jardin. Assez à l'écart et près d'une rivière. Bungalows simples. Bon accueil. Spécialité de canard cuit dans la cendre, à commander la veille.

■ *Negara Home Stay :* bon accueil. Moins cher que Sari Bungalows. Propriétaires sympa. Possibilité, là aussi, de manger du canard cuit dans la cendre, à commander la veille. Délicieux et pas cher.

■ *Siti Home Stay :* Banjar Kahali. Dans un très beau jardin balinais. Chambres impeccables avec toilettes, douches particulières, très bon marché. Thé gratuit. Accueil chaleureux. Les chambres donnent sur un superbe jardin, agrémenté d'un temple à la balinaise. Wayan est toujours heureux de donner des conseils sur les itinéraires pour mieux faire connaître sa région. Attention toutefois aux prix calculés parfois à la tête du client.

■ *Ibu Arsa :* de nouvelles chambres pour tous les budgets dont la plus chère (tout est relatif) est une réussite d'originalité et de raffinement. On dort à la belle étoile sous un *bale,* entouré d'un petit jardin privé avec bassin. Magnifique. Conseillé aux amoureux.

– Évitez à tout prix le *Mandala.*

● Pour les repas, deux adresses : le *Mudita Inn,* pour ses délicieux *lumpia* (rouleaux de printemps balinais), et le *Ibu Arsa* (pour ses *fried bananas*). Bon marché et très accueillant. Le service est un peu lent. Cela ne fait rien, vous êtes en vacances et à... Bali.

Achats

– *Nova Music :* choix de K7, change, travaux photo. Boutique sympa.

– *Toko Sukma's :* sarongs, tissus de qualité, parures et costumes de danseurs, habits de cérémonie. Gusti Ayu Rai, la patronne, saura vous expliquer comment porter le sarong et le sash. Bref, comment vous déguiser en Balinais pour assister à certaines cérémonies et échapper aux locations abusives à l'entrée des temples. Couturière, elle réalise la plupart de ces merveilles de ses propres mains.

- *Ubudayu Art Gallery :* quand on arrive d'Ubud, en bas et à droite dans la rue principale. Fabuleux choix d'objets de qualité : meubles, art primitif indonésien, ikat, ivoires, panneaux sculptés, lits chinois, porcelaines.

KEDEWATAN

A 5 km environ. Franchir le pont de Campuhan, passer devant l'école d'art Sesri et devant le musée Neka et, au carrefour, tourner à droite en direction de Payangan, puis ensuite suivre les indications « Cahaya Dewata ». Un hôtel surplombe la vallée d'or de la rivière Ayung. On se croirait dans une « peinture balinaise » avec la cascade de terrasses verdoyantes descendant vers le lit de la rivière. Avec un peu de chance, vous y verrez des paysans au travail. Et ce tableau s'animera.

MONKEY FOREST

Suivre la route de la Monkey Forest et, pour éviter l'arnaque du ticket, passer par le parking face aux boutiques puis suivre le premier chemin à droite. Sinon, donation obligatoire et abusive. Comme son nom l'indique, quelques macaques vivent ici en attendant les cacahuètes des touristes. Sans intérêt.

TEGES

Sur la route de Mas, juste après Peliatan. Teges était renommé pour ses spectacles, principalement pour son kecak qui se déroule dans un superbe cadre au pied d'un immense banian. Celui de Teges ne ressemble nullement aux kecaks classiques. Il a subi l'influence de grands metteurs en scène comme Maurice Béjart et le résultat est prodigieux. A ne manquer sous aucun prétexte si une représentation devait avoir lieu lors de votre séjour.

Quitter Ubud

- *Pour Candi Dasa :* prendre le bemo en face de l'office du tourisme sur la place du marché. Descendre à Sakah et de là prendre un autre bus pour Candi Dasa. Le dernier part vers 16 h. Une autre solution, plus onéreuse mais nettement plus rapide et plus confortable : des agences de voyages proposent 2 ou 3 navettes.

- *Pour Kuta :* une huitaine de bus par jour, en saison. De préférence, réserver la veille.

MAS

Les habitants de ce village sont des descendants directs des brahmanes venus de l'île de Java au XVe siècle et dont les ancêtres ont influencé l'hindouisme balinais. Ils travaillent tous le bois. Au départ, leurs sculptures avaient une fonction religieuse. La totalité de leur production est désormais réservée aux touristes. Il est intéressant de voir les sculpteurs œuvrer sous le contrôle du maître, en faisant sauter les copeaux avec de petits burins, après que la masse de teck ou d'ébène a été dégrossie à la hache. Les plus beaux bois, notamment l'ébène, viennent des Célèbes. Certaines pièces sont magnifiques et leur prix dérisoire, compte tenu de la finesse de leur exécution. Les prix sont aussi fonction de la notoriété de l'artiste. Les plus cotées sont probablement celles d'Ida Bagus Nyana. Certains artistes se consacrent uniquement à la réalisation de masques de théâtre peints destinés aux spectacles de topeng ou de barong. Ida Bagus Titem a travaillé pour Peter Brooks.

Dans les environs

▶ *Le roi des canards :* à Tengkulak, à 5 km en direction de Goa Gadja, après Teges. Le magasin de Ngurah Umun se visite comme un musée. Superbes œuvres représentant essentiellement des canards sculptés dans le bois et peints. Le « Duck man de Bali » expose à Jakarta et a acquis une célébrité depuis qu'il a réalisé, à la demande du président Suharto, une œuvre magistrale de plusieurs mètres d'envergure.

▶ *Tegallalang :* ce village à 3 km au nord d'Ubud est spécialisé dans la réalisation de fruits et de fleurs en bois sculptés et peints. Ils sont très légers et d'un tel réalisme que l'on a envie de mordre dans les mangoustans, pommes, bananes et autres fruits étalés devant chaque atelier d'artisan. Particulièrement impressionnants sont les régimes entiers de bananes ou les offrandes reconstituées. Une idée de cadeau original. Nous avons aimé la boutique d'Ari Suputra avec l'atelier que l'on visite.

▶ *Sebatu :* à 15 km d'Ubud. Emprunter la route de Pujung (9 km) qui passe par Tegallalang. Pas de panneau de direction, mais il y a toujours quelqu'un au bord de la route pour indiquer le chemin. En arrivant à Pujung descendre sur la droite pour voir les bains publics (donation obligatoire) qui sont aussi intéressants que ceux de Tampaksiring et ont l'avantage d'être beaucoup moins touristiques. Ne pas photographier les habitants qui se baignent. Les hommes du village réservent le meilleur accueil aux Français, certains d'entre eux ayant séjourné dans notre capitale. Sebatu est un modeste village de cultivateurs. Chaque foyer abrite au moins un artiste. S'ils vivent des produits de leur terre, les gens de Sebatu consacrent une partie de leur temps à la production de statuettes à sujets phalliques et... à la musique. Leur gamelan a acquis une célébrité mondiale depuis que le musicologue français Jacques Brunet enregistra une série de disques pris sur le vif en 1972. Ce fut une révélation. Pour eux la musique est une chose naturelle. Maintenant, leur troupe parcourt le monde mais cela n'a changé en rien leur vie quotidienne lorsqu'ils reviennent au village.

▶ Sur la route de Tampaksiring, arrêtez-vous chez *I Made Ada* pour le travail impressionnant de ses sculptures géantes, surtout des garuda. Un peu plus loin, sur la même route, à Pujungkaja, ateliers de sculpture : arbres, fruits, animaux. Certaines créations modernes sont des petits chefs-d'œuvre d'humour. Une bonne adresse : *I Made Suka,* qui accepte aussi les commandes. Alors, si vous avez plus d'imagination qu'eux...

TAMPAKSIRING

La source sacrée de Tirta Empul, créée selon la légende par le dieu Indra, attire quotidiennement des centaines de pèlerins qui viennent se purifier dans les eaux miraculeuses de ce Lourdes local. Les eaux passent aussi pour avoir des pouvoirs magiques de guérison et de survie.

Après avoir déposé leur offrande sur les nombreux autels bariolés, les hommes et les femmes vont se baigner, chacun de leur côté. Mais plus nombreux encore sont les touristes voyeurs qui, malgré les interdits, cherchent à prendre quelques photos de corps nus se savonnant en toute impudeur. Le temple a été restauré et ce ne sont pas les boutiques de souvenirs qui manquent. La spécialité locale est l'os taillé.

L'endroit est d'autant plus populaire que le président Sukarno a choisi le site d'une ancienne villa hollandaise pour établir ici sa résidence secondaire. Cette bâtisse (années 50), qui ne se visite pas, a été construite au haut d'une volée d'escaliers, dans un site magnifique.

Où dormir ? Où manger ?

■ *Tampaksiring Home Stay :* à l'entrée, à gauche, en venant de Bedulu. Si vous arrivez en bemo, stoppez à l'embranchement de la route qui descend aux rizières de Gunung Kawi (sinon on vous arrête dans un cul-de-sac 3 km plus loin). Goûtez au *black rice pudding*.

● *Tampaksiring Restaurant :* à 3 km du sanctuaire. Tous les cars de touristes s'y arrêtent. On peut toutefois y faire une halte ; la vue est superbe. Système de buffet à volonté. Plus cher et meilleur que le précédent.

En continuant la route vers le nord, pendant une quinzaine de kilomètres, on arrive à Penelokan (voir plus loin).

A voir

▶ **Gunung Kawi** : c'est le nom du site enchanteur de Tampaksiring, encastré dans une vallée tout au fond d'une dépression de rizières magnifiques. Une rangée d'échoppes de souvenirs permet de reconnaître l'endroit. Entrée payante. Excursion à faire de préférence le matin, vu la chaleur et l'effort physique à fournir pour remonter l'escalier. Descendez les 230 marches d'un escalier de galets pour atteindre ce site admirable, composé de deux parties qui se font face de chaque côté de la rivière Pakrisan.

Ces grands mausolées taillés dans le roc et encastrés dans des niches rappellent les temples rupestres d'Ajanta en Inde. On ne sait s'il s'agit de monuments funéraires ou commémoratifs. Peu importe d'ailleurs. Ils forment un ensemble assez impressionnant et le décor est fantastique. Ne pas rater non plus la visite du curieux monastère composé de cellules creusées dans le roc d'où s'écoule une eau sacrée. On raconte que le roi Anak Wungsu vint ici finir ses jours, loin des fastes de sa cour.

GIANYAR

Ville sans grand intérêt. C'est surtout un nœud routier et un lieu de passage très fréquenté. Pas de possibilité d'hébergement.

A voir

▶ **Le Puri** : sur la place centrale, bel exemple d'architecture traditionnelle.

▶ **Le Puri Bali Tissage** : en entrant dans la ville en venant de Denpasar, prenez une ruelle sur la gauche et vous tomberez sur une des plus grandes filatures de l'île. Plus de 300 personnes y travaillent, utilisant les métiers à tisser archaïques. Vous y verrez comment on teint le batik. A la sortie, vente des tissus.

▶ Le **marché** vaut vraiment le coup. On y vend un tas de fruits et un tas d'aliments dont on ne sait même pas à quoi ils servent. Avec un peu de chance, vous rencontrerez l'étal du sorcier qui vend des fioles au mélange appétissant (crapauds, lézards, huître...).

En face du marché, traversez la rue principale. Là, quelques échoppes en plein air où l'on vend l'un des meilleurs babi guling (cochon grillé) de l'île. Seulement le midi.

BONA

Entre Gianyar et Blahbatuh, juste à mi-chemin, un centre important de vannerie et de tressage de paniers. Mais le village a une autre spécialité qui attire des cars entiers de touristes : c'est là qu'ont lieu, plusieurs fois par semaine, les spectacles de marche sur le feu, de danses de transes et de kecak qui ne valent pas le déplacement. Transe sur commande à 20 h pile et kecak d'une médiocrité affligeante.

BANGLI

La route passe par Sidan où ceux qui n'ont pas encore leur indigestion de temples peuvent s'arrêter au Pura Dalem, c'est-à-dire au « temple des morts ». La tour du Kulkul possède un bas-relief représentant des malfaiteurs punis par des géants.

10 km après Gianyar apparaît Bangli, ancienne capitale de la puissante dynastie des Gelgel. La ville en soi n'est pas du tout excitante (routard passe ton chemin

si tes jours sont comptés) mais comme on est déjà en altitude, il commence à faire plus frais.

Où dormir ?

■ **Artha Sartra Inn :** 5 jalan Merdeka. Sur la rue principale, en face de la station de bemos. Le patron est l'arrière-petit-fils du sultan du coin. 15 chambres ; les plus intéressantes sont derrière, près du palais royal (prix moyen). Elles sont simples mais dotées de douche. Celles du devant sont très bon marché mais trop sommaires et bruyantes. Nous ne vous les conseillons pas. La famille royale vit toujours dans son petit palais et arrondit ses fins de mois avec l'hôtel qui est mal entretenu. La nourriture n'est vraiment pas bonne mais il n'y a pas d'autres restaurants en ville.

A voir

▶ **Temple Pura Kehen :** à la sortie nord de la ville, sur la route de Kintamani. Grand sanctuaire en terrasses, l'un des plus vénérés de Bali. Monumental escalier orné de sculptures en pierre volcanique donnant accès à une porte splendide dominée par une tête de démon. Ses mains terrifiantes sont prêtes à saisir les mauvais esprits qui tenteraient de franchir le seuil. Routard au mauvais esprit, passe ton chemin ! Halte très intéressante pour les autres. Des assiettes chinoises sont incrustées sur les murs.
Donation obligatoire. Elle comprend la location d'une ceinture. Attention à ne pas se présenter en short sinon vous devrez louer en plus un sarong. Et c'est l'arnaque. Les vendeurs ambulants qui sévissent aux abords du temple sont particulièrement collants. La route, après Bangli, conduit en 20 km au site de Penelokan, au bord du lac Batur. Passer de préférence par Bangklet et Pengotan. La route est meilleure et il y a moins de circulation que par Penatahan, Tigakawan et Sekadadi.

PENELOKAN ET LE LAC BATUR

A 1 400 m d'altitude. Ce n'est qu'un lieu-dit, mais on y jouit d'un point de vue grandiose. Accès payant. On ne se lasse pas de la vue depuis cette terrasse ouverte sur le volcan Batur (1 717 m) et sur le volcan Abang (2 152 m) avec le lac en contrebas. Une route sinueuse descend à Kedisan 500 m plus bas, au bord du lac dont les eaux changent avec le temps et la couleur du ciel. Ce lac de cratère aurait plus de 10 km de diamètre.
Le volcan Batur n'est pas de tout repos et ses réveils sont parfois cruels. En 1917, la lave arriva jusqu'au village mais s'arrêta devant le temple. Il était temps car elle avait déjà fait plus d'un millier de victimes. En 1926, le volcan éternua de nouveau, mais moins fort. Les habitants décidèrent de s'établir sur les hauteurs des falaises de Kintamani et emportèrent avec eux les autels du temple devant lequel la lave avait stoppé miraculeusement. Le *Pura Ulun Danu* (c'est son nouveau nom) a été reconstruit avec ses 285 autels. On ne les a pas comptés. On l'a lu quelque part, et on a de bonnes lectures ! (Donation obligatoire.) Les coulées de lave sont encore visibles sur les flancs du volcan. Agression touristique permanente et éprouvante. Vols assez fréquents. La population locale est plutôt antipathique. En se promenant dans les ruelles très étroites du village, on peut assister à des combats de coqs et autres jeux faisant l'objet de paris élevés.
On peut dormir ici car c'est le point de départ de l'excursion à Trunyan. Refuser les propositions des guides qui veulent vous faire visiter le coin. C'est du bluff. Vous pouvez le faire tout seul, ou vous abstenir (voir ci-dessous notre avis). Marché le mardi matin avec les montagnards du coin. Pas de change possible. Il faut redescendre à Ubud.

Où dormir ?

Tout d'abord, un conseil : n'oubliez pas d'emporter votre petite laine, vous êtes à 1 450 m et les nuits sont fraîches. Comme la plupart des losmen n'ont pas de couvertures en nombre suffisant, il est préférable de se coucher avec chaussettes et chandail.

■ *Caldeira Batur :* deux catégories, soit des chambres, soit des bungalows. C'est le plus cher mais le mieux.

■ *Lake View Home Stay :* près du cratère. Là aussi chambres standard et bungalows avec salle de bains. Les premières sont vraiment trop étroites. On a de la peine à bouger. Pas aimables.

■ *Losmen Gunawan :* un peu plus loin en allant vers le Batur. Vue splendide là aussi. Les 13 chambres sont minuscules mais propres. Il y en a avec salle de bains individuelle qui coûtent le double de celles avec salle d'eau commune. Très propre. Les chambres sont payables d'avance. On peut vous fournir un bon guide pour le Batur. Adresse bon marché.

■ *Segara Bungalow :* à 200 m du lac Batur. Descendre vers Kedisan et prendre, à gauche, en direction de Hot Springs. Très propre et pas cher. Prix différents selon votre budget. Bon accueil et bonne table.

■ Il est préférable de dormir à *Hot Springs* où il y a plusieurs losmen. On vous dira peut-être qu'il n'y a pas de place là-bas, c'est une tactique des losmen de Penelokan pour conserver la clientèle.

Où manger ?

Ce ne sont pas les adresses qui manquent. Les restaurants sont très touristiques et leur qualité n'est pas constante. La spécialité du coin est le poisson du lac grillé. Excellent.

● *Kintamani Restaurant :* peut-être le meilleur et le plus cher. Buffet à volonté. Il dispose aussi de quelques chambres.

● Sinon vous avez le choix entre le *Puri Selera,* le *Batur Garden,* le *Danau Batur* et le *Puri Aninditha.* Tous ces restaurants sont envahis par les touristes venus en excursion pour la journée. Ils ont adopté la formule « buffet » qui permet de faire un repas copieux à un prix très raisonnable mais il faut supporter des centaines de « toutous » aboyant dans toutes les langues.

Aux environs

TRUNYAN

De Penelokan, descendre à *Kedisan* sur le bord du lac. Compter près de 45 mn à pied. C'est une promenade plutôt agréable et le décor est splendide. A Kedisan commence l'arnaque organisée pour la visite de Trunyan. Vous pouvez vous dispenser d'y aller : risques constants d'agressions. De Kedisan à Trunyan, il n'y a pas de route mais un sentier.

— *A pied :* les bons marcheurs peuvent emprunter ce sentier qui longe le lac. Balade très agréable de 2 h à l'aller. Mais le chemin s'arrête sur la falaise à 300 m de Trunyan. Pour continuer et pour aller au cimetière, il faut prendre un bateau et on n'échappe pas aux sordides discussions.

— *En bateau à moteur* (2 h aller-retour) ou en *canot à rames* (6 h aller-retour). C'est plus romantique mais nous vous le déconseillons. Nombreux cas de chantage et de vols quand on se trouve sur la frêle embarcation livrée aux prétentions du rameur qui exige le double de la somme convenue pour vous ramener à bon port. Il prétend qu'elle ne concernait que le trajet aller ! Les tarifs officiels affichés au guichet d'embarquement sont bafoués quotidiennement et tous les bateaux tombent mystérieusement en panne au milieu de la traversée. Ils ne redémarrent qu'à coups de roupies. On se fait parfois dévaliser au milieu du lac.

A voir

Comme Tenganan, Trunyan est un village animiste, complètement isolé au bord du lac, si bien que les influences hindoues n'ont pu agir jusqu'à ces dernières années. Ces « Balinais d'origine », encore fidèles à leurs anciennes croyances, ne sont pas du tout accueillants et cherchent à tirer profit de leur isolement en exploitant au maximum tous ceux qui les approchent. Les vols sont fréquents et la plus grande méfiance est de rigueur. Les villageois ne pratiquent pas la crémation et les morts, déposés à même le sol du cimetière, se décomposent rapidement. Les touristes se précipitent pour voir quelques ossements jonchant la terre de l'enclos. En fait, joli attrape-nigaud pour voyageurs morbides. A tous les niveaux on vous réclame de l'argent. Les habitants gardent secrètement la plus grande statue de l'île qui aurait 4 m de hauteur et qui représenterait leur dieu protecteur.

AIR PANAS OU HOT SPRINGS

Sur la rive opposée, face au cimetière de Trunyan. De Penelokan, on peut prendre un bemo (8 km) ou s'y rendre à pied (1 h 30) en suivant la rive ouest du lac. Route étroite tout en virages avec des dos d'âne. Si l'eau du lac est froide, celle des sources d'eau d'origine volcanique surgit à bonne température. On peut se baigner en compagnie des Balinais qui viennent faire leurs ablutions dans un petit bassin spécialement aménagé. Accès payant. Cadre très laid. Un des deux trajets peut se faire aussi en bateau.

Où dormir ? Où manger ?

Plusieurs petits losmen simples mais agréables où l'on peut aussi descendre. Le village est alimenté en électricité par un groupe électrogène, en principe de 18 h à 2 h, quand il ne tombe pas en panne.

■ **Nyoman Pangus :** 6 chambres propres avec salle de bains, douche froide. 2 catégories de prix. De plus, Nyoman, très sympa, donne des tuyaux sur le coin qu'il connaît parfaitement. C'est aussi un des meilleurs guides de la région. Bonne cuisine.

■ **Khamandalu :** 3 chambres dans des bungalows avec salle de bains et restaurant donnant sur un jardin.

● **Warung Makan Walina :** à l'entrée du village sur la gauche. Bon restaurant. C'est normal : le patron a travaillé longtemps dans un resto réputé de Denpasar. Il y a aussi des chambres. Pour l'instant, tout est propre et les prix sont bon marché.

● **Vulcanos Café Restaurant :** face à Nyoman.

■ Citons encore : **Kandi's Mountain View, Sikia Inn** et **Nyoman Mawa,** entre autres.

L'ASCENSION DU MONT BATUR

Elle se fait depuis *Air Panas.* Partir tôt, vers 4 h, d'Hot Springs, en suivant le sentier (1 h 30 de montée). Ça grimpe dur, mais vue admirable sur le lac, les cratères et les couloirs de lave. Attention, à partir de 9 h-9 h 30, tout le sommet est entouré d'une couronne de nuages qui persistent toute la journée, ce qui fait qu'à part la vue du cratère on ne peut pas effectuer la visite des cônes et cratères des alentours.

Vous pouvez aussi monter au cratère éruptif depuis *Kedisan,* sans passer par Hot Springs. C'est d'ailleurs un peu plus court et le sentier est balisé. A la sortie de Kedisan, rejoindre en une vingtaine de minutes le petit village situé près d'un temple. Le sentier démarre d'un petit bar pour touristes et se dirige en ligne droite vers le Batur. Comptez environ 1 h 30 pour l'ascension. Prévoyez une gourde remplie de thé pour votre gorge desséchée par la poussière, une lampe, un anorak en saison des pluies. Attention aux glissades à la descente (un Français a été victime d'un accident mortel en 1990). Il est nécessaire d'avoir de bonnes chaussures de marche avec semelles antidérapantes. Vous pouvez également louer les services d'un guide. Toutefois, il est impossible que vous vous perdiez.

Arrivé au bord du cratère (quelques fumerolles), trois solutions :

1) Redescendre par où l'on est monté.

2) Longer le cratère à droite sur 150 m environ jusqu'au chemin qui redescend à Hot Springs.

3) Effectuer la visite des cônes et cratères s'étendant en bordure sud-ouest de Batur. C'est cette partie du volcan qui est habituellement active. Pour ce, monter le long de la lèvre sud (à gauche) du cratère du Batur jusqu'à un sentier bien visible vers les cônes. Le retour vers le lac s'effectue par un sentier qui sinue dans de belles coulées de lave. Le tour du cratère du Batur est à déconseiller aux âmes sensibles car le sentier disparaît rapidement et il faut alors marcher sur la crête du volcan, très aiguë et aérienne. Du sommet, on voit parfois le volcan Agung.

KINTAMANI

La route passe par Kubupenelokan et par Batur où le *Pura Ulum Danu* fut transporté après la terrible éruption de 1927. Le projet de reconstruction n'a pas été entièrement réalisé et les 285 autels prévus ne sont pas tous achevés. L'ensemble a déjà de l'allure avec ses deux grands portails qui ouvrent sur des cours spacieuses où s'élèvent des *merus* et un *bale Gedong* contenant une cloche en or et quelques reliques.

Où dormir ? Où manger ?

■ *Losmen Superman :* à l'entrée du village. Nous vous le recommandons, mais il y a d'autres adresses tout le long de la route comme le **Wisma Ardi** et le **Puri Astini**.

A voir

▶ *Le marché,* qui se déroule tous les 3 jours, est particulièrement intéressant. Il permet de voir les gens de la région, très différents de ceux du sud de l'île.

Aux environs

▶ *Penulisan*

Ce lieu est surtout célèbre pour son temple, le plus élevé de l'île, le *Puri Tegeh Koripan,* perché à 1 750 m d'altitude. Les plus courageux pourront gravir l'escalier de 345 marches pour voir les statues des rois et des divinités de Bali. Certaines remontent au XIe siècle. Ce temple est souvent dans les nuages et la végétation ayant envahi ses abords, la vue perd beaucoup de son intérêt. A notre avis, la grimpette ne vaut pas la peine. Et il faut payer son entrée avant même d'avoir repris son souffle. De plus, les bemos sont souvent complets sur ce parcours et, si vous descendez à Penulisan, il sera parfois difficile de retrouver une place pour continuer vers Singaraja, à 45 km.

– LES ROUTES DE L'EST –

Un de nos parcours préférés.

KLUNGKUNG

A 40 km de Denpasar, cette ancienne capitale royale est une ville très animée et bruyante qu'on ne conseille guère pour une étape de nuit. C'est le passage obligé pour tous ceux qui se rendent vers Besakih et sur la côte est de l'île.

Où dormir ?

■ *Losmen Wisnu :* 3 jalan Kunti. Juste devant la station des bus. Préférer les chambres du haut.
■ *Ramayana Palace :* 152 jalan Diponegoro. ☎ 44. Assez simple mais tranquille, car à l'écart de la route principale. Réduction possible à partir du second jour. Possibilité d'y faire laver son linge.

Où manger ?

● *Bali Indah :* restaurant chinois dans la rue à droite après le marché.
● *Sumber Rasa :* à côté du précédent et un peu moins cher. Essayer le *mie goreng* qui est bien cuisiné.

A voir

▶ *Le palais de justice (kerta Gosa) :* près de l'arrêt des bemos, en plein centre ville. Ouvert de 7 h à 17 h. Entrée payante. Construit au XVIIIe siècle pour arbitrer les conflits et rendre la justice. Le tribunal se composait de trois brahmanes. Sur les plafonds, refaits il y a une cinquantaine d'années, des représentations superbes et réalistes des supplices que les coupables pouvaient subir. En revanche, les innocents pouvaient profiter des fresques représentant le paradis. Là, tout n'est que paix et bonheur.
▶ *Le pavillon flottant (bale Kambang) :* entouré d'eau sur laquelle flottent nénuphars et lotus. Pour y accéder, bel escalier décoré d'animaux sculptés dans la pierre. Ce pavillon devait servir de salle de repos aux membres de la famille royale. Les peintures du plafond racontent l'histoire du prince Sutasoha, une émanation du Bouddha.
– Quelques marchands d'antiquités dans la rue principale.
▶ *Le marché :* sur le côté droit de jalan Diponegoro, après le palais de justice. Animé, plein de couleurs et d'odeurs. Le soir, on peut faire un tour près du terminus des bemos. Plusieurs *warungs*.

Dans les environs

▶ *Kamasan* est situé à 2 km de Klungkung sur la route de Gelgel. C'est un village de peintres. Ils travaillent encore comme leurs ancêtres, les sangging, qui étaient au service des souverains de la cour de Gelgel. Ce sont des artistes de Kamasan qui ont restauré les fresques du palais de justice. Ils utilisent une technique très ancienne inspirée de l'art indo-javanais. Les visages sont toujours reproduits en demi-profil de sorte que l'on voit les deux yeux, le torse de face mais les jambes et les pieds de profil, ce qui donne au personnage une impression de mouvement. Les peintures se composent d'épisodes racontés chronologiquement, comme dans une bande dessinée. On y voit les personnages évoluer d'une scène à l'autre, selon l'action. Chacune de ces scènes est cloisonnée par un décor de motifs (pierres, montagnes, flammes, nuages, etc.).
Après l'achat de sa toile, l'artiste la fait bouillir, l'amidonne avec de la farine de riz, puis il la polit. Son premier croquis est exécuté avec du charbon de bois et avec une plume de bambou trempée dans une encre de Chine. Les couleurs traditionnelles étaient toujours obtenues par de savants mélanges de plantes. De nos jours, la peinture chimique est souvent utilisée, mais on retrouve en permanence le jaune, le brun-jaune et surtout le vermillon qui donne tant d'éclat à la peinture wayang. Lors de la finition, et pour obtenir plus de réalisme, le peintre dessine avec une plume très fine le système pileux des personnages. Le pinceau n'est rien d'autre qu'un bambou écrasé dont on a séparé les fibres.
Kamasan est aussi un centre important de calendriers muraux astrologiques, les *palalintangan*, qui obéissent à des règles très strictes de composition et sont très décoratifs. Ne pas hésiter à en acheter même si on ne sait pas les déchiffrer.
▶ *Gelgel :* en poursuivant encore pendant 4 km, on atteint Gelgel, l'ancien chef-lieu de la région dont le temple royal a échappé miraculeusement à l'érup-

tion de 1963. Ses merus, les plus grands de l'île, semblent avoir poussé directement dans la lave.

Balade à moto

Prendre la direction de Besakih et tourner à droite à Rendang en direction d'Amlapura. Cette portion de route traverse des rizières en terrasses à perte de vue. Grandiose. D'Amlapura, retour à Klungkung par la route côtière.

BESAKIH

A 62 km de Denpasar et à 22 km de Klungkung se dresse le plus grand temple de Bali et le plus vénéré. Entrée payante. Arriver en pantalon car sinon, en plus du prix de la visite, obligation de louer un sarong.
Si vous allez à Besakih à moto, prenez un pull et un imper, au cazou. En été, il pleut très souvent en fin de journée. Entre Klungkung et Besakih, s'arrêter au restaurant de Bukit Jambul pour la vue sur les rizières. Très peu de bemos y montent l'après-midi, sauf les jours de marché, c'est-à-dire un jour sur trois. Certains bemos déposent les Indonésiens au marché. Insistez pour descendre avec eux. Vous évitez ainsi l'entrée payante et la montée pénible le long des boutiques.
Depuis Denpasar, il faut changer de bemo à Klungkung. Attention pour le retour : pas de bemo après 13 h, sauf le jour du marché.

Où dormir ? Où manger ?

■ *Arca Valley Inn :* sur la droite de la route, 5 km avant Besakih, juste avant d'arriver au pont. Quelques chambres et un restaurant très correct.
● *Kuri Agung :* restaurant avant d'arriver au gigantesque parking, sur la route.
● Très nombreuses échoppes avant la montée au temple.

A voir

Au pied du *mont Gunung-Agung* que l'on peut voir par temps clair, **temple** dédié aux trois grandes divinités hindoues : Brahma (feu, créateur), Vishnou (eau, protecteur), Çiva (vent, destructeur). Éviter les guides qui sont tous collants et soi-disant « gardiens du temple ». A remarquer à l'entrée : le grand escalier avec, à droite, les esprits du Mal (aux figures patibulaires) et, à gauche, les esprits du Bien représentés par des statues au visage doux et serein. Les pagodes possèdent un certain nombre de *merus* en chaume (toits successifs) dont le nombre varie en fonction des castes. Ainsi, une pagode à un meru est le lieu où vient prier la classe la plus basse, alors que les pagodes à onze merus sont réservées aux familles princières.
L'ensemble a été restauré après l'éruption de 1963 qui se produisit pendant la fête de l'*Eka Dasa Rudra*, une cérémonie qui n'a lieu qu'une fois par siècle. C'est à ce moment-là que le volcan décida, le 8 mars, de se réveiller brusquement, faisant plus de 1 500 victimes et détruisant plus d'un millier d'habitations. L'éruption, suivie d'un tremblement de terre, plongea l'île dans un nuage de poussière et de lave qui s'étendait jusqu'à la ville javanaise de Surabaya. Les habitants interprétèrent cette catastrophe comme une manifestation divine destinée à les punir de leurs fautes.

MONT AGUNG

Culminant à 3 142 m, il domine tout le paysage de l'est de l'île. Contrairement à une idée reçue, il est déconseillé d'entreprendre l'ascension depuis Besakih.

Partir de préférence de *Selat*. C'est plus sûr. Il est indispensable d'être en excellente condition physique. Au poste de police de Selat, demander un guide pour vous accompagner. Prix à négocier. Ne pas s'y aventurer seul car à certains endroits les sentiers sont invisibles (un Italien, pourtant habitué à la montagne, n'a jamais été retrouvé malgré les secours importants mis en œuvre). Avoir de bonnes chaussures de marche avec des semelles antidérapantes, une lampe de poche, une gourde, un bâton de marche et des provisions. Compter 4 ou 5 h à partir du temple de Sorga qui est bien au-delà de Selat et de Sebudi. Il est préférable d'être encordé pour la descente.

Pour ceux qui malgré tout voudraient effectuer cette ascension au départ de Besakih, il faut savoir qu'il y a quand même 2 200 m de dénivellation entre Besakih et le sommet et que la présence d'un guide est indispensable. Coucher à Besakih. Chambres chez l'habitant. Des *warungs* sont ouverts le soir, on peut acheter des fruits, gâteaux secs, etc. Emporter de l'eau. Le chemin part en haut des escaliers, à droite du temple principal. Après 45 mn, on atteint un autre petit temple. Après une bifurcation, prendre le sentier de gauche. La suite est très raide. Arrivé au sommet, suivre l'arête jusqu'au cratère. Très impressionnant ! Compter 9 h aller-retour. Il est donc nécessaire de partir tôt le matin pour revenir avant la tombée de la nuit. Vue super sur toute l'île, à condition qu'il n'y ait pas de nuages. Mais c'est dur !

KUSAMBA

Village à 8 km de Klungkung au bord de la mer, surtout connu pour sa récolte de sel qui est séparé de l'eau par évaporation dans des troncs de cocotiers creusés, tout le long de la plage. Dans les petites cahutes de chaume, les villageois raffinent ce sel selon une méthode qui n'a pas changé depuis des siècles. Sur la plage de sable noir, voir les embarcations effilées des pêcheurs, les *prahus*, minutieusement peintes, dotées de balanciers et d'une voile triangulaire. Attention, pas de resto.

Kusamba est le point de départ des excursions à *Nusa Penida*. Compter 1 h de traversée en prahu. Les départs, mouvementés (il faut franchir la barre), ont lieu généralement le matin. Il y en a parfois aussi en début d'après-midi. Au cours de cette traversée on franchit *la ligne Wallace*, frontière imaginaire délimitant l'Asie et l'Océanie.

NUSA PENIDA

Cette grosse île de 20 km de long est habitée par plus de 40 000 Balinais vivant principalement de la pêche. L'île n'a pas une bonne réputation car, d'après la légende, elle aurait servi de refuge à un monstre qui cherchait à détruire Bali. Ce qui est sûr, c'est que l'îlot, peu hospitalier, servit aux rois de Gelgel pour y déporter les sujets dont ils voulaient se débarrasser. Pratiquement pas de touristes.

Pour se déplacer sur l'île, peu de moyens de transport. Le plus simple est la moto avec chauffeur, à moins que l'on ne soit spécialiste du moto-cross car les pistes sont mauvaises. Véhicules 4 X 4 assez chers et bemos irréguliers ne desservant qu'une partie de l'îlot.

A voir

▶ *Sampalan*, le principal village, au nord, offre un marché pittoresque et le seul hébergement possible de l'île avec les bungalows *Pemda*, à l'extrémité du village. Bon marché mais pas de restaurant. Se contenter des *warungs*.

▶ *La grotte de Goa Karangsari* est à une dizaine de kilomètres à l'est de Sampalan entre Karangsari et Sewena. Une lampe de poche est indispensable. On vous proposera de vous accompagner mais les prix sont à négocier âprement. A l'extrémité de la grotte qui fait plus de 300 m, on débouche sur un paysage de montagne après avoir traversé une zone tapissée de chauves-souris.

▶ *Quelques belles plages,* principalement sur la côte sud découpée de falaises tombant à pic dans la mer. Ceux qui ne craignent pas le vertige peuvent emprunter l'escalier de bambou de *Sebuluh,* le plus spectaculaire ou encore ceux de *Swean, Seganing* et *Ancen.* Ces échelles aériennes n'ont pas été conçues pour la baignade des touristes mais pour le transport de l'eau que les femmes venaient puiser un peu au-dessus du niveau de la mer, avant de remonter avec leur seau en équilibre sur la tête jusqu'au sommet de la falaise. On comprend pourquoi le gouvernement a décidé de construire de vastes citernes destinées à recueillir les eaux de pluie.
Cette partie de l'île pratiquement inhabitée est de loin la plus intéressante de Nusa Penida. Prendre garde aux requins qui peuvent, par distraction, s'approcher du rivage. On en trouve parfois au marché. Possibilité d'en acheter et de le faire préparer par un cuisinier de warung.

NUSA LEMBONGAN

Petite île de 4 km de long au nord-ouest de Nusa Penida, spécialisée dans la culture d'algues, destinées à la fabrication de gélules ou de cosmétiques. Bateaux au départ de Sanur, Padangbai ou Kusamba : uniquement en pirogue à moteur ; pour ce dernier, 1 h 30 à 2 h de trajet.
Sur l'île, deux villages : *Jungutbatu,* où l'on trouve de nombreux losmen ; *Lembongan,* relié par un chemin à Jungutbatu.
Bien négocier le tarif et la durée de la course avant le départ. Le plus intéressant est de se faire conduire à Jungutbatu, magnifique plage de sable protégée par une barrière de corail. Les amateurs de fonds marins ne seront pas déçus. De nombreux *prahus,* affrétés de Sanur, viennent déposer des voyageurs pour la journée.
Il est possible de loger au *Wayan's Nasa Lembongan Bungalows* qui sert aussi une excellente cuisine. Nombreux *warungs* et quelques losmen bon marché. L'endroit commence à devenir très touristique. Si on se fait déposer à Lembongan, il faut compter ensuite une demi-heure de marche pour atteindre la partie de la plage de Jungutbatu où sont groupés les losmen.

GOA LAWAH

A 3 km de Kusamba, sur le côté gauche de la route, un temple et une grotte qui abrite des milliers de chauves-souris. Pas grand-chose à voir mais beaucoup à entendre. Les cris rappellent la descente d'Orphée aux Enfers. On raconte (mais on dit tant de choses) que la grotte communiquerait par des souterrains au mont Agung. On ne risque pas de manquer l'endroit. Tous les conducteurs de véhicules s'arrêtent pour déposer leur obole. Passez votre chemin. Ce n'est pas une obligation pour vous. L'entrée est payante et il faut louer obligatoirement une ceinture jaune (l'arnaque, quoi !).

PADANGBAI

A 18 km de Klungkung, port d'embarquement pour *Lombok.* Départs tous les jours à 8 h, 11 h et 14 h (ils peuvent changer). La traversée dure 4 h 30 environ. Restauration à bord (chère). Pensez à prendre un en-cas. La route est un cul-de-sac qui conduit (2 km) à une grande plage de sable noir sans grand intérêt.
Jolie petite *crique de Biastugel,* sur la droite, de l'autre côté de la colline, en suivant la route qui passe devant la Post Office. A 10 mn de marche. Hôtel en construction. Sinon, pas grand-chose à voir.
Bateaux de pêcheurs tout décorés sur une plage magnifique et sans danger. Près de la plage, un modeste cimetière chinois.
Devient très touristique. Nombreux marchands sur le port. Jolis fonds coraliens.

Où dormir ?

■ *Bungalows :* sur la plage. A l'entrée du village, prendre la première route à gauche qui mène à la plage. Après un cimetière chinois à l'abandon, nombreux bungalows pour toutes les bourses. Les premiers, ceux du *Rai Beach Inn,* sont les plus beaux mais les plus chers, genre maisons indonésiennes typiques : un rez-de-chaussée à l'air libre, meublé avec goût (fauteuils en bambou foncé, divans, etc.), chambre à l'étage, sur pilotis, parois en bambou, toit en paille de riz... Rapport qualité-prix excellent. Voir aussi les bungalows du *Padangbai Beach Inn* qui ont une vue sur la mer. Il faut souvent arriver tôt le matin à Padangbai pour trouver une chambre.
■ *Madya Hotel :* évitez les chambres du bâtiment principal, sombres et à peine propres. En revanche, les nouvelles chambres construites autour de la cour sont plus correctes. Salle de bains privée. Belle terrasse avec vue sur le port.

Où manger ?

● *Rumah Makan Restaurant :* à côté du Madya Hotel. Cuisine typiquement indonésienne, bien que parfois un peu trop épicée.
● *Johnny's Restaurant :* tenu par un cuisinier qui, avant, exerçait sur un bateau. Très bonne cuisine et accueil sympathique.
● *Topi Inn :* le dernier au bout de la plage. Excellente cuisine. Ils disposent aussi d'un dortoir pour dépanner les malchanceux.

MANGGIS

Ce lieu-dit se situe à 5 km avant Candi Dasa. C'est le seul endroit où la plage a été épargnée par les éléments naturels et où l'on peut encore s'allonger sur le sable.

Où dormir ?

Deux hôtels chers se partagent la clientèle.

■ *Balina Beach Cottages :* ensemble de bungalows de style local rassemblés dans un jardin, très proches les uns des autres. Une piscine est en prévision. Compte tenu du standing de l'établissement, les prix ne sont pas exagérés pour les prestations offertes. Le service est très décontracté. Isolé mais super.
■ *Puri Buitan Cottages :* juste à côté du précédent. Pas de téléphone, mais réservation à Denpasar. ☎ et Fax : 871-82. Construction récente, résolument moderne, avec une belle piscine donnant directement sur la plage, en surplomb. Excellent service. 30 chambres et 4 suites. Une adresse exceptionnelle par sa situation et la qualité de ses prestations. Réductions pour nos lecteurs.
– Sur la plage, à côté de ces deux établissements, *école de plongée sous-marine et de snorkling.* Si on en a les moyens (assez cher), ça vaut le coup de plonger (avoir au moins le BE) à *Tulamben,* à l'est, sur l'épave d'un cargo américain torpillé par les Japonais. Le bateau, entre 3 et 30 m, regorge de poissons. Prévoir un T-shirt pour la plongée. Il ne fait pas chaud à – 30 m. Possibilité de prendre une douche en remontant.
Dans le forfait journée, on vous conduira en minibus au milieu de belles rizières en terrasses puis dans un désert minéral dû à une coulée de lave.

CANDI DASA   IND. TÉL. : 0361

A 13 km avant Amlapura et à 1 km après l'embranchement de la route de Tenganan. Se prononce « Chandi Dasen ». C'est une création toute récente du tourisme balinais destinée à alléger un peu Kuta et Legian. Il y a une dizaine d'années, il y avait ici une belle plage et pas un seul losmen. Aujourd'hui, on en compte plus d'une cinquantaine, mais la plage n'est plus qu'un souvenir. En effet, ils ont pris le corail protecteur en mer pour construire des maisons. Résultat : la mer a emporté la plage dans ses flots, ne laissant que quelques centimètres pour faire trempette à marée basse. C'est la vengeance des éléments naturels devant l'audace des promoteurs locaux qui n'ont pas hésité à construire une digue entre la route et la mer pour y implanter une succession d'hôtels. Voyant leurs rêves et leurs bénéfices disparaître dans les flots, les promoteurs ont édifié des brise-lames de béton pour tenter de limiter les dégâts et de sauver ce qui pouvait encore l'être. La plage se retrouve donc découpée en tranches comme un vulgaire saucisson à l'ail. Quel gâchis ! C'est d'autant plus dommage que l'on aimait bien cet endroit où la mer a une couleur de carte postale avec un premier plan de cocotiers, et, en toile de fond, des îlots sur lesquels le soleil se couche. Mais rassurez-vous, on aime encore beaucoup Candi Dasa.

Adresses utiles

- *Cabine téléphonique :* au *Kubu Bali,* dans la partie bar de ce resto en plein centre du village.
- *Poste :* 50 m avant le Kubu Bali quand on vient de Klungkung et nombreux autres bureaux le long de la route.
- *Agences de voyages et change :* tout au long de la route qui traverse Candi Dasa. Nombreux points de vente. Se chargent des réservations et proposent des excursions dans les environs. Location de motos et de voitures. Prix identiques à ceux de Kuta ou Denpasar mais pas de possibilité de prendre une assurance.
- *Médecin :* sur la gauche dans la rue principale en venant de Klungkung. Suivre l'indication « Rama Ocean View Bungalows ».

Où dormir ?

Candi Dasa étant une création récente et les terrains ayant pris une valeur considérable en peu de temps, les hôteliers construisent à la hâte des bungalows trop proches les uns des autres, au détriment des espaces verts. On joue à touche-touche et certains losmen sont en voie de devenir de véritables cités dortoirs. On a vu des propriétaires qui voulaient d'une année sur l'autre tout détruire pour reconstruire en hauteur et augmenter leur rentabilité. Exceptionnellement nous n'avons pas classé ces établissements par catégories de prix, car presque tous offrent des chambres à des prix différents allant souvent du simple au double. Ceux-ci augmentent au fur et à mesure que l'on s'approche du rivage alors que les bungalows près de la route sont nettement moins chers mais moins agréables et plus bruyants.

Dans le choix d'un établissement, il faut tenir compte aussi du petit déjeuner compris ou non, et lorsqu'il l'est, de sa qualité. Entre trois tranches de pain humides servies avec de la margarine rance et un copieux breakfast avec thé à discrétion et des œufs, cela vaut la peine de changer d'hébergement et de payer quelques roupies de plus.

Pour plus de facilité, nous donnons notre sélection en suivant la position géographique des losmen, en partant de l'embranchement de Tenganan, dans le sens Klungkung-Amlapura :

■ *Le Flamboyant :* sur la droite en entrant dans le village. 12 jolis bungalows tout neufs, sur la plage et très propres. Les petits déjeuners sont excellents. Bon rapport qualité-prix. C'est d'ailleurs une adresse connue et souvent complète. Location de mobylettes. Plus cher que le suivant.

■ *Dwi Utama Home Stay :* au km 63. Situé en bordure de mer. Le propriétaire attend souvent ses clients au bord de la route. Accueil chaleureux. 5 bungalows spacieux avec sanitaires (douche et baignoire). Bon marché. Sert aussi des repas.

■ *Saputra Beach Inn :* sur la gauche, sous les cocotiers. Une adresse simple mais agréable. Belle végétation. 8 chambres très propres et pas chères. Bon accueil. Un peu près de la route, donc bruyant.

■ *Ayodya :* sur la droite. ☎ 349-92. 22 bungalows avec salles de bains propres et neuves. Quatre prix selon la taille des bungalows et leur emplacement. Les meilleurs sont, bien entendu, au bord de l'eau. Les bungalows sont proches les uns des autres et il n'y a pas de végétation. Bon rapport qualité-prix. Location de motos et de voitures.

■ *Lila Berata Inn :* sur la droite. 30 chambres à six prix différents. Les plus chères donnent sur la mer. Ventilos. Les bungalows sont petits mais, là encore, bon rapport qualité-prix.

■ *Agugung Bungalows :* sur la droite. Accueil très sympathique. Deux prix. Plus cher que le précédent. Les chambres, qui n'ont rien de balinais, sont simples mais propres. Ventilos. Bonne adresse encore abordable. 16 chambres au total.

■ *Puri Amarta :* sur la droite. Même direction que le restaurant Candi Dasa. 18 chambres. Les bungalows sont dans le style local. Simple mais terrasse sur la mer. Différentes catégories de prix.

■ *Ida Home Stay :* sur la droite. 8 chambres seulement. Très agréable. Beaucoup d'espaces verts. La rentabilité, on ne connaît pas encore, heureusement. Calme et reposant. Beaucoup de cocotiers et la mer devant soi. Les bungalows les plus chers sont de véritables maisons avec une terrasse au premier étage d'où l'on domine tout le paysage. Les chambres sont en bambou avec une salle de bains à l'extérieur. Chaque chambre est différente. Une bonne adresse malheureusement souvent complète.

■ *Kelapa Mas :* sur la droite, juste avant le lagon. 20 chambres avec trois prix. Beau jardin, très bien entretenu. Les deux rangées de bungalows sont séparées par des bananiers. Une bonne adresse dont les chambres les moins chères sont abordables. Leur préférer cependant les bungalows du front de mer avec véranda au 2e étage.

■ *Sindhu Brata :* près du lagon et sur la mer. Grands bungalows avec salle de bains. Propre et calme. Deux catégories de prix. Petit déjeuner copieux et accueil sympa.

■ *Ramayana :* après le lagon, loin de tout et du bruit. Jolie vue sur la mer et sur les rochers. Une excellente adresse mais il n'y a que 4 chambres, très simples et propres. Une de nos adresses les moins chères.

■ *Sri Kandi :* sur la droite après le lagon. 8 superbes bungalows de style local mais on est séparé des voisins par un mur de parpaing.

■ *Nani Beach Inn :* sur la droite. 8 petits bungalows autour d'un *bale* central avec deux cocotiers. Bons petits déjeuners. Simple mais pas mal.

■ *Huta Cottage :* 11 chambres. Ils ont déjà construit en hauteur un premier étage sommaire d'où l'on domine le jardin et la mer. Bungalows en bambou.

■ *Puri Pudak :* 17 chambres. Belle finition. Les deux rangées de bungalows sont séparées par un beau jardin. Les salles de bains sont très réussies. Très agréable terrasse donnant sur la mer. Trois catégories de prix. Adresse recommandée surtout pour les bungalows les moins chers qui ont un bon rapport qualité-prix.

■ *Puri Sekar Orchid :* jardin agréable. Belle végétation. Les petites maisons de style balinais ont des cloisons en bambou.

Plus chic

Il s'agit d'établissements dont les prix peuvent parfois être inférieurs à ceux de certains bungalows de la liste précédente mais ils ne proposent que des chambres de catégorie supérieure.

■ *Puri Oka :* assez loin du centre, après le lagon et à 800 m de la route de Klungkung à Amlapura. A côté du Puri Pudak. Réservation à Denpasar. ☎ 247-98. Bâtiment avec premier étage décoré de jolies portes balinaises. L'intérieur des chambres est très soigné. Salles de bains magnifiques. Eau chaude, ventilateur. La propriétaire, indonésienne, parle non seulement l'anglais mais aussi le français, l'italien et le... japonais. 25 chambres en tout. Calme. Bon restaurant et pas cher. Piscine.

■ *Pondock Bamboo :* sur la droite, au centre du village. ☎ 355-34. 10 chambres dans des bungalows individuels avec terrasse. Très bien entretenu. Belles salles de bains. Resto agréable ouvrant sur la mer. Le tout est décoré avec beaucoup de goût. Excellents petits déjeuners. Une bonne adresse à un prix, malgré tout, raisonnable. Petit temple à l'entrée.

■ *Bali Samudra Indah Hotel Beach :* ☎ et fax : 355-42. Une création récente et confortable. Bon accueil. Piscine en bordure de plage. Fait aussi pizzeria.

Bien plus chic

■ *Nirwana Cottages :* Candi Dasa Beach, Sengkidu, Karagansem. ☎ 361-36. Fax : 355-43. A 2 km au sud de Candi Dasa. Charmants bungalows construits récemment par Mme Flemming et son mari allemand. Donc question organisation et propreté, c'est difficile de faire mieux. Assez écolo, les propriétaires ont préféré transpercer le toit d'un bungalow par un cocotier plutôt que de l'abattre. Peu de chambres, l'intimité est préservée. Jolie piscine, éclairée le soir, donnant sur la mer. Resto. Gratuité pour un enfant de moins de 12 ans. Chambres standard ou de luxe, toutes avec A.C.

■ *Puri Bagus Beach Hotel :* PO Box 419, Denpasar 80001. ☎ 512-23. Fax : 527-79. A l'écart de la tourmente car isolé, au bout d'un chemin de terre. Tout à côté, des pirogues de pêcheurs sont hissées sur la plage. L'hôtel est une belle réalisation comprenant 50 chambres en bungalows confortables, dans un jardin agrémenté de palmiers et de cocotiers. Bains privés, A.C., terrasse et frigo. Belle piscine surplombant la mer. Change, laverie, room service. Le resto propose une cuisine locale ou européenne. École de plongée sous-marine pour débutants ou confirmés. Location de vélos et de Jeeps.

Où manger ?

● *Kubu Bali :* en face du Pondok Bamboo. Sans conteste la meilleure adresse de Candi Dasa. Le décor est très réussi. On commence par passer devant les cuisines avant d'accéder au restaurant installé sous des *bale*. Le restaurant, très vaste, est décoré de meubles de bambou recouverts de jolis batiks. Il y a même une pièce d'eau et un grand bar. Cuisine raffinée. Service impeccable. A peine plus cher qu'ailleurs. Vins australiens servis en carafe. Une adresse qui vaut pour son décor exceptionnel et pour la qualité de sa cuisine.

● *Candi Dasa Restaurant :* en face du Geringsing. Bonne réputation. Pas cher. Simple. Cuisine européenne, chinoise ou indonésienne.

● *TJ'S :* succursale de Kuta. Le seul endroit où l'on peut terminer son repas avec un excellent cappuccino. Mais ce n'est pas la seule spécialité de cette bonne adresse. Ses desserts feront craquer les gourmands (la tarte à la noix de coco, par exemple).

● *Pondok Bamboo Restaurant :* excellents poisson et crustacés dans un beau cadre. L'accueil n'est pas à la hauteur.

● *Candi Agung Restaurant :* à l'entrée de Candi Dasa, sur la mer, juste après le kiosque. Bonne cuisine.

A voir

▶ *Coraux et poissons tropicaux :* à quelques mètres de la plage. Apportez votre masque ou louez-en un. Spectacle inoubliable. Les coraux sont très beaux, plus qu'à Lovina Beach, et comme l'eau y est aussi plus claire, on voit beaucoup mieux les poissons. Mais la mer est souvent agitée et il y a des courants. Des pêcheurs vous proposeront également de vous emmener faire un tour près des îlots au large de la plage. Là aussi, jolis coraux.

▶ Sur la plage, côté est, voir les femmes qui ramassent des débris de corail, ainsi que les hommes qui, avec une sorte de voile immergée, recueillent des alevins.

— De Candi Dasa, petite balade intéressante, vers l'est, pour aller sur la pointe rocheuse que l'on voit de la plage. On longe la plage pour arriver au pied de la falaise, où l'on peut suivre un petit sentier menant à l'extrêmité de la pointe. Attention, parfois très glissant. De là, vue géniale sur Candi Dasa, Padangbai, les montagnes et le Gunung Agung, au loin.

A voir dans les environs

Candi Dasa est le point de départ de nombreuses excursions dans des endroits peu fréquentés, comme cette balade à Putung.

— Putung

Rejoindre Subagan, juste avant d'arriver à Amlapura et prendre la petite route sur la gauche qui monte à Putung, à 2 km de la route principale. Putung est à 25 km d'Amlapura.

S'arrêter au *Putung Bungalows*. La vue est probablement la plus belle de toute l'île. On découvre le paysage marin en surplomb avec au loin Nusa Penida et Lombok. Époustouflant lorsque le ciel est bien dégagé, ce qui, il faut l'avouer, n'est pas fréquent car il pleut beaucoup dans la région. L'idéal serait de passer la nuit ici. Malheureusement, les 5 chambres sont très mal entretenues. Les bungalows 2 et 3 ont des chambres à l'étage, ce qui est encore mieux pour la vue. Prix raisonnables et l'endroit est très calme. Resto correct et jardin bien entretenu.

Après Putung, la route passe par Selat où il y a quelques belles rizières. Aller jusqu'à Rendang. Si on tourne à droite, on monte à Besakih, et à gauche on regagne Klungkung. Il est possible de faire la boucle et de revenir à Candi Dasa en longeant la côte par Goa Lawah et Padangbai.

— Tenganan

L'excursion la plus facile à réaliser est celle du village animiste de Tenganan, à 5 km de la route Klungkung-Amlapura. Le carrefour se trouve juste avant d'arriver à Candi Dasa, en venant de Denpasar. Sans véhicule, on s'y rend à pied ou à moto-bemo (négocier le prix) depuis le carrefour.

Ce village isolé dans un cul-de-sac est protégé par un mur de pierre et par d'étroites entrées. Dans les deux rues principales, les habitations s'étagent en terrasses successives.

Tenganan est surtout célèbre pour son système communautaire : tous les biens appartiennent à tout le monde. Le village possède 1 000 ha d'excellente terre. Bizarrement, les habitants n'ont jamais cultivé eux-mêmes, préférant laisser ces pénibles tâches à des métayers du voisinage. Le produit de ces fermages est distribué à l'ensemble de la communauté réparti par le conseil du village en fonction des besoins de chacun. Voici un véritable communisme qui fonctionne harmonieusement depuis des siècles.

Les habitants de Tenganan se prétendent d'origine divine, donc consacrent leur temps aux divinités hindoues et au système des échanges. C'est là l'originalité de la communauté. A chaque instant, chacun échange avec son voisin : riz cuisiné, aide mutuelle, étoffe... On ne garde pratiquement rien pour soi car on s'empresse de l'offrir. Une seule formule : « donner et recevoir ».

Le village lui-même est construit selon une architecture très particulière. Les maisons, toutes semblables, sont construites le long de rues en paliers successifs. Au milieu, à l'instar des kibboutzim, sont érigés les bâtiments communs : grange, salle du conseil...

Mais Tenganan se meurt peu à peu, car ils refusent toute influence extérieure. Au sein de cette population d'à peine 300 habitants, les mariages consanguins sont fréquents. Ils entraînent malformations et stérilité.

Les avis sont très partagés sur ce village victime du tourisme. Rien à voir avec le Tenganan des années 70 où quelques Bali Aga vivaient encore protégés derrière le mur de pierre. L'authenticité de Tenganan disparaît progressivement, les habitants ayant vite compris le profit qu'ils pouvaient tirer de l'exploitation touristique : parkings payants (on vous conseille d'ailleurs, si vous êtes en voiture, de vous garer en contrebas où c'est gratuit) et boutiques un peu partout. Tenganan est réputé pour ses tissus de coton, *geringsing*, fabriqués selon le procédé du double ikat dans lequel les fils sont teintés à l'avance, suivant le dessin que l'on veut obtenir. Le résultat donne des pièces très coûteuses mais qui préservent du mauvais sort et éloignent les maladies. Un tissu magique ! En vente au village.

Très agréable balade surtout pour le retour vers Candi Dasa (la route descend légèrement).

KARANGASEM (ou Amlapura)

A 80 km à l'est de Denpasar. Ancienne capitale du royaume de Gelgel. Deux vieux palais sans intérêt particulier le rappellent. Marché couvert. Ville assez endormie où l'on pourra passer sans s'éterniser. En revanche, les environs sont plus intéressants.

Où dormir ? Où manger ?

A vrai dire, on préfère dormir à Tirtagangga.
■ *Sidha Karya :* près de la poste. Losmen propre mais un peu bruyant. Salle de bains commune.
● *Anekarasa Restaurant :* en face de la station de bemos. Ferme assez tôt le soir. Bien demander le prix avant de manger.
■ *Balakiran Home Stay :* dans le Puri madhura, l'un des anciens palais du rajah de Karangasem. Le patron, très serviable, pourra vous aider à découvrir cette région peu visitée. Il est de bon conseil.

Dans les environs

TIRTAGANGGA

A 6 km de Karangasem. C'est ici qu'il faut dormir. Temple aux sources sacrées, construit dans un site superbe, à flanc de colline. Les rizières autour du village sont parmi les plus belles de Bali.
Tirtagangga signifie « eau du Gange ». L'ensemble, construit au début du siècle, fut très endommagé par l'éruption de 1963. Endroit très agréable avec une magnifique piscine pour se baigner.

Où dormir ? Où manger ?

■ *Tirta Ayu :* donne directement sur les piscines. On ne peut avoir une meilleure vue. 4 chambres en bungalows très agréables avec douche et eau froide. Très propre. Prix raisonnables. Accès gratuit à la piscine.
■ *Dhangin Taman Inn :* donne sur les piscines royales. Très calme. Rizières à proximité. Chambres avec ou sans bains. Jardin bien entretenu. Bonne cuisine.
■ *Kusuma Jaya Inn :* à 300 m des piscines, en allant vers Ababi. Le bemo vous arrête devant. Losmen dominant la ville. Une extraordinaire vue sur les rizières. Patron accueillant qui vous parlera des coutumes de Bali et se fera un plaisir de vous prêter masque et tuba pour plonger dans les environs. Certainement notre meilleure adresse mais aussi la plus chère.
■ *Prima :* à 300 m du précédent, en continuant. Sympa et meilleur marché que les autres. Tenu par des jeunes. Vue superbe.

PRÈS D'UJUNG

A 2 km d'Ujung, on trouve le palais d'été du dernier souverain de Karangasem construit avec l'aide des Hollandais vers les années 20. La coulée de lave de 1963 a pratiquement tout anéanti. L'ensemble, très décevant, est désormais laissé à l'abandon. Il faut beaucoup d'imagination pour interpréter ces ruines envahies par la végétation des rizières.
En revanche, il faut à tout prix aller faire un tour sur la superbe plage de sable noir, complètement sauvage et inconnue des touristes, située à quelques centaines de mètres du palais. Sur la plage se reposent des dizaines de trimarans colorés, ornés de gueules de monstres. Lorsque tous les pêcheurs sortent leurs embarcations en même temps, le spectacle est étonnant.

LA NOUVELLE ROUTE CÔTIÈRE DE L'EST

Une toute nouvelle route (étroite et sinueuse, il faut le préciser), faisant le tour complet du Gunung Seraya, contourne désormais les flancs du volcan voisin du Agung et longe les côtes du détroit de Lombok. Elle traverse une succession de paysages où les palmiers et les bananiers découpent leurs silhouettes sur le bleu de la mer.

Exemple d'itinéraire

Un véhicule est indispensable pour cette balade qui peut très bien s'effectuer en une demi-journée, mais il est probable que vous ne résisterez pas à une halte dans des endroits encore préservés du tourisme de masse. Aucun service régulier de bemo sur ce parcours. Voici le circuit que nous conseillons, mais les variantes ne sont pas interdites.

— De Candi Dasa, monter à *Karangasem* par la route classique de Jasi ou, mieux, tourner à Prasi, à gauche (deux bornes de pierre à l'entrée de la route, de la largeur d'une voiture), pour passer par Bungaya, Papung et Rebandem, par des routes secondaires. En obliquant sur la gauche, vous iriez sur Putung, un des plus beaux points de vue de l'île ; en tournant à droite, vous passez à *Tirtagangga* (voir plus haut). Après Tirtagangga, la route passe à *Abang*, traversant une succession de rizières en terrasses qui sont parmi les plus belles de cette partie de l'île.

— A *Culik* : deux routes, celle de gauche pour Tulamben, et celle de droite pour Amed. Celle de gauche est la route côtière qui conduit à Singaraja, à 67 km, et n'offre pas un grand intérêt. Il faut toutefois l'emprunter pendant 5 km pour aller à *Tulamben*.

TULAMBEN

Un endroit appelé à un avenir touristique certain dans les années à venir. Plage de galets, mais des fonds marins étonnants. On passerait son temps dans l'eau au milieu des myriades de poissons multicolores à observer leur ballet dans les bouquets de coraux. Les plus beaux sont près des rochers sur la droite. De Tulamben à Candi Dasa : 40 km.

Où dormir ? Où manger ?

■ *Paradise Palm Beach Bungalows :* 20 chambres dans des bungalows très agréables et confortables, au milieu d'un beau jardin. Chaque bungalow dispose d'une terrasse et d'une salle de bains. Préférer ceux qui sont près de la plage et loin du groupe électrogène qui fonctionne jusqu'à 22 h. Prix très raisonnables. Bon restaurant. Boutique et location de matériel complet pour la plongée avec bouteille (très chère). Une excellente adresse tenue par une Japonaise.
■ *Bali Timur :* à côté du précédent. Pour l'instant, 3 bungalows plus simples que ceux du Paradise mais ils possèdent cependant une salle de bains avec douche froide. Électricité. Restaurant au choix un peu limité. Location de matériel (masque et tuba). Un peu moins cher que le Paradise à qui va cependant notre préférence.

A voir

Les amateurs de plongée seront comblés. Magnifique épave entre 10 et 27 m de profondeur avec des poissons et des coraux absolument extraordinaires. L'épave se trouve en face d'une petite maison blanche, à gauche en regardant la mer depuis les losmen. Impossible de ne pas la localiser : chaque jour une centaine de plongeurs viennent de Kuta ou de Sanur pour l'explorer avec leurs bouteilles.
Tout le coin est très reposant. Possibilité d'aller pêcher à la traîne avec les pêcheurs de l'endroit. L'eau est claire ; belle falaise sous-marine avec des coraux magnifiques sur la droite de la plage.

AMED

— Revenir au carrefour de *Culik* et suivre la route jusqu'à *Amed*. Ce village de pêcheurs est encore authentique et dépaysant pour ceux qui viennent du sud. Peu de touristes pour l'instant. Tout le long de la côte, les petites plages servent de port aux *prahus,* ces élégants bateaux à balanciers. A certaines heures, ils sont plusieurs dizaines glissant sur l'eau avec leur voile triangulaire, comme un vol de libellules ; les pêcheurs ne sortent ici qu'en bandes. A côté d'Amed, salines où le sel est recueilli dans des troncs de palmiers creusés. La route monte et descend sans arrêt, épousant les flancs capricieux du volcan.

■ A *Lipah Amed,* une adresse agréable pour séjourner : **Pondok Vienna Beach.** 10 bungalows donnant directement sur une plage de sable noir. On a les pieds dans l'eau. Ils sont bien équipés : salle de bains avec douche froide et électricité. Petite terrasse devant chaque chambre. Restaurant servant une cuisine très honorable. Location de matériel (masque et tuba) car, là aussi, les fonds sont très intéressants. Prix calculés un peu trop à la tête du client. Se méfier aussi des vols très fréquents dans ce losmen. Il est indispensable de fermer la porte de son bungalow et de surveiller attentivement ses affaires, principalement le matériel photographique.

■ Un nouvel hôtel était en construction, juste à côté. Dites-nous ce que vous en pensez.

— En continuant la route côtière, au-delà de Lipah Amed, belles vues sur les plages et les salines.

— Pour revenir à Candi Dasa, compter environ 40 km. La route est toujours aussi belle. Arrêtez-vous, à 15 km avant d'arriver à Candi Dasa, à Batutelu. Empruntez un chemin défoncé sur la gauche et, après 2 km de descente vers la mer, vous arriverez à une grande plage de sable noir. Si vous avez la chance d'assister au retour des pêcheurs en fin d'après-midi, vous pourrez découvrir ce qu'était Bali avant l'invasion touristique. Dépêchez-vous d'y aller et préservez cet endroit. Bien entendu, pas de resto ni de losmen.

– LA CÔTE NORD –

La route côtière entre Karangasem et Singaraja contraste avec tout ce qu'on peut voir dans le reste de l'île : paysages désertiques, arrière des volcans Agung et Batur. Dans la deuxième partie de l'itinéraire, les arbres empêchent de voir d'un côté la mer, de l'autre la montagne.

KUBUTAMBAHAN

A droite de la route quand on vient de Karangasem et d'Air Sanih, bien avant le carrefour de Kintamani, *le temple Maduwe Karang* offre une curiosité. Des artistes facétieux, non dénués d'humour, ont représenté un cycliste juché sur un vélo dont les roues sont des fleurs. Donation obligatoire pour ce petit morceau de poésie. Comme dans tous les temples du Nord, les sculptures sont plus travaillées que dans le sud.
Voir aussi le *Puri Maksan,* sur la route de Kintamani, juste après avoir quitté la route côtière. Le premier chemin à gauche conduit à ce temple multicolore.

SAWAN

De Sangsit, prendre une route allant au sud. Le *pura de Jagaraja* a peut-être les décorations les plus démentes de la région. On y voit un avion en train de s'abîmer en mer, des automobilistes attaqués par des bandits, des bateaux attaqués par des démons marins...
C'est à Sawan que sont forgés les meilleurs gongs des gamelans de l'île. On peut se faire conduire dans un atelier.

SANGSIT

Prendre le chemin qui mène à la plage. Temple de Beji dans le plus pur style
« rococo des années folles ». Joli mais surchargé ! Il est indiqué sur un panneau, à droite de la route quand on vient de Kubutambahan.

SINGARAJA

A 85 km de Denpasar. Ville musulmane, absolument sans intérêt. Les routards,
à juste titre, n'y restent pas et vont tous à Lovina Beach. Ils ont bien raison.
A l'époque hollandaise, Singaraja était le port principal de Bali et une capitale
administrative. Le port a toujours une certaine activité et le marché reste important. Mais le trafic et le vacarme auront vite fait de vous chasser. Les trois terminaux de bus sont reliés par des navettes. En descendant du bus, méfiez-vous
de ceux qui prétendent vous conduire à Lovina. En fait, ils vous laissent à
l'autre terminus. Marchandez en conséquence.
Singaraja produit un vin ressemblant vaguement à du porto, et sa bibliothèque
historique, la *Gedong Kirtya,* contient des manuscrits anciens et des dessins.
■ On peut (éventuellement) dormir à l'*hôtel Singaraja,* 1 jalan Veteran.
Grandes chambres au charme vaguement rétro. Au sud de la ville.
■ *Berdikari Cottages :* 42 Dewi Sartika. ☎ 412-17. Une nouvelle adresse à
10 km de Singaraja, à l'embranchement vers Jagaraga. Six bungalows très
agréables. Restaurant. Sympa.
– De Singaraja, liaison par bus de nuit pour Jogjakarta.

Dans les environs

▶ *Chutes d'eau de Gitgit :* à 8 km environ, sur la route de Bedugul, sur la
droite. C'est indiqué. Accès payant. Compter 15 mn de marche à travers une
forêt de poivriers, de girofliers et de vanilliers. Après avoir traversé une rizière,
on arrive au pied d'une impressionnante cascade, la plus haute et la plus belle
de l'île. Le cadre est agréable mais très fréquenté. Nombreuses échoppes tout
le long du chemin. Où est le calme dont nous parlions dans nos éditions précédentes ?
▶ Toujours sur la route de Bedugul et juste avant d'arriver au lac Braton, terrain
de golf du *Bali Handara Kosaido Country Club* avec sa porte monumentale,
son jardin fleuri et sa vue sur le lac depuis la passerelle du restaurant.

BEDUGUL

Cette station d'altitude est à 29 km de Singaraja, à 15 km de Kintamani et à
51 km de Denpasar. Petite laine indispensable et imperméable conseillé. On est
ici en montagne et les écarts de plus de 10° avec la plaine sont fréquents. Cette
station très touristique a plus de succès auprès des Indonésiens que des étrangers. Les prix sont aussi plus élevés ici. La route entre Singaraja et Bedugul a
été refaite à neuf. Nombreuses familles de singes tout au long de la route.

Où dormir ?

■ *Mawar Indah :* jalan Kebun Raya, à 50 m au-dessus du petit marché. Petits
bungalows assez propres. Douche privée. Bon marché.
■ *Losmen Mini Bali :* juste au bord de la route principale, à 200 m au-dessus
du petit marché. Tenu par *Olga,* une Chinoise. Les 5 chambres sont mini et vraiment sommaires avec une douche collective. Même prix que le précédent, mais
moins bien. Resto très moyen.
■ *Bedugul Hotel :* c'est fléché depuis la route. Il faut payer pour y accéder. La
vue est vraiment très belle, mais ce n'est pas vraiment bon marché. Pas de voiture dans la journée mais vrombissements des bateaux à moteur.

Où manger ?

● *Pelangi Restaurant :* à côté du marché. Très correct.

A voir

Le lac Braton et deux autres lacs de moindre importance occupent une partie de cet ancien cratère. L'endroit est très touristique. En venant du sud, ne pas se laisser abuser par le panneau Bedugul dans une épingle à cheveux. La route conduit à un parking et à... l'hôtel Bedugul. L'accès aux bords du lac est payant. Poursuivez jusqu'au village. Le temple est à 1 km plus bas, à droite.

▶ *Le temple Ulu Danu :* à Candikuning, sur la gauche en venant de Singaraja, pour son *meru* à onze toits qui se reflète sur l'eau du lac Braton, c'est un des plus beaux temples balinais dédié à la déesse des Eaux. Calme et sérénité dans un paysage grandiose. Chose étonnante, un stūpa, un peu à l'écart de l'entrée sur la gauche, laisse supposer une influence bouddhique.
Possibilité de location de bateaux près du temple.

▶ *Marché aux fleurs de Bukit Mungsu :* à 1 km au sud du temple, sur la place du village. Charmant marché où l'on vend des orchidées parmi les légumes et les fruits. Goûtez, pendant la saison, au mangoustan, fruit absolument délicieux, que l'on trouve dans assez peu d'endroits en Asie. Ce marché est devenu un piège à touristes. Les prix ont fait fuir les habitants de l'endroit. A voir cependant pour le coup d'œil ; acheter ailleurs.

■ *Jardin botanique :* ensuite, prendre la première rue à droite, le parc (ouvert de 8 h à 16 h 30) se trouve à 1,5 km. Nombreuses espèces européennes parfois banales à nos yeux.

Dans les environs

Pour ceux qui veulent se rendre à Batukau depuis Bedugul, redescendre par Baturiti et s'arrêter quelques kilomètres après à Pacung (prononcer Pachung), petit village constitué d'une trentaine d'habitations. Magnifiques paysages de rizières. Excellent restaurant, un peu cher, mais avec une vue exceptionnelle, à condition qu'il n'y ait pas de brume. A Pacung, prendre la route de Penebel. Après Apuan, tourner à droite et suivre la petite route qui passe par Senganan-kanginan, Gunungsari, Jatilhuih et Wangayegede où l'on retrouve la route principale pour Batukau. Tout au long de cet itinéraire, nombreuses rizières et paysages magnifiques.

BATUKAU

Le temple de Batukau a été restauré et a perdu un peu de son charme romantique. C'est pourtant encore une véritable oasis de calme dans la forêt. Ce qui est assez rare à Bali. La route qui y mène a été refaite à neuf. Depuis Tabanan, se diriger sur *Penebel,* puis vers la gauche sur *Wongaya Gede.* Mais scrutez bien le ciel avant tout, le *mont Batukau,* en forme de noix de coco qui culmine à 2 278 m, est souvent pris dans les brumes. Il fait alors plus frais et vous ne bénéficierez pas de la vue exceptionnelle sur l'ensemble de l'île.

LOVINA BEACH   IND. TÉL. : 0362

Cette gigantesque plage de sable noir s'étend à l'ouest de Singaraja. Son grand plus par rapport aux plages du Sud réside dans le calme de ses eaux. Ici, ni vagues ni rouleaux énormes. On peut se baigner en toute tranquillité sauf sur la droite des barques où il y a parfois du courant. Au large de la côte, possibilité d'observer de beaux coraux. Partout, des bateaux proposent la balade. Masque et tuba fournis. Malgré ces éléments positifs, Lovina Beach ne rassemble pas tous les suffrages. Il faut savoir que la plage est très étroite et à marée haute quasiment inexistante. Le coin est encore assez calme, certes, mais la propreté générale laisse sérieusement à désirer. Ne comptez pas y allonger votre serviette, ou alors en travers et sur la tranche. On apprécie surtout le fait que les groupes de bungalows sont bien espacés les uns des autres. Mais la beauté de la plage en elle-même, soyons francs, n'arrive pas à la cheville de celle de Kuta et Legian. Aller de préférence sur la gauche de la plage. Les vendeurs commencent aussi à se manifester. Le soir et la nuit, bruits de corne de brume des pêcheurs qui communiquent pour rabattre le poisson.

– *Téléphone public :* à côté de l'hôtel Aditya.

Où dormir ?

A AMPURAN

A 3 km avant Lovina Beach, jolie plage de sable gris plus tranquille que celle de Lovina. De nombreux losmen se sont construits récemment. On fera bien de les visiter avant de fixer son choix.

A LOVINA

Les bungalows sont nombreux. Aucun problème pour en trouver. Les premiers sont à 6 km de Singaraja, les derniers à 13 km. Possibilité d'acheter des tickets de bus dans la plupart des losmen.
Les endroits que nous vous avons sélectionnés ont tous directement accès à la plage. Voici notre choix, par ordre de préférence. Nous n'avons pas classé ces établissements par catégories de prix, la plupart proposant des chambres à des tarifs différents suivant le confort qu'elles offrent et leur situation (vue sur la mer ou non). En basse saison, prix négociables. Selon l'emplacement des hôtels on est souvent réveillé dès 5 h par l'appel à la prière.

■ *Agung Home Stay :* 9 chambres, dont 4 donnant sur la mer. Petite cour intérieure très jolie. Propre. Resto agréable. Le tout à des prix très doux. Tenu par une famille balinaise.

■ *Angsoka :* derrière le Nirwana. Réservation possible. ☎ 414-25. S'y prendre tôt, car souvent complet. Bungalows récents dans un jardin magnifique. Le cousin du patron propose des excursions en bateau sur la barrière de corail. 21 chambres, auparavant très bien entretenues, mais qui se sont dégradées et le patron a tendance à faire grimper ses prix devant le succès. Beaucoup de bruit car les bungalows sont très proches les uns des autres. Trois catégories de prix.

● *Rini :* ouvert par un Suisse. Extrêmement propre. Accueil très sympa mais arriver tôt. Souvent complet.

■ *Lila Cita :* à 8 km de Singaraja. Le patron a construit son hôtel vraiment sur la plage. Isolé au bout d'un chemin de terre. Trois types de bungalows. Fleurs. Petit resto. Les bungalows les plus chers sont au premier avec terrasse sur la mer. Bon resto sous une paillote en hauteur.

■ *Aditya Home Stay :* à 12 km de Singaraja. ☎ 410-59. Bungalows en osier assez vastes et confortables. Plage avec douche bordée de cocotiers. Restaurant renommé dans les environs. Boutiques. Moins cher qu'il n'y paraît. Le samedi soir, spectacle de *legong* pas terrible. 40 chambres au total. Les plus chères ont l'air conditionné et donnent sur la mer. A conseiller si vous en avez les moyens, mais le rapport qualité-prix n'est pas extraordinaire. Piscine. Carte *American Express* acceptée. Beaucoup de groupes.

■ *Astina Seaside Cottages, Kalibukbuk :* à 8 km de Singaraja. 5 bungalows tout confort et 7 chambres dans un superbe jardin en bord de plage, bon marché. Accueil sympa et bon enfant. Calme, très propre, bonne cuisine locale, très relevée. Trois catégories de prix. Petit déjeuner un peu léger. *Mosquito Coil* pour la nuit. Donnent une documentation sur ce qu'il y a à voir dans la région.

■ *Kali Bukbuk Beach Inn :* bungalows corrects à prix variant selon le confort. Le restaurant propose un bon rapport qualité-prix.

■ *Suci Jati Reef :* à 6 km de Singaraja. ☎ 219-52. Bungalows spacieux. Dans chacun d'entre eux, une vraie douche. Une double rangée de cocotiers les sépare de la mer. Assez isolé. Éviter d'y manger, car cher et pas bon. Le patron pousse à la consommation. Au total, 16 chambres.

■ *Susila 2 :* entre Angsoka et Nirwana, juste à côté de Tony's Bar. Simple. 12 chambres à des prix différents. Pas cher. A ne pas confondre avec le *Susila 1,* très sale et déconseillé.

■ *Sri Home Stay :* à 6 km de Singaraja. Un losmen plutôt agréable et à prix très raisonnables.

■ *Samudra Beach Cottage :* à 12 km. ☎ 412-72. Tout nouveau et un des rares à avoir l'eau chaude. Les bungalows donnent directement sur la mer. 10 chambres dont 8 avec air conditionné. Prix en conséquence. Excellent resto.

■ *Chono's :* à 10 mn à pied du restaurant Superman, en venant de Singaraja. Chambres propres. Prix à discuter.

■ *Rommeo :* à la sortie de Lovina, après le Samudra Cottage. 3 chambres seulement mais toutes neuves et impeccables. A 20 m de la plage. Très bon marché. Calme. Le patron est jeune et sympa.

■ *Arjuna Home Stay :* à deux pas du Mangalla Restaurant, sur la route principale. Possibilité de plongée. Bon losmen. Bus direct pour Surabaya.

■ *Nirwana :* à 10 km de Singaraja et à 300 m de la route principale. Trois types de bungalows en fonction du budget de chacun. Les moins chers sont petits et sombres (nos adresses précédentes sont meilleures pour le même prix).

En revanche, ceux à prix moyens sont corrects et même élégants. Mais le fin du fin vient de ces bungalows à étages, les plus beaux que nous ayons vus à Bali. On peut y loger à 3 ou 4. Absolument superbe. Dommage que l'accueil soit nul, voire antipathique. Resto à déconseiller.

■ *Losmen Wisnu :* sur la route principale, non loin du chemin du Nirwana, à deux pas de la plage. Propre et confortable. Prix moyen.

■ A déconseiller : le *Parma Beach Home Stay* que nous avons recommandé pendant des années. Le succès leur ayant tourné la tête, ils ont augmenté les prix, sont devenus très désagréables et prennent nos lecteurs pour des pigeons.

Où manger ?

La plupart des bungalows disposent d'un restaurant donnant généralement sur la plage. Cuisine indonésienne et quelques plats européens.

● *Johni's :* un peu en contrebas de la route. Accueil très sympa. Bonne cuisine. Copieux et pas cher. Commander la veille un *rijsttafel,* énorme et très bon (il faut être au moins quatre).

● *Sedewa Bar et Restaurant :* excellente cuisine indonésienne et chinoise. Très bon marché.

● *Bali Restaurant-Chez Denny :* sur le chemin qui conduit au Nirwana. Denny, qui a appris à couper les cheveux à Paris et parle le français, a ouvert son restaurant face au Bali Bintang où il a travaillé longtemps comme serveur. Dites-nous ce que vous pensez de sa cuisine.

● *Bali Bintang-Kali Bukbuk :* face au précédent. Superbes steaks de thon et poisson grillé pas chers. Décor simple mais ce que l'on a dans son assiette est frais et bon.

● *Badai II :* en face d'Angsoka et de Nirwana. Ambiance sympa. Bon rapport qualité-prix. Ne pas confondre avec le *Badai I.*

● *Mangalla Restaurant :* à 11 km de Singaraja. Au bord de la route, mais cadre agréable avec ses lanternons.

● *Khi Khi :* super resto de fruits de mer. La cuisine est faite sous vos yeux. Un peu cher, mais c'est une excellente adresse qui ne désemplit pas.

● *Semina :* sur le chemin de l'Astina et du Rini. Chaque soir bon buffet très bon marché. Spectacles de danse.

● *Grace Restaurant :* à 500 m de l'Aditya, en allant vers Singaraja. L'un des rares à disposer de poissons et crustacés annoncés sur la carte. Très copieux et prix moyen.

● Évitez le *Superman* qui n'est plus recommandé par nous depuis des années, malgré ce qu'il affiche.

A voir. A faire

▶ *Aller à la rencontre des dauphins :* excursions organisées par la plupart des losmen. Départ vers 6 h. Retour vers 8 h 30-9 h, pour le petit déjeuner. Éviter de s'y rendre avec un groupe de pirogues, les dauphins étant parfois craintifs. Certains jours, il y a une telle affluence de bateaux (jusqu'à 50) que les dauphins fuient et la rencontre se transforme en poursuite. Les pêcheurs qui vous conduisent ont tout intérêt à ce que vous voyiez le ballet des dauphins surgir de l'eau en vrille. S'ils ne se sont pas montrés, vous ne payez que la moitié du prix de l'excursion, c'est bon à savoir.

▶ *Se livrer au plaisir de la natation,* mais il faut nager au moins 100 m pour avoir de l'eau claire. Au bord, il y a souvent de l'écume.

▶ *Se faire conduire en bateau* (15 mn) pour observer les coraux qui sont magnifiques, mais cependant moins beaux qu'à Candi Dasa.

▶ *Hot Spring Banjar :* à 7 km de Lovina. Demander où se trouve cette piscine aménagée dans un jardin tropical. Source naturelle d'eau chaude. Ne pas oublier son maillot de bain.

– LES ROUTES DE L'OUEST –

Ceux qui ont fait la côte nord peuvent regagner le sud de l'île en passant par la nouvelle route allant de Pengastulan à Tabanan. Cet itinéraire permet de découvrir au passage, principalement à Pupuan, les plus beaux paysages de rizières balinais. A faire sans se presser. L'itinéraire est encore peu connu et donc à l'écart des circuits classiques.
Route excellente de Singaraja à Seririt et de Pupuan à Tabanan mais la partie entre Seririt et Pupuan est encore très mauvaise : nids-de-poule et bas-côtés dangereux.

SEMPIDI, LUKLUK, KAPAL

Ces trois villages, sur la route de Tabanan, sont intéressants pour leurs temples bariolés qui ne sont pas sans évoquer ceux du nord de l'île. On en verra 3 à Sempidi. A Luklук, le *Pura Dalem* mérite une halte. Mais le plus intéressant est le *Pura Sada* de Kapal. Ce serait aussi l'un des plus anciens puisqu'il aurait été fondé au XIIe siècle.

TABANAN

Tabanan, à 21 km de Denpasar, est une grosse bourgade sans intérêt située à l'embranchement de la route du Gunung Batukaru, ce volcan de 2 276 m, le second de l'île par sa taille, souvent noyé dans la brume. Son ascension, plutôt difficile, est décevante. De plus, la piste qui passe par Penebel est en mauvais état.

Où dormir ?

Deux hôtels dans la même rue.
■ *Turana Hotel :* cher et sans confort.
■ *Losmen Serehana :* pas plus de confort, mais a le mérite de coûter moins cher.

TANAH LOT

L'un des sites les plus célèbres de Bali : les couchers de soleil y sont réputés. Cette excursion est l'une des plus vendues par les agences locales, mais le tourisme de masse n'est pas encore parvenu à détruire la beauté de ce site.

Comment y aller ?

— Quelques bemos au départ de Denpasar (31 km de Tanah Lot). Attention, le dernier part de Tanah Lot vers 16 h. Il faut d'ailleurs changer de bemo à une bifurcation juste avant Tanah Lot. Kapal est à 5 km.
— Le mieux est de chartériser un bemo depuis Kuta ou Legian (marchandage obligatoire) ou de louer un vélo ou une moto et de continuer la route de Legian en passant par Krobokan et Sempidi. D'abord, on évite le vacarme de Denpasar et on traverse de paisibles villages et de jolies rizières.

Où dormir ? Où manger ?

■ Si on a loupé le dernier bemo, se rabattre sur les 3 chambres extrêmement sommaires du *Tanah Lot Restaurant*.
● Nombreux restaurants. Le meilleur possède une salle destinée aux groupes dont la taille rappelle celle d'un hall de gare. Il est préférable de manger à l'extérieur, dans un de ces nombreux petits restos qui se succèdent, sur la falaise à gauche de l'entrée. On a au moins une belle vue sur le temple.

A voir

▶ *Le temple :* l'accès au site est payant. Temple bâti sur un rocher isolé dans la mer. Couchers de soleil extra la plupart du temps mais cela dépend cependant des conditions météorologiques. Le temple, en contre-jour, a des faux airs de pagode chinoise. Il vient d'être habilement restauré après plusieurs années de travaux. A marée basse, il est possible d'accéder aux premières marches du temple, mais ceci n'est autorisé que certains jours de fête.
Pour avoir la meilleure vue sur le temple, obliquez à droite après l'entrée. Petite plate-forme aménagée. Sur la droite, belle plage sauvage où déferlent les rouleaux. On a aussi une très belle vue sur l'ensemble en allant vers la gauche, là où se trouvent les nombreuses buvettes sur le haut du promontoire.
Le temple de Tanah Lot est gardé par deux Balinais en costume qui vous montreront volontiers des serpents sacrés que l'on aperçoit dans les anfractuosités de la grotte. Donation.

MENGWI

▶ *Temple Taman Ajun :* entouré d'eau. Très vaste et d'une harmonie parfaite s'il n'était pas rempli en permanence de touristes européens ou japonais. A voir au coucher du soleil lorsque la foule est repartie. Très belles tours à *merus* dans la dernière cour du temple.
Mengwi fut, jusqu'à la fin du XIX° siècle, la capitale d'un puissant royaume, ce qui explique l'importance de ce Pura Taman Ajun.
● Possibilité de se restaurer au *Water Palace Garden Restaurant*. Un peu cher mais le cadre est exceptionnel.

SANGEH

A 30 km de Denpasar et à 12 km de Mengwi. Avant Mengwi, prendre la bifurcation pour Sangeh. Si l'on vient de Bedugul, plutôt que de prendre le « raccourci », il vaut mieux faire le détour par Mengwi. A moto, route assez dangereuse. Forêt d'arbres gigantesques et peuplée de singes qui sont agressifs et voleurs (attention, entre autres, à vos lunettes). Ne pas les provoquer, ils peuvent être très dangereux et mordre ou griffer. Accidents assez fréquents quand on les excite. Le temple, couvert de mousse, est assez joli mais beaucoup trop touristique. Les étudiants qui vous proposent de vous accompagner pour bavarder sont en fait des guides qui attendent quelques roupies en retour. Pour revenir vers Denpasar, prendre la route à droite du village ; elle est superbe.

NOUVEAU : après des mois d'études et de discussions serrées avec les meilleures sociétés, voici « ROUTARD ASSISTANCE » un contrat d'assurance tous risques voyages sans aucune franchise ! Spécialement conçu pour nos lecteurs, voyageurs indépendants.
Assistance complète avec rapatriement médical illimité – Dépenses de santé, frais d'hospitalisation, pris en charge directement sans franchise jusqu'à 500 000 F + caution pénale + défense juridique + responsabilité civile + tous risques bagages et photos + assurance personnelle accidents (300 000 F). Très complet ! et une grande première : vous ne payez que le PRIX correspondant à la durée réelle de votre voyage. Tableau des garanties et bulletin d'inscription à l'intérieur de ce guide.

LA BIBLIOTHÈQUE DU ROUTARD

Des livres pour le routard ?... Nous y pensions depuis longtemps. D'abord parce que les vacances sont une période propice à la lecture. Tous, nous avons tendance (c'est normal) à plus lire quand nous en avons le temps et le loisir. Ensuite, parce qu'on voyage aussi dans sa tête, même quand on arpente les routes...

Ah qu'elles furent longues, ces 12 heures de retour en bateau Santorin-Athènes ! Ou le train Vancouver-Winnipeg ! Si vous aviez pensé à emporter un bon bouquin sur le pays que vous visitez... Mais au fait, quels sont les meilleurs livres sur la Grèce ? Ou le Canada ?

Voici notre choix sur un certain nombre de pays. Les must, selon nous.

Nous avons favorisé les collections de poche, bien sûr : c'est moins cher, et puis c'est tellement plus maniable en voyage. Tous ces titres sont disponibles en librairie. Quant à nos critiques, elles sont totalement subjectives (on ne se refait pas !) ; on espère qu'elles vous guideront utilement.

Nous avons naïvement (?) tenté de plaire à tout le monde : les lecteurs exigeants comme les autres, les amoureux de littérature classique et les bédéphiles, les amateurs de polars et les fanas d'ethnologie ou d'histoire. Il y en a donc pour tous les goûts et c'est bien comme ça.

Avant le voyage, on lit pour se préparer, on se donne un avant-goût. Pendant le voyage, on confronte ce qu'on lit avec ce qu'on voit. Après le voyage, on lit pour se souvenir.

Bonnes lectures à tous.

NUSA TENGGARA

Un séjour dans Nusa Tenggara, les petites îles de la Sonde qui s'allongent à l'est de Bali, c'est l'occasion de plonger dans ce vieux rêve : les pays d'avant — d'avant les charters, les dollars, le trafic des souvenirs. Le XXᵉ siècle n'est pas tout à fait chez lui dans ces îles. D'ailleurs, à Komodo, les varans se défendent si bien contre l'évolution qu'elle les a oubliés depuis trente millions d'années... Bref, on adore (surtout Flores), mais attention : à part à Lombok, le confort des hôtels, losmen ou missions est plutôt sommaire, l'eau et l'électricité sont rares... et souvent coupées, les étapes longues... Bref, Nusa Tenggara, c'est encore un peu l'aventure !

Comment y aller ?

- **En avion :** Denpasar-Bima (île de Sumbawa) ou *Denpasar-Maumere* (île de Flores) : vols de 1 h et de 1 h 45 sur les Fokkers de la *Merpati*, 4 fois par semaine.
- **En bateau :** de nombreux ferries relient toutes les îles entre elles. Les horaires sont souvent incertains, et attention au temps ! La mer est réputée l'une des plus dangereuses du globe, et les courants sont réellement impressionnants (au point qu'on vous déconseille de vous mettre à l'eau, où que ce soit, sans demander l'avis des gens du coin ; on tient à nos lecteurs !).
- A notre connaissance, l'agence **Asia** est la seule à proposer un circuit Denpasar-Flores-Comodo-Sumbawa-Denpasar. La découverte et l'inattendu au rendez-vous, les galères en moins. Une super organisation sur place. Idéal si vous partez à plusieurs.

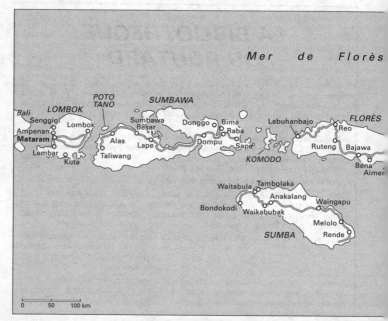

NUSA TENGGARA

L'« ikat »

C'est le tissu fabriqué à partir de fils teints un par un et tissés ensuite dans une débauche de couleurs et motifs unique en Indonésie. S'il s'en fait dans d'autres coins du pays, c'est ici, en Nusa Tengarra, que l'on trouve la plus riche production. En particulier à Flores (dans le pays mangarai, à Nggela en pays lio, à Sikka dans la région de Maumère) et à Sumba. Avant de faire vos achats, si vous le pouvez, attendre la visite du musée Ladalero à Maumère où vous découvrirez la plus belle collection d'ikats qu'on connaisse. Techniques de fabrication extrêmement sophistiquées. Les vrais ikats sont, tout d'abord, réalisés à partir de coton filé artisanalement. Cependant la demande importante a récemment introduit le fil industriel (pour produire plus). Chaque fil est teint séparément, les parties préservées ou teintes différemment étant masquées. Teintures naturelles provenant d'écorces, plantes, terres diverses. Même si apparaissent les teintures synthétiques, dans la plupart des villages, on continue comme avant. Le fil sera plongé dans la teinture pour chaque nouvelle teinte désirée. Ainsi pour obtenir un rouge foncé en dégradé, chaque fil se suivant sera teint une fois de plus. Travail énorme, quand on songe que l'artisan doit, en plus, calculer l'emplacement exact de la partie teinte, pour qu'elle coïncide étroitement avec les autres au moment du tissage. Plus les motifs sont élaborés, plus le travail se complique bien entendu. Tisser un ikat fut longtemps d'ailleurs le privilège des femmes nobles. Dans certaines îles, les teintures se préparent à certaines époques de l'année, le tissage s'effectuant à d'autres. Pour fabriquer un ikat de taille courante, cela demande bien sûr des mois et des mois de travail.

– *LOMBOK* –

Lombok attire certains routards désespérés de l'invasion touristique de Bali. Ils ne doivent pas se faire d'illusions. Si le tourisme s'y est développé plus lente-

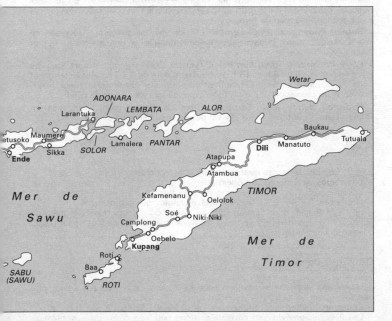

ment, c'est aussi parce que Lombok a moins de charme. Cependant, ces deux dernières années, les projets immobiliers se sont multipliés. Senggigi Beach est en passe de devenir la nouvelle riviera alternative à Bali et la région de Kuta-Tanjung Aan a vu son premier bureau d'études s'élever...

L'île est plus pauvre, et si l'on mange à sa faim dans le nord, cela n'a pas toujours été le cas dans le sud où la famine de 1966 fit près de 50 000 victimes. *Lombok* signifie « piment » en javanais.

Population

Lombok compte 2 millions d'habitants, pour la majorité de confession musulmane. On trouve une petite colonie balinaise, des Chinois et surtout des Sasaks, c'est-à-dire des anciens habitants qui constituent le fond de la population.

Les Balinais, qui dans le passé ont eu beaucoup de mal à coloniser Lombok, vous feront un tableau sombre de cette île et de sa population qui se livre, d'après eux, à la magie noire. Désolés, mais Lombok est beaucoup moins dangereux que Kuta et autres lieux hyper touristiques balinais. On n'y vole pas plus qu'ailleurs et la population est plutôt accueillante.

Hébergement

Les losmen sont encore rares et donc plus chers qu'à Bali. Le réseau routier n'est pas mauvais et il n'y a pas trop de circulation.

Comment y aller ?

– *Avion Denpasar-Ampenan :* 5 vols minimum par jour. *Bouraq* et *Merpati* assurent la liaison. Le vol dure une vingtaine de minutes. Départ du terminal national. Pas de taxe d'aéroport. C'est le moyen que l'on vous recommande car il fait gagner beaucoup de temps.

– *Bateau Padangbai (Bali)-Lembar* (27 km de Cakranegara) : traversée en 4 h 30. Trois classes. Départ quotidien de Padangbai en principe à 8 h, 11 h et 14 h.

– *Ferry Padangbai (Bali)-Lembar* (27km de Cakranegara) : départ tous les jours en principe vers 8 h et 15 h. La traversée dure de 4 à 7 h selon le temps et l'âge du capitaine. Le ferry est intéressant pour ceux qui emportent leur moto. Prenez votre passeport, il est parfois demandé lors de l'achat du billet.

– *Hydrofoil Benoa (Bali)-Lambar* (27 km de Cakranegara) : traversée en 90 mn. Départ quotidien à 8 h 30. Un peu moins cher que l'avion.

A voir

L'île de Lombok présente quatre centres d'intérêt majeur.
– Les plages de Senggigi, à l'ouest.
– Les plages de Kuta et de Tanjung Aan, au sud.
– Les îles de Gili Air, Gili Meno et Gili Trawangan, au nord-ouest.
– Le mont Rinjani dont l'ascension, qui demande 4 jours minimum avec un guide, est une expédition sportive réservée aux passionnés de randonnées pédestres en montagne.

Quelques conseils

– Une lampe de poche se révélera souvent nécessaire. Il n'y a pas l'électricité partout.
– Choisir son hébergement loin d'une mosquée si l'on tient à son sommeil.
– Les filles seules éviteront certains endroits peu fréquentés où la population n'a pas l'habitude de voir des femmes sortir sans être accompagnées.

– Apporter avec soi tuba et masque pour l'observation sous-marine mais on en trouve sur place à louer à des prix très raisonnables.

LEMBAR

Port où débarquent les ferries venant de Padangbai à Bali. Sitôt arrivé à Lembar, faites-vous confirmer les heures de départ du ferry ou du bateau car ils peuvent varier. A Lembar, il n'y a strictement rien sinon quelques hangars et un petit resto (sympa d'ailleurs). Pas de losmen. Vous n'aurez aucune difficulté (même si vous arrivez de nuit) pour trouver un bemo qui vous conduira à Cakranegara. Si vous arrivez de jour en bateau, vous remarquerez sur un îlot avant Lembar de petites cahutes de pêcheurs construites sur pilotis.

▶ Lembar est le point de départ d'une excursion bien agréable à **Gili Nanggu**, petite île située à 30 mn. Si le bateau de l'île ne se trouve pas au port des destinations locales, à côté du débarcadère des bateaux en provenance de Bali, louer une embarcation à moteur. On effectue le tour de Gili Nanggu en 20 mn. 10 bungalows dans le style traditionnel de Lombok. Ils sont à étage avec salle de bains au rez-de-chaussée. Excellent rapport qualité-prix. Pension complète. La location du matériel pour l'exploration sous-marine est comprise dans le prix forfaitaire. Il y a sur Gili Nanggu une plage où les tortues viennent pondre. Autour de ce petit paradis, trois autres îles dont *Gili Tangkong*, la plus grande. L'une est si proche que l'on peut l'atteindre à la nage.

AMPENAN   IND. TÉL. : 0364

La capitale de l'île est formée de trois agglomérations qui se succèdent et forment un tout : *Ampenan*, le port, *Mataram*, la ville administrative, et *Cakranegara*. Il faudrait en ajouter une quatrième, peut-être la plus importante pour le routard, *Sweta*, où se trouve la gare routière permettant de circuler à travers l'île.

Ampenan fut jadis le port principal de l'île. Ce n'est plus maintenant qu'un petit port de pêche sans grand intérêt qui sert encore, parfois, pour l'exportation du bétail. Vu son activité réduite, on peut se baigner sur la plage sans grand risque de pollution mais il faut savoir qu'elle sert de toilettes aux habitants et pêcheurs.

La population d'Ampenan est vraiment composite. Un cocktail fait de Balinais, de Sasaks et d'Arabes regroupés dans un quartier. Le commerce est, bien entendu, aux mains des Chinois.

Adresses utiles

– **Office du tourisme :** 70 jalan Langko. ☎ 218-66 et 217-30. Près de la poste et face au poste de police. Ils disposent de cartes de l'île. Ouvert du lundi au jeudi de 7 h à 14 h. Vendredi à 11 h et samedi 12 h 30. Fermé le dimanche.
– **Banque Umun Nacional :** Jalan Yos Sudarso. ☎ 228-26. Et jalan Pabean. ☎ 216-26. Le bureau de change n'accepte que les dollars US. Il existe un autre comptoir à la *banque Negara Indonesia* de Mataram, jalan Langko, qui change pratiquement toutes les autres devises.
– **Post Office :** jalan Sriwigaya. De 8 h à 14 h. Pas de poste restante. Dans ce cas, le courrier doit être adressé à la poste de Mataram.
– **Garuda :** 6 jalan Yos Sudarso. Chez Nitour à Mataram. ☎ 237-62.
– **Merpati :** 40 jalan Pejangsik, à Mataram. ☎ 226-70 et 232-35.

Où dormir ? Où manger ?

■ **Zahir Hotel :** 12 Jalan Koperasi. ☎ 224-03. Assez bon marché. Thé ou café à volonté, *banana fritters* le matin et dans la soirée. Bonne ambiance. Jeunes patrons sympa. Une bonne adresse.

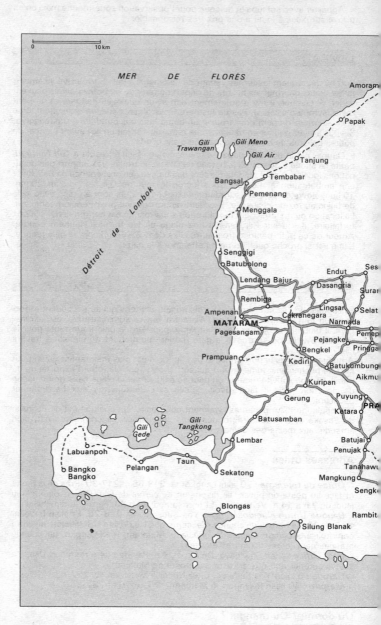

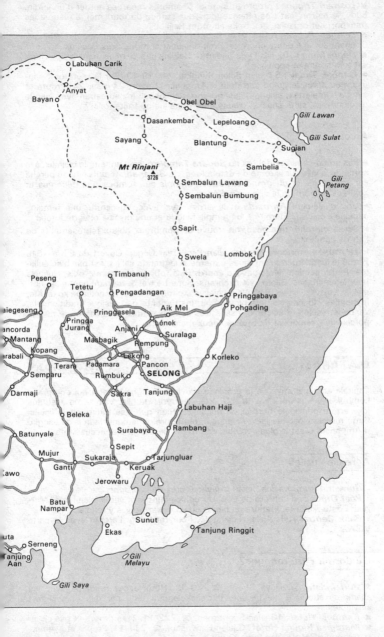

LOMBOK

■ *Losman Triguna* : propre et sympa. Chambres réparties autour d'un jardin. Eddy, le patron, est très efficace (plus que l'office du tourisme). Il réserve les transports et organise des treks au mont Rinjani.
■ *Losmen Pabean* : 146 jalan Pabean. Chambres tenues par des Chinois. Donnent sur une petite courette. Petit déjeuner compris, très copieux.
■ *Dépôt Mina* : 102 jalan yos Sudarno. Ne paie pas de mine, mais la nourriture est très bonne et copieuse.
● *Lombok Today* : 63 jalan Saleh Sungkar. ☎ 219-13. Sur la route de Senggigi, peu après le grand carrefour d'Ampenan. Ouvert 24 h sur 24. Propre et sympa. Omelettes, salades, nasi goreng, nasi gabuli (riz au safran avec viande de chevreau), saté, snacks, glaces, etc. Bons jus de fruits frais.

A voir

▶ Pas grand-chose en dehors du *Segara Temple* qui est un temple balinais, à la sortie de la ville sur la route de Batubulong, de *Suranadi*, temple hindou perché sur une colline et du *grand cimetière chinois* aux tombes très décorées et colorées au nord de la ville, vers Senggigi.

▶ Voir également *Narmada* et le jardin royal avec, au centre, une fontaine appelée « eau de l'Éternité », un temple hindou et une piscine ouverte à tous.

▶ Sur le *marché*, très beau, on trouve de nombreux objets représentatifs de l'art de Lombok.

▶ *Le musée ethnographique :* jalan Panji Tilar Negar. Ouvert de 8 h à 16 h. Fermé le lundi. Intéressant musée, même si la grande salle n'est pas bien éclairée. Petite section géologique d'abord. Puis, objets funéraires, objets usuels pour les mariages. Bijoux, vieux corans. Superbe trésor derrière une grille (normal !) : objets d'art en or ciselé ou niellés, coiffe, ceinture, magnifique kriss, etc. Immenses cloches en bois plus bétail. Instruments de musique traditionnels, vennerie, sculpture sur bois, tissus très anciens, outils agricoles et de pêche, porcelaines, tambours de bronze, vieux manuscrits.

MATARAM
IND. TÉL. : 0364

Capitale administrative de la province de Nusa Tenggara Barat qui comprend Lombok et les petites îles de la Sonde. Aéroport de l'île. Ville aérée avec une jolie artère principale bordée de buildings. Rien que des bâtiments officiels. Cette rue principale, la *jalan Pejanggik,* est le prolongement de la jalan Langko d'Ampenan. C'est la plus agréable des trois villes. Calme et accueillante.

Adresses utiles

– *Bureau d'immigration :* jalan Udayana, près de l'aéroport.
– *Post Office :* en bordure de ville. Un édifice imposant sur la jalan Ismail Marzuki. Poste restante. Prendre un bemo ou un dokar pour s'y rendre.
– *Bank Central Asia :* jalan Pejanggik. Pour retirer de l'argent avec la carte VISA.

Où dormir ? Où manger ?

■ *Puri Indah :* Sriwijaya Street. ☎ 276-33. Hôtel assez moderne avec les chambres autour d'une piscine. Impeccablement tenu par des Chinois fort serviables.
■ *Kamboja Hotel :* 10 jalan Supratman. ☎ 222-11. Très propre et pas cher.
■ *Maregisa Riguna Hotel :* 3 jalan Pariwisata. ☎ 217-11. Propre et sympa.
■ *Granada Hotel :* jalan Bung Karno.
■ *Taliwang* et *Garden House Restaurant :* deux tables correctes situées dans le centre sur jalan Pejanggik.

Partir en avion

■ *Pour Bajawa, Denpasar* (8 par jour), *Ende Labvanbajo* et *Maumère* (quotidien), *Jakarta* (3 par jour), *Bandung, Bima, Jogy* et *Kupang* (3 à 4 par jour). Enfin, trois vols hebdomadaires pour *Ruteng, Surabaya, Tambolaka* et *Waingapu* (Sumba).

CAKRANEGARA

L'ancienne capitale de Lombok du temps des rajas balinais est maintenant une ville sans charme et bruyante.
Succession de constructions banales et uniformes bâties autour d'un carrefour comme on en rencontre tant en Inde. Trois banques.
Communauté chinoise importante.

Où dormir ?

■ *Losmen Astiti :* Panca Usaha Street. ☎ 236-76. Chambres confortables et spacieuses. Restaurant. Location de véhicules. Beaucoup de routards.
■ *Ratih Hotel :* 71 jalan Selaparang. ☎ 210-96. A la sortie de la ville, en direction de Mataram sur la gauche (à 200 m après le cinéma). Propose des chambres à tous les prix de la plus sommaire à celle avec air conditionné.
■ *Pusaka Hotel :* 23 jalan Hasanudin. ☎ 231-19. Près de la mosquée *(jamii)*. Uniquement si vous n'avez pas trouvé de place dans le précédent, car cher et bruyant. Plus propre toutefois.
■ *Selaparang Hotel :* 40 jalan Selaparang. ☎ 226-70. Beaucoup plus cher que les précédents. Mais eau chaude et air conditionné. Un bon établissement de 19 chambres avec bar et restaurant.

Où manger ?

● *Asia Restaurant :* jalan Selaparang, en face du ciné. Petit resto sans prétention, mais honnête. Tenu par des Chinois. Goûtez au cochon de lait.

A voir

Bien peu de choses.
▶ *Le palais Mayura :* à la sortie de la ville, en direction de Narmada. Petit palais entouré d'eau, dont le toit en chaume commence à se casser sérieusement la figure. Il date, il est vrai, de 1744 et faisait partie de l'ancien palais du royaume balinais de Lombok. On y voit encore le lac artificiel, quelques autels et fontaines en partie abandonnés dans le parc.
▶ *Le Pura Meru :* juste en face du palais Mayura, c'est le plus grand temple de Lombok. Construit en 1720 sous le patronage d'un prince balinais pour la réunification de tous les petits royaumes de l'île. Ce temple, symbole de l'univers, est dédié à la trinité hindoue.
▶ *Gunung Pengsong :* à 8 km de la ville sur une colline. Une fois par an, en mars ou avril, on y sacrifie un buffle pour que la moisson soit bonne. On fête d'ailleurs la moisson lors du festival Bersim Desa pour honorer la déesse du riz et cette festivité donne lieu à un grand nettoyage des maisons que l'on repeint à cette occasion.
▶ *Grand atelier de tissage :* dans la ruelle en face de la banque Pembangunam Daerah. Très archaïque, mais intéressant. Point de vente mais prix élevés. Plus cher que les boutiques. Cakranegara est un centre artisanal réputé pour la vannerie, le tissage, la céramique et la réalisation d'animaux en terre cuite.
▶ Deux *cinémas* vous proposeront, le soir, des films kung-fu ultra-ringards, mais amusants à voir. Séances à partir de 17 h 30.

– **Location de motos :** sur la grande place. Marchander.

SWETA

A 6 km d'Ampenan, en direction de Narmada. C'est le centre des transports de l'île, là où transitent tous les bus, bemos et minibus. Sur l'un des côtés du terminal se trouve un vaste marché couvert, le plus grand de Lombok. On y trouve de tout à des prix imbattables. Marché aux oiseaux, le matin.

– **Pour aller vers le sud et le centre** (Jurusan Selatan dan Tenggara) les bus desservent : Kediri, Lembar, Praya, Mujur, Kervak, Labuhan Haji, Rembang, Tjoluar et Kuta.

– **Pour aller vers l'est** (Jurusan Timor) les bus desservent : Narmada, Kopang, Terara, Selong Aikmel, Apitaik, Pringgbaya et Labuhan Lombok ainsi que Sambelia et Tetebatu.

– **Pour aller vers le nord** (Jurusan Utara) les bus desservent : Pemeneng, Tanjung, Gondang, Amor-Amor et Bayan.

BATU LAYAR ET BATUBUBOLONG

Longues plages, quelques kilomètres avant Senggigi. Il n'y a rien sinon une petite épicerie, un « restaurant » sous les cocotiers et une tranquillité réjouissante. Le paysage est très beau. A Batububolong, petit temple hindou très fréquenté par les locaux. Bâti sur un rocher s'avançant dans la mer.

Où dormir ? Où manger ?

■ **Atithi Sanggraha Beach Cottages :** Batu Layar. Juste avant d'arriver à Batububolong. Quelques losmen en bord de plage, un peu moins chers qu'à Senggigi (mais moins séduisants que le célèbre Pondok Senggigi). Le Atithi propose quelques bungalows assez corrects et bon marché. Peu de monde, peu animé, mais pas de route à traverser pour aller sur la plage.
■ **Asri Beach Cottages :** Batu Layar. Bungalows vieillissant assez vite, mais ça reste acceptable. L'un des moins chers du coin et, surtout, en bord de plage. Une adresse correcte, pour dépanner.
■ **Batu Bolong Cottages :** Batububolong. A une douzaine de kilomètres d'Ampenan, après Batu Layar et Senggigi. ☎ (0364) 245-98. Pour une centaine de francs, de forts beaux bungalows en bord de plage. Annexe de l'autre côté de la route, tout aussi propre, moins chère. Restaurant. Confortable : belle salle de bains carrelées, douche, w.-c. à l'européenne, ventilo, etc.

SENGGIGI

Ça y est ! C'est quasiment en phase d'achèvement. Senggigi va devenir le Sanur de Lombok. Il faut dire que le site s'y prête. Sur une dizaine de kilomètres, vers le nord, s'étendent d'adorables petites échancrures avec leur mini-forêt de cocotiers. Elles n'ont d'ailleurs pas été toutes urbanisées, mais ça ne saurait tarder ! La récente construction du Sheraton est le symbole de l'institutionalisation définitive du coin...
Attention, en saison, les losmen sont toujours complets et les prix grimpent avec une rapidité déconcertante. La nourriture est peu variée et le poisson rare. Lorsqu'on arrive tard le soir, on risque de ne pas trouver de place, malgré le nombre sans cesse croissant de losmen qui s'ouvrent chaque année. Ils vont bien finir par détruire le site. Si tout est complet, deux solutions : soit faire demi-tour pour Batu Layar et ses quelques losmen simples, mais acceptables (voir chapitre précédent), soit retourner à Ampenan.

– **Téléphone international :** à côté du Lina Cottages. Ouvert de 8 h à 23 h.

Où dormir ? Où manger ?

Bon marché à prix moyens

■ **Pondok Senggigi** : au centre de Senggigi Beach. Pas situé en bord de plage et pourtant extrêmement populaire. Il faut dire que ce losmen présente incontestablement le meilleur rapport prix-qualité du coin. Trois catégories de prix. Même les moins chères sont agréables (succession de chambres propres, mandi en commun, petit jardin devant). Douche, ventilo, w.-c. à l'européenne. Bar-resto sympa. Musique les lundi, mardi, vendredi et samedi de 20 h 30 à 23 h 30.

■ **Sederhana Home Stay** : pas loin du Pondok. Un peu moins cher, mais c'est vraiment le bas de gamme. Assez dégradé et tristounet. Pour 20 ou 30 F de différence, ne pas hésiter à choisir le Pondok. En revanche, pour les petits budgets, nourriture correcte et vraiment bon marché.

Prix moyens à plus chic

■ **Melati Dua Cottages** : Raya Senggigi. ☎ (0364) 244-88. Dans le même secteur que le Pondok. De l'autre côté de la route aussi. A peu près le même genre. Bon accueil, fort bien tenu et un certain charme. Cottages avec ventilo, douche et véranda. A peine plus cher que le Pondok. Les *standard* sont tout à fait acceptables. Restaurant correct.

■ **Lina Cottages** : route principale. En bord de mer. ☎ 249-37. Même genre, même prix que l'hôtel Batu Bolong. Cependant, éviter peut-être de prendre une chambre trop près de la route. Chambres pas trop grandes mais très propres. resto et belle plage.

■ **Windy Beach Cottages** : en remontant la route des hôtels, quasiment l'un des derniers (pour le moment !) au nord de Senggigi (à environ 3 km du centre). ☎ 225-50. Huit charmants bungalows dans le style du pays, disséminés dans une cocoteraie verdoyante. Ventilo, mandi et douche. Prix modérés (moins de 100 F). Une de nos meilleures adresses.

■ **Bunga Beach Cottages** : le dernier hôtel au nord de Senggigi. Tout neuf. Dix chambres confortables pour 220 F environ.

Plus chic

■ **Pacific Beach Cottages** : dans le centre de Senggigi. ☎ (0364) 260-06. Fax : 260-27. Assez touristique, mais architecture très plaisante dans un bel environnement bucolique. Chambres décorées dans le style local. Tout le confort : douche, w.-c. à l'européenne, ventilo, mini-bar, air conditionné pour certaines, etc. Piscine et séduisante plage de sable noir. Chambres de 180 à 300 F pour deux.

■ **Graha Beach Senggiri** : très central là aussi. ☎ 228-56. Fax : 237-82. Le petit hôtel de luxe et de charme par excellence. Superbe architecture. Très beaux bungalows avec vastes terrasses fleuries. Confort impeccable. Restaurant aux menus variés (nourriture locale ou européenne) mais la qualité n'est pas toujours à la hauteur du charme de l'établissement (ça peut changer !). Change, location de voitures, sports nautiques, etc. Chambres autour de 300 F. Un intéressant rapport prix-qualité.

● **Dynasty** : peu avant le Senggigi Beach Hotel (en bord de mer, avant la montée). Grand resto bien aéré et décor plaisant. Bonne cuisine, trois fois moins chère que dans les grands hôtels du type Lombok Intan Laguna. En particulier goûter le *cumi goreng mentega* (seiche sautée), le *cha kangkung* (épinards à la chinoise), le poulet grillé sauce Lombok, le *chicken liver and gizzard chili sauce* (foie de poulet épicé), les gambas grillés *(king prawns)*. Bonnes soupes (au crabe ou aux asperges).

■ Éviter le **Mascott Cottages** : d'apparence sympa et souriants, les patrons ne sont intéressés que par le porte-monnaie de leurs clients.

A voir

La plage de Senggigi est agréable. En fait, il y en a une de chaque côté de la presqu'île occupée par le Senggigi Beach Hotel, ce qui permet à ceux qui veulent bronzer de changer de plage avec le soleil. Nombreux marchands ambulants et possibilité de faire des promenades en mer à bord d'un *prahu*. Ceux qui ont eu la bonne idée d'emporter leur masque et leur tuba pourront observer les coraux et les poissons colorés qui évoluent à quelques mètres du bord. Location de matériel (assez cher) auprès du plagiste à la piscine du Senggigi Beach Hotel.

NARMADA

Colline à 10 km à l'est de Cakranegara sur l'axe routier qui traverse l'île d'ouest en est. Son nom est celui d'une rivière sacrée de l'Inde. On s'y rend facilement en bemo depuis Sweta. Narmada est un grand parc construit par le roi de Mataram il y a deux siècles pour en faire une réplique en miniature du sommet du mont Rinjani avec son lac de cratère, le Segara Anak. Au *Pura Kalasa,* temple balinais, se déroule chaque année une fête en l'honneur du dieu qui règne sur le mont Rinjani. Le parc est agrémenté d'une piscine de dimensions olympiques équipée de vestiaires et de douches.

LINGSAR

A quelques kilomètres de Narmada. Pour s'y rendre depuis Sweta, changer de bemo à Narmada. Le grand temple construit en 1714 était œcuménique avant que ce ne soit à la mode. Chacun pouvait y prier de son côté le dieu de sa religion. A vrai dire, l'ensemble ne présente pas un très grand intérêt. Ce lieu est surtout chargé d'histoire. Nombreux autels consacrés à des divinités complexes.

SURANADI   IND. TÉL. : 0364

A 16 km au nord de Narmada. Encore un temple, l'un des plus vénérés de Lombok. On vous demandera d'acheter un œuf dur à l'épicerie, où on loue la ceinture obligatoire pour pénétrer dans l'enceinte. Les morceaux d'œuf que l'on jette dans le bassin sont destinés à nourrir un serpent sacré, qui normalement doit sortir de sa cachette lorsque l'on frappe dans ses mains. Pas évident de sortir la bête de sa sieste.

En continuant encore pendant 5 km vers le nord, on arrive à *Seajot,* petite ville où se trouve un marché.

Où dormir ?

■ Ceux qui auraient la curieuse idée de séjourner ici peuvent s'arrêter au **Suranadi Hotel**. ☎ 236-86. Ancienne guesthouse hollandaise qui a conservé son charme. Les bungalows, extrêmement confortables, sont assez chers mais quelques petites chambres économiques dans le bâtiment principal. L'établissement dispose d'une grande piscine curieusement tapissée de galets.

SUKARARE

A 24 km au sud de Mataram. Bemo de Sweta à Puyung, puis prendre un dokar. Ce centre traditionnel de tissage est devenu un piège à touristes, mais si on se contente de regarder les femmes travailler suivant des techniques très particulières, on ne regrettera pas de s'y être arrêté. Marché le samedi. Plusieurs villages alentour sont aussi spécialisés dans cet artisanat.

SENGKOL

Il faut passer à Sengkol le matin du marché hebdomadaire. Un des plus intéressants de l'île. Il rassemble une foule importante et c'est l'occasion de voir des Sasaks, ces anciens habitants qui ont conservé fidèlement leurs traditions. Les Sasaks représentent encore près de 80 % de la population de Lombok.

RAMBITAN

Village de 150 maisons abritant plus de 500 personnes vivant toutes du tissage et du tourisme. Les maisons ont conservé leur aspect traditionnel. L'organisation du village est admirable. Un jeune homme parlant l'anglais fait office de guide et vous fait découvrir son univers qui semble remonter au Moyen Age. Très intéressant. La visite se termine dans un inévitable magasin de productions locales (écharpes et sarongs tissés suivant des méthodes séculaires).

KUTA

Plage du sud de Lombok à 45 km de Cakranegara et destinée à un grand avenir. Pour s'y rendre, bemo de Sweta à Draya, puis minibus pour Kuta. La plage forme un demi-cercle parfait. De chaque côté, de grands rochers que l'on croirait sortis d'une estampe chinoise. Au large, une barrière de corail. Le site est encore préservé. Ne le faites pas trop savoir et empressez-vous d'y aller avant qu'il ne soit envahi par des hordes de touristes ravageurs.
Car c'est vraiment Kuta (celui de Bali) il y a 50 ans. Losmen bon marché. Peu de constructions en dur, elles ne dépassent pas l'étage et le bourg possède toujours son aspect de village de pêcheurs. Intuitivement, comme cela, ça donne encore trois, quatre ans de tranquillité. Pas d'affolement donc !

Où dormir ? Où manger ?

En bord de mer

■ *Florida Inn :* c'est le 3ᵉ à gauche (face à la mer). ☎ 218-15 (à Ampenan). Petits bungalows indépendants agréables. Ensemble bien tenu. Douche, mandi privé et véranda. Grande salle à manger, nourriture correcte servie sur fond de musique 70's... Accueil sympa.
■ *Anda :* son petit voisin. Un léger poil moins cher, mais le Florida est mieux (chambres trop proches de la salle à manger et de sa « loud music » d'ambiance). Cuisine acceptable (européenne et indonésienne). Quelques plats sasaks (locaux) comme le *urap-urap* (légumes et noix de coco cuits à la vapeur).
■ *Rinjani Agung Beach :* l'autre petit voisin. Les grandes chambres sont correctes pour le prix. Les petites, à notre avis, sont assez étouffantes (et mandi en commun) et quasiment aux mêmes prix que leurs concurrentes. Bon accueil.
■ *Wisma Sekar Kuning* (« Fleur jaune » dans le texte) : même genre que les autres. Se dégrade quand même un peu, tout en restant acceptable. Chambres avec douche et mandi privé. Cuisine un peu trop à l'huile.
■ *Segara Anak :* mêmes prix que le précédent. Correct sans plus.
■ *Cockatoo :* tout au bout de la rangée de losmen. Cottages agréables et pas chers dans le style local. Grandes chambres avec véranda. Mandi carrelé. Bref, un bon rapport qualité-prix. Son resto possède, en outre, une excellente réputation. Vaste salle à manger (paillote ouverte avec tables et chaises de bambou). Cuisine propre, service diligent. Quelques spécialités : *Fuyong Hay* (omelette chinoise), *chicken cha jamur* (sauté aux champignons et sauces d'huîtres), *lumpia* (rouleaux de printemps), poulet grillé ou à la Maryland, etc.
■ *Mascott Cottage :* atmosphère la plus « fellow travellers » de Kuta pour les amateurs, mais assez mal tenu. De toute façon, trois bungalows seulement.

Dans le village

■ *Nyani Bungalows :* petite maison à l'entrée du village, sur la droite. Deux chambres au rez-de-chaussée et deux à l'étage. Le moins cher de Kuta.

■ *Mata Hari Inn :* dans un coin retiré du village (et guère qu'à 400 m de la mer). Bien indiqué quand on arrive. A l'entrée, au carrefour, tourner à droite. Impeccable. Superbes bungalows dans le style local, ombragés par les cocotiers. Grande pelouse devant. Accueil sympathique et bonne musique d'ambiance. A peine plus cher que les autres. Bons jus de fruits frais. Rapport prix-qualité extra !

TANJUNG AAN

Continuer encore après Kuta, le long de la côte vers l'est pendant 5 km environ. La route aboutit au bord d'une plage de rêve. Dommage que d'autres aient visité l'endroit avant vous. Gros projets immobiliers en cours. Immense bureau d'études sur la plage (tiens donc, pourquoi l'avoir installé là ?). On a peine à le croire quand on regarde cette plage qui semble irréelle, tant elle est parfaite. Se presser de venir y jouer les Robinson Crusoë pendant qu'il en est encore temps.

KUTARAJA

A 32 km de Sweta. Accès pas très facile. Aller en bemo jusqu'à Narmada et changer pour Pomotong. De Pomotong à Kutaraja, bemo ou dokar. Il existe des bus directs de Sweta à Pomotong mais ils sont rares.
Kutaraja est spécialisée dans la vannerie. C'est là que l'on trouve les plus beaux paniers tressés de toute l'île. Les prix sont très intéressants.

TETEBATU

Juste au-dessus de Kutaraja. Rizières magnifiques. On voit aussi des singes noirs. Endroit calme et reposant, loin des circuits touristiques.
Idéal pour aller se promener dans les rizières et la forêt. Prendre avec soi un des gamins qui rôdent au *wisma Sudjono*. Un plan avec les distances est affiché dans le hall de ce losmen. Vous pouvez vous dispenser d'aller à la cascade de Joben : sans intérêt.

Où dormir ?

■ *Wisma Sudjono :* un endroit très agréable. Trois prix. Chambres bon marché et bungalows (plus chers) mais équipés de douche avec eau chaude. Ils sont construits dans le style de Lombok. Le resto est excellent et c'est une adresse que l'on recommande à ceux qui veulent s'arrêter une journée au milieu de l'île.

LABUHAN LOMBOK

Point de départ des ferries pour les îles Sumbawa. Bemos directs depuis Sweta. La route pour y aller permet d'avoir de beaux points de vue sur le mont Rinjani. Peu de touristes et peu de choses à voir.

– LE NORD ET LES ILES DU NORD –

Trois petites îles encore presque intactes, très calmes (aucun véhicule motorisé). Ces atolls coralliens sont situés au nord-ouest de Lombok. Magnifiques plages de sable blanc, coraux et poissons tropicaux dans une eau transparente.

Un vrai paradis pour l'observation sous-marine. On peut louer du matériel à *Bouraq Airlines*, jalan Langko, à Ampenan.

Comment y aller ?

Prendre le bus de Sweta pour Pemenang à 25 km de Cakranegara puis ensuite un dokar ou marcher jusqu'au port de Bangsal.

GILI AIR

La plus proche de Lombok. Les bateaux font la navette et assurent la traversée en moins d'une demi-heure. Préférez les bateaux qu'empruntent les locaux. Attention : pas de retour après 18 h. C'est une île verdoyante et calme, couverte de cocotiers.

Où dormir ? Où manger ?

Une dizaine de losmen parmi lesquels :
■ *Bupatis Place Bungalows* : excellent accueil. Bungalows en bambou impeccables. Les patrons sont obnubilés par la propreté. Restaurant plein de charme où l'on déguste une excellente nourriture variée. Une adresse idéale pour séjourner et se refaire une santé.

GILI MENO

L'île du milieu est malheureusement considérée comme une zone impaludée (moustiques). Bien qu'elle ait la même superficie que Gili Air, Gili Meno est moins touristique car c'est, de loin, la moins agréable des trois. Mais la plus calme. Pour ceux qui voudraient y séjourner, l'hôtel *Zahir* d'Ampenan a ouvert un losmen d'une dizaine de chambres. Et le *Gazebo* de Sanur a créé le *Gazebo Meno*, très agréable.

GILI TRAWANGAN

La plus éloignée de Lombok et la plus vaste (340 ha). Très belle avec de splendides plages de sable blanc, des fonds marins incomparables et des bancs de coraux. Mais peu de végétation. L'île est très sèche. Pour s'y rendre depuis Bangsal, bateau le matin. Horaire imprécis. Il ne faut pas le louper car un ou deux par jour seulement.

Où dormir ?

Une vingtaine d'adresses maintenant et ce n'est pas fini. Les hôteliers se sont groupés en une association qui fixe les prix chaque année. Ces tarifs sont affichés à la porte des chambres. Les losmen, presque tous en bordure de plage, se valent au niveau confort ; la différence est dans l'accueil et la qualité du petit déjeuner, toujours inclus dans le prix. Presque tous les losmen ont l'électricité jusqu'à 22 h (générateur). Le seul au-dessus des autres est le Pondok Shanty. Les nuits sont très bruyantes en raison des nombreuses discothèques qui s'installent sur l'île. Boules Quiès fortement conseillées. Il est préférable de s'éloigner du débarcadère et de choisir un hébergement situé sur la droite en arrivant, à partir du Creative Bungalow qui est très bien.
■ *Nusih Mampur* : 10 bungalows avec douche. Très bien situé. Bon accueil.

■ *Dilarang* et *Pasir Puti :* l'un à côté de l'autre. Un peu plus loin que le précédent, sans douche individuelle.
■ *Pondok Shanty :* le plus éloigné du débarcadère. Très calme et presque luxueux.
■ *Halim Cottages* et *Holiday Inn :* près du débarcadère. Se valent.
■ *Park Majid's :* la patronne, une Javanaise, veille sur les routards et sur ses 30 chats. Restauration moyenne. Pas beaucoup de renouvellement. Cette adresse fut l'une des premières de l'île.
■ *Makmur Home Stay :* pratique les mêmes prix que le précédent. Situé sur le côté droit de la plage. Bon accueil. Nourriture excellente.
■ *Coral Beach Home Stay :* les derniers bungalows (pour le moment) à droite en arrivant sur la plage. Légèrement éloigné du centre, donc plus calme.

Où manger ?

● *Borobudur Restaurant :* le best. Un des meilleurs restos indonésiens que nous connaissons. La qualité de sa cuisine fait accepter le service parfois très lent. Le patron est aux petits soins. Cadre agréable et prix très raisonnables.
● Éviter le *Paradise Restaurant :* salle à la limite de la propreté, cuisine mauvaise et sono poussée à fond. Valable uniquement pour y faire du change avec des dollars à un taux moyen.

A voir

▶ *Les fonds marins,* bien entendu, qui sont exceptionnels. On se croirait dans un aquarium et même les plus blasés seront surpris par la variété des coraux et des poissons.
▶ Il n'y a évidemment pas de route. Seules trois charrettes à cheval servent à transporter les marchandises et les touristes pour les logements éloignés. Compter 2 h pour faire le tour de l'île à pied. La population est très sympathique. Vie relaxe au rythme du soleil et des marées. En profiter avant l'invasion touristique qui s'annonce.

Quitter Gili Trawangan

– Le *bateau public* par le matin à 8 h, sinon charter mais c'est plus cher.

LE MONT RINJANI

Ce volcan culmine à 3 726 m. Il bat de quelques mètres le Gunung Agung de Bali. Son ascension est une expédition qui nécessite un équipement approprié. Il est intéressant d'aller voir le *lac Segara Anak* situé à environ 1 800 m d'altitude.

Comment y aller ?

– *Bus* depuis le terminal de Sweta. En principe, un départ pour Bayan (par Pemenang) le matin de bonne heure. Route particulièrement rude.
– Louer une *Jeep* Suzuki à Senggigi ou Mataram. Ça vaut le coup à plusieurs. Elle vous attendra ainsi pour le retour. L'un des meilleurs itinéraires effectue la grande boucle par Masbagik et Princgabaya. On peut être tenté de passer par Sapit et Sembalun Bumbung qui semble être le chemin le plus court pour rejoindre Obel Obel et Bayan, mais la route se révèle particulièrement raide avec de gros pavés. Seul les concurrents du Camel Trophy l'utiliseront !

Conseils et équipement

– Randonnée durant au moins une semaine aller et retour. Être en excellente forme. Bonnes chaussures de marche.

— Matériel traditionnel : réchaud (bien qu'il y ait la possibilité de faire des feux de camp), duvet d'été (mais chaud), nourriture (riz, pâtes, etc.). Dans les « boutiques » de Bayan et Batokok vous ne trouverez quasiment que des biscuits, du chocolat et de l'eau en bouteille. Piles de rechange pour la torche et cigarettes pour le guide éventuel. Nos lecteurs les plus sophistiqués apporteront des cannes de ski de randonnée réglables. En effet, elles se révèlent fort utiles dans les nombreuses descentes abruptes et aident efficacement contre le fameux *Sahib Knee* (mal au genou) qui frappe durement les Occidentaux (peu encombrantes en outre, 50 cm maxi).

— Guide conseillé, mais on peut aussi l'effectuer seul. En saison sèche, trek assez fréquenté et on trouve presque toujours le moyen de s'informer sur l'itinéraire. Ne pas tenter la randonnée en saison des pluies.

L'itinéraire

– *Bayan :* terminal des bus. Aucune nécessité d'y dormir. Il vaut mieux rallier Batukok (à 6 km). Quelques camions s'y rendent.

– *Batukok :* vous y trouverez quelques bungalows et losmen. Celui de l'instituteur est sympa. Dans les losmen, bonne nourriture en général. Quand même vérifier qu'un scorpion ne se soit pas glissé dans le sac ou dans une chaussure.

– *Sénaru :* point de départ du sentier qui culmine à 500 m environ. En face de vous, la perspective d'une arête à 2 500 m, puis la redescente vers le lac à 1 800 m. Pour finir, le sommet final à 3 700 m. La première partie (itinéraire jusqu'au lac) peut s'effectuer en 7-8 h. Partir de très bonne heure (l'idéal, vers 4 h) pour bénéficier de la fraîcheur de la jungle. Sentier assez raide. Quelques cabanes en cours de route, notamment à 1 300 m et à 2 000 m. Faune superbe (oiseaux de toutes variétéss, singes, sangliers, etc.).

– *Le lac Segara Anak :* descente assez difficile. Être très prudent. Possibilité de s'y ravitailler en eau pure. Demander aux porteurs sur place où se trouve la source qui jaillit d'un rocher. Certains vendent même des carpes pêchées dans le lac. Sources d'eau chaude pour se détendre. La première, à 5-10 mn de la cabane, se trouve au pied d'une cascade. Tout le monde y va pour faire sa toilette. Une autre, plus bas, à environ 30 mn de marche. Emprunter le sentier du Rinjani sur 100 m. Arrivé à une petite courbe, descendre sur la gauche, dans une profonde gorge. Quelques impressionnantes orties et végétation luxuriante. Arrivé dans la gorge, remonter le cours d'eau jusqu'aux grandes marmites d'eau chaude.

– *La montée au Rinjani :* compter 7 h de marche. Partir encore plus tôt (minuit-1 h) pour jouir de l'inoubliable lever du soleil. Pas de problème, un seul sentier. D'abord une longue traversée, puis un chemin raide (avec rembardes) qui monte au plateau (à 2 500 m). Prendre le temps de se reposer, car la suite est particulièrement éprouvante. Sentier abrupt sur cendrée, ravines pénibles avant de parvenir à la grande arête (vers 3 200 m). Dans la dernière partie, on a l'impression de grimper une dune. Quelques passages caillouteux (où l'on ne regrette pas ses bonnes chaussures). Tout en haut, spectacle à 360° : Sumbawa, Bali, le mont Agung... Merveilleux !

– *SUMBAWA* –

Sumbawa, trois fois la superficie de Lombok, et pourtant trois fois moins d'habitants. Sur le plan géographique, c'est une île plus sèche, couverte de collines arides et creusée de baies profondes. Certaines vallées encaissées tombent à pic dans la mer. Les quintes de toux de ses volcans furent célèbres, comme celle du mont Tambora (2 850 m) qui causa la mort de 92 000 personnes en 1815. La population est presque entièrement musulmane ; les femmes voilées, en certaines régions, se détournent à votre passage ; les appels des muezzins se répondent d'une mosquée à l'autre... Bref l'atmosphère, dans cette île très sauvage, est plutôt monotone et moins décontractée qu'à Flores.

Se déplacer

— De Denpasar, l'avion atterrit à une vingtaine de kilomètres de Bima, la capitale. Nombreux minibus à l'aéroport, et super-route le long de la mer.
— Si vous arrivez de Komodo par bateau, à Pelabuhan Sape (6 h minimum), comptez 3 h de Jeep ou minibus pour grimper au flanc du volcan et redescendre sur Bima.
— De Lombok par le ferry (1 h 30). Prendre au départ de Lombok un billet combiné ferry-bus pour être sûr à l'arrivée de pouvoir monter dans le bus qui conduit en 2 h à Sumbawa Besar. Pour traverser Sumbawa, deux arrêts obligés étant donné l'heure des ferries et des bus : Sumbawa Besar et Bima ou Sape.

SUMBAWA BESAR

Capitale de l'ouest du pays.

Où dormir ? Où manger ?

■ *Duci Hotel :* plusieurs types de chambres avec douche.
● *Aneka Rasa Jaya :* jalan Hassanudin. Une bonne adresse. Plats copieux et variés. Bon marché.

De Sumbawa Besar à Bima, compter 7 h de bus.

BIMA

Principale ville de l'est de Sumbawa et probablement la plus islamique de toute l'île. Importante plaque tournante aérienne du Nusa Tenggara et étape sur la route de Komodo, mais elle ne présente pas en soi d'intérêt particulier. Environ 40 000 habitants.

Arrivée à l'aéroport et adresses utiles

— Pour se rendre à Bima, à environ 18 km, *taxi-minibus*. Prix en principe fixe. Belle route de bord de mer, bordée de maisons de pêcheurs, quelques mangroves et marais salants.
— *Avions* pour Mataram et Denpasar et les autres îles : Kupang (Timor), Labuanbajo, Ruteng, Bajawa et Ende (Flores), Waingapu et Tambolaka (2 à 3 fois par semaine).
— *Change* à la *Bank Rakyat Indonesie*, sur jalan Sultan Hasanuddin (la rue principale de Bima).

Où dormir ? Où manger ?

Bon marché

■ *Losmen Pelangi :* jalan Lombok. A côté du Lila Graha. Belle façade mais l'intérieur se révèle moins séduisant. Propreté acceptable cependant. Les chambres avec mandi parmi les moins chères de la ville.
■ *Wisma Komodo :* jalan Sultan Ibrahim. ☎ 2070. Pas loin du palais du sultan. Bien tenu. Grandes chambres avec mandi (certaines avec véranda). Jardin. Guère plus chères que le Pelangi et mieux.
■ *Lila Graha :* 20 jalan Lombok. ☎ 2740. Très central. L'hôtel le plus populaire auprès des routards. Fort bien tenu. Tout est carrelé. Chambres à tous les prix, de l'« éco » à celle avec A.C. Bon rapport qualité-prix. Restaurant très correct et

longue carte (entrée par l'autre rue). Soupes diverses (*soto ayam* et *soto sulung*), *nasi goreng, ayam panggang taliwang* (poulet rôti), poisson, *udang goreng* (crevettes grillées), plats chinois, etc.

■ D'autres losmen en ville, quasiment aux mêmes prix et moins bien. Tel le **Putra Sari** (à côté de Merpati). Central, mais pas emballant. Le **Vivi**, pas loin, encore moins bien. Quant au **Kartini**, sombre et triste comme un jour sans pain, on y perd le moral !

Prix moyens à plus chic

■ **Hôtel Sangyang** : jalan Sultan Hasanuddin. Central. A connu de beaux jours. Aujourd'hui gère sa routine. Accueil néanmoins sympa. Un seul type de chambres (avec mandi privé et air conditionné) autour de 100 F. Resto.
■ **Parewa** : jalan Sukarno Hatta. ☎ 2652. A 1 km du centre. Moderne et propre, mais loin de l'animation. Chambres impeccables et éventail des prix plus large.

A voir

▶ **Le palais du Sultan** : grande bâtisse construite en 1927, aujourd'hui transformée en musée. Ouvert de 8 h à 18 h (mais ça serait plutôt 16 h). Il ne reste quasiment rien des fastes d'antan. Le fils de l'ancien sultan (80 ans) a travaillé dans l'administration à Jakarta et sa fille est prof à l'université de Mataram (Lombok). Ils n'y habitent évidemment plus. Musée pas très riche et présentation sommaire, mais quelques pièces intéressantes quand même : outils traditionnels, rouets, instruments de musique, matériel de pêche et de chasse, vêtements de deuil, poignards, kriss. Drapeaux de l'armée de Bima (1790) et celui de la marine du sultan qui combatit les Hollandais (1682).

▶ **Le marché** : il vaut le coup d'œil, ne serait-ce que pour les posters où l'on voit l'omniprésent général Suharto côtoyer les groupes rock américains... Et pour y aller, n'hésitez pas à grimper dans les petites carrioles bariolées tirées par les petits chevaux nerveux qui firent la renommée de l'île.

▶ **A voir... et à manger,** pour ceux qui aiment, le miel de Sumbawa, réputé pour ses vertus reconstituantes – ou aphrodisiaques, au choix.

Aux environs

▶ **Les villages du Pays donggo** : visite intéressante pour ceux qui aimeraient approfondir leurs connaissances de la région. Ce sont des villages animistes passés à l'islam ou aux religions chrétiennes depuis une vingtaine d'années seulement. Pour s'y rendre, taxi chartérisé pour Sila (sur la route de Dompu), puis route pour Donggo (1 h 30 de trajet). Registre à signer chez le kepala desa, avant d'emprunter le sentier empierré menant aux villages. De là compter 3 h minimum aller et retour. Architecture intéressante. Les villages s'accrochent aux crêtes des collines. Une curiosité : ils sont successivement catholiques, protestants ou musulmans, épousant le plus souvent la religion de leur chef. Celles-ci coexistent tout à fait harmonieusement.

De Bima à Sape

Pour se rendre à Sape, port d'embarquement de Komodo et Labuanbajo, la route suit une superbe vallée. Sur environ 50 km, douces collines couvertes de bois de teck où s'insinue parfois le cours d'une rivière. Quelques coins avec des singes. Quelques sautes d'humeur, la route se fait alors plus sinueuse et grimpe la montagne au milieu d'une exubérante végétation. A Wawo, sur la gauche, les pittoresques greniers à grains collectifs du village. Personne n'a jamais tenté d'y voler quoi que ce soit : on les dit protégés par les esprits. Pas loin, Desa Maria possède également un bel ensemble.

PELABUHAN SAPE

Port d'embarquement pour Komodo à 3 km du centre ville, exhale un authentique parfum d'aventure. Large baie avec ses maisons en bois sur pilotis. Animation garantie sur le port. Voir les *bugis*, gros bateaux ventrus, qui abondent dans le port de Pelabuhan Sape. Admirez le travail des charpentiers de marine si d'aventure vous tombez sur un bugi en chantier. En principe, on trouve aussi, sur la route du port, l'office du PHPA (National Parks). Parfois une brochure ou deux sur Komodo. Y aller la veille avant 14 h, car, bizarrement, il n'ouvre pas avant les départs des bateaux.

Où dormir ?

Au bourg, à 3 km du port, sur la rue principale. Pas beaucoup de choix. Deux losmen, le ***Friendship*** et le ***Give***, tous deux mal tenus et où l'on s'entasse les jours de départ.

Partir pour Komodo et Labuanbajo

Se reporter au chapitre « Komodo ». Dans tous les cas de figure si c'est possible, se faire confirmer les dates et horaires avant de partir ou le faire dans l'une des grandes villes indonésiennes (avec un office du tourisme efficace !).

– *KOMODO* –

Entre Sumbawa et Flores, une des îles mythiques du Nusa Tenggara, refuge du varan (appelé aussi dragon de Komodo), dernier représentant des grands monstres préhistoriques. Si l'archipel de Komodo (en fait, trois îles : Komodo, Padar et Rinca), parc national depuis 1980, s'ouvre doucement aujourd'hui au tourisme, il est intéressant de préciser qu'il n'y a pas si longtemps encore, aller à Komodo représentait une véritable expédition. Ainsi, dans les librairies de voyage peut-on encore trouver *Aux îles du dragon* de Pierre Pfeffer (l'Aventure vécue – Flammarion), retraçant l'odyssée de... « quatre naufragés volontaires sur une île paradisiaque peuplée de reptiles géants surgis tout droit de la préhistoire »... et cela en 1964 seulement. Vous n'aurez cependant plus aujourd'hui à débarquer 500 kg de matériel de votre pirogue à balancier avec un guide complètement terrorisé. L'accès en bateau en est devenu facile et se révèle être en outre une merveilleuse balade (par mer calme, of course !).

Komodo, l'île principale, se présente donc comme une île au relief accidenté (mont Satalibo, qui culmine à 735 m). Avec des collines arides couvertes d'arbustes et de savanes. Elle mesure environ 35 km de long sur 16 de large. C'est l'une des îles les plus sèches et chaudes de l'archipel indonésien.

Dans les endroits les plus humides poussent cependant de nombreuses espèces d'arbres. D'abord, le roi d'entre eux, le *lontar* (variété de palmier, dont fruits, tronc et palme sont utilisés à tant de choses), le *jarak* (qui fournit de l'huile lubrifiante pour machine), le *kesambi* (réputé pour les charpentes de bateau et dont le fruit se déguste en septembre), le tamarin (fruit mûr en juin), le *bidara* (délicieux petit fruit, mûr en mai-juin), etc. Riche vie animale : cerfs, sangliers, chèvres, buffles et chevaux sauvages (au menu des varans, quand ils en ont assez des lapins et autres petits animaux).

Au niveau climatique, la meilleure saison pour visiter Komodo se situe de mai à octobre, pendant la saison sèche. En juillet-août cependant, la végétation jaunit et c'est la saison de la ponte pour les varans qu'on voit un peu moins. Pendant la saison des pluies (de fin novembre à avril), la mer baignant Komodo peut parfois devenir très méchante. Elle est alors réputée pour ses courants et surtout ses tourbillons. Phénomène curieux (même en saison sèche), il y a tellement d'îles, que de l'une à l'autre, avec le jeu des courants, la mer peut être lisse comme un miroir et sans transition s'agiter d'un doux clapotis.

Le Varanus Komodoensis...

Bien, on vous en parle puisque vous êtes venu pour cela. Les autochtones l'appellent *ora*. C'est donc le dernier animal préhistorique survivant. Sa date de naissance se situe à l'ère secondaire, aux environs de 100 à 130 millions d'années (avant J.-C. bien sûr !). Une anecdote : il fut découvert par hasard en 1911 par un pilote hollandais, pionnier de l'aviation, qui effectuait l'un des premiers vols dans les îles de la Sonde. Contraint à un amérissage forcé, il tomba dans ce qui devait être la baie de Komodo et fut recueilli par des pêcheurs. Revenu à la civilisation, il rédigea un rapport aux autorités où il mentionna avoir découvert sur l'île des « dragons », véritables monstres préhistoriques, capables d'avaler d'une seule traite un sanglier ! Personne ne le crut et son délire fut mis sur le compte du traumatisme de l'accident. Menacé de l'asile, il cessa d'en parler. Seul le conservateur du musée de Java prit au sérieux cette découverte, partant du principe que s'il existe des iguanes de plus d'un mètre de long aux Galapagos, il doit bien exister de ces créatures ailleurs. Il en parla à un officier hollandais en poste à Flores qui en 1912 partit effectuer une mission de reconnaissance à Komodo. Et, bien entendu, il confirma : des monstres pouvant mesurer jusqu'à 3 m de long et peser 150 kg se promenaient nonchalamment sur l'île, peu au fait des remous et interrogations qui agitaient le microcosme colonial hollandais. L'officier ne voulant pas également être considéré comme un fou, tua alors une bête, en conserva la peau qu'il expédia, de Flores, au conservateur du musée. Cette découverte provoqua la stupeur des milieux scientifiques. Comment, en 1912, était-il encore possible de découvrir des espèces nouvelles ? Les savants se précipitèrent vers l'archipel, car on trouvait aussi de ces bébêtes à Rinca, Padar et même quelques-unes sur la côte ouest de Flores.

De leur côté, les braconniers y débarquèrent aussi, extrapolant déjà sur le nombre de sacs à main et de chaussures qu'ils pourraient commercialiser. Plusieurs dizaines de varans furent ainsi massacrés, mais, ô miracle, leur peau se révéla impossible à traiter (fin de la menace de génocide). Ce qui fait qu'aujourd'hui il s'en balade environ 2 000 sur Komodo et Rinca, tout étonnés de la nouvelle sollicitude dont ils font l'objet.

Quelques caractéristiques maintenant : en plus de sa taille et de son poids (peu habituels pour un lézard), il possède des dents de 3 à 4 cm de long crénelées comme des lames de scie (ce qui l'apparente au fameux tyranosaure du secondaire). Avec sa queue, il est capable d'assommer un cerf ou un buffle. On raconte qu'il lui arrive (rarement, il faut dire) de se laisser tomber sur une victime pour l'écraser de son poids. Il lui arrive aussi parfois de croquer un gamin et, il y a quelques années, un touriste suisse n'a laissé, comme souvenir, que ses lunettes et appareil photo qui n'avaient pas été digérés par l'animal. Curieusement, quand il se déplace, la démarche du varan est saccadée, presque mécanique. Apparemment dolent, il est pourtant capable de sprints redoutables. Autre fait curieux, il ne mastique pas et tente toujours d'avaler d'un trait sa victime (il paraît que lorsqu'il essaie d'ingurgiter une tête de cerf avec les cornes, c'est assez pittoresque !). Avec sa langue fourchue longue de 40 à 50 cm, il repère et palpe tout devant lui. Cette langue est jaune-orange, et on pense que c'est cela qui fit fantasmer les premiers voyageurs qui parlèrent des langues de feu des dragons. Lorsqu'il s'attaque à une proie, il déguste d'abord les entrailles, son caviar. Moyenne de vie : environ 50 ans. Quelques zoos de par le monde en possèdent (mais reproduction en captivité quasiment nulle).

Comment y aller ?

Il n'y a que le bateau pour atteindre Komodo. Si l'on exclut ceux des agences qui organisent des excursions (très chères) depuis Bali, il faut partir en bateau de Sape (à l'est de Sumbawa) ou de Labuanbajo (à l'ouest de Flores). Bien sûr, bien revérifier, dès votre arrivée en Indonésie, fréquence et horaires des bateaux (fluctuants en fonction de la saison et de l'état de la mer). En plus du prix du ferry et du transfert sur Komodo, petit droit d'entrée au parc national.

Voici, grosso-komodo, les fréquences en saison sèche.

- **Depuis Sape :** départ à 8 h les lundi, mercredi et samedi. C'est un ferry (prenant quelques véhicules) effectuant le trajet Sape-Labuanbajo et s'arrêtant à

Komodo. Environ 5-6 h de traversée extrêmement agréable par beau temps. Le ferry louvoie entre des îles et de superbes paysages. A Komodo, le ferry s'arrête dans la baie et une petite embarcation vient chercher les varanophiles.

– *Depuis Labuanbajo :* départ à 8 h également les mardi, jeudi et dimanche. Trajet en 5 h environ.

– Possibilité de chartériser un bateau depuis Labuanbajo et Sape. Moins long et moins cher depuis Labuan. Le *Paranus Komodo*, entre autres, est fiable. Compter 200-250 F pour le bateau entier, qui peut transporter jusqu'à six personnes.

Où dormir ? Où manger ?

■ *Bungalows du Komodo National Park :* au débarcadère de Loh Liang. Plusieurs bungalows sur pilotis, à flanc de colline. Pas de réservation, depuis Bali ou ailleurs. « First arrived, first served ! » Le truc (plus facile encore quand on est deux ou plus) consiste à envoyer de suite quelqu'un avec les passeports pour effectuer l'inscription pour les chambres. Cependant, jusqu'à présent, hors saison, avec 62 chambres, ils ont toujours réussi à loger les visiteurs. Avec la popularité croissante de l'île, ceux qui auront traîné pour débarquer risqueront peut-être, à l'avenir, de dormir sur le plancher du restaurant.
Ne pas oublier sa lampe de poche (car l'électricité est produite par un générateur arrêté à 22 h), ni ses tortillons chinois (quelques moustiques à craindre car moustiquaires aux fenêtres pas très étanches). Sanitaires simples (avec le traditionnel mandi), mais l'ensemble est propre.
Restaurant agréable pour les rencontres, mais nourriture assez banale et choix très limité (ce qui se comprend vu l'éloignement). Prix raisonnables cependant pour logement et restauration. Parfois cerfs et sangliers viennent voir aux abords si on n'a rien laissé traîner pour eux.

La visite

D'abord, ne jamais partir sans guide dans la campagne. Voici maintenant plusieurs cas de figures :

– Le bateau arrive vers 15 h ; pour ceux qui repartent le lendemain matin de bonne heure, ou qui souhaitent les voir de suite, il reste peu de temps pour aller voir les varans. Après l'installation au bungalow, il faut donc prendre un guide local, armé d'une belle fourche en bois (pour stopper un éventuel varan trop affectueux) et partir vers la fosse aux varans. Prix fixe officiel (modéré) pour le guide et pourboire jamais refusé. Balade de 2 km environ par un petit sentier agréable au milieu d'une intéressante végétation (ça vaut le coup de se faire nommer les variétés d'arbres et de plantes).
Arrivé à la fosse, vous passerez tout près des dragons (souvent endormis), avant de vous réfugier derrière un petit enclos d'observation. Eh oui, l'inconvénient de la balade d'après-midi, c'est que les bébêtes somnolent. En principe, le guide devrait tenter de les exciter avec une vieille dépouille de chèvre bien faisandée. Bien qu'il y ait des chances que vous trouviez à ces varans un air un peu corrompu, vous vous direz que cela valait quand même le voyage. D'autant plus que, hors saison, ce n'est pas la grande foule et qu'on peut jouir du spectacle une bonne heure si on le désire.

– Si vous restez une journée ou plus sur Komodo, venez ou revenez à la fosse le matin. D'abord, il fait moins chaud et les varans sont plus actifs. Désormais, on n'arrive plus avec sa chèvre en laisse, mais possibilité d'assister (en principe), les mercredi et dimanche à 8 h, au petit déjeuner des varans. Dans ces conditions (ces jours-là seulement), il arrivait parfois qu'on demande aux touristes de participer financièrement à l'achat d'une chèvre. Si c'est toujours le cas, spectacle assuré ! Mais, nous le répétons, il n'est nullement nécessaire d'acheter une chèvre pour toute visite normale à la fosse aux varans !

– Sinon, ça vaut vraiment la peine de prendre un guide à la journée pour aller randonner dans les collines. Notamment, pour se rendre à un autre point de rencontre des varans, à 7 km environ, dans un environnement beaucoup plus sauvage (et avec l'impression d'un parcours moins balisé bien sûr !). Attention, il faut savoir qu'il peut faire très chaud dans les collines (ne pas oublier son eau minérale).

– Balade sympa aussi, le long de la côte, pour se rendre à Kampung Komodo, l'unique village de l'île. A moins d'une demi-heure de marche. Habité essentiellement par des pêcheurs, descendants de gens qui y furent exilés dans le temps (pour raisons pénales ou politiques), rejoints au fil des siècles par des Bugis de Sulawesi.

– Enfin, les « fanas » de varans peuvent aller explorer l'île de Rinca. Pas de poste d'observation, mais, avec un bon guide, possibilité d'en voir en pleine nature, ainsi qu'une faune encore plus riche que sur l'île de Komodo.

Quitter Komodo

– *Pour Sape :* ferry venant de Labuanbajo passant, en principe, les mardi, jeudi et dimanche.
– *Pour Labuanbajo :* ferry les lundi, mercredi et samedi.
– A ceux qui arrivent un mercredi à Komodo et qui souhaiteraient repartir assez vite pour Labuanbajo (et ne pas avoir à attendre le bateau du samedi), il ne reste que la solution du *charter*.
Les prix sont affichés à l'embarcadère pour Labuanbajo, pour Labuanbajo par Rinca, pour Sape et Bima. Prix pour 6 et 10 personnes. Essayer de se grouper. Prix relativement modérés. Komodo-Labuan direct, compter environ 200 F pour le bateau (ce qui fait à six, un peu plus de 30 F par personne). Le capitaine du Wisata I Komodo est sympa et le bateau correct. Autre solution, demander à des gens qui ont déjà chartérisé un bateau de vous emmener (moyennant participation aux frais). On l'a fait, ça marche !

– FLORES –

Se situant juste après Komodo, c'est l'île la plus longue du Nusa Tenggara. Un peu moins de 400 km de long sur 70 km de large. Terre montagneuse d'origine volcanique (encore une dizaine de volcans en activité), affectée de temps à autre de petites crises de Parkinson.
1 400 000 habitants, se partageant entre ethnies d'origine malaise, d'origine mélanésienne et cinq grands groupes dont les plus importants sont les Manggarai à l'ouest, autour de Ruteng, les Ngada (région de Bajawa), les Ende au centre (autour de la ville d'Ende) et les Sikkanese, à l'est (autour de Maumère). Si, dans les villages reculés, on trouve une réelle homogénéité ethnique, il est évident que dans les grandes villes existe un très grand brassage de population. Seuls les Bugis (venant de Sud-Sulawesi) conservent, auprès des agglomérations, leurs villages de pêcheurs bien structurés. L'isolement de certaines régions et les difficultés de communication font que les langue locales (comme le manggarai, autour de Ruteng) sont majoritaires dans la population du coin. L'île est chrétienne à 85 %, musulmane à 10 % (surtout dans les grandes villes côtières) et le reste animiste. C'est l'île la plus catholique d'Indonésie. Cependant, beaucoup de chrétiens des villages conservent naturellement de nombreuses pratiques animistes.
Vous l'aviez deviné, c'est une île fort peu touristique, notre préférée du Nusa Tenggara. Habitants d'une gentillesse sans égale et aux riches traditions. De nombreux villages présentent une superbe architecture. Le contraste avec les îles musulmanes comme Sumbawa est frappant : pas de femmes voilées, un plaisir de vivre qui éclate, malgré la pauvreté. Curiosité sans fard à l'égard des rares étrangers. Dans l'intérieur de l'île, il n'est pas rare que tout un village vienne vous dire bonjour. En tout cas, avec les écoliers, c'est toujours la fête !...

Climat et transports

Une seule route traverse l'île de bout en bout. Construite par les Hollandais, elle fut dans le temps goudronnée. Aujourd'hui, pluies tropicales et manque d'entretien en ont ramené une grande partie à l'état sauvage. Certains tronçons se révèlent carrément défoncés, surtout sur la portion Labuanbajo-Ruteng-Bajawa. Pour effectuer 150 km (moyenne des distances entre grandes villes), il faut compter au minimum 5 à 6 h de trajet. En saison des pluies (de novembre à avril), plusieurs jours. La partie ouest de l'île est couverte d'une végétation dense et extrêmement exubérante. La route, particulièrement accidentée, livre alors, lorsqu'elle grimpe dans la montagne, des panoramas époustouflants (et on a tout le temps d'en jouir !). L'abondance des précipitations permet deux récoltes de riz minimum par an (superbes rizières en terrasses autour de Ruteng).

Bus et camions restent les uniques moyens de transport en raison de l'état des routes. Fréquences régulières entre villes. De Labuanbajo à Maumere (sans tenir compte des temps de visite), compter au minimum 2 jours de trajet pendant la saison sèche. On voit apparaître les bemos dans la partie est de l'île. Dans les villes principales, quelques « grands » hôtels louent des 4 × 4 avec chauffeur. Chers pour l'Indonésie, mais correspondant aux prix de chez nous (environ 350 F par jour). Un truc curieux : louer un bus de 25 places revient à peu de chose au même prix (groupez-vous !). Enfin, le vélo est complètement exclu (pour toutes les bonnes raisons énumérées précédemment), à part, peut-être, dans la partie est.

Un peu d'histoire

L'île fut d'abord occupée par les petits seigneurs et marchands bugis et makassars (de Sud-Sulawesi). La recherche d'esclaves était l'une de leurs principales activités. Au XVIe siècle, l'île reçut la visite des grands navigateurs portugais, très intéressés par la création de relais et comptoirs sur la route de Timor, pour le commerce du bois de santal. Des forts furent construits à Solor et Ende et les missionnaires débarquèrent dans les fourgons des soldats. L'exubérance de la végétation est sûrement à l'origine du nom de l'île « Cabo das Flores » (le cap des fleurs). A part sur quelques portions de côte, les prosélytes musulmans eurent peu de succès. Les difficultés pour gagner l'intérieur de l'île furent probablement une des raisons de leur faible pénétration. Au XVIIe siècle, les Hollandais chassèrent à leur tour les Portugais. Leur *Compagnie des Indes* était alors toute puissante. En 1859, les dernières enclaves portugaises (Larantuka, Sikka) furent récupérées. L'intérieur de l'île ne fut totalement « pacifiée » qu'au début

FLORÈS

du XXᵉ siècle. Dans les années 20, les missionnaires redoublèrent d'ardeur pour convertir les villages.

LABUANBAJO

Porte d'entrée de Flores, à l'ouest de l'île, pour ceux qui arrivent de Sumbawa et Komodo. Arrivée en bateau assez somptueuse. Au fond de sa baie magnifique, Labuan possède toujours son aspect de gros village de pêcheurs dominé par la mosquée. Quelques bugis ventrus, les traditionnels *prahus* à balanciers et les gamins godillant dans leurs pirogues ou se baladant avec leurs poissons accrochés en chapelet sur un bâton, donnent la couleur locale. Une seule longue rue longe la côte. Le béton tarde encore à s'imposer. Quelques belles plages. Une bonne étape pour souffler une journée.

Où dormir ? Où manger ?

Bon marché à prix moyens

■ *Losmen Sinjai :* rue principale. A 400 m à droite du débarcadère. Petite maison particulière. Un peu rustique, mais assez bien tenu dans l'ensemble.
■ *Wisma Sony (Homestay) :* plus loin que le Sinjai. Au grand carrefour suivant, prendre à gauche (en principe, indiqué). Petite pension dans un environnement verdoyant. Coin vraiment sympa. Tenue par une gentille famille prodiguant un accueil chaleureux. Très belle vue sur la baie. Là aussi, confort tout simple, mais c'est propre. Moustiquaire. Notre meilleur rapport qualité-prix dans cette catégorie.
■ *Oemat Honis Homestay :* 3 jalan I.J. Kasimo. Vers Ruteng. A 30 m de la route principale. Cinq chambres dans une villa avec jardin. Correct sans plus. Plus cher que les adresses précédentes.
■ *Mutiara Beach Hotel :* c'est le plus facile à trouver (situé à l'embarcadère même), mais pas le mieux. Une seule chambre correcte, les autres sont mal

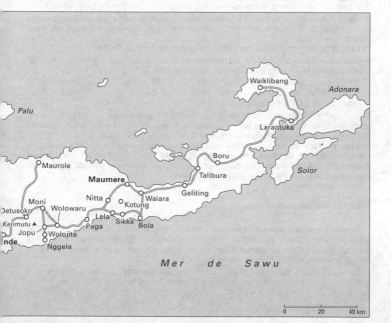

entretenues, bruyantes et assez étouffantes (certaines cloisons quasiment en carton-pâte). Pour dépanner seulement ! En revanche, avec sa terrasse au bord de l'eau, le resto (assez moyen !) se révèle un rendo sympa des routards.

Prix moyens à plus chic

■ **Hotel Bajo Beach :** pas loin du Mutiara, de l'autre côté de la route. Les meilleures chambres, dans la partie neuve de l'hôtel, sont aux environs de 60 F. Sans posséder un charme fou, tout à fait propres et acceptables. Le Bajo Beach possède en prime le meilleur resto de la ville. Terrasse ombragée. Cuisine nickel. Eau bouillie. Goûter à la soupe aux asperges, au *cumi goreng* (calmar frit) et surtout au *ekor kuning* (yellow fin), un délicieux poisson grillé.

■ **New Bajo Beach Hotel :** à 2 km de la ville, sur la route de Ruteng. Nouvel hôtel construit récemment. Dans un grand jardin au calme. A 20 m de la mer. Grandes chambres confortables dans un grand bâtiment de plain-pied ou en cottages. Cher pour les Indonésiens (environ 120 F) mais raisonnable pour nous. Environnement particulièrement agréable même si, à cet endroit, la plage n'est qu'une étroite bande de sable.

Très chic

■ **Beach Waerana** (Mutiara Branch) : à environ 2 km, vers le nord (à l'opposé de la route de Ruteng). Série de beaux bungalows dans le style du pays, disséminés sur une colline sauvage. Le plus beau point de vue sur la baie. Très confortable (salle de bains avec baignoire). Salle à manger panoramique. Idyllique ! Compter 210 F le bungalow.

A voir. A faire

▶ Passer au siège du **National Park** (PHPA). Il tient lieu d'office du tourisme régional. Infos sur les possibilités du coin, Komodo et Rinca. Vous le trouverez à 400 m à gauche du débarcadère. En principe, ouvert jusqu'à 14 h. Quelques panneaux illustrés et détaillés.

▶ **Plage de Pede :** agréable bien qu'étroite. Ombragée de cocotiers. Située à 2 km (route de Ruteng). Particulièrement tranquille. Coucher de soleil renommé.

▶ **Batu Carmin :** à 4 km de Labuanbajo. Curiosité géologique, grottes aux pierres rouges. Emporter une lampe de poche. Voir le plan au centre d'information du parc national.

10 km plus loin, une **forêt pétrifiée** (renseignements au PHPA).

▶ Balade sympa à la **plage de Waecicu.** 5 km à pied ou 15 mn en bateau. Quelques losmen sur place. Confort sommaire.

▶ **Excursions dans les îles de la baie :** Bidadari (l'île des Anges). Environ 90 F aller et retour. Sabolo : île intéressante. Très beaux coraux. Location d'un bateau (jusqu'à 10 personnes) pour 170 F.

▶ On peut aussi **louer un bateau** pour aller se baigner sur un îlot désert, à quelques encablures. Superbes récifs coralliens, fascinants aigles de mer aux reflets rouges... et super gros poissons familiers (brrouh ! on n'est pas allé leur demander leur nom). Au cours de la balade, essayer de repérer ces nomades de la mer qui ne vivent que sur leurs bateaux, étranges prahus à l'architecture compliquée – une toile d'araignée en bambou – et viennent de Sulawesi pêcher la pieuvre, ces *cumi-cumi* délicieux (à manger, du moins).

Quitter Labuanbajo

– **Bus et mini-bus pour Ruteng :** à 138 km. Compter 6 h de trajet. Le double (minimum) en saison des pluies. Départs plutôt le matin de bonne heure (vers 7 h). Un ou deux bus en début d'après-midi et un de nuit. Les camions sont plus inconfortables, mais on jouit mieux du paysage.

– **Bateau pour Komodo :** voir chapitre précédent « Comment aller à Komodo ? ». A plusieurs, possibilité de chartériser un bateau. Prix fixes. 5 h de traversée, en zigzag entre les îles... Le rêve par beau temps ; un vrai cauchemar dès que ça remue un peu ! Demander à traverser sur le bateau *Paranus Komodo*. Fiable et jeune capitaine sympa.

- *En avion :* vol quotidien Merpati pour Bima, Denpasar, Ende, Kupang, Mataram. Pour Jakarta : 3 vols par semaine. Pour Surabaya : 4 par semaine.

De Labuanbajo à Ruteng

Superbe route de montagne Labuanbajo-Malawatar-Lembor-Ruteng. Route étroite, sinueuse, livrant plusieurs points de vue saisissants sur la côte. Quelques passages hard avec d'impressionnants nids d'autruche. Magnifiques forêts tropicales exubérantes. On y rencontre de nombreuses variétés d'arbres tels le *sarikaya* (qui donne des fruits très doux toute l'année), le giroflier, le *wine palm tree*, le *kapok*, le *kayu putih*, le *jambu*. Nombreux bosquets de bambous et bananeraies. En arrivant sur Malawatar, douces vallées avec rizières en terrasses. Lembor est le grenier à riz de Flores.

RUTENG

La petite capitale du pays magarai ne possède pas de charme en soi, mais elle se révèle agréable, douce et fraîche en soirée. C'est une ville commerçante, point de rencontre de toutes les ethnies et villages de l'ouest de l'île. Dans la région, on parle bien sûr le magarai, qui n'a rien à voir avec le bahasa indonesia. Chrétiens hyper majoritaires. Cependant, cela n'empêche pas la pratique de quelques rites animistes. Lors des grandes fêtes populaires, comme la fête de l'Indépendance en août, vous aurez peut-être l'occasion d'assister au *caci*, un rituel remontant à la nuit des temps. Deux combattants aux masques de bois s'affrontent, l'un avec un bouclier et un fouet, l'autre avec un bâton. Quand l'un d'entre eux touche l'autre, les adversaires échangent leurs armes pour un autre combat. Le tout rythmé par cris, tambours et gongs.
La ville peut être là aussi une étape repos ou une base de randonnées. La campagne est évidemment aux portes de la ville. Magnifiques rizières, notamment sur la route de Pagal. A 1 km environ, la colline de la Vierge *(Golo Guru)* représente un but de balade sympa. Beau panorama sur la vallée.

- *Banques et change :* Rakyat Bank, en face de l'hôtel Sindha.

Où dormir ? Où manger ?

Bon marché

■ *Losmen Karya :* 34 jalan Motang Rua. ☎ 34. Dans la rue du resto Bamboo Den. Petite maison verte. Confort extrêmement basique, mais propreté acceptable. Quelques chambres avec moustiquaires.
■ *Hotel Dahlia :* jalan Kartini. ☎ 377. Petit immeuble récent et moderne. Très central. Propreté impeccable et bon accueil. Jardin fleuri. Les chambres les moins chères (les *eko*) présentent un superbe rapport qualité-prix. Un peu plus chères que celles du Karya, mais, au fond, elles ne coûtent guère que 30 F ! Les chambres *standard* sont évidemment fort confortables ; quant aux *super de luxe* (à 90 F), elles sont parfaites.
■ *Wisma Agung II :* jalan Motang Rua. ☎ 344. A peine acceptable. Si tout est plein ailleurs !
■ *Wisma Agung I :* sur la route de Pagal-Roe. Un peu à l'extérieur de la ville. 20 mn à pied du centre. Environnement bucolique. Bien mieux que le précédent. Chambres avec mandi privé à prix fort intéressant.
● *Restaurant Bomboo Den :* 30 jalan Motang Rua. Ceux qui résident à la Wisma Sindha n'ont qu'à emprunter le chemin qui part devant l'hôtel jusqu'à la Motang Rua. C'est alors à deux pas. Petit caboulot servant une bonne nourriture traditionnelle. Cuisine propre et accueil sympa. Le patron parle quelques mots d'anglais. Excellent *chicken satay*.

Prix moyens

■ *Wisma Sindha :* en face de la banque Rakyat. Le « grand » hôtel de la ville. Tous les prix, de la chambre *eko* à celle avec mandi privé... télé (si, si, ne riez pas, même que grâce à l'altitude, on peut attraper la chaîne malaisienne !) et pas... d'eau chaude. Pour être franc, pour le même prix, on préfère quand même le Dahlia !

Quitter Ruteng

- **Par bus :** tôt le matin pour Labuanbajo, Bujawa et Ende (vers 7 h). Pour Bajawa, compter 5 à 6 h de trajet minimum. Quelques bus et camions pour Reo, sur la côte nord.
- **Par avion :** Merpati assure la liaison avec Bima (1 à 2 vols par semaine), Kupang, Denpasar, Ende, Jakarta, Mataram, Surabaya, Tambolaka et Labuanbajo. L'agence Merpati est au nord de la ville, un peu dans la campagne.

La route Ruteng-Bajawa

Itinéraire de 134 km. Partie du trajet assez homérique jusqu'à M'Borong. Route bien défoncée. On a l'impression de suivre scrupuleusement le cours d'un oued. Dépaysement assuré. Paysages remarquables. 20 km avant M'Borong, la route s'améliore, pour devenir correcte à Wayrana (dommage, on commençait à s'y faire délicieusement, à part ceux qui voyagent au cul des camions, bien entendu !).

▶ **Wayrana** est un village enserré dans de grandes bananeraies, boqueteaux de bambous, gros rochers. Formé de gentilles maisonnettes. Climat sain et vivifiant. Puis la route suit une harmonieuse vallée jusqu'à Aimere (s'écrit aussi Aymeri).

▶ A ceux qui possèdent leur propre véhicule, voici une proposition de petite halte archéologique. A **Aymeri** (venant de Ruteng), juste avant le pont, repérer ce long bâtiment blanc à droite, avec un toit de tuile rouge, un terrain de foot devant et un drapeau (c'est une école). Tourner à droite, juste avant et s'arrêter quand la route n'est plus carrossable. Sentier caillouteux sur 100 m environ. Au premier tournant, prendre à gauche (petite barrière pour vous repérer). A 50 m, se découpe dans le ciel un premier mégalithe. Puis repérer sur la colline ces troncs de palmiers. Vous découvrirez un premier cercle de pierres aux angles particulièrement vifs. Puis à quelques dizaines de mètres, face à la mer, un nouveau cercle de mégalithes. A côté, une table de pierre (autel de sacrifice ?) et deux gros blocs (peut-être des sièges de chefs). Paysage superbe, environnement d'une délicieuse sérénité. A goûter modérément !

▶ **Marché** à Aymeri tous les vendredis (après le pont, en bord de mer).

▶ Dernière partie du trajet particulièrement fascinante. La route s'élève sur les flancs des contreforts du mont Inarié (2 245 m), impressionnant volcan éteint. Véhicules en général plus larges que la voie. Paysages de savanes, la végétation se raréfie ici. Chouette panorama sur la baie au soleil couchant.

BAJAWA

Petite ville de montagne, capitale des populations Ngada, parmi les dernières à conserver une identité originale sur l'île. Bajawa, à plus de 1 000 m d'altitude, nous l'appellerions chez nous une station climatique. Dominée par le mont Inarié, dans son cirque de verdure, elle jouit d'une atmosphère douce et plaisante. Camp de base idéal pour visiter les villages ngada aux environs et réaliser quelques très belles randonnées.

Deux ou trois choses que je sais des coutumes locales !

Malgré le prosélytisme forcené des missionnaires hollandais dans les années 20-30, le catholicisme n'a pas réussi à éliminer les pratiques animistes en Pays ngada. Finement, la population les a tout simplement adaptés, intégrés à la nouvelle religion imposée. En particulier subsistent encore fortement la présence des *ngadhu* et des *bhaga*. Ce sont des genres de huttes coniques avec toits de paille montées sur un pilier sculpté. Elles s'élèvent par groupe de deux à l'entrée des villages. Genre de totem qui protège le village des mauvais esprits. Au sommet du cône, une ombrelle sur l'une et une maison en miniature sur l'autre (symboles masculin et féminin du culte des ancêtres). On retrouve également ces symboles sur certaines demeures. Le « mur de mâchoires », à l'entrée ou sur le côté des maisons, exprime aussi le rattachement aux ancêtres. Certains ngadhu et bhaga sont très anciens, ce qui explique (conjugué peut-être avec une baisse des traditions) leur état dégradé. Cependant, à l'occasion de cérémonies ou d'événements très importants, ces symboles sont reconstruits et les traditions réactivées. En particulier, lors de la construction d'une nouvelle maison et des grandes récoltes (vers mai et octobre).

Sur le côté du ngadhu, on trouve parfois des figurines de guerriers avec un sabre (ou brandissant une lance dans chaque main). Ce sont les protecteurs du village.

Les autres événements familiaux donnent aussi lieu à des cérémonies à caractère animiste comme les naissances, mariages et décès. Ils impliquent parfois des sacrifices de buffles. Dans les principaux villages autour de Bajawa (comme Bena et Langa) se déroule, en janvier-février, le *Ruba* (ou Reba), fête annuelle en l'honneur du dieu qui unit le ciel et la terre. Moment très fort de la vie du peuple ngada où l'on sacrifie beaucoup d'animaux. Les villageois revêtent alors leurs plus beaux sarongs (noirs avec broderies). Nombreux chants et danses traditionnels dans une très grande ferveur.

Sur le plan architectural, le village est en général édifié suivant un plan rectangulaire, avec deux rangs de spacieuses maisons sur 2 côtés et un autre fermant le troisième (en général, les demeures du chef et de sa famille) ; le quatrième côté (l'entrée du village) est fermé par une ou plusieurs séries de ngadhu et bhaga, souvent entourés des tombeaux des chefs. Toujours demander à voir le chef *(Kepala desa)* avant de visiter un village.

Adresses utiles

- *Banque Rakyat :* jalan Boulevard (eh oui, pourquoi pas « rue Boulevard » !). Attention, change les US dollars et livres sterling, mais pas les francs français.
- *Poste* et *téléphone* dans la même rue.

Où dormir ? Où manger ?

Tous les établissements qui suivent sont quasiment aux mêmes prix. Région encore peu touristique, Bejawa ne possède pas encore d'hôtels de standing.

Bon marché

■ *Kambera :* 9 jalan Eltari. ☎ 166. Un peu le *hangout* traditionnel des *fellow travellers*. Décor marrant avec ses fresques naïves et son escalier de béton imitant le bambou, mais chambres assez petites (certaines proches du placard à balai et même assez sinistres). Sanitaires pas mal dégradés. Pourtant, les routards s'y retrouvent nombreux. Peut-être à cause de son côté relax (bonne musique « seventies »). Apparemment, surtout pour son resto au premier étage, un des rares de la ville ouverts le soir. Nourriture correcte.

■ *Anggrek :* jalan Eltari. À côté du Kambera. ☎ 172. Une dizaine de chambres. Plus propre que son voisin.

■ *Hotel Virgo :* dans le même coin que le Kambera. ☎ 61. 6 chambres avec mandi s'ordonnant autour d'un petit patio. Propreté acceptable.

■ *Losmen Kancana :* 7 jalan Palapa. ☎ 155. Un des moins chers, mais plus rudimentaire aussi (apporter son duvet). Patronne affable. Coin calme.

■ *Losmen Dam :* jalan Gereja. ☎ 45. Près de l'église. Dans l'ensemble, correct. Petit déjeuner compris.

■ *Losmen Mawar :* jalan Taman Bahagia. ☎ 94. Au bout de jalan Pasar Rahmat. Accueil charmant. Patronne particulièrement serviable, qui prépare le meilleur petit déjeuner de la ville. Elle projetait à notre passage de construire un nouvel hôtel juste à côté. Pourrait bien être déjà réalisé à la sortie de ce guide.

■ *Losmen Kembang :* 18 jalan Diponegoro. ☎ 72. Le meilleur de la ville est guère plus cher que les autres (environ 50 F pour deux). Petit déjeuner inclus.

Grandes chambres claires avec mandi et w.-c. à l'européenne. Possibilité de dîner sur commande.
● *Kasih Bahagia :* jalan Gajah Mada. ☎ 295. Bon resto chinois.

A voir aux environs

▶ *Langa :* à 8 km au sud de Bajawa. Village ngada traditionnel avec plusieurs ngadhu et bhaga à l'entrée et dans la rue principale. Faire attention à ne pas le visiter un jour de marché à Bajawa, car vous le retrouveriez complètement vide. Pour s'y rendre, classique bemo.

▶ *Bena :* le plus beau village de la région, dans un magnifique environnement. Il est niché au pied du mont Inarié, entouré d'une végétation dense. Situé à une vingtaine de kilomètres au sud-est de Bajawa. Pour y aller, au moins un camion depuis le terminal de bus. Bien sûr, ça vaut le coup à plusieurs de louer un véhicule (avec chauffeur !). On peut aussi prendre un bemo pour Langa, puis y aller à pied. Superbe randonnée. Deux routes : l'une, la plus « courte », est d'abord assez caillouteuse, puis très empierrée. Peu de véhicules l'empruntent. Très intéressante approche de Bena. La route zigzague dans une nature sauvage, parmi champs de maïs et boqueteaux d'arbres touffus, au pied de l'Inarié qui présente des teintes extra. L'autre itinéraire se prend aussi sur la route d'Ende, mais plus loin. Plus carrossable, un peu plus long, c'est plutôt celui des rares camions qui vont à Bena. Attention, ne pas oublier son eau et quelques vivres. A l'entrée du village il faut satisfaire à deux formalités : d'abord, signer le livre au petit poste de police, puis une deuxième fois (20 m plus bas) à l'accueil touristique où l'on paie un droit d'entrée au village, ainsi que pour photographier. L'argent sert à réparer les toits de palmes qu'apprécient tellement les visiteurs. Nous avons été frappés de la discrétion, voire de la gentillesse des habitants devant l'invasion croissante des touristes. Ils vaquent à leurs occupations (tissage, construction de nouvelles maisons...) en laissant le touriste se promener sans rien lui demander. Comme disait Maman Letizia, « pourvou qué ça doure ! ».
Retour du camion en principe vers 15 h, mais la balade à pied pour revenir est très belle.
Quand on surplombe Bena, apparaît très bien l'ordonnance traditionnelle des villages ngada. Une longue place bordée d'une vingtaine de maisons à toits de palmes de chaque côté. Devant, un épais mur semble protéger l'entrée. Contrairement à ce qu'on peut voir dans les autres villages de la région, la place principale est divisée en deux sur toute la longueur par une haute plate-forme en escalier, parsemée de très beaux cercles mégalithiques. Ils forment des bouquets de pierres très effilées. Quelques grandes tables de pierre de sacrifice. Sur les toits, quelques ngadhu et bhaga. Sur les cônes des totems, quelques guerriers au sabre. Sur la colline, petit oratoire à la Vierge.
Par beau temps, possibilité de grimper sur le mont Inarié. Compter 4 h de marche.

▶ *Soa :* à une quinzaine de kilomètres au nord de Bajawa. Grand marché le dimanche et source d'eau chaude assez agréable.

Quitter Bajawa

– *En bus :* 4 départs pour Ende, 5 pour Ruteng, 2 pour Reo. Meilleur trafic vers 7 h. La compagnie *Sinar 99,* 8 jalan Martadinata (☎ 211 et 185), propose un bus direct pour Labuanbajo.
– *En avion :* avec Merpati, pour Ende, Bima, Denpasar, Mataram, Jakarta, Surabaya et Kupang.

La route de Bajawa à Ende

En meilleur état et moins montagneuse que les portions Labuanbajo-Ruteng et Ruteng-Bajawa. Traversée de Mataloko, village tout pimpant avec sa mission, ses écoles, son séminaire. De Boawae à Nangapanda, piste en terre correcte. A environ 25 km d'Ende, petites falaises avec des criques de sable noir bordées de cocotiers. Grosse production de coprah dans la région. Quelques villages de pêcheurs. Vous longerez aussi la fameuse plage des galets bleus (nuances de bleus et de verts assez étonnantes !).

ENDE

Grosse bourgade tassée au bord de la mer. La chaleur peut y être vraiment écrasante. Pas de caractère particulier, si ce n'est son inévitable rôle de ville étape avant d'affronter le Kelimutu ou de s'embarquer vers d'autres rives. Pas mal de lycéens et de jeunes qui, à l'occasion, peuvent se montrer curieux de vous connaître.

Où dormir ?

Bon marché

■ *Losmen Ikhlas :* jalan Ahmad Yani. Sur la route de l'aéroport. Tous les bemos passent devant. Très agréable losmen, tenu de façon impeccable. 23 chambres présentant un excellent rapport qualité-prix, qu'elles soient *eco, standard* ou *special.* Patron sympa parlant anglais et connaissant fort bien la région. Petit resto où vous trouverez une bonne cuisine : *fried rice,* omelettes, *pancakes,* etc. Jus de fruits frais à toute heure. Location de vélos et d'autos. A plusieurs, prix intéressant pour louer un 4 × 4 pour le Kelimutu ou toute autre excursion (autour de 200 F la journée pour le véhicule).
■ *Rinjani Losmen :* jalan Admad Yani. A 500 m environ de l'Ikhlas. Vers le centre. Style différent. Ici 9 chambres seulement. Simple, mais propre. Atmosphère gentiment familiale. Un des moins chers. Petit déjeuner compris.
■ *Losmen Makmur :* a côté du Rinjani. Une poignée de roupies moins chères, mais c'est tout à fait rudimentaire et en plus ça jouxte la mosquée (réveil assuré). Si tout est plein ailleurs !
■ *Hotel Nirwana :* 12 jalan Pahlawan. ☎ 199. Pas mal situé et pas très loin du centre. Là aussi, une adresse plaisante. Accueil sympa. Grandes chambres très propres à tous les prix (avec ou sans ventilo). Petit déjeuner compris.
■ *Losmen Mansour* (ou *Mansyur*) : jalan Lorong Aembonga II. ☎ 373. Dans une petite rue perpendiculaire à la rue principale (la rue commerçante qui suit le front de mer). Chambres s'ordonnant autour d'une cour. Très basique. Sanitaires dégradés. Préférer les chambres au 1er étage du bâtiment de devant. Strictement une adresse de dépannage. Quant au *losmen Rachmat* dans la même rue, il est au même prix, avec la crasse et un côté assez sinistre en prime.

Prix moyens à plus chic

■ *Wisma Dwi Putra :* jalan K.H. Dewantara. ☎ 223. Très central. Bel hôtel de plain-pied offrant de confortables chambres avec air climatisé. Excellent rapport qualité-prix (les plus chères ne sont guère qu'à 70 F).
■ *Wisma Wisata :* jalan Kelimutu. Assez loin de tout. Les chambres les plus chères, avec air conditionné, sont grandes et confortables et valent leur prix (environ 90 F). En revanche, celles avec ventilo et les *eco* sont moins bien que le Dwi Putra et le Nirwana (pour à peu près le même prix). En outre, ambiance extrêmement terne et accueil routinier.

Où manger ?

● Nombreux petits restos pas chers dans la ville musulmane, près du bord de mer. En particulier, à l'intersection de jalan Ahmad Yani et de la rue principale commerçante (parallèle à la côte).

● *Depot Ende :* jalan Jend. Sudirman. A 100 m de l'hôtel Dwi Putra. Entrée discrète. Salle assez petite, décor banal, mais excellente cuisine traditionnelle. Accueil sympa. Goûter au *payuh goreng,* la spécialité (une floppée de petites cailles en beignet). Bon *gado-gado* et bière bien fraîche.
● *Minang Baru Restoran :* jalan Soekarno. ☎ 399. Resto prodiguant une bonne cuisine.

A voir. A faire

▸ Excursion d'une journée à l'*île de Pulau :* elle abrite les ruines d'une forteresse portugaise. Elle fut abandonnée en 1630 après que le capitaine de ladite forteresse eut fait exterminer les séminaristes portugais qui s'y trouvaient, car l'un d'eux était tombé amoureux de la même indigène que lui. Pour vous y rendre, renseignez-vous au port d'Ende.

▸ *La maison de Soekarno :* jalan K.H. Dewantara. Un peu plus haut que la Wisma Dwi Putra. Ouvert de 8 h 30 à 14 h. C'est la maison où fut exilé Soekarno dans les années 30 par les Hollandais. Quelques souvenirs du grand homme d'État indonésien.

▸ Au losmen Ikhas, on trouve une carte détaillée de la ville indiquant un sentier qui grimpe sur un *volcan* voisin. De ce volcan, on aperçoit la mer des deux côtés. A l'aube ou au coucher du soleil, c'est vraiment un beau spectacle. Le sentier est facile à trouver, demander aux enfants. S'équiper de bonnes chaussures car la pente est raide.

▸ *Plage de galets bleus :* à une vingtaine de kilomètres d'Ende (en direction de Bajawa). Pour y aller, prendre un bemo au terminal NDAO pour Nangapanda et s'arrêter à Penggajawa. De nombreuses femmes ramassent et trient des galets dans toutes les nuances de bleus et vert pâle pour l'exportation vers le Japon. Ils sont utilisés pour la constitution des célèbres jardins japonais.

Quitter Ende

■ *En bus :* pour *Moni* (51 km), camp de base du Kelimutu. Deux départs le matin. Pour Maumere (à 150 km par Wolowaru), trois à quatre bus quotidiens. Compter 5 à 6 h de trajet. Deux jours ou plus en saison des pluies. Le terminal pour l'est se trouve à 4 km de la ville, mais les bus draguent souvent dans le centre.
Pour Bajawa : trois bus par jour. *Pour Ruteng,* bus direct le matin.
■ *En avion :* vol quotidien Merpati pour Bima, Denpasar, Jakarta, Labuanbajo, Mataram et Kupang (mais pas pour Maumere). Pour Bajawa, 2 vols par semaine. Pour Ruteng et Surabaya, deux vols quotidiens.
■ *En bateau :* Ende est l'un des ports d'escale du Kelimutu lors de son périple quinzomadaire (néologisme !). Tous les deuxième samedi du mois pour Kupang. Deux jours plus tard, il appareille pour Waingapu (dans l'île de Sumba).

La route pour le volcan Kelimutu

Depuis Ende, magnifique route de montagne, surplombant les gorges d'un torrent, au milieu d'une végétation exubérante. De temps à autre, la vallée s'élargit et apparaissent, au détour d'un virage, de véritables oasis avec de jolies rizières en terrasses. Petits villages typiques, certains avec leurs greniers à grain communaux. Puis la haute vallée s'évase de plus en plus, l'air devient de plus en plus vivifiant. Alors surgit un véritable petit paradis tropical : *Detusoko.* Plateau ondulant où tout est en nuances de verts harmonieux. Habitat et nature fusionnent ici parfaitement.

Où dormir à Detusoko ?

■ *Wisma Detusoko :* au milieu de la vallée s'élève cette belle mission catholique. Grand ensemble pimpant, à la fois école, hospice, hôtel... et même salle de spectacles, offrant une douzaine de chambres, très propres, avec de charmantes moustiquaires autour des lits à baldaquin. Accueil adorable des religieuses. L'endroit idéal pour reprendre des forces quelques jours et effectuer de chouettes randonnées dans la campagne. Probablement la meilleure adresse de Flores ! Prix très modérés en pension complète. Les routards mystiques (mais si, il y en a !) auront un vieux coup de nostalgie en descendant à l'église entendre tout le village reprendre en chœur des chants très lents, étonnamment proches des mélodies polynésiennes.

LE VOLCAN KELIMUTU

L'une des 7 merveilles de Flores. L'un des plus beaux volcans d'Asie. Le Kelimutu culmine à 1 700 m mais, à la différence des Merapi et autres Bromo, il ne vous demandera pas plusieurs heures de marche pour y accéder. Célèbre surtout pour ses lacs de cratère aux trois couleurs ; l'un vert émeraude, les autres bleu turquoise et brun foncé (voire noir). Des minerais différents, dans la roche de chaque cratère, donneraient ces teintes. Attardez-vous au sommet, les lacs changent de couleur au fur et à mesure que les heures matinales passent. La route vous mène directement au pied des cratères. Un belvédère a été aménagé lors de la première visite du président Soekarno. Par temps clair, la vue est vraiment à couper le souffle. D'ailleurs, les Indonésiens qui vous accompagnent ont vraiment le souffle coupé (pas pour les mêmes raisons). Pour eux, le volcan est habité par les esprits, et chacun des lacs est voué aux nymphes, aux enfants, aux ancêtres. Chaque année, des processions montent des villages jeter dans le cratère des offrandes : une chèvre, des fleurs, de la nourriture. C'était notre refrain : allons, missionnaires, encore un effort !

Comment y aller ?

Depuis Ende ou Maumere, bus jusqu'au petit village de Moni ou location d'un bemo. On peut se faire dropper du bus à l'intersection de la route pour Moni et de celle du Kelimutu ; l'inconvénient, c'est qu'on a des chances après 3 h de marche de se retrouver dans les nuages et de ne rien voir. En outre, que faire de ce « bloody » sac ? Vous nous avez compris, le mieux c'est de passer une nuit à Moni...

L'ascension du Kelimutu

D'abord à pied. Ce n'est pas une véritable ascension au sens qu'une route de 12 km monte désormais jusqu'au cratère. Elle part à moins de 2 km de Moni (sur la route d'Ende). Pour les bons marcheurs souhaitant voir le lever du soleil, nécessité de partir vers 2 h. Ne pas oublier une torche et les piles de rechange. Depuis Moni, un chemin permet de gagner directement le poste de péage du Kelimutu (mais pas facile de nuit). De là, il ne vous restera que 6 km à accomplir mais, à notre avis, effectuer 3 h de marche de nuit pour découvrir un site avec plein de touristes ne vaut pas la chandelle ! L'entrée du site n'est pas chère. Sinon, un camion part de Moni vers 3 h-4 h. Possibilité, bien sûr, de louer un bemo, une moto (attention à son état), un cheval. En fait, beaucoup montent en camion et préfèrent descendre à pied. Renseignements dans les losmen.
A pied ou avec un véhicule, dans les deux cas, conseillé de ne pas partir trop tard. En effet, le soleil tient rarement au-delà de 10 h. Le brouillard tombe rapidement ou ce sont les nuages tout simplement qui bouchent tout. Deux points de vue : l'observatoire de Soekarno et celui qui permet d'englober dans un même champ deux des cratères. A moins de louer un hélicoptère, il est impossible de voir les trois en même temps sur le même plan.

LE VILLAGE DE MONI

Halte reposante. Ne pas manquer d'y visiter la belle maison traditionnelle. Vous aurez rarement l'occasion de voir un décor intérieur aussi complet. Pour la trouver, prendre le petit chemin longeant le losmen Homestay John (qui suit aussi le ruisseau). Noter l'entrée sculptée.

■ **Téléphone** et **télégramme** (Perumtel) : derrière le restaurant Kelimutu. Ouvert 24 h sur 24.
■ **Marché** : très coloré le mardi matin.

Où dormir ? Où manger ?

Bon marché

■ **Losmen Friendly** : dans le village. A 50 m de la route. Au calme autour d'un gentil jardin. Neuf chambres (dont deux triples). Pas si friendly que ça (tentatives d'arnaque parfois), mais le soir, la maman fait une cuisine correcte.
■ **Nusa Bunca Home Stay** : à l'entrée du village, venant d'Ende. Très simple, voire sommaire. Propreté cependant acceptable.
■ **Les Home Stay John, Daniel, Amina Moe,** etc., au centre du village (face au marché couvert), proposent le même confort extrêmement basique et sont au même prix.
■ **Wisma Kelimutu** : tout au fond du terrain s'étendant derrière le marché couvert. Belle véranda couverte de fleurs et de plantes. Les chambres sont dans une maison à part, au milieu de la verdure. Environnement agréable. Grandes chambres s'ordonnant autour de la salle commune. Confort tout à fait simple, mais dans l'ensemble assez bien tenu.
● **Restaurant Kelimutu** : à 1,500 km du village venant d'Ende. Nourriture traditionnelle. Prix corrects. Terrasse surplombant le paysage.
● **Wisata Restaurant** : à l'entrée de Moni (venant de Wolowaru). Grande bâtisse traditionnelle avec terrasse. Bière fraîche et bon *nasi goreng*.

Prix moyens à plus chic

■ **Sao Ria Wisata** : 1,500 km avant Moni (venant d'Ende). Huit ravissants bungalows sur une colline. Devant chacun d'eux, les fameux galets bleus d'Ende. Confortable. Petite terrasse pour goûter le calme et la fraîcheur des soirées. Compter de 60 à 90 F le bungalow.

A voir aux alentours

Moni se révèle également être le départ de très belles randonnées en Pays lio, l'ethnie locale. Région réputée pour ses ravissants ikats. Voici une proposition de randonnée mémorable. Quelques centaines de mètres après la sortie de Moni, vous trouverez un embranchement à droite avec une route de terre. Elle dessert de nombreux villages spécialisés dans les tissages. Route très étroite zigzaguant vers la mer dans une jolie vallée. En mai-juin, beaucoup de fleurs (en particulier de grandes étendues de *soleils* d'un orange éclatant). Une dizaine de villages s'étirent jusqu'à Jopu. Les enfants n'ont guère vu de touristes jusqu'à présent. Les femmes tissent les ikats devant leur maison. Architecture traditionnelle avec les hauts toits de palme à quatre pentes. Route à peine carrossable (même pour un 4 × 4), jusqu'à Jopu. Dans ce village, le Kepala desa vous demandera peut-être une petite contribution pour photographier. Après, de Jopu à Wolojita, 4 km de piste grossièrement empierrée. C'est franchement mauvais. Seul un camion passe. Encore 4 km pour atteindre **Nggela**, capitale de l'ikat. On y découvre l'une des plus belles productions d'ikats de Flores. Ici, les sarongs sont le plus souvent noirs avec des motifs marron ou rouge foncé. Possibilité de dormir au village dans l'une des familles. Demander au Kepala desa. Repas à la demande, mais ne pas oublier son eau minérale. Parfois, à la mi-journée, un bateau quitte Nggela pour Ende (compter 3 à 4 h de trajet). Possibilité également de joindre Wolowaru par Jopu. Chouette balade de 4 km là aussi. En conclusion, de Moni à Nggela et Wolowaru, une superbe randonnée de deux jours en dehors des sentiers battus.

WOLOWARU

Situé à mi-chemin d'Ende et de Maumere, autre camp de base pour visiter Nggela et Jopu. Atmosphère paisible. Climat plus aéré que sur la côte. En bas du village, une charmante rivière où l'on peut se baigner.

Où dormir ?

■ *Kelimutu losmen :* dans le centre. Grande maison verte avec un petit jardin devant. Propreté acceptable. Chambres avec ou sans mandi privé.
■ *Losmen Setia :* près du terrain de foot et pas loin du téléphone international.
☎ 14. Simple, mais bien tenu. Accueil sympa.

Aux environs

▶ Les villages de *Jopu, Wolojita et Nggela* (voir chapitre précédent). Deux bus de Wolowaru à Nggela en principe. Parfois un camion. Jusqu'à Wolojita, un bus le matin.

▶ De Wolowaru, possibilité de rejoindre la mer par une petite route. A environ 8 km. Pour trouver votre chemin, demandez aux habitants de Wolowaru la route de la *pantai* (« plage » en indonésien). Cette route superbe domine la vallée où s'écoule la rivière et conduit à un charmant village de pêcheurs. Compter 2 h de marche pour arriver au village. On peut se baigner devant le village. En revanche, il faut éviter la plage un peu plus loin, dangereuse.
Ensuite, on peut rejoindre Nggela en traversant la rivière. De l'autre côté, prendre le sentier qui grimpe dans les collines au-dessus de la mer (2 h de marche). Demander la route aux gens du coin. Le sentier n'est pas balisé, mais il n'y a pas de danger de se perdre. Il suffit de suivre la côte. Balade très agréable.

MAUMERE

Maumere est un port important qui vit du commerce du cacao, du café et de ces clous de girofle qui donnent leur bon goût sucré aux *kretek*. Marché superbe de vie et de couleurs. Ikats, avec les petits chevaux caractéristiques de la région, et un marché aux animaux, en bord de mer. Là aussi Maumere se révèle un sympathique point de chute. C'est ici que commença la christianisation de Flores, il y a quatre siècles, par les missionnaires portugais. Puis Espagnols, jésuites hollandais et allemands leur succédèrent. Ce qui explique l'existence d'une forte vie religieuse localement. Les missionnaires aidèrent au développement de l'artisanat et du tissage des ikats.

Adresses utiles

- *Change :* Rackyat Bank, jalan Soekarno Hatta. Près de la poste.
- *Merpati :* jalan Raja Don Tomas. Dans le coude de l'avenue, près du petit marché de nuit.
- *Poste :* jalan Ahmad Yani.
- *Perumbel (téléphone international) :* jalan Soekarno Hatta. Ouvert tous les jours 24 h sur 24.

Où dormir ?

Bon marché

■ *Hôtel Jaya :* jalan Hassanudin. C'est la rue la plus proche du front de mer.
☎ 292. Petit hôtel en retrait, plutôt agréable. Très bien tenu. Chambres à tous les prix, des standard bon marché à celles avec air conditionné.
■ *Senja Wair Bubuk Hotel :* jalan Kom. Yos. Sudarso. ☎ 498. Très central là aussi. Chambres correctes avec un bon éventail de prix (*eco*, ventilo et air conditionné). Dans l'ensemble, un certain charme. Surtout, gentil jardin et grande véranda plaisante, avec de confortables fauteuils en osier pour prendre le frais le soir.
■ *Hotel Benggoan I :* jalan Moa Toda. ☎ 41. Un peu vieillot, mais assez bien tenu dans l'ensemble. Moustiquaires dans la plupart des chambres. Possède des annexes (Beng Goan II et III). Même genre.

■ *Losmen Pondok Wisata :* 15 jalan Nuri. ☎ 411. Dans une rue calme. Genre pension familiale. Assez agréable. Trois ou quatre chambres correctes. C'est l'un des points de chute des touristes indonésiens.

■ *Losmen Gardena :* jalan Patiranga. ☎ 489. Pas loin du Pondok Wisata. Bien tenu. Tous les genres, tous les prix (standard, ventilo et air conditionné).

■ *Losmen Bogor II :* Slamat Ryady. Près du port. ☎ 271. Bon marché, mais assez bruyant (en particulier au rez-de-chaussée). Au premier étage, chambres les moins chères, mais mardi à l'extérieur vraiment « rustique ».

Prix moyens

■ *Winirai Hotel :* jalan Gajah Mada. ☎ 388. Sympathique hôtel dont le pro-prio ne l'est pas moins (en plus, il parle l'anglais couramment). Agréables chambres pour toutes les bourses. En particulier, les *standard* présentent un très intéressant rapport qualité-prix. Bonne info sur la région. Propose égale-ment ses bungalows *Corral Beach* à Nangahure Village.

– *Permata Sari :* 1 jalan Jend. Sudirman. ☎ 171. Sur la route de l'aéroport. Moderne, impeccable. De l'*eco* au cottage, prix très raisonnables. Petit déjeuner compris. Plage à deux pas. Resto avec vue sur la mer. Assure les liaisons avec la station de bus et l'aéroport. Atmosphère très calme.

Plus chic

■ *Maiwali Hotel :* jalan Raya Don Thomas. Dans la rue de la Merpati. L'hôtel de petit luxe des hommes d'affaires indonésiens. Un peu chics, pas mal clin-quant. Les chambres avec air conditionné s'ordonnent autour d'un agréable patio (compter de 80 à 130 F). On trouve cependant des économiques avec ventilo, moins chères. Boîte disco à côté. Éviter les chambres trop près d'elle et de la rue.

Où manger ?

● *Restaurant Bogor I :* Slamat Ryady. ☎ 91. Ouvert tous les jours de 6 h à 12 h et de 17 h à minuit. Excellente cuisine. D'ailleurs, c'est bon signe, on y retrouve tous les commerçants chinois du quartier. Goûter au *sate sapi* (bœuf), au *nasi goreng, mie goreng istimewa* (nouilles frites), etc.

● *Seafood Golden Fish :* jalan Hassanudin. C'est la rue de l'hôtel Jaya et de la mosquée. Petite gargote toute simple, mais c'est très propre et bonne cuisine traditionnelle.

Où dormir ? Où manger chic aux environs ?

■ *Sea World Club :* sur la plage de Waiara. A une douzaine de kilomètres, vers l'est. ☎ 570. Bungalows et cottages disséminés dans la végétation en bord de plage. Confortables, même si quelques-uns ont des robinets qui fuient dans les salles de bains. En tout cas, service impeccable (en fin de soirée, on vient vous placer la moustiquaire et le tortillon chinois sous le lit). Compter 160 F le cot-tage (petit déjeuner compris). Quelques suites pour les familles, *cabins* (bunga-lows) un peu moins chers. Salle à manger agréable et nourriture correcte (excellent *nasi goreng*). Possibilité de faire de la plongée et de louer du matériel (mais là, assez cher !). Ne pas oublier d'aller nager vers les coraux. Excursions par mini-bus de 6 personnes.

■ *Flores Sao Resort :* plage de Waiara. A peu de distance du précédent, vers l'est. Plus cher, plus luxueux. Là aussi, bel et paisible environnement. *Cabin economy,* très correcte, à 180 F environ. Grande chambre avec douche et une portion de véranda. *Cabin superior* à 270 F et cottages de 240 à 360 F. Le luxe ! Là aussi, hôtel très axé sur les sports et les stages de plongée. Renseignements et réservation à Jakarta, Saowisita Seaside and Diving Resort, Room 6 B, 2nd Floor, Hotel Borobodur, jalan Lapangan Banteng Selatan. ☎ 370-333 (poste 78-222). Fax : (6221) 37-38-58.

A voir

▶ *Le musée Ladalero :* à 10 km de Maumere, sur la route d'Ende. Ouvert tous les jours de 7 h à 18 h. Fascinant musée qui dépend de l'important séminaire régional. Dirigé depuis de nombreuses années par le père Peter Petu qui se fait un plaisir de répondre aux questions des visiteurs. Superbe collection d'ikats (dont de rares pièces anciennes), représentant toutes les régions du Nusa Tenggara [Ende, Sabu, Sumba, Pays mangarai, Tanimbar (Moluques)]. Albums photos à consulter de tous les motifs décoratifs. Bijoux de Timor et Roti, armes élaborées, sculptures balinaises, batiks de Java, splendides poignards dayaks ornés de dents d'animaux, matériel de tissage, vestiges archéologiques, fossiles d'éléphants préhistoriques (stégodon), fabuleuses collections de photos anciennes (seigneurs locaux et guerriers ont fière allure), bijoux de cérémonie ngada, poterie, vannerie, etc. Voir cette curieuse « montagne de la fertilité » (la naissance du riz). Vous nous avez compris, un étonnant, pittoresque et très riche musée. L'occasion unique d'appréhender la quasi-totalité des arts et traditions populaires de Flores et du Nusa Tenggara en un seul endroit (qui mériterait cependant d'être dédoublé tant les objets se bousculent, les uns sur les autres). A ne rater sous aucun prétexte !

▶ *Sikka :* sur la côte sud, à 28 km de Maumere, un grand centre de tissage d'ikats. Pour tout savoir sur cette technique particulière. Un peu corrompues par le tourisme, les femmes réclament de l'argent pour les regarder tisser ou pour prendre des photos. Dans l'église, stèle à la mémoire d'un missionnaire bien de chez nous, Le Cocq d'Armanville, un Normand débarqué ici en 1840. Il y resta vingt ans, avant de se laisser tenter par de nouvelles aventures... et de finir mangé par les Papous, vers 1865, en Nouvelle-Guinée. Belle côte très sauvage. Pas de losmen, mais possibilité de dormir chez l'habitant.

Quitter Maumere

_ **En bus :** *du terminal ouest* (vers Ende). Pour Sikka, six départs par jour, pour Paga, quatre. Pour Ende, quatre bus le matin et deux l'après-midi. Pour Wolowaru : deux départs quotidiens.
Du *terminal est :* bus pour Larantuka et bemos sur la plage de Waiara.

_ **En avion :** vols pour Kupang (Timor), Unjung Pandang (Sulawesi) et Denpasar. Trois vols par semaine pour Bima, Jakarta, Mataram et Surabaya. Bouraq propose également quelques vols sur Denpasar et Kupang.

A l'est de Maumere

A l'est de Maumere, possibilité de rejoindre Larantuka, porte d'entrée aux îles Adonara, Solor, Lembata, Pantar et Alor. Ce sont des îles très peu touristiques et aux intéressantes traditions. Disposer de pas mal de temps. Horaires et fréquences des bateaux assez fluctuants. S'attendre aussi à de rudes conditions de transport terrestre.

▶ *Larantuka :* petit port sans charme particulier, avec sa grande rue commerçante jalonnée des traditionnels tokos et leurs non moins traditionnels Chinois derrière.

▶ *Adonara :* environ 2 à 3 h de bateau pour la « capitale », Waiwerang. Une des rares villes musulmanes de l'archipel.

▶ *Lembata* (ex-Lomblen) : île connue pour ses villages de pêcheurs de baleines qui, tel Moby Dick, s'y attaquent encore au harpon à la main. Le plus célèbre est Lamalera, sur la côte sud. Ce mode de pêche se perd cependant avec la disparition des baleines. Il ne s'en pêche plus guère qu'une quinzaine dans l'année. Leur passage a lieu d'avril à juillet. Elles remontent vers le nord puis redescendent vers l'Australie en octobre. Sinon, les pêcheurs traquent habituellement requins et raies manta géantes. Port pittoresque au fond d'une crique rocheuse, sur les flancs d'un volcan. Ici, les ikats reflètent bien les traditions : on y retrouve dessinés le bateau, la baleine *(ikan paus)*, la raie *(ikan pari)*, parfois le requin *(ikan hiu)*.

Pour se rendre à Lamalera, un à deux bateaux hebdomadaires depuis Larantuka. Un départ depuis Lewoleba au nord de l'île. Quelques rares camions jusqu'à Puor. Sinon, la marche. Environ 12 h de chouette randonnée de Lewoleba à Lamalera. Quelques vallées exubérantes avec de pittoresques mini-jungles à traverser. Possibilité de prendre un guide. Emporter de bonnes quantités d'eau (et ne pas oublier son micropur en cas de panne sèche).

— TIMOR —

La dernière île de l'archipel indonésien avant l'Australie. 34 000 km² et 1 700 000 habitants (1 100 000 à Ouest-Timor et environ 600 000 à Timor-Est). Environ 500 km de long et 80 km dans sa plus grande largeur. La partie ouest est appelée *Timor Barat* et la partie est *Tim-Tim*. Proche de l'Australie et de ses vents secs, Timor est donc la plus aride des îles indonésiennes. Même si pendant la saison des pluies, l'île connaît d'importantes précipitations (routes fréquemment coupées), en saison sèche (de mai à octobre), on trouve des paysages poussiéreux et les rivières sont complètement asséchées. L'herbe jaunie des plateaux donne des airs de savanes à certaines parties de l'île (surtout dans la région de Kupang). Palmiers *lontar* et acacias sont les arbres les plus répandus. Plus de la moitié de l'île est montagneuse. Le point culminant à Timor Barat est à 2 427 m.

Sur le plan ressources, Timor est plus défavorisée que ses consœurs. Pendant longtemps productrices du fameux bois de santal, les forêts ont été, bien entendu, décimées au long des siècles. L'élevage constitue une grosse partie de l'activité économique. Tim-Tim est réputée pour la très haute qualité de son café et produit également du coprah, du tabac et de la cire végétale. Population composée de nombreuses ethnies dont la principale est les Atoni. Les habitants de Roti et Sawu ont aussi fait souche à Timor. Près de la moitié sont animistes, le reste se partageant entre catholiques, protestants et quelques musulmans.

Un peu d'histoire

Les premiers habitants de l'île furent les Atoni, d'origine mélanésienne. Puis vinrent les premiers colonisateurs, les Portugais, au début du XVIᵉ siècle. Ces derniers découvrirent et développèrent le commerce du bois de santal, très prisé en Europe pour son parfum et ses applications médicinales. Un siècle plus tard, les Hollandais les chassèrent dans la partie est de l'île. En 1859, et au début du XXᵉ siècle, des traités officialisèrent la partition (le Portugal gardant en outre la petite enclave de Oekussi à Timor Barat). Timor fut le théâtre de violents combats durant la Seconde Guerre mondiale. Les troupes australiennes, aidées de la population de Timor, résistèrent plus d'un an aux attaques japonaises. De nombreux villages furent anéantis.

Paradoxalement, pendant longtemps, Timor fut délaissée par les colonisateurs hollandais et portugais, les ressources naturelles étant quasiment épuisées. Ils se contentèrent de réduire de façon sanglante les rébellions qui éclataient de temps à autre. En 1949, à l'indépendance, l'Indonésie récupéra donc naturellement Timor Barat et commença alors à avoir des vues sur la partie portugaise.

La tragédie de Timor-Est

La révolution d'avril 1974 fut en quelque sorte à l'origine de la tragédie de Timor-Est (Tim-Tim). A l'époque, le Portugal se débarrassa rapidement de ses anciennes colonies et, à Tim-Tim, ceux qui se battaient contre eux depuis tant d'années en profitèrent alors pour proclamer logiquement l'indépendance du pays. La principale organisation combattante, le Fretilin (front révolutionnaire pour un Timor-Est indépendant) sut rapidement prendre les choses en main. Peut-être trop aux yeux de l'Indonésie dont les réflexes anticommunistes furent prompts à voir dans le Fretilin un danger pour l'unité de l'archipel. Dans la lutte pour le pouvoir, les partis politiques nouveaux de Tim-Tim s'affrontèrent rudement. L'Indonésie en profita pour provoquer de graves incidents de frontière entre les deux moitiés de l'île. Puis, le 7 décembre 1975, arguant de l'ordre à rétablir, son armée envahit Tim-Tim. La période fut particulièrement bien choisie puisque, la veille de l'invasion, Kissinger (ministre des Affaires étrangères US de l'époque) avait effectué une visite officielle en Indonésie, apportant en quelque sorte une caution politique, on ne peut plus opportune (et bien utilisée) au régime indonésien. Le Fretelin qui avait pendant tant d'années combattu les troupes portugaises reprit du service contre l'armée indonésienne. Au début, avec quelque succès, lui infligeant de lourdes pertes. Puis, progressivement, les positions du Fretelin reculèrent. Pour plusieurs raisons : d'abord les Américains, favorables à l'annexion, envoyèrent des quantités énormes de matériels de guerre à l'Indonésie (leur guerre au Viêt-nam venait de se terminer !) ; les pays de la région (Australie, Nouvelle-Zélande) apportèrent, quant à eux, leur soutien politique à l'annexion (peu désireux de voir un pays progressiste se développer sur leur flanc et jouer les trublions dans leur zone d'influence). Enfin, une scission au sein du Fretelin l'affaiblit considérablement. Il faut souligner aussi l'impitoyable « pacification » menée par l'armée indonésienne contre la population de Tim-Tim. Déplacements de village, bombardements de civils, arrestations arbitraires, tortures et exécutions marquèrent cette période. Seul Amnesty International protesta. On estime que 100 000 personnes périrent à cause de la guerre et des famines qu'elle engendra (1/6 de la population, proportion proche du génocide). En 1976, l'annexion fut officialisée. Presse et médias internationaux firent quasiment le black out sur la question (c'était trop loin, une cause pas assez intéressante peut-être ?). Il y a bien eu une résolution qui passa à l'ONU, recommandant le départ des troupes indonésiennes, mais elle resta sans effet. Aujourd'hui, la guérilla du Fretelin a été quasiment liquidée, se limitant à quelques kilomètres carrés dans l'extrême nord du pays. La preuve : la partie est de Timor a été rouverte en 1989 au tourisme (un permis n'est plus nécessaire). Il n'en reste qu'une présence militaire et policière un peu voyante dans certains coins. Ah, si Timor oriental avait été fournisseur de pétrole des USA...

Alors, aujourd'hui, visiter Timor ?

Comparé à Flores et Sumba Timor ne présente, bien entendu, pas le même intérêt. Paysages incontestablement moins spectaculaires. Cependant, folklore et traditions n'y sont pas moins riches, mais moins voyants, moins évidents. A qui se contenterait d'y passer deux ou trois jours, une certaine déception risquerait de le saisir. Surtout si on reste sur l'impression de Kupang, ville moderne et irritante. Timor, plus que toute autre île du Nusa Tenggara, demande du temps et de l'attention. Bon réseau routier et bien desservi par les transports en commun. Beaucoup de régions sont quasiment vierges de tourisme et combleront les adeptes du « out of the beaten tracks ».

Artisanat

Jolie production de vannerie. Dans certains villages, vous découvrirez aussi de beaux tissus, ikats et des genres de kilims. Les fans d'instruments de musique garderont une petite place dans leurs bagages pour le *sasando*. Originaire de l'île de Roti, c'est l'instrument national de Timor. Il se présente comme un gros morceau de bambou autour duquel sont tendues à l'extrême des cordes (il peut y en avoir jusqu'à 20). Il est ensuite placé au milieu d'une caisse de résonance en forme de demi-lune, fabriquée à partir des feuilles du lontar. L'ensemble dégage une impression très esthétique. Comme cela prend pas mal de place dans l'avion, le fabricant de sasando a imaginé pour les touristes une caisse de résonance qui se replie. Très pratique, mais bien entendu l'acoustique est quelque peu sacrifiée au profit du côté pratique (mais en jouerez-vous à la maison ?).

KUPANG

Capitale de Timor-Est, qui se révèle une surprenante grande ville moderne. Au début de la colonie, elle s'appela « Fort Concordia ». C'est ici qu'échoua le sinistre capitaine Blight après la mutinerie du *Bounty*. Cependant, votre soif d'exotisme, au premier contact, en prendra un grand coup. Kupang se révèle une ville très étendue, hyper active et commerçante. Peu de charme, il faut bien l'avouer. Plus de 100 000 habitants. Ville vraiment peu timorienne (rares autochtones, la plupart de ses habitants viennent des quatre coins de l'Indonésie et de toutes les îles du Nusa Tenggara). Le commerce est tenu, comme partout ailleurs, par les Chinois. En outre, la récente liaison aérienne avec Darwin (à 500 km environ) a amené nombre d'Australiens et précipité la gadgétisation de la cité. On trouve ainsi un système dément de mini-bus qui jouent à ceux qui seront les plus rutilants, sonores et lumineux. Ils portent les doux noms de Madonna, Lipstick, Pixy, Commando, Mick Bravo, Mick Jagger, Americana, Natalia, Chelsea, etc. (un tuyau, ceux qui ont un ou deux clignotants seulement traversent la ville en ligne droite d'un bout à l'autre).

Où dormir ?

Bon marché à prix moyens

■ *Losmen Kupang Indah :* 25 A jalan Gunung Kélimutu. ☎ 22-638 et 21-919. Sur la colline, en plein centre. Grande maison dans la verdure. Décor plaisant. Chambres pas très grandes, mais l'ensemble est fort bien tenu. Au rez-de-chaussée, côté rue, agréable petite véranda. Tous les prix : doubles et triples *eko*, chambres avec ventilo ou air conditionné.

■ *Hotel Laguna :* 36 jalan Gunung Kelimutu. ☎ 21-559. Établissement moderne proposant 55 chambres. A 100 m de la route principale. Pas de charme particulier, mais propre et calme. Un peu de verdure autour. Tous les prix. Avec air conditionné ou avec ventilo (ces dernières pas mal). Annexe à côté, en rez-de-chaussée. Les petits budgets y trouveront des chambres très correctes avec mandi à l'extérieur (mais petite terrasse devant), parmi les moins chères de la ville.

■ *Hôtel Nusantara :* 12 jalan Tin-tin. ☎ 32-434. Banal, mais propre. Chambres convenables à prix intéressants.

■ *Hotel Niwarna :* 13 jalan Merpati. ☎ 21-617. Assez austère, sombre même. Propreté acceptable. Vraiment pas cher pour la ville. Seulement pour dépanner également !

■ *Hotel Salunga :* 20 jalan Kakatua. ☎ 21-510. C'est frais et plaisant. Petit patio en longueur avec plantes vertes et petite terrasse devant les chambres (avec ou sans air conditionné). Un peu plus cher que les autres, mais présentant un superbe rapport qualité-prix.

■ *Hotel Susi :* 37 jalan Sumatera. ☎ 22-172. Il surplombe le front de mer. Pas beaucoup de charme, mais bien tenu et fonctionnel. Pratiquement toutes les chambres avec mandi privé (à part quelques singles *ekonomic*). Pour celles du rez-de-chaussée et du 1er étage, bon rapport qualité-prix. Au 2e, chambres avec air conditionné. Quelques suites à prix excellent.

Prix moyens à plus chic

■ *Cendana Hotel :* 23 jalan Raya El Tari. ☎ 21-541 et 21-127. Assez excentré (prendre un bemo). Atrium avec colonnes et plantes grasses. 45 chambres plaisantes. De 80 à 140 F la double.

■ *Hotel Ausindo* (ex-*Fagindae*) *:* 65 jalan Pahlawan. ☎ 22-580. Vers l'ouest, un peu avant le cimetière colonial hollandais. Fort bien situé. Hôtel venant juste de rouvrir à la parution de ce guide, après une rénovation totale. Les chambres les plus chères (environ 150 F, copieux petit déjeuner compris) sont magnifiques ; elles ont plus de 30 m² avec terrasse. Couchers de soleil de rêve. Au rez-de-chaussée, les chambres à 60 F combleront également beaucoup de lecteurs. On trouve même quelques économiques conservées de l'ancien hôtel. Le proprio, qui est pasteur, prodigue un bon accueil. De l'autre côté de la rue, une petite plage. Possibilité de se restaurer sur commande. Une de nos meilleures adresses.

■ *Pitoby Lodge :* 13 jalan Kosasih. Quartier sympa et central (sur la colline surplombant la rue principale). Grande maison blanche. Un certain charme. Décor d'ikats, statues mélanésiennes et objets à vendre. Chambres s'ordonnant autour d'un petit atrium. Bonne cuisine (voir chapitre « Où manger ? »).

Très chic

■ *Hotel Sasando :* 1 jalan Perintis Kemerdekaan. ☎ 22-224. Réservation à Jakarta : ☎ 54-82-335. A Surabata : ☎ 41-000 et 44-001. En dehors de la ville, l'hôtel de luxe de Kupang, dominant la mer et l'horizon. Dans le quartier de Bukit Karang. Environnement agréable pour qui veut échapper au bruit et au trafic automobile. Belle construction récente reprenant le style de l'architecture locale. Très confortable et tous les services rêvés : restaurant offrant cuisines indonésienne et internationale, coffee shop ouvert 24 h sur 24, tennis, grande piscine, location de voitures, etc. Chambres de 250 à 480 F (copieux petit déjeuner compris).

■ *Hotel Flobamor II* : 23 jalan Suderman. ☎ 21-346. Un des meilleurs hôtels de la ville. Chambres meublées et décorées dans le style timorien. Clientèle d'hommes d'affaires indonésiens, ingénieurs, techniciens européens et australiens travaillent à Timor. Restaurant correct.

Où manger ? Où boire un verre ?

● *Lima Jaya Raya* : 15 jalan Soekarno. Juste à côté du terminal des bus. Quartier animé et très central donc. Grande salle climatisée où se retrouvent les routards du monde entier (et quelques autochtones quand même). Beaucoup d'Australiens, ça va de soi ! Cuisine indonésienne et chinoise. Carte assez variée : *burung dara saus inggris* (pigeon frit à la sauce d'huîtres), *kodok goreng* (grenouilles grillées), *bun tahu ayam babi* (poulet, bacon, cake au soja). Grande variété de soupes : *ayam* (poulet), *babi* (porc), *udang* (crevettes), *cumi-cumi* (sèche), *sapi* (bœuf), pâtes, etc.

● *Karang Mas* : 88 jalan Siliwangi. ☎ 22-062. Là aussi, à deux pas du terminal, au début de la grande rue commerçante. Ouvert tous les jours jusqu'à 23 h. Terrasse très agréable surplombant directement la mer. Atmosphère sympa, musique seventies (genre Crosby, Stills, Nash and Young, Eagles, etc.). En fait, on y vient autant pour boire une *Bintang* bien fraîche que pour y manger. Quelques bons plats : *saté* de porc, *sweet and sour fried prawns* (crevettes grillées), steak, *petai* (une spécialité).

● *Kupang Kafé* : 13 jalan Kasasih. C'est le resto du Pitoby Lodge. Plaisante salle à manger, entourée de plantes grasses et de beaux objets d'artisanat. Cuisine internationale correcte (carte très éclectique) : poulet grillé, hamburger, spaghetti à la bolognaise, crevettes au chili, *nasi goreng*, *gado-gado*, pancakes, etc.

● *Teddy's Bar* : 1 jalan Ikan Tongkol. ☎ 21-142. En face du terminal des bus, suivre le front de mer vers la gauche. Le bar le plus célèbre de Kupang. Patronne originaire de Darwin. Bourré d'Australiens, de touristes égarés et d'accortes serveuses. La bière y coule à flots dans une atmosphère, dirons-nous, enfumée et animée. On y sert à manger aussi, mais le sérieux de la cuisine n'est pas vraiment établi (qualité fluctuante). Non, c'est avant tout un endroit pour s'abreuver et s'« encanailler » !

A voir

▶ *Le quartier commerçant* : près du terminal des bemos, c'est le plus animé de la ville et le plus ancien. Sans parler de charme, il y règne une intéressante atmosphère (déclinante à partir de 21 h, il faut bien dire !). Parcourir la Siliwangi, la rue des commerces, appelé aussi « Chinatown Shopping Center », jusqu'au petit marché de nuit sur le front de mer (le *Kampong Solor Market*, animé jusqu'à 20 h).

▶ *Le grand marché (Pasar Inpre)* : tout au bout de jalan Sudirman, puis prendre jalan Suharto. Pour s'y rendre, bemo *Oepura*. Marché traditionnel pour faire connaissance avec les légumes et les fruits locaux : dourian *(nangka)*, melon local *(labw)*, papaye et sa fleur (comestible), *chasafa* (manioc), cœurs de banane, etc. Petit marché aux épices et à la volaille. On y trouve même ces mignons petits perroquets appelés *nuri*.

▶ *Musée du Nusa Tenggara* : à l'extérieur de la ville vers l'est. Pour s'y rendre, prendre un bemo marqué *Kelapa Lima* en direction du terminal des bus pour l'est (3 km après le musée). Ouvert tous les jours de 8 h à 16 h. Inauguré en 1988, intéressant musée des Arts et Traditions populaires de Timor, dans un édifice tout neuf, construit dans le style local. Petite section archéologique (fossiles de coquillages et mammouth), illustration du cycle de la création de la terre, panneaux sur les grandes découvertes, vêtements traditionnels, tambour de bronze de l'Alor, poterie, bijoux et pierres précieuses, technologie du tissage à partir de l'écorce d'arbre et du coton, techniques de teintures, poteaux sculptés de maisons avec les symboles classiques (soleil, lune et riz), objets domestiques, curieuse collection de cuillères en corne de vache (signe de richesse), coffre incrusté de petits coquillages de Lombok, bouclier en cuir, arc et flèches d'Alor, sabres de Timor, le *Caci* (jeu mangarrai), boxe de Bajawa. Voir le très rudimentaire « fusil à pêcher », nasses, harnais de chevaux en fibre de palmier, petits coffrets tressés pour conserver le bétel, statues de Belu (influence mélanésienne très nette), instruments de musique, etc.

▶ *Plage de Taman Ria :* quelques kilomètres à l'est. La grande plage populaire de Kupang. Spectacle curieux : l'entraînement collectif au karaté indonésien les lundi, mercredi et samedi, à partir de 16 h. Pour s'y rendre : nombreux bemos marqués *Taman Ria.*

Quitter Kupang

– *En bus :* à prendre le matin de bonne heure pour éviter le *keliling* (la longue traque des clients en ville). Bus pour Soe, Kefamemanu et Atambua (à la frontière avec Timor Oriental, étape pour Dili).

– *En avion :* aéroport *El Tari* à une quinzaine de kilomètres à l'est de la ville. Pour s'y rendre, bemos réguliers. Vols Merpati : pour Waingapu et Waikabubak (Sumba), Darwin (Australie), Bajawa, Ruteng, Ende, Labuanbajo et Larantuka (Flores), Denpasar (Bali), Roti (2 hebdos), Bima (2 quotidiens), Alor (5 par semaine), Larantuka (2 hebdos), Maumere, Mataram, Lewoleba, Ujung Pandang, Jogy. Pour Dili (Timor-Est, 1 à 2 quotidiens), pour Atambua (1 à 2 hebdos). Vols Bouraq aussi. Notamment Maumere-Waingapu-Denpasar-Surabaya-Jakarta.

– *En bateau :* le *Kelimutu* assure la liaison avec Ende tous les deux dimanches (puis va à Waingapu, Bima, etc.). Bateaux également pour Sawu, Roti, Larantuka, Dili.

De Kupang à Atambua

Excellente route bitumée. De Kupang à Atambua, compter environ 8-9 h de trajet. Pour Soe, 3 h. Quelques portions pittoresques, notamment dans les monts entre Soe et Kefamenanu.

OEBELO

A 23 km de Kupang, vous trouverez dans ce village, sur la droite, le seul fabricant de sasando de Timor. Il est originaire de Roti. Superbe travail. Un jeune en joue pendant que vous visitez l'atelier (possibilité d'acheter une cassette). Les plus beaux instruments coûtent autour de 300 F ; ils les valent amplement. On voit nettement la différence avec les petits (fabriqués pour les touristes) et la différence des prix n'est pas si grande ! Caisse de résonance pliable pour le voyage en avion.

CAMPLONG

Petit village à mi-chemin de Kupang et Soe. Aux environs eut lieu lors de la Seconde Guerre mondiale une grande bataille entre Japonais et Australiens. Marché le samedi. Au milieu d'un petit parc, lac artificiel où il fait bon s'arrêter pour piquer une tête dans une eau claire (et courante).
A Takari, à 72 km de Kupang, un autre marché très coloré le mardi.
A l'approche de Soe, la rivière Noemina (à sec en saison chaude) sert de frontière entre la région de Kupang et celle du centre. Route s'élevant et livrant de jolis points de vue sur des paysages à la végétation beaucoup plus maigre et clairsemée.

SOE

Grande ville de la région centre, à 111 km de Kupang (3 h de route). Peu d'immeubles en hauteur, ça ressemble plutôt à un gros village. Construite dans les années 30 par les Hollandais. De ce fait, elle n'a pas grand-chose à proposer de notable (à part la statue grandiloquente de l'ancien gouverneur El Tari). C'est plutôt un camp de base pour rayonner.

▶ *Marché :* le mardi.

Où dormir ? Où manger ?

Bon marché

■ *Hôtel Bahaghia :* 72 jalan Diponegoro. ☎ 15. Petit hôtel très bien tenu et plaisant. Patronne charmante. Notre meilleur rapport qualité-prix sur la ville.
■ *Losmen Anda :* jalan Kartini. Atmosphère très fellow travellers. Très coloré et décoré comme au bon temps de la route pour Kathmandou. Bien sûr, confort on ne peut plus simple (et le balai ne passe pas tous les jours).
■ *Wisma Cahaya :* 7 jalan Kartini. ☎ 67. Confort très sommaire.

Prix moyens

■ *Mahkota Plaza :* 11 jalan Jend. Soekarno. ☎ 168. Dans le centre. Le « grand » hôtel de la ville, qui ferait une étoile et demie chez nous, mais est convenablement tenu. Chambres correctes avec mandi privé à prix fort raisonnables. Bonne cuisine. Goûter au *cumi-cumi asam manis* (seiche sautée aux légumes) et au *nasi campur ayam* (bœuf et poulet au riz).

A voir aux environs

▶ *Le « palais » du raja et les tombes royales :* à Niki-Niki, à une vingtaine de kilomètres au nord-est de Soe. En fait de palais, c'est une grande maison de type colonial au milieu d'un jardin luxuriant. Le raja n'y vit plus. Les nouveaux proprios font volontiers visiter quand ils sont là. Vous y verrez un pittoresque vieil ameublement, objets domestiques divers, armes, etc.
Dans le jardin, vestiges de greniers à grain très anciens (piles sculptées).
En contrebas, à 300 m, sur une petite butte, les tombes royales (les rajas de la région). Elles ne possèdent pas de caractère en soi, mais l'environnement est intéressant avec ces grands arbres qui les entourent. Ce sont des *beringin*, genre d'immenses chênes au tronc torturé avec des racines jaillissant du sol comme de grosses veines.

▶ *Marché :* pittoresque et animé le mercredi.

De Soe à Kefamenanu

La route traverse une jolie région de collines couvertes d'une épaisse forêt. Des passages en moraine permettent de saisir un intéressant panorama des deux côtés de la route. Villages traditionnels avec leurs *lopos*, demeures ou greniers en forme de ruche. En mai-juin, grosse production d'un miel délicieux. A déguster, retour au pays, les soirs d'hiver (sur une cassette de sasando !).

KEFAMENANU

A 200 km de Kupang, la grande ville du nord de Timor Barat. Là aussi, genre grand village aux maisons disséminées dans la verdure. Pas grand-chose à voir, ni à faire. Ville-étape avant tout. Une atmosphère très provinciale et paisible. Point de départ pour la visite de quelques villages aux environs. Attention, pas de change !

▸ Grand *marché* quotidien assez intéressant.

· Où dormir ? Où manger ?

■ *Losmen Setang Kai :* jalan Sonbay. ☎ 107. A deux pas du grand marché. Une grande maison particulière de style un peu vieillot, mais excellente atmosphère familiale et accueil tout à fait charmant. Petit jardin. Véranda pour prendre le frais. Une dizaine de chambres toutes simples, mais bien tenues.
■ *Losmen Cendana :* jalan Sonbay. ☎ 168. Maison agréable. Tout est carrelé, très clean. Joli jardin intérieur. Une douzaine de chambres un peu plus chères que l'adresse précédente, mais toujours à prix raisonnables.
■ *Hôtel Ariesta :* jalan Basukit Rachmat. ☎ 7. Un peu excentré (prendre un taxi). Chambres banales mais propres, s'ordonnant autour d'une curieuse fontaine-dragon au doux chuintement. A peu près les mêmes prix que le Cendana. Service cependant extrêmement routinier et restaurant très médiocre.
● *Restaurant Surabaya :* 6 jalan Kartini. Pas très loin du grand marché. Oh, rien de bien génial : cuisine traditionnelle correcte et copieuse.

Quitter Kefamenanu

– Terminal de bus près du grand marché.
– Bus pour Atambua (à 82 km). Deux départs quotidiens également pour Dili (à 260 km). Pour Oelolok, une douzaine de bus ou bemo. Pour Kupang, plusieurs bus de bonne heure le matin et au moins un de nuit.

OELOLOK

30 km à l'est de Kefamenanu, une intéressante bourgade, en dehors des sentiers battus. Ancienne capitale du royaume d'Insala (supprimé à l'indépendance). Si vous voyagez avec un tour ou qu'un guide vous accompagne, possibilité de rendre une visite de courtoisie à la veuve du raja local Laurentius-Arnoldus Taolin (mort en 1991). La rani est très affable et adore recevoir pour échanger quelques mots avec les étrangers. Son palais est une très grande et belle demeure de style vaguement colonial hollandais, au milieu d'un luxuriant jardin. Pourtant assez récente (environ 50 ans). Salon décoré de beaux panneaux de bois sculptés main. Ils ont été dessinés (et pour certains sculptés) par le raja lui-même.

Vers le nord et Tim-Tim (Timor Oriental)

▸ *Atambua :* là aussi, une ville étape avant de pénétrer dans Tim-Tim. Capitale de la région de Belu. Dormir au *losmen Nusantara*, le meilleur de la ville. Bus pour Dili de très bonne heure le matin. Itinéraire plein de péripéties pendant la saison des pluies. Vol hebdo pour Kupang.
▸ *Ermera :* on y trouve les célèbres plantations de café qui firent le renom de Timor Oriental.
▸ *Dili :* ancienne capitale du Timor lusitanien. Signes de la colonisation portugaise encore visibles à travers l'architecture (comme le *mercado municipal*). Depuis l'annexion, la ville s'est cependant pas mal urbanisée.
Belle plage de White Sandy Beach *(Pantai Pasir Putih)*.
Dormir au *Turismo Hotel.* Style colonial, jardin, une certaine atmosphère. Vient d'être rénové. Chambres de 90 à 150 F.
Pour manger : *le New Tropical.* Bonne cuisine. Le *New Resende Inn* n'est pas mal non plus, style indonésien. Bon standing.
Liaison aérienne Kupang-Dili (Merpati et Garuda). Bus pour Baukau (4 h 30 de trajet).
▸ *Baukau :* la deuxième ville de Tim-Tim possède un air gentiment colonial sur sa colline et de belles plages à ses pieds. Un seul hôtel, le *Flamboyant.* Acceptable.

LES ILES ENTRE TIMOR ET SUMBA

Roti

C'est l'île la plus au sud de l'Indonésie, à une dizaine de kilomètres de Kupang. Pour s'y rendre : trois à quatre bateaux par semaine. Ses habitants ne possèdent pas le type mélanésien commun à Timor et ont toujours développé une culture originale. Ayant dû immigrer nombreux à Timor et dans les autres îles, ils n'ont, en revanche, jamais connu de flux inverse. Leurs ikats sont particulièrement élaborés. Terre assez pauvre (il faut faire venir le riz), pas d'industrie, l'unique ressource est le palmier lontar. Heureusement le lontar fournit un nombre incroyable de choses : il produit le *gula air,* base de la nourriture rotinaise et dont on tire du sucre, de l'alcool, de la pâte à gâteau. Les feuilles sont utilisées pour fabriquer la vannerie et des chapeaux dont la forme s'inspire des couvre-chefs des navigateurs portugais du XVIᵉ siècle. Elles servirent aussi de support à l'écriture et à fabriquer le sasando, l'instrument de musique local. Le bois sert aux maisons, la palme à couvrir les toits. Tout ce qui n'est pas utilisé permet de nourrir les bêtes. Les Rotinais, de ce fait, ont connu beaucoup moins de famines que les autres îles de la Sonde.

Ici, rien à voir avec le relief tourmenté de Flores. C'est plutôt plat et herbeux, parsemé de bosquets de palmiers. Les maisons possèdent des toits de chaume descendant jusqu'à terre. On y trouve de fort belles plages et fort peu de touristes (vous vous en doutiez !). Curieuse coutume du mariage : le fiancé doit acheter son épouse aux conditions imposées par le beau-père. Cela se chiffre parfois en un nombre incroyable de bêtes (buffles, chèvres, porcs, moutons). Ne pouvant, bien entendu, assurer le paiement de cette énorme dot, le fiancé emprunte à sa famille et à ses amis et passera sa vie à rembourser, rêvant... d'engendrer des filles. En effet, seul le produit de leur mariage lui permettra de rembourser définitivement sa dette. Il en résulte une grande complexité d'emprunts croisés, de génération en génération, dont le montage, très souvent, retarde considérablement les mariages. Les Rotinais auraient-ils trouvé là, de façon originale, le contrôle des naissances idéal ?

Sawu

(Ou Sabu : à mi-chemin de Timor et Sumba.)
Pour s'y rendre, deux bateaux hebdomadaires. Renseignements au port de Kupang. Vols Merpati également depuis Kupang deux fois par semaine ainsi que de Jakarta, Denpasar et Surabaya. Comme à Roti, l'économie de l'île repose sur le lontar et « l'exportation » de ses habitants (qui iront vendre leur force de travail sur les autres îles). Ils ont d'ailleurs une réputation de « hard workers » et de grande efficacité.

Sawu a su conserver, malgré le prosélytisme des missionnaires, pas mal de traditions animistes. Se renseigner sur les dates des cérémonies. Certaines se déroulent d'août à octobre et incluent des sacrifices d'animaux.

– *SUMBA* –

Une des îles les moins connues du Nusa Tenggara. Du fait de son isolement, elle échappa d'ailleurs longtemps aux influences occidentales. Même les Hollandais s'en désintéressèrent longtemps et n'assurèrent sur l'île qu'une présence très limitée. De forme presque ovale, elle mesure environ 300 km de long sur 75 km de large.

Sur le plan géographique, l'île se caractérise par trois reliefs très différents. A l'est on retrouve, comme à Timor, les influences des vents secs du Nord-Ouest australien. Végétation rare, immenses savanes, steppes et prairies, entrecoupées de quelques vallées fertiles, véritables oasis où l'on trouve même des rizières. Au centre, une zone de montagnes et de plateaux assez érodés avec peu de végétation. A l'ouest, un relief assez accidenté et une végétation très dense. Forêts luxuriantes et vallées verdoyantes s'y succèdent avec des villages à l'architecture très caractéristique qui n'ont pas bougé depuis des siècles. Sumba, par son nombre impressionnant d'énormes tombeaux de pierre est l'île sœur du petit village d'Obélix...

L'élevage de bétail (vaches, zébus et surtout chevaux) est la principale ressource de l'île.

Population, religion et rites funéraires

L'île est fameuse pour la persistance de ses traditions et coutumes. Le costume des hommes ne se retrouve guère sur les autres îles. Sur les routes et dans les marchés, vous rencontrerez couramment ces fiers cavaliers avec leurs turbans éclatants (parfois un foulard à « la hippie » noué autour de la tête). Ils portent également une large ceinture en tissu, en cuir ou en plastique sur leur chemise, dans laquelle ils glissent un large poignard (souvent ouvragé) ou leur machette. Un sarong très court, ou parfois même un short, laisse voir les jambes nues. Enfin, ils ont souvent un ikat plié, posé sur l'épaule.

L'île comprend environ 400 000 habitants. Ils sont deux fois plus nombreux dans la partie ouest (ce qui correspond probablement au fait qu'il y pleut deux fois plus que dans la partie est). On y parle de nombreux dialectes et seul le bahasa indonesia unifie tout le monde. Pendant longtemps, Sumba fut divisé en petits royaumes avec à leur tête les rajas. Malgré l'avènement de la république et la perte de leurs privilèges, les rajas possèdent toujours un certain pouvoir. D'ailleurs dans beaucoup de villages, même les plus simples, le chef est appelé raja. C'est lui qu'il faut aller voir à chaque fois (voir plus loin le chapitre qui est consacré à la visite de l'île).

Quant à la religion et aux rites funéraires, c'est l'aspect le plus riche, le plus extraordinaire de la culture sumbanèse. Du fait de l'éloignement de l'île, du manque d'infrastructure routière, prosélytes chrétiens et musulmans ne furent pas très actifs. Ici, l'animisme est majoritaire (au moins 70 % de la population). Il se nomme *marapu*. C'est le nom collectif donné pour le premier ancêtre de chaque clan de Sumba et les esprits qui lui sont liés.

Dans l'espèce de pointe effilée qui surplombe tous les toits de Sumba sont placés, depuis de nombreuses générations, les souvenirs des ancêtres (objets divers, pierres sacrées, petits trésors de la famille, fétiches, etc.). Généralement des sacs fermés auxquels on ne touche plus. C'est le siège du marapu en quelque sorte. Très souvent, les familles actuelles ne savent plus exactement ce qu'il y a dans les sacs.

A Sumba, le marapu conditionne tout. La principale occupation des paysans est donc de se concilier les esprits des générations précédentes, puisqu'ils décident du succès des récoltes et de la santé de leurs descendants. Comme chez les Toradjas, les Sumbanèses possèdent en outre un rapport particulièrement distancié avec ces richesses. Un mort les emporte tout simplement avec lui. Pendant longtemps, rajas et nobles furent enterrés avec leurs plus beaux ikats (les plus élaborés, les plus anciens, de véritables pièces de musée), bijoux, objets de valeur et jusqu'au bétel. Aux rajas les plus importants, on ajoutait même quelques esclaves pour les servir durant leur voyage dans l'au-delà. Bien sûr, de grandes quantités de buffles et de chevaux sont sacrifiés à cette occasion. L'âme du mort part alors vers la péninsule de Tanjung Sasar d'où les premiers Sumbanèses abordèrent l'île. Là-bas, le mort retrouve d'autres esprits de son clan (grâce aux tatouages) qui lui transmettent le feu sacré et c'est le départ pour une nouvelle existence.

Mais le trait le plus spectaculaire de la tradition sumbanèse, c'est cette fantastique culture mégalithique sous forme d'énormes « tombeaux-dolmens ». Ici, pas de cimetières séparés des villages. On vit avec les morts. Les tombeaux s'éparpillent dans le village et leur importance est, bien entendu, fonction de l'importance du défunt. Ça présente bien sûr également l'énorme avantage d'éviter le pillage des sépultures. Certaines pierres ont nécessité des centaines d'hommes pour les extraire et les apporter dans les villages. Elles pouvaient peser jusqu'à 30 t ! Beaucoup sont sculptées de motifs géométriques, mystérieux graphismes, formes zoomorphes. Le prestige ne réside donc pas dans la possession de la richesse (comme dans nos sociétés occidentales), mais dans la façon de la dilapider à sa mort. Concernant le bétail, le gouvernement a dû cependant intervenir (comme chez les Toradjas) pour éviter le désastre économique que constituait les sacrifices rituels, en imposant de lourdes taxes sur l'abattage des buffles. Aujourd'hui, si on perpétue la tradition des tombeaux monumentaux, ils ne sont désormais plus réalisés qu'en béton, qu'on laisse brut de forme ou que l'on recouvre de multiples symboles peints.

La maison sumbanèse et la visite des villages

Avec d'inévitables nuances parfois, les maisons sumbanèses présentent cependant dans toute l'île de grandes caractéristiques communes. Elles sont en général immenses et peuvent abriter plusieurs familles. Toits de palmes à vastes pentes surmontés du « grenier à marapu ». Malheureusement, dans certains villages, la tôle ondulée et rouillée tend à les remplacer. Demeures entourées d'une large véranda qui permet d'accomplir les tâches d'artisanat : filage, tissage, travail de la feuille de lontar. Parfois, on y accroche les mâchoires de porcs ou les cornes des buffles sacrifiés. A l'intérieur, la cuisine est au milieu de la seule (et immense) pièce. Au-dessus, le long conduit où sont entreposés les objets sacrés du marapu. Tout autour, les nattes en bambou pour dormir. Beaucoup de villages présentent ainsi une harmonieuse impression d'ensemble. Allié souvent à l'exubérante végétation, aux impressionnants tombeaux disséminés entre les maisons, leur visite est véritablement un immense choc culturel et esthétique pour les Occidentaux.

D'où d'inévitables interrogations et problèmes que nous allons tenter de vous exposer. D'abord, voici déjà quelques conseils avisés. Lorsque vous visitez un village : toujours demander à voir le *Kepala desa* (chef) ou le raja. C'est la tradition bien sûr, mais surtout une marque de politesse de la part de quelqu'un qui vient déranger la vie du village. Il faut absolument éviter le désastre auquel on est arrivé dans les tribus du nord de la Thaïlande où les touristes font un petit tour, donnent quelques bahts par photo et s'en vont. Nécessité d'établir un contact, d'interroger le chef du village ou le raja sur sa culture, ses traditions, pour éviter d'apparaître strictement comme des voyeurs. Le tourisme à Sumba en est à ses balbutiements. L'occasion idéale d'éviter beaucoup d'erreurs. Bien sûr, la visite avec un guide local vous sera très précieuse au niveau communication, car très rares sont les rajas qui possèdent un début d'amorce d'anglais.

Concernant l'argent, voici quelques infos bien utiles. Dans certains villages déjà, les choses sont largement institutionnalisées. Le raja perçoit une petite somme fixée par avance (pour le groupe ou par personne, ça dépend) et fait signer un livre des visiteurs. Dans d'autres, après l'échange de politesse rituel, il est de bon ton de demander si une obole est souhaitée (là, les attitudes diffèrent suivant les villages). Demander également la permission de photographier (généralement accordée après les présentations d'usage). Surtout, se le faire préciser pour les tombeaux. En effet, certains d'entre eux sont tabous (on vous indiquera gentiment ceux qui le sont si vous le demandez). De même, on pourra vous demander une petite somme pour voir l'intérieur d'une maison. Bien entendu, on vous proposera parfois des ikats, écharpes tissées, ustensiles du bétel (blague en fibre végétale, petite boîte à chaux, etc.) ou tout autre objet. Marchandez bien sûr (avec le sourire, c'est aussi une façon d'établir le contact) pour arriver à un juste prix.

Le pasola

L'une des grandes fêtes à Sumba. L'événement de l'année. Le pasola se déroule dans quatre villages de l'ouest de l'île vers février-mars. Le pasola est l'héritier « culturel » des guerres d'autrefois, lorsque les petits royaumes de l'île se livraient de temps à autre de sévères batailles (pour une femme enlevée, du bétail volé, désaccords fonciers, etc.). Sous la forme d'attaques de villages mais aussi de combats organisés à découvert dans la plaine, avec lances acérées, poignards et boucliers de cuir. Il fallait rapporter un maximum de têtes au village. Pour un meurtre, au moins huit. C'était le chiffre obligatoire. Il correspondait aux huit étapes du voyage des premiers habitants vers Sumba. On les suspendait ensuite en public. Cet *arbre à crânes* se retrouve aujourd'hui souvent comme motif sur les ikats. Le pasola est donc la reconstitution de ces combats de plaine mettant en lice les villages antagonistes. On pense au *tinku* annuel de certains villages boliviens (combat à coup de poing) qui permet à toute l'agressivité de s'exprimer et de se vider en une seule journée pour éviter les tensions le reste de l'année.

La date exacte du pasola dépend des grands prêtres du marapu. C'est à eux que revient de décider de l'ouverture du *nyale,* cycle de rituels religieux dont fait partie le pasola ainsi que le début du nouvel an animiste et la saison des semailles. En général, c'est huit jours environ après la pleine lune du deuxième mois de l'année solaire (dite lune d'équinoxe). Donc en février-mars. Le début de ce cycle de rituels est indiqué de façon curieuse : l'invasion sur les plages du Sud-Ouest de milliers de vers marins multicolores (appelés nyales) au moment de l'équinoxe de printemps. Leur comportement, leur nombre, tout est interprété pour connaître l'avenir, le succès des récoltes, comme les catastrophes. D'après une fort belle légende, ces vers seraient les membres de Nyale, fille de la déesse Lune, sacrifiée par sa mère pour le bien-être de l'humanité. Ses membres furent éparpillés sur la mer. Les dents donnèrent le riz, les fruits, le maïs, les légumes. Ses os engendrèrent la tortue, sa peau les animaux domestiques, son cœur la banane. Parmi les nyales échouant sur les plages, les bleus sont ses cheveux, les orange ses lèvres, les rouges son sang, etc. Malgré le caractère simulé des combats à coups de lances (sans pointe de fer), quelques morts et blessures accidentelles par le passé incitèrent les pouvoirs publics à imposer les lances encore plus légères et au bout encore plus arrondi. Mais cette édulcoration de la violence du combat n'ôte rien au caractère spectaculaire du pasola : cavaliers qui se défient, charges sous une pluie de lances, courses poursuites qui leur succèdent, en font un magnifique spectacle à l'atmosphère unique. Les femmes ne sont pas les dernières à assurer l'ambiance par leurs cris d'encouragement.

Voici les trois ou quatre pasolas de Ouest-Sumba dans leur ordre chronologique (mais à vérifier impérativement). En février, à Bondokodi et Lamboya. En mars, à Wanokoka (le plus important) et Gaura (le plus irrégulier).

Arts et artisanat

– **Les ikats :** considérés comme les plus beaux du Nusa Tenggara. Pendant longtemps, leur fabrication fut un privilège des femmes nobles de Sumba. Grande variété des motifs et richesses des décors et teintures. Les motifs les plus fréquents sont l'arbre à crânes (voir chapitre précédent), chiens, chevaux et cavaliers armés de lances, rajas tenant un serpent, dragons et toutes sortes d'animaux traditionnels stylisés ou fantasmés. Les couleurs correspondent aux teintures naturelles utilisées : les violets et les bleus à partir de l'indigo, les rouges et bruns à partir des terres ou d'écorces et racines d'arbre. Bien sûr, les teintures et fibres artificielles gagnent du terrain, mais ça n'enlève rien à la richesse du travail des femmes sumbanèses. Les ikats demandent au minimum plusieurs mois de fabrication et, bien sûr, ils ne sont pas vendus au prix de la force de travail occidentale (autrement, ils vaudraient des dizaines de milliers de francs). C'est pourquoi, à notre avis, ne pas marchander de façon trop acharnée. Cela peut présenter un côté un peu indécent. C'est de toute façon une question d'équilibre entre le côté rapport social, voire culturel du marchandage (son aspect ludique aussi), et la nécessité de ne pas dévaluer le travail de l'artisan. Curieusement, les ikats ne sont pas moins chers dans les villages que dans les boutiques de Waikabubak ou Waingapu. Bien entendu, de nombreuses qualités différentes et des prix en proportion. Certaines pièces peuvent atteindre plusieurs centaines de milliers de roupies, mais elles les valent largement !

– **Les sarongs :** on les trouve plutôt sur les marchés. Fourreau noir avec bandes colorées en haut et en bas. Parfois, quelques motifs de laine brodés sur toute la surface du tissu.

– **Les objets liés au bétel :** d'abord, le *tempat siri pinang,* sac ou blague à bétel. Généralement en fibres végétales finement tressées (souvent écorces). Ensuite, le *kapu Kadogi* qui contient la chaux servant à la fabrication de la boule de siri.

– **Bijoux :** d'abord, le *tongal,* petit coffret à bijoux en bois. Le bijou le plus populaire est le *mamuli,* symbole de la puissance sexuelle de la femme. Fabriqué en argent ou alliage d'argent, il mesure de 5 à 10 cm de long et possède une forme à peu près carrée, avec une longue fente à l'intérieur (le vagin) se terminant par un petit cercle (l'utérus). Sur les deux côtés, un coq, un cheval ou un cerf, symbole de la puissance sexuelle du mâle. Décor niellé ou filigrané. Il se porte soit

en boucle d'oreilles, soit autour du cou. Il sert souvent de cadeau de mariage. Parfois également pour contacter un marapu (on dit alors un *tangu marapu*).
– Enfin, dans les rares boutiques d'antiquités de l'île, vous découvrirez les **marapu** de pierre, puis les statues de bois qui leur ont succédé. Aussi, quelques pierres mégalithiques comme les « drapeaux » de tombeaux sur lesquels on sculptait les richesses du défunt. Plus rarement encore, les masques portés par les prêtres du marapu pour certaines cérémonies. D'ailleurs, il est à souhaiter qu'il se crée dans l'île un grand musée ethnographique des arts sumbanais avant que son patrimoine ne soit un jour complètement dilapidé.

WAINGAPU

La plus importante des deux grandes villes de Sumba (environ 25 000 habitants). Entrée maritime et aérienne de l'île. Ville moderne datant largement du début de siècle lorsque les Hollandais décidèrent de prendre en main directement l'administration de l'île au détriment des rajas. Pas beaucoup de charme, il faut bien le dire, et assez étendue. Deux quartiers assez distincts : le centre ville et le port, reliés par la jalan A. Yani. Vous n'y resterez que le temps d'une étape.

Adresses utiles

– **Merpati** : 71 jalan Jend. A. Yani. Près de l'hôtel Elim.
– **Change** : à la BRI, 36 jalan A. Yani. Ouvert de 7 h 15 à 12 h 30. Samedi à 11 h 30. Fermé le dimanche.

Où dormir ? Où manger ?

Pas vraiment beaucoup de choix. Mais il faut se rappeler que Sumba n'en est qu'au B-A-BA du tourisme. Aucun(e) lecteur(trice) ne s'en plaindra !

Bon marché

■ **Kaliuda Hotel** : 3 jalan W.Y. Lalamentik. ☎ 264 et 272. A 100 m de l'hôtel Sandlewood et pas loin du terminal des bus. Grande maison particulière. Patron très affable. Assez bien tenu dans l'ensemble et vraiment bon marché. Chambres avec ou sans mandi privé. Celles qui n'en ont pas possèdent un bout de jardin en compensation. Notre meilleure adresse pas chère de la ville.
■ **Hôtel Lima Saudara** : 2 jalan Wangamati. ☎ 83. Très mal tenu. Seules les chambres les plus chères apparaissent acceptables (et encore !). Les autres sont extrêmement sales.

■ **Hôtel Surabaya** : 2 jalan El Tari. Pas loin du terminal des bus. Là aussi, scandaleusement mal tenu. Le patron se fiche complètement de la propreté, il a la garantie de remplir son « hôtel » avec les gens du terminal. Les plus chères sont à peine acceptables. De plus, la mosquée se trouve juste à côté. A fuir résolument !

Prix moyens

■ **Hôtel Elim** : 73 jalan Jend. A. Yani. ☎ 323 et 462. Sur l'avenue principale. Pas trop loin du terminal et à côté de Merpati. Les chambres les plus chères (80 et 100 F), joliment carrelées, sont face à un gentil jardin avec fontaine-naïade et perroquets. Ce sont les seules convenables. En revanche, les meilleur marché (ainsi que le dortoir) se révèlent assez sales (c'est curieux que dans l'esprit de certains hôteliers, les gens fauchés ou à petits budgets n'ont pas droit à la propreté !). Resto, mais cuisine vraiment routinière.
■ **Sandlewood Hotel** : jalan Matawai. ☎ 199. A une encablure du terminal des bus. Le meilleur hôtel de la ville. Très agréable jardin avec ruisseau qui glouglloute et belle végétation. Bon choix de chambres de la *Second Class* à la *VIP full AC*, en passant par la *First Class*. Remarquablement tenu. Pour une poignée de roupies de plus, dix fois mieux que les autres. Tiens, est-ce un hasard, c'est

également le meilleur restaurant de la ville ! Cadre plaisant pour un vaste choix de spécialités indonésiennes. Très bon *nasi goreng* et surtout un succulent *udang goreng telur* (omelette aux crevettes). Sans parler du *cumi-cumi,* du *sapi,* de l'*ayam,* accommodés d'une bonne dizaine de façons. Location de voitures avec chauffeur.

A voir

▶ *Le village de tisserands de Prailiu :* sur la route de Meldo, à 3 km de Waingapu. Demeures à l'architecture traditionnelle où l'on peut observer les artisans fabriquer leurs ikats et admirer leur production. Une visite intéressante comme première approche de cet art, mais atmosphère déjà un peu touristique. Vous verrez aussi, à Prailiu, vos premiers mausolées de rajas. Assez récents. Conçus comme des maisons (avec fenêtres et portes peintes). Demandez avant de photographier.

▶ *Sularso Street :* la rue commerçante de Waingapu, menant au port. Typique avec ses vieux cargos dont la peinture tient la coque. Départs pour Kupang, Surabaya, Ujung Pandang, etc.

Quitter Waingapu

_ *En bus :* pour Melolo (à 64 km), une dizaine par jour (le 1er vers 7 h 30). Pour Wajelou (Baing, à 115 km), 11 départs (le 1er vers 7 h 15). Pour Waikabubak (à 136 km), une dizaine de bus (le 1er vers 8 h). Pour Lewa (à 57 km), 6 bus et pour Kapunduk, 2 bus (à 48 km).

_ *En avion :* avec Merpati, vers Kupang, Mataram (3 vols hebdo), Bima (3 vols hebdo), Jakarta (6 vols hebdo), Surabaya, Denpasar (6 vols hebdo). Vols Bouraq pour Kupang et Denpasar.

_ *En bateau :* avec le *kelimutu* et son célèbre périple « quinzomadaire ». Il arrive de Surabaya. Départ le vendredi pour Ende, Kupang, etc.

Vers l'Est

Intéressante balade vers Melolo et Baing. Visite de villages spécialisés dans les ikats et assurant la plus belle production de l'île. Sur le trajet vers Melolo, à 64 km, traversée de paysages relativement plats avec prairies et savanes. Végétation assez maigre. Quelques bosquets et champs de maïs. Région de l'élevage intensif de zébus et chevaux avec un zeste de moutons. Quelques plages désertes en cours de route. Bonne route asphaltée.

WALAKRI BEACH

A 21 km de Waingapu. Vous trouverez sur votre gauche à côté d'une barrière, une borne jaune marquée « WGP 21 » et « KDB 15 ». Entrée du chemin. Aller tout droit, puis tourner à droite. Traversée d'un hameau de pêcheurs aux maisons éparpillées. Campagne paisible, quelques champs de maïs. La route se rapproche de la mer et d'un bosquet de cocotiers, avant de repartir vers la grande route. Plage déserte bien entendu. Un peu d'ombrage.
A 9 km de Melolo, belle **plage de Petawang.**

MELOLO

Peu avant cette gentille bourgade, la végétation devient plus dense, plus verte. Quelques fermes, rizières et bananeraies. Système d'irrigation bien particulier. Melolo présente un profil paisible. Petites maisons dans les tons vert et bleu pâle, disséminées au milieu des arbres et jardins.
■ Possibilité de dormir au **L.D. Gah Homestead.** Prendre la rue à droite de la Police Station sur quelques centaines de mètres. C'est ensuite sur la gauche. A

l'entrée du losmen, le tombeau de l'épouse de l'ancien gouverneur El Tari. Losmen tout simple. Trois chambres au confort rudimentaire, mais propreté acceptable. Famille sympa. Possibilité d'y prendre ses repas. A environ 400 m, par un petit chemin, la mer et la plage pour vous tout seul. Pour une nuit ou deux, une bonne occasion de s'insérer dans un village.

● Pour manger, quelques gargotes : le **Pojok Indah** (après le pont) n'est pas mal. Cuisine simple et pas chère. Bon *nasi soto* (bœuf et chevreau) et bière chaude.

▶ **Marché :** les vendredi et samedi, à 3 km de Melolo, en pleine campagne (au lieu-dit Lumbukori). Prendre la direction de Kananggar.

PAU

A 2 km de Melolo. Bel environnement de petites collines. Suivre la route de terre. Arrivé à un embranchement avec une statue de cheval, prendre à droite. Village traditionnel. Voir le raja pour signer le livre et donner une petite obole. Assez affable, il parle quelques mots d'anglais.

▶ Un des **tombeaux** de la famille du raja est intéressant pour ses symboles sculptés : les quatre piliers expriment la maison éternelle. Le coq (ainsi que le canard) symbolise le leadership du clan ; la tortue, la beauté de la reine ; le crocodile, la gloire triomphante. L'homme à cheval exprime la grande tradition du cheval sur l'île. Le coq (symbole du pouvoir sur les choses matérielles) domine le cochon (symbole des choses matérielles précisément).

▶ Un peu plus loin, aller jeter un œil sur le **barrage** édifié pour réguler l'eau dans les rizières. Intéressant.

L'autre village, à gauche de l'embranchement (avec la statue de cheval) présente beaucoup moins d'intérêt (et, en plus, on y demande un prix exagéré pour pouvoir photographier).

RENDE

Situé à 7 km de Melolo. Pour y aller, bus depuis Waingapu. C'est la petite capitale de l'ikat. Très grandes demeures traditionnelles. L'une d'elles avec murs en peau de buffle. Une autre, immense et chancelante au milieu, est l'ancienne résidence du raja. Un vieux y vit encore. Nombreux tombeaux au centre du village. Quelques toits en tôle ondulée apparaissent mais, pour l'essentiel, le village a conservé son caractère. Certains ikats, vraiment magnifiques, sont aussi assez chers. Normal !

ROUTE VERS LE SUD

Paysages plus accidentés, vallées fertiles et paisibles où poussent rizières, cultures, rivières, maïs et cocotiers. Puis, leur succèdent des savanes parsemées de rocs. Quelques arbres seulement. Bonne route asphaltée, sinuant entre mer et petite barrière rocheuse. Grands troupeaux de bovins, avant de retrouver une région de rizières.

Mangilli, à une quarantaine de kilomètres, desservi quotidiennement par deux ou trois bus, est également spécialisée dans les ikats. Belle production, motifs à cavaliers, coqs et poules avec bandes indigo et rouges. Le village a malheureusement perdu tous ses toits de palmes.

Tombeau particulièrement coloré et chargé de symboles.

Jusqu'à Baing, route devenue caillouteuse. Traversée de Wulla et de ses bananeraies.

BAING

Le bout du bout de Sumba. La plupart de ses habitants viennent de l'île de Sabu (à mi-chemin de Sumba et Timor). Trois bus par jour. Gentil village.

■ Nouveau *losmen* (en principe ouvert à la sortie de ce guide). Trois chambres simples. Situé pas loin de l'arrêt des bus.

A 2 km, très jolie *plage de Kalala.* On y trouve un luxueux centre de pêche au gros australien.

De Waingapu à Waikabubak

De Waingapu à Waikabubak, route en corniche. Succession de douces montagnes, collines pelées, vallées riantes et boisées. Pas mal de chevaux en liberté. Superbe panorama depuis le relais de télévision.
Tout en haut, petits lacs de plateau. Terres fertiles. Forêt avec quelques singes. Peut-être aurez-vous la chance d'apercevoir le rare *ayam hutan* (coq de jungle). Parfois des paysages dépouillés évoquant les Badlands du Dakota. Roches crayeuses. Cependant, après Lewa, on entre dans une haute vallée verdoyante.

ANAKALANG

Village à 23 km de Waikabubak. Mérite une halte. Ses *tombeaux* sont parmi les plus impressionnants de l'île. Les deux plus grands sont au centre, en bordure de la route. En principe, petit droit d'entrée au village. S'adresser à la maison blanche juste devant l'alignement des tombeaux (celle avec les volets bleu et jaune). Intéressantes sculptures donc (qu'on observe d'ailleurs très bien depuis la route). Elles nécessitèrent plusieurs mois de travail bien sûr. Plusieurs mois également pour y amener les énormes tables. Au cours du transport, plus de 100 buffles furent sacrifiés. Sur la pierre verticale, un homme et une femme sculptés.
▶ Pittoresque *marché* le mercredi et, surtout, le samedi matin. On peut y voir les vieux et fiers paysans avec leur foulard autour de la tête et leurs larges ceintures avec le poignard en travers.
Sur la route de Waikabubak, premières maisons avec leurs toits caractéristiques de la région (avec la haute « cheminée » de palme abritant le marapu). Ensuite, l'itinéraire traverse quelques jolis bois de teck.
▶ Quelques kilomètres au sud d'Anakalang, possibilité de visiter quelques villages traditionnels aux stupéfiants mégalithes. Certains pèsent de 30 à 60 t. L'un d'eux nécessita au moins 2 000 hommes pour le tirer de la carrière.
▶ *Lai Tarung :* le village le plus proche, au sud d'Anakalang. A moitié déserté. Beaucoup de maisons vides. On arrive d'abord sur une vaste esplanade. Au fond, une grande vaste demeure à la forme traditionnelle, avec un toit rouge de rouille. Quelques petits tombeaux (certains avec d'intéressants graphismes). Prendre le petit chemin empierré à droite de la grande demeure. Sur 500 m, vous suivrez une espèce de « voie sacrée », parsemée tout le long de tombes de taille respectable. La plupart enfouies dans une épaisse végétation. Petit chemin bien tracé se transformant parfois en rude escalier lorsqu'il aborde une butte (attention aux chiens !). Sur l'une d'entre elles, belle série de tombes anciennes. L'une, avec une dalle immense, rappelle la forme d'une tortue. Sur la dernière colline, nombreux tombeaux avant d'aboutir à un genre de vieux centre cérémoniel. Édifié sur quatre colonnes sculptées de motifs géométriques et quelques mystérieux graphismes.
▶ *Galubakul :* tout proche de la route, l'un des tombeaux les plus impressionnants. La pierre horizontale mesure 6 m sur 4 m (sur 0,80 m de haut). Pas loin de 50 t ! Là aussi, on trouve deux grandes figures sculptées. Le village s'ordonne autour d'autres sépultures aux graphismes archaïques curieux. A *Matakakeri,* même genre de tombeaux.

WAIKABUBAK

La capitale de Ouest-Sumba offre un visage avenant de grosse bourgade commerçante, au climat vivifiant. Camp de base idéal pour rayonner dans la région. Présente la particularité d'avoir deux modes de vie complètement imbriqués. Les campongs à l'architecture traditionnelle sur les collines et la ville moderne qui s'installe autour.
– Possibilité de changer ses dollars cash à la *Bank Rakyat* (mais ne prend pas les chèques de voyage jusqu'à présent).

Où dormir ? Où manger ?

Adresses pas chères décevantes. Ne pas hésiter à choisir les chambres bon marché de notre rubrique « Prix moyens à plus chic ». Enfin, on vous les donne quand même.

Bon marché

■ **Losmen Mona Lisa :** jalan Gajah Mada. ☎ 24. Très central. Maison particulière. Si l'intérieur style routard (photos de randonnées, cartes, infos diverses sur les murs) suscite d'emblée la sympathie, on est cependant refroidi par le laisser-aller général. Peu d'efforts d'entretien, chambres pas mal dégradées (certaines bruyantes), cuisine dans un état douteux... Bon, tout cela se révèle bien subjectif, nous direz-vous !

■ **Hôtel Pelita :** jalan Yani. Adresse suscitant là aussi peu d'enthousiasme. Chambres doubles à peine moins chères qu'au Manandang et peu séduisantes. Bruyant dans l'ensemble. Mandi à l'extérieur. Pas de ventilo !

Prix moyens à plus chic

■ **Manandang Hotel :** 4 jalan Pemuda. ☎ 197 et 292. De construction récente et de conception vraiment réussie. Chambres s'ordonnant autour d'un très agréable jardin intérieur. Beau décor tout blanc. Confortable. Tous les prix, des *eco* au *First Class*. Les *II° class* présentent, quant à elles, un superbe rapport qualité-prix et pourtant elles ne sont qu'un poil plus chères que les adresses précédentes. Restaurant prodiguant une très bonne et généreuse cuisine. Pas mal de choix. Excursions possibles à partir de l'hôtel.

■ **Hôtel Rakuta :** jalan Veteran. ☎ 75. L'ancien hôtel chic de la ville qui a mal vieilli. Chambres aux mêmes prix que les *II° class* du Manandang. Propreté acceptable. Peu d'animation. Accueil pas vraiment chaleureux.

Très chic

■ **Mona Lisa Cottages :** à la sortie de Waikabubak (vers Kodi). Une douzaine de cottages d'un luxe surprenant pour l'île. Décidément, ici c'est vraiment le choc des extrêmes. Construits à l'évidence dans la perspective d'un développement important du tourisme local. Ils s'étagent doucement sur une colline à l'écart de la ville. Impeccable, confortable et tout. Compter environ 250 F pour deux.

A voir

▶ **Balade des campongs traditionnels :** il y en a six (Kalembung, Waitabara, Tarung, etc.). Accessibles par des petits chemins un peu raides depuis certaines rues de la ville. Notamment à l'intersection de jalan Adlaksa et Madoelu. Au départ du chemin, en profiter pour admirer un superbe groupe de tombeaux. En particulier, celui avec la tête de buffalo sculptée retient l'attention (famille Hadukungu Tana). Derrière, la queue de l'animal sculptée, bien sûr, mais aussi de part et d'autre, tous les symboles de la vie et du bonheur à Sumba que l'on souhaite retrouver dans l'au-delà : panier à riz et cheval en haut, la maison traditionnelle, le cochon, etc.

▶ Ne pas manquer de rendre visite à la ***boutique d'antiquités*** de A. Hamid Algadri (jalan A. Yani). Choix intéressant de machettes avec poignée sculptée, statuettes de marapu, bijoux (mamuli), ikats, etc.

Quitter Waikabubak

– **En bus :** pas mal de bus pour Waingapu. Mais prendre ceux qui partent de bonne heure. A peu près sûr qu'ils se remplissent rapidement. Dans la matinée, risque de perte de temps s'il n'y a pas assez de passagers. Un ou deux bus pour Bondokodi, sur la côte ouest.

– **En avion :** l'aéroport se trouve à Tambolaka, à une quarantaine de kilomètres au nord-ouest de Waikabubak. En principe, bus à chaque départ d'avion. Se renseigner dans les losmen et hôtels. Trois vols hebdomadaires (lundi, jeudi et samedi en principe) pour Bima, Labuanbajo, Ende, Mataram, Waingapu, Kupang. Six vols hebdo pour Denpasar, Surabaya, Yogy. Neuf vols pour Jakarta. Deux vols pour Ruteng et Bajawa.

Aux environs

Belle route sinueuse et caillouteuse avec chouettes panoramas pour se rendre dans les villages au sud de Waikabubak. Quelques plages très sympathiques aussi. Quelques rares bemos et camions s'y rendent. Venir au terminal de très bonne heure le matin.

▶ *Wanokaka :* à 17 km de Waikabubak. Siège du plus fameux pasola (en février-mars).

▶ *Praigoli :* village s'étageant sur une luxuriante colline. Possède parmi les plus anciennes tombes de l'île. Certaines possèdent un curieux « drapeau » (pierre verticale dont le haut est courbe) avec de mystérieux motifs.

▶ *Pantai Rua* (sud de Wanokaka) et *Pantai Morosi* (sud de Lamboya) sont deux belles plages dans un environnement verdoyant. Parfois, un petit chantier naval permet d'admirer le talent de charpentier de marine des pêcheurs.

L'OUEST DE SUMBA

C'est la partie la plus sauvage. Relief de collines à la végétation dense. C'est dans cette région que les traditions restent les plus vivaces. Certains campongs ont vu très peu de touristes. La route vers Kodi emprunte une large vallée. Très beau parcours verdoyant avec, de-ci, de-là, d'exquis points de vue (surtout le matin de bonne heure, avec la brume).

▶ A *Waimangura,* marché le mercredi. Vallée particulièrement fraîche et riante. On tourne à gauche pour Kodi par une étroite route en corniche. Bananeraies, caféiers et champs de tabac se succèdent. Lente descente vers la mer. A l'entrée de Kodi, tourner à gauche pour Rottengoro et Porona borona, villages traditionnels. Rizières et cocoteraies. Campongs aux maisons classiques avec toits très effilés.

▶ Jolie *plage de Paro,* mais impossible de se baigner à cause des violents courants et de quelques requins dénués de convivialité. Petite lagune bordant un village (habitants originaires d'Ende, exceptionnellement musulmans). Prairies léchant la mer et vaches paisibles. Cadre idyllique, mais des rumeurs insistantes font état de la construction d'un hôtel (pas de panique, ça mettra sûrement quelques années).

▶ *Ratunggerong* et *Wainapu :* villages typiques. Tombeaux des rajas de Rattunggerong en bord de plage. Pour rejoindre Wainapu depuis les tombeaux, on peut soit refaire un grand tour pour revenir par la voie terrestre, soit traverser un bout de lagune (chemin plus direct). Il y a normalement une pirogue. Si elle n'est pas là, obligation de passer un petit bras de rivière au courant assez rapide. Bien que n'ayant de l'eau que jusqu'aux genoux, assurez-vous les services d'un gamin du coin pour vous tenir la main.

– *Waikadoke* et *Tossi :* les deux villages les plus au nord de Kodi et de la plage de Paro. Là aussi, belle architecture traditionnelle. Nombreux tombeaux dont certains très anciens commencent à s'effriter. Tossi est à moitié déserté. Belle plage protégée par la barrière de corail.

SULAWESI (CÉLÈBES)

Sulawesi, le nouveau nom indonésien de l'île des Célèbes, est située à 400 km au nord-est de Bali. Sévèrement cloisonnée par un relief dont les sommets dépassent 3 000 m, avec ses étranges bras qui s'avancent dans la mer, elle est peuplée de groupes ethniques qui ont gardé leur originalité. Certains sont largement urbanisés, comme dans les régions d'Ujung Pandang. D'autres vivent en tribus dans la jungle de l'intérieur :
— *Les Bugis,* musulmans, à l'ouest et au sud, merveilleux navigateurs à la réputation de pirates.
— *Les Makassars,* commerçants musulmans, dans le sud-ouest également.
— *Les Lakis et les Moris* dans le bras sud-est, où ne pénètre aucune route. Naguère interdite aux étrangers, cette partie de Sulawesi est le fief de tribus dont les contacts avec le monde extérieur sont réduits à leur plus simple expression.
— *Les Toradjas,* que la légende fait venir par bateau voici quelques siècles et qui furent chassés par l'envahisseur musulman dans les montagnes de l'intérieur. Ces coupeurs de têtes sont devenus catholiques sans renoncer à leurs spectaculaires cérémonies de funérailles animistes.
— *Les Minahasas,* chrétiens, et les *Gorontolis,* musulmans, vivent dans la partie nord, la plus riche de l'île ; autour de Manado, la manne pétrolière coule à flots, malgré la dépression des cours.

Comment y aller ?

— *Par bateau*

Des navires de la *Pelni* assurent des liaisons avec Ujung Pandang au départ de Jakarta. Le bateau est très confortable et tout neuf. Repas compris. Le prix en 1re classe équivaut à la moitié du tarif avion. Deux départs par semaine (en principe, le mardi et le mercredi à 17 h). Le voyage dure 48 h. Le premier jour, Jakarta-Surabaya, et le second Surabaya-Ujung Pandang. Il est possible aussi d'y arriver par cargo depuis Kalimantan.
— *Balikpapan-Donggala.*
— *Balikpapan-Ujung Pandang.*
Voir aussi à Surabaya.

— *Par avion*

• *Garuda* assure des vols quotidiens vers Sulawesi, au départ de Surabaya ou Jakarta, mais la liaison la moins chère est au départ de Denpasar (1 à 2 vols par jour en saison).
• *Sempati Air* assure, 3 fois par semaine, une liaison Denpasar-Ujung Pandang (moins chère que Garuda) avec des Fokker à hélices ou à réacteurs.
Toujours confirmer son vol de retour dès son arrivée à Ujung Pandang. Il est plus aléatoire de le faire depuis Rantepao. Environ 1 h 20 de trajet et 1 h de décalage, sauf avec Bali.

Le climat

Le climat étant assez pluvieux, notamment dans le pays toradja, il convient de se vêtir en conséquence. De bonnes chaussures de marche sont indispensables.

L'heure

Les Célèbes ont 1 h d'avance sur l'ouest de l'Indonésie mais sont à la même heure que Bali ou les petites îles de la Sonde.

Transports

Peu de touristes s'aventurent en dehors de l'axe Ujung Pandang-Rantepao, mais il y a plein d'autres endroits à découvrir.

– Bus d'Ujung Pandang à Rantepao

Trois compagnies de bus assurent la liaison qui dure entre 9 h et 14 h pour 318 km. Prendre de préférence le bus du matin de la compagnie *Liman-Express* (25 jalan Laiya), actuellement la meilleure compagnie des trois.
Si possible, évitez de vous arrêter à Pare-Pare, vous aurez des difficultés à en repartir. Il y a deux gares routières dans cette ville, une pour le sud, une autre pour le nord, qui n'ont aucune liaison entre elles. Au retour du pays toradja, le bus vous emmène où vous désirez dans Ujung Pandang. A signaler que cette pratique de « dépôt à domicile » se fait couramment dans toutes les Célèbes.
Nous vous déconseillons fortement le voyage de nuit qui est trop éprouvant, malgré les sièges inclinables. On arrive à Rantepao vers 5 h 30 sans avoir rien vu du paysage qui est très beau surtout dans le premier et le dernier tiers du parcours. Si les 200 premiers kilomètres sont bien asphaltés, on ne peut en dire autant des 100 derniers où la route n'est qu'une succession de nids-de-poule.

– Location de véhicules

A plusieurs, c'est incontestablement la meilleure formule.

– Avion

L'aéroport *Hasanuddin* d'Ujung Pandang est situé à 22 km au nord de la ville. A la sortie de l'aéroport, ne prenez pas de taxi, car leurs tarifs sont prohibitifs, mais aller à pied jusqu'à la route principale située à 500 m ; de là, prendre le minibus STR-DAYA pour Ujung Pandang (l'arrêt est à 50 m du croisement sur la gauche). Terminus : Central Market. Si vous souhaitez aller directement sur Rantepao, prenez à droite au carrefour et... armez-vous de patience !
Possibilité de chartériser un minibus pour Rantepao depuis l'aéroport. Bien comparer les prix et négocier. Plus rapide que le bus et l'on peut s'arrêter où l'on veut.
– *Ujung Pandang-Manado* : 1 vol par jour par *Garuda*, *Merpati* ou *Bouraq*.
– *Ujung Pandang-Palu* : 1 vol quotidien par *Merpati*, *Garuda* et *Bouraq*.
– *Ujung Pandang-Rantepao* (Tana Toradja) : possibilité d'effectuer le trajet aller ou retour en avion. 2 vols quotidiens. Se renseigner dans les agences et à Merpati. Le vol dure 45 mn. L'avion n'a que 15 places. Il est inutile de vouloir réserver depuis Java où l'on vous dit toujours que le vol est complet. Le faire sur place. L'aéroport de Tana Toradja se trouve à Makale, à 18 km de Rantepao. Le paysage vu d'avion est superbe et repose des 9 à 14 h de route.

UJUNG PANDANG IND. TÉL. : 0411

Ujung Pandang, le nouveau nom de Makassar, est le chef-lieu de Sulawesi. C'est une ville sans grand intérêt touristique, envahie par les publicités japonaises, fière d'un mode de vie qui s'occidentalise.
Faites vos provisions de cartes et prospectus touristiques dans les agences de voyages (notamment la carte du pays toradja) et de roupies, ainsi que de bougies et de boissons diverses si vous partez en pays kajang, les ressources locales étant plus que limitées.

Adresses utiles

– **Office du tourisme** : à l'aéroport. Efficace. On peut louer des véhicules par leur intermédiaire.
– **Garuda** : 6 jalan Slamet Riyadi. ☎ 227-05 (réservations) et 228-04. A l'aéroport, ☎ 225-73.
– **Sempati Air** : bureau, en ville, à coté de l'hotel Victoria.

– *Agences de voyages*
Possibilité de louer un véhicule avec chauffeur pour un prix intéressant si on est au moins trois. Voir à l'office du tourisme, sinon d'autres adresses :
• *Iramasuka Tour and Travel :* 3 jalan Amanagappa. ☎ 316-643. Ils sont sympa. Il faut un peu marchander.
• *Indonesia Tours and Travel :* jalan R.E. Martadinata. ☎ 314-040. Bon accueil et compétent. Une affaire de famille où l'on pourra vous faire du sur-mesure.
• *Wira Karya Tours Travel Service :* 25 jalan Gunung Lokon. ☎ 245-81. Organise des tours de 5 jours en Pays toradja, avec des minibus en très bon état. Un chauffeur et un guide pour un prix intéressant. En général, hébergement et nourriture ne sont pas compris dans leurs prix.
• *Limbunan :* 4042 jalan Gunung Bawakaraeng. ☎ 217-10. A 800 m de l'hotel Ramayana, après le Bamboonen restaurant, sur le même trottoir. Très efficace. S'occupe des billets d'avion sur toutes les compagnies.

Où dormir ?

Prix moyens

Il n'y a pas vraiment d'hôtels bon marché à Ujung Pandang. Mosquito coils très recommandés.
■ *Pondok Wisata Bontocinde :* 66 jalan S. Saddang. ☎ 812-29. Propre et pas cher. Bons tuyaux pour location de voitures avec chauffeur.
■ *Ramayana Hotel :* 121 jalan Bawakaraeng. ☎ 221-65. Sur la route de l'aéroport et de Rantepao. D'ailleurs, à 100 m de l'hôtel, on peut prendre un bemo qui va directement à l'aéroport. Patio avec jardin très agréable. Chambres relativement confortables, mais un peu chères. Éviter toutefois les chambres économiques qui se sont trop dégradées. Resto où les plats sont copieux. Bus pour Rantepao sur place.
■ *Losmen Kota :* jalan Pasar Baru. Assez rustique.
■ *Losmen Dadi :* jalan Lanto Doeng, Pasewong.
■ *Mandar Inn :* jalan Anuang. Bien. Le patron peut donner des tuyaux. Pour partir, transport gratuit jusqu'au terminal des bus.
■ *Makasar Cottage :* 50-52 jalan C. Danko. ☎ 835-59 et 833-63. Bungalows sur pilotis dans un parc. Vous êtes à la fois dans la ville et à la campagne, mais loin du centre. Très calme, étangs, verdure, bungalows confortables. Une bonne adresse.
■ *Marlin Hotel :* juste en face du Ramayana et à côté du bureau de Liman express. Chambres doubles avec mandi. Moins chères que les chambres équivalentes du Ramayana. Accueil sympa.

Plus chic

■ *Marannu City Hotel :* jalan sultan Hasanuddin. ☎ 214-70. Bel établissement avec piscine. Compter une cinquantaine de dollars. Prix spéciaux intéressants les vendredi, samedi et dimanche. En face, possibilité de se restaurer dans le self-service, bon marché et très propre, au deuxième étage du supermarché.
■ *Victoria Panghegar :* 24 jalan J. Sudirman. ☎ 31-15-56 et 31-18-63. Un tout nouvel établissement de 115 chambres avec un excellent confort. Ils ont même une piscine et un fitness club. Bon restaurant et bar agréable. Prix en conséquence. Beaucoup de groupes.

Dans les environs

■ *Bantimuring Hotel :* voir plus loin.

Où manger ?

Bon marché

● Sur les quais (demander la *Penghibur*), plein d'échoppes s'installent le soir. Bonne ambiance et très peu cher.
● *Café Taman Safari :* à l'extrémité de la Penghibur (rue à gauche en regardant la mer). Petit parc très agréable au bord de la jetée. On peut y goûter les spécia-

lités locales dans le calme, tout en admirant le coucher du soleil. Prix raisonnables.

● **Ruman Makan Malabar :** jalan Sulawesi, à la hauteur du port. Resto indien bon et à prix doux.

● **Ruman Makan Empang :** jalan Siau, rue parallèle à jalan Sulawesi et à la même hauteur que le précédent. Bon poisson.

● **Merlin Seafood :** sur l'avenue Latinojong. A droite du Bamboonen Restaurant. Ça ne paie pas de mine. Immense salle et grand choix de plats.

Prix moyens

● **Surya Restaurant :** 16 jalan Nusakambang. ☎ 317-066. Fermé le dimanche midi. Le meilleur restaurant de la ville pour les fruits de mer et le poisson. Un régal à un prix très raisonnable. Deux grandes salles. Service efficace. Notre meilleure adresse.

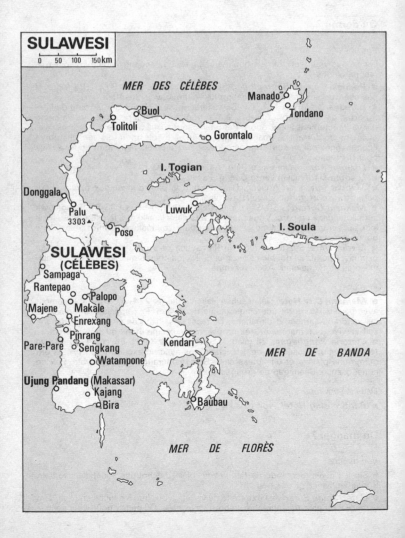

● *Bamboonen Restaurant :* à 500 m du Ramayana Hotel, sur l'avenue. Grand resto chinois, délicieux. Menus avec photos des plats. Prix suivant la portion choisie. Chanteurs et musiciens.
● *Pualam Restaurant :* 180 jalan Penghibur. Spécialités de poisson et de fruits de mer. Cadre agréable. Service impeccable et présentation soignée des plats.
● *Shogun :* nouveau resto japonais, face au Makassar Golden Hotel, en bord de mer. Cadre clair et agréable. Tenu par des jeunes au service prévenant. Très bonne cuisine.

A voir

Pas grand-chose. La ville est très étendue. Elle compte un million d'habitants et ressemble plutôt à un gros village qui n'en finit pas. Pour circuler, utiliser les petits becaks à une place.

▶ *Le fort Banteng*, datant de l'occupation hollandaise, et le *musée* qui se trouve à l'intérieur. A vrai dire, sans grand intérêt et mal entretenu. Ouvert seulement le matin. Fermé le lundi.

▶ *La jalan Somba Opu :* c'est une rue parallèle au front de mer, avec de nombreuses échoppes : bijoutiers (or en filigrane), antiquaires, et le jardin des orchidées, à l'extrémité de cette même rue.

▶ *Le port :* pour voir les goélettes bugis *pinisi*, il faut aller au nord du port ; assez loin à pied. Si vous prenez un becak précisez bien *pinisi* car ils vous conduisent souvent à l'autre port, sans aucun intérêt.

▶ *Orchid Garden :* 15 jalan Mechtar Lufti. Floraison d'octobre à décembre. Collection de coquillages. Entrée libre.

▶ *Rolliking :* les bars de marins à côté de la jetée, avec leurs papillons de nuit (Kupu-Kupu malan), joli euphémisme pour les filles de joie.

▶ En fin d'après-midi ou le soir, aller sur la *« Croisette »* et prendre un verre au *Kiosk Bali* (avec musique) ou au *Kiosk Semarang*. Ambiance très sympa. Prix abordables. Terrasses en étage avec vue sur la mer.

▶ *Les îles :* on peut se dispenser d'aller sur la petite *île de Lae-Lae,* située à quelques encablures. Elle est surpeuplée et sans intérêt. La mer y est sale et la plage inexistante. Pour ceux qui voudraient toutefois s'y rendre, des barques font la navette. Parfois, c'est l'arnaque. Départ près du Makassar Golden Hotel. Éviter aussi l'*île de Kayangan,* caillou artificiel, sans sable et parfois très bruyant.
En revanche, aller absolument sur l'*île Samalona* (30 mn en bateau). Petit paradis aux eaux cristallines et au sable poudreux. Vous y dégusterez des poissons pêchés et grillés devant vous.

Aux environs

▶ *Bantimurung :* une des plus grandes cascades des Célèbes à 24 km d'Ujung Pandang. Magnifiques papillons surtout en juillet et août (y aller le matin avant 10 h). Évitez de participer à leur massacre en achetant ceux que les enfants vous proposeront : ils ne font aucune différence entre le Morpho-Cyprix et la phalène du sureau. Fin de la leçon... Pour y aller, prendre un bemo depuis le central jusqu'à Maros, puis un deuxième jusqu'à Bantimurung. 1 h 30 de trajet. Si vous ne craignez pas la foule, vous pouvez y aller le dimanche et voir les Indonésiens se baigner dans la cascade.

■ Dormir au *Bantimurung Hotel :* à l'entrée des cascades. 12 chambres seulement. On aime bien cet hôtel isolé. Architecture traditionnelle tout en bambou. Propre. Longé par une rivière et au pied d'une gigantesque falaise (parfois quelques singes).
Deux ou trois restos à l'entrée du site et une superbe piscine olympique.

– LE PAYS KAJANG –

Le pays kajang s'étend au sud-est d'Ujung Pandang. Il y a peu, cette région était ignorée des visiteurs étrangers, qui remontaient directement sur Rantepao par

Pare-Pare. Aujourd'hui, si vous en avez le temps, laissez-vous tenter par un circuit en pays kajang. Après quelques heures de Jeep à escalader les rizières qui grimpent de gradin en gradin jusqu'à tutoyer le ciel, puis une descente vers l'unique plantation d'hévéas de l'île, vous atteindrez le village de Kajang, unique point d'accueil de la région en dehors du port de Tana Beru.

Dans cette région à l'écart vit la tribu des Amma Toa. Ses habitants croient être les fils du ciel et attendent le jour où le monde entier les reconnaîtra comme tels... En attendant, ils sont presque tous habillés de noir, s'abritent de la « civilisation » derrière une enceinte rigoureusement fermée aux étrangers (les autres Indonésiens) et respectent fidèlement leurs traditions. Pour leur rendre visite, il faut obtenir une autorisation et se draper de vêtements noirs ou sombres. L'Amma Toa, mort il y a trois ans, n'a toujours pas été remplacé. Le choix se fera entre deux personnes. Les candidats iront dans la forêt. L'élu sera désigné par un oiseau qui se posera sur sa tête, à moins que ce ne soit par un rayon de soleil passant à travers un bambou creux. La charge paraît-il, le choix est difficile, ou peut-être n'y a-t-il pas de volontaire ? La tribu des Amma Toa vit maintenant moins isolée, suite à une rencontre avec des membres du gouvernement.

Comment y aller ?

Pour s'y rendre par ses propres moyens depuis Sengkang : bemo jusqu'à Watabone – Bone pour les locaux – (compter 2 h) puis bemo jusqu'à Teneta, en passant par Bona et Sinjai (près de 5 h et les bemos sont rares). A Teneta, bemos fréquents pour Kajang. La route Sinjai-Kajang est en mauvais état et peu fréquentée par les bemos, ce qui explique le passage quasi obligatoire par Teneta. Depuis Ujung Pandang, bemo ou bus jusqu'à Balukumba (3 h) puis bemo jusqu'à Teneta.

De rares agences proposent actuellement des circuits sérieux en Pays kajang. L'agence *Asia*, entre autres, assure un circuit dit « Kajang-Bugi-Toradja » qui permet de comparer trois régions bien différentes des Célèbes.

KAJANG

Un gros village tout en longueur, s'étirant au long de la route défoncée qui continue vers la mer. Ici, presque plus de toits de tôle ni d'habits à l'européenne : la population kajang est fière d'avoir préservé ses traditions, et même les enfants se refusent à porter l'uniforme de l'école.

Où dormir ?

■ L'unique auberge de Kajang, **Pondok Wisita Si Sihorong,** n'est autre que la maison du chef de village. Grande bâtisse sur pilotis en bois noirci, des cornes de buffle encadrent l'escalier, le toit pointu lui donne l'air d'un camp tartare et, à la tombée du jour, on peut, parfois, voir des cerfs gambader dans les champs qui descendent doucement vers un cirque de collines. Superbe paysage, surtout quand remontent du village les enfants curieux de contempler votre repas, drapés dans leurs sarongs et portant dans leurs mains de gros vers lumineux pour se guider les uns les autres... Attention quand même à vous munir de bougies et de boissons fraîches. Repas typique à même le sol et sans couteau.

Aux environs

– *Le village des Towa*

Ce village est situé à une vingtaine de kilomètres de Kajang, sur la route de Teneta. Embranchement à gauche, à 15 km environ avant Kajang.

Obligation de s'arrêter à l'office gouvernemental qui contrôle l'accès au village Towa (prononcer Toa). Là aussi, être vêtu de vêtements sombres : noirs ou bleu marine. On en prête, si nécessaire. Le plus simple pour visiter ce village est de chartériser un bemo. *Riswan Guesthouse* à Bira organise la visite. Intéressant car le fils du patron connaît bien le coin et sert d'interprète. Les habitants ne parlent pratiquement pas l'indonésien, quant à l'anglais...

BIRA

Longue bourgade de pêcheurs, à l'est de Kajang, où votre guide ne manquera pas de vous proposer les bateaux miniatures sculptés dans le bois, qui sont la spécialité locale. Mais le vrai must, c'est la plage, à quelques kilomètres, tellement conforme aux plages des publicités qu'on se demande si elle est bien réelle... Des bateaux bugis se balancent au loin sur les eaux turquoise, des enfants jouent avec des radeaux précaires, des aigles de mer au ventre roux suivent la plage... Combien de temps encore avant que cette plage ne figure au hit-parade des catalogues d'agences de voyages ?

Comment s'y rendre ?

Aller à Bulukumba puis prendre un bemo pour Bira. Compter entre 3 et 4 h. La route côtière Bira-Kajang est très fréquentée par les bemos. Le matin, il y en a dans les deux sens, mais l'après-midi il ne faut pas trop y compter, d'où la nécessité de passer par Teneta et Bulukumba.

Où dormir ? Où manger ?

■ *Riswan Guesthouse :* 12 chambres vraiment rustiques mais propres. Sanitaires communs dans la cour. Tenu par une famille sympa. Pension complète très bon marché. Un inconvénient : réveil assuré par les coqs à 4 h. Les repas sont corrects mais il n'y a pas de choix et on vous sert presque toujours le même menu midi et soir. On est à 300 m seulement de la plage ; masques et tubas sont à la disposition des clients. Ils distribuent une carte des environs avec les centres d'intérêt et organisent aussi l'excursion chez les Towa. Riswan apprend actuellement le français.
■ *Anda Bungalows :* à 150 m de la plage. Bungalows en bambou propres et tout récents. Plus cher que le précédent mais plus confortable et la nourriture y est plus variée. Les prix sont cependant très raisonnables.
■ *Yaya's Home stay :* simple mais bien. Repas inclus dans le prix.

Très bon marché

■ *Bira Beach Hotel :* à 50 m de la plage. Beaux bungalows en bois. Établissement confortable pratiquant des prix qui semblent justifiés. Compter l'équivalent de 120 F environ.
● Deux ou trois petits *warungs* aux abords de la plage ouest qui fonctionnent surtout le dimanche quand débarquent les plagistes indonésiens.

A voir

► *La plage,* bien entendu, grande attraction du coin. Tout le monde va à la plage ouest. Sur la plage est, même sable blanc et même mer paradisiaque mais dépôts d'algues et autres plantes marines qui la rendent moins attrayante. Le cadre, cependant, est aussi beau. Petit village de pêcheurs sous les palmiers.
► *A Masamaru :* du côté est, petit port où l'on construit des bateaux bugis et, un peu plus loin, autre village de pêcheurs avec des bateaux à voile triangulaire.

A voir aux environs

► A 60 km au sud, le port de *Tana Beru* est célèbre pour ses charpentiers de marine qui travaillent à l'ancienne pour construire des bateaux ventrus, robustes, capables d'affronter les dures mers locales. Odeurs de bois, copeaux qui volent, de chaque jardin émergent les silhouettes de bateaux utilisés pour le cabotage et dont les plus grands dépassent les vingt mètres.

● Plusieurs auberges locales proposent poisson grillé et *nasi goreng* le long de la plage, malheureusement encombrée de détritus et déchets divers.

– LE PAYS TORADJA –

Le Pays toradja *(Tana Toraja* ou *Tator)* doit sa réputation aux buffles, divinités débonnaires et objets de tous les soins (ils lavent davantage leurs buffles que leurs enfants, nous a précisé un guide... mais c'était un Bugis !) ; aux cérémonies funéraires, impressionnante mise en scène qui accompagne le passage du défunt dans l'au-delà.

Les funérailles

– La mort chez les Toradjas

Pour un habitant de *Tana Toraja* (le pays toradja), la mort n'est pas séparée de la vie. Depuis sa jeunesse, il s'occupe de ses funérailles en travaillant pour accumuler buffles et riz ; grâce à ses richesses, il pourra prendre place après sa mort parmi les ancêtres de sa caste, en disposant dans l'au-delà du troupeau sacrifié.

Immédiatement après sa mort, s'il appartient à une caste élevée, toute la proche famille se réunit dans le tongkonan, la maison traditionnelle, pour décider d'un premier sacrifice qui permet au mort d'avoir des provisions pour son voyage au *Puya* (le paradis toradja). On le lave, on l'embaume ; il fait à présent partie de la maison, il continue à vivre parmi les vivants, comme un malade, jusqu'à ce que les funérailles puissent être organisées. Cela peut prendre des mois, ou des années, pour réunir toute la famille, jusqu'aux membres les plus éloignés. Des cousins viendront de Jakarta, bien sûr, mais aussi de tout le Sud-Est asiatique, voire d'Europe s'ils y sont installés... Beaucoup de ces fêtes ont lieu juste après la récolte de riz, quand l'abondance règne dans les familles, c'est-à-dire vers juin-juillet.

La fête diffère selon que le défunt appartient à la religion chrétienne – eh oui, églises et chapelles sont nombreuses en pays toradja, même si le crucifix est curieusement associé aux cornes de buffles – ou reste fidèle à l'*Aluk to dolo* – l'animisme, la religion des gens d'avant.

– Le déroulement des funérailles

Pour tous ceux qui ont la chance d'assister aux cérémonies de funérailles, moments intenses garantis, avec ce sentiment, désormais pas si fréquent sur notre planète, d'approcher une authenticité culturelle totale.

On vous proposera peut-être de partager le repas des funérailles. Dans ce cas, ne refusez pas et offrez quelques cadeaux comme des cigarettes qui sont toujours les bienvenues. On vous donnera de la bière de palme et de la viande cuite dans des bambous. La gentillesse et la curiosité des familles pourront vous surprendre.

Les funérailles chez les Toradjas sont un mélange de tristesse et de joie intense qu'ils cherchent parfois à partager avec d'autres, d'autant plus que la présence d'un Européen à leur table constitue un grand honneur. Souvenez-vous cependant que vous êtes tenu de respecter leurs coutumes : évitez d'être trop expansif ou de parler trop fort. Ces conditions remplies, vous passerez certainement un grand moment.

Les rites sont précis, étalés sur plusieurs jours. La fête commence par le sacrifice d'un cochon, puis d'un buffle non attaché. C'est à ce moment que le mort, dont le cadavre a été placé dans une sorte de maison miniature, se détache de la vie et commence son voyage vers le Puya.

Le lendemain commence le jeûne, au cours duquel la famille doit s'abstenir de manger le moindre grain de riz – rassurez-vous, elle a le droit de se gorger de viande de buffle et de *tuac*, ce vin de palme que l'on apporte des villages voisins dans des bambous. Au cours des trois jours suivants, ils seront de plus en plus nombreux à se regrouper autour de la famille, dans les hurlements des cochons que l'on saigne, un peu à l'écart du village ; c'est que le défunt approche du paradis et qu'il va devenir une divinité tutélaire, protectrice du village. Ce sont donc les fêtes de la joie, les plus spectaculaires.

Suivront en principe d'autres fêtes, quelques mois plus tard, destinées à attirer sa protection. On dresse son effigie, on transporte ses restes dans le cimetière, en général des trous creusés à même le roc d'une falaise. Sans doute aurez-vous l'occasion, au cours de randonnées dans la montagne, de découvrir quelques-uns de ces grands tombeaux familiaux sur lesquels se détache, sculptée et quelquefois peinte de couleurs vives, l'effigie des défunts. N'y touchez pas, vous commettriez un sacrilège.

En réalité, le rituel se simplifie peu à peu, notamment sous la pression gouvernementale, car les buffles constituent une richesse à ne pas négliger. Aujourd'hui, une grande partie des réjouissances se concentre autour des fêtes de la joie.

Pour avoir la chance d'y assister, surveillez les porteurs de vin de palme, renseignez-vous à Rantepao, et n'hésitez pas à vous avancer dans la montagne ; c'est là que vous vivrez les cérémonies les plus authentiques... les moins perturbées par l'arrivée de cars entiers de touristes, vidéo au poing... En effet, cette partie des funérailles, la plus connue en Occident parce que rendue spectaculaire à nos yeux urbanisés par le sacrifice des buffles — mais allez donc visiter les abattoirs ! —, même si elle n'est pas la plus importante pour la communauté toradja, attire les tours-opérateurs, en particulier dans les petits villages situés tout autour de Rantepao, comme Kete Kesu, Nanggala, etc., dont les cérémonies deviennent très touristiques. Pour les éviter, n'ayez pas peur de vous avancer loin dans la montagne. Possibilité de coucher chez l'habitant (y dormir, entre les coqs, les chiens et les enfants, est une autre affaire !).

Pour participer à la fête nous vous conseillons d'acheter une cartouche de cigarettes que vous offrirez au chef du village. Peut-être vous invitera-t-il alors à assister à la fête depuis le balcon de son tongkonan ?

Village par village, montent en procession à travers les rizières les files de ceux qui viennent participer à la fête. Parfois venus de loin, en Jeep, en minibus, qu'ils ont arrêté loin du village, ils ont revêtu leurs plus beaux costumes traditionnels, sarongs brodés pour les femmes, pagnes noir et blanc pour les hommes. Chacun tient devant lui les offrandes qu'il apporte, ou encore, sur un plateau, les assiettes et les verres qui serviront lors du repas. Derrière, marche le buffle, héros malheureux de la fête ; des hommes portent sur leurs épaules de forts bambous entre lesquels pendent des cochons qui crient à chaque mouvement...

Le gong résonne, rythmant le lent défilé qui s'arrête devant un fonctionnaire, accroupi au milieu de l'allée centrale du village. Il est chargé de noter sur un cahier les offrandes apportées, leur montant, le nom des propriétaires des buffles sacrifiés. En effet, une taxe est due au gouvernement sur chaque animal tué ; cette taxe a été instituée pour éviter les hécatombes qui, lors des funérailles des nobles ou des familles princières, décimaient les troupeaux — plusieurs centaines de buffles étaient alors égorgés, ce qui représentait la fortune de plusieurs villages. Objets de la vénération de leur propriétaire dont ils sont souvent la richesse la plus visible — un beau buffle adulte vaut plusieurs chèvres —, ces buffles de qualité ont rendu les Toradjas célèbres dans toute l'Asie du Sud-Est... Désormais, une partie de la viande des animaux tués est vendue aux enchères, afin d'acquitter les taxes. Tout n'est pas perdu.

Pendant que la famille du défunt psalmodie sa généalogie, et que s'élèvent les cris de lamentations rituelles des arrivants, les cochons sont égorgés derrière le tongkonan, puis dépecés et cuits ; il faut en effet une quantité énorme de nourriture pour rassasier plusieurs centaines de personnes, pendant trois ou quatre jours... Les buffles ont droit à plus de cérémonies et font l'objet d'une présentation à la famille du défunt. Quelquefois, lors de funérailles importantes, un combat de buffles est organisé ; leurs conducteurs excitent l'un contre l'autre deux mastodontes qui se chargent de front. L'affrontement est bref, mais déchaîne les cris de l'assistance ; le vaincu culbute en arrière et s'enfuit dans les rizières, poursuivi par le gamin qui le conduit.

Quand toutes les bêtes offertes ont été dûment enregistrées, et tandis que les processions continuent, le sacrifice des buffles commence. Chaque bête est

tour à tour conduite au pied d'un arbre, auquel deux aides lui attachent solidement une patte. Puis le sacrificateur dégaine son *parang,* ce court sabre que
portent les hommes, passé dans leur ceinture, puis relève la tête de l'animal par
l'anneau passé dans ses naseaux et lui coupe la gorge — excellente occasion de
vous souvenir que, naguère, les Toradjas avaient une réputation méritée de fer-
vents chasseurs de têtes... Le sang coule, l'animal, selon les cas, tombe à
genoux ou se jette en arrière, les assistants observent chacun de ses gestes qui
sont des présages pour les récoltes à venir ; pendant que le bourreau essuie sa

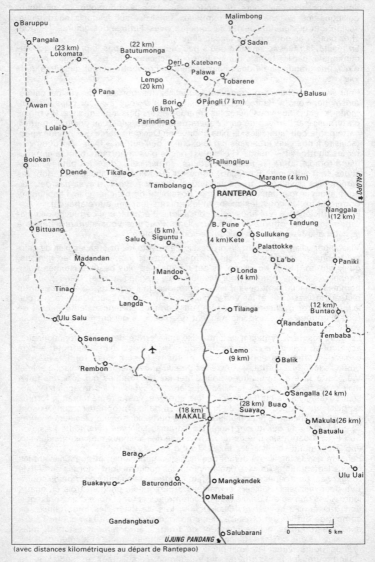

(avec distances kilométriques au départ de Rantepao)

PAYS TORADJA

lame, ses aides plongent des bambous creux dans la gorge du buffle pour recueillir le sang chaud, qui sera cuit et bu ensuite lors du festin... Véritable lien entre les vivants et les morts, le buffle est considéré comme le « passeur des âmes » qui permet d'aller au paradis. Dès que tous les buffles sont morts, ils sont immédiatement dépecés à grands coups de parang. Puis les morceaux crus sont mis à macérer dans une soupe d'herbes ou cuits dans d'énormes marmites... Ils seront partagés entre les membres de la famille et les assistants, à la nuit venue. Sans doute vous conviera-t-on à participer au festin !

— Les secondes funérailles

Quelques mois plus tard a lieu une deuxième fête où est érigée une statue à l'effigie du défunt. Ces secondes funérailles constituent la cérémonie essentielle, où les ossements nettoyés sont transportés dans un catafalque en forme de maison jusqu'à la falaise familiale et déposés dans une cavité creusée dans le roc. La terre est bien trop précieuse pour servir de cimetière.
L'effigie du mort a un rôle de protection pour les membres de la famille. Une explication qui nous a été donnée au sujet des statues : elles représentent le portrait du défunt et permettent à sa famille de se le rappeler car ils ne connaissent ni la peinture ni la photographie. Ne les touchez surtout pas, vous commettriez un sacrilège.

Le paysage toradja

Outre ces traditions, le Pays toradja vaut aussi pour sa campagne magnifique. Pas étonnant que bon nombre de routards aillent à pied de village en village. Les rizières (technique apportée par les missionnaires) sont coincées entre de superbes collines verdoyantes. Les villages sont protégés par des rideaux de palmiers. Ici règnent prospérité et une certaine joie de vivre.

Origine et architecture

Ces toits si curieux, en forme de coques de bateaux, rappellent, dit-on, la mystérieuse origine de ce peuple. Viendrait-il d'Indochine ? Les paysans avec leur « chapeau chinois » pourrait nous en persuader. Comme souvent, les ethnologues aujourd'hui réduisent ces rêves : les Toradjas seraient une ethnie ayant vécu au bord de la mer. Rebelles à l'invasion musulmane, ils se seraient repliés dans les hautes terres de l'intérieur.
Composées de milliers de bambous assemblés selon des règles centenaires, les maisons des Toradjas, très gracieuses, traduisent un grand souci de l'esthétisme et du raffinement. Les panneaux de bois de la façade sont finement sculptés.
Devant, une poutre verticale où s'empilent les paires de cornes de buffles immolés. Leur taille et leur quantité permettent d'évaluer la richesse de la famille. La frime est universelle. En revanche, l'intérieur de la maison est sobre et dépouillé : un buffet, une table basse et quelques nattes pour dormir.

Cuisine toradja

Comme dans tout le reste de l'Indonésie, on vous servira des plats à base de riz, de légumes et d'œufs avec des morceaux de viande ou de poisson mais il existe aussi une cuisine typique traditionnelle dans le Pays toradja. Les plats les plus courants sont :
— Les pa'piong : riz et noix de coco mijotés pendant près d'une heure dans un bambou. Lorsque le bambou est noir, c'est que la cuisson est terminée. On prépare maintenant des recettes plus variées, notamment en ajoutant du poulet pilé avec la noix de coco râpée (excellent). Les pa'piong sont parfois très épicés mais peuvent être dosés à la demande. Dans les restaurants, ce plat qui nécessite une longue préparation, est toujours à commander à l'avance (minimum 1 h.)
— Les duku sont une préparation de viande ou de poisson, toujours associés à des légumes et mélangés avec du sang de buffle ou de porc.

– Pour accompagner ces spécialités locales, il faut goûter au *tuak,* ou vin de palme, que l'on sert surtout lors des cérémonies. Il est extrait du fruit d'un arbre qui évoque un peu le cocotier. Le transport du tuak s'effectue toujours dans des bambous. C'est excellent mais sacrément traître, surtout quand il fait chaud.

RANTEPAO   IND. TÉL. : 0411

La capitale du Pays toradja, carrefour des routes qui vont se perdre dans les montagnes. C'est de Rantepao que partent, chaque année, les quelques dizaines d'Européens, Français et Allemands surtout, qui vont rejoindre en trois semaines – et beaucoup plus de pas – Manado à pied à travers la jungle... Sans aller aussi loin, c'est le point de départ de toute randonnée à travers le pays toradja qui s'étage dans les montagnes, tout autour.
Rantepao a l'air d'une grosse bourgade rurale pittoresque, dont les buffles auraient remplacé nos vaches (et ne verraient pas de train, NDLR). A quelques heures de marche, vous atteignez des villages où le chef, si vous arrivez pour des funérailles, vous offrira le balcon de sa propre maison et de menus présents, en hommage au visiteur que vous êtes.
Un moyen infaillible pour assister aux cérémonies de funérailles consiste à suivre les groupes d'hommes portant droit des bambous coupés d'où s'échappe une mousse blanche – le vin de palme qu'ils apportent à la fête – ou encore ces minibus cahotant où gigote, perché sur la galerie, un cochon noir serré entre des bambous. Munissez-vous de patience et bonne marche : les Toradjas sont d'infatigables marcheurs et les funérailles se déroulent peut-être à une demi-journée de là...

Adresses utiles

– *Office du tourisme :* sur l'avenue principale, pas loin de la place centrale, à côté de l'hôpital *(Rumah Sakit).* Accueil sympathique. Ils peuvent vous donner des tuyaux et vous fournir un guide plus compétent et moins cher que les guides (souvent des étudiants) qui rôdent autour des losmen.
En face de l'ancien marché qui a brûlé, il y a un commerçant qui fait « TOURISM INFORMATION » (c'est écrit en gros), très sympa et efficace. Donne une bonne carte. Attention, il y a une taxe à payer pour les touristes qui viennent ici, cet organisme étant une initiative privée.
– *Bureau de change :* jalan Diponegoro, en plein centre, face au carrefour surmonté d'une fausse maison toradja.
– *Bureau de poste :* dans le centre ville. Poste restante, télégramme et téléphone.
– *Achats :* partout, dans les hôtels, dans les boutiques (ouvertes souvent très tard le soir) et dans tous les sites. Marchandage obligatoire.

Où dormir ?

Il faut savoir qu'en Pays toradja, et plus particulièrement à Rantepao, tout est plus cher qu'ailleurs (hôtels, restos et locations de véhicules) et qu'il est parfois très difficile de trouver une chambre en pleine saison. C'est pourquoi nous vous indiquons un grand choix d'établissements sélectionnés.

■ Plusieurs losmen bon marché (mais rustiques) dans la rue principale en direction de Palawa, après l'office de la Liman Express : *Batutumonga Guesthouse, losmen Sippurano, Marlin Hotel.*
■ *Wisma Irama :* jalan Pesar Hesam, dans une ruelle à droite, au fond de la rue principale. Une des meilleures adresses. 12 chambres sur cour. Très propre et calme. Agréable. Bon breakfast avec café. Attention, parfois des groupes louent tout l'hôtel. Le resto est très bien.
■ *Wisma Maria 1 :* 23 jalan Dr Ratulangi (rue parallèle à la rue principale). 20 chambres simples mais très propres, avec douche et eau chaude ou froide. Serviettes de toilette fournies. Petit déjeuner copieux et excellent. Une bonne adresse à un prix très raisonnable et qui bénéficie d'un beau patio. Calme assuré.

■ *Wisma Rosa :* 28 jalan Sa'dan. ☎ 210-75. A la sortie de Rantepao, sur la route de Palawa, après le pont à droite. On est déjà dans les rizières. Les proprios sont aux petits soins pour les clients. 14 chambres avec salle de bains. Propre et simple. L'ensemble est bien entretenu. Trois catégories de prix. Pas cher.

■ *Pia's et Poppies :* jalan Pong Tiku. ☎ 211-21. A l'entrée de Rantepao en venant de Mahala. Atmosphère paisible et familiale pour cette auberge de 12 chambres spacieuses et toutes différentes, dotées de belles salles de bains. Située en dehors du village, dans les rizières, près du Merpati Bureau. Accueil charmant. Réservation obligatoire. Souvent complet. Excellente table (voir ci-dessous).

■ *Pison Hotel :* jalan Pong Tiku, en face du précédent. ☎ 213-44 ou 212-21. Un nouvel établissement dont les chambres, très bien entretenues, avec terrasse, ont des meubles en bois sculpté. Eau chaude. Change. Trois catégories de chambres. Le patron, sympa, organise des excursions à la demande. Excellente nourriture et accueil chaleureux. Logement gratuit pour les chauffeurs. Là aussi, réservation obligatoire en haute saison.

■ *Pondok Torsina :* à l'entrée de Rantepao en venant de Makale. ☎ 212-93. 24 chambres impeccables avec de belles salles de bains. Tout est bien entretenu. Restaurant en terrasse. Piscine.

■ *Linda Home Stay :* dans la même rue. Une maisonnette entourée de verdure. 6 chambres avec mandi. Propre mais assez bruyant.

■ *Wisma Tanabua :* 43 jalan Diponegoro. Grand balcon sur un jardinet. Les chambres les moins chères sont d'un bon rapport qualité-prix.

■ *Wisma Suria :* 36 jalan Wr. Monginsidi. ☎ 213-12. Un petit hôtel tout neuf. Chambres avec salle de bains et w.-c. Très calme. Prix raisonnables. Le patron travaille à l'office du tourisme de Rantepao, il est donc de bon conseil.

■ *Indra Hotel :* plus chic et plus touristique, mais très beau cadre. Parfois un peu bruyant. Bon restaurant attenant. Vient de s'agrandir avec la construction de deux nouveaux bâtiments.

■ *Wisma Rantepao :* sur la place de la bemo station. Sept chambres correctes. Une seule catégorie de prix. Le petit déjeuner, très copieux, est en supplément mais vaut la peine. L'intérêt de cette adresse c'est qu'elle est à la fois centrale, calme et pas chère.

■ *Pondok Wisita :* près du centre, dans une rue derrière la poste. Un établissement récent et propre. Eau chaude, et sanitaires impeccables. Les patrons sont aux petits soins et toujours prêts à rendre service. Bons petits déjeuners en supplément.

■ *Toradja Cottage :* à 3 km, au nord de Rantepao. Bungalows sur une colline dans la végétation tropicale. Bon accueil et on y mange bien. En face, *hôtel Toradja Prince,* même direction mais catégorie Luxe.

Où manger ?

● *Pia's et Poppies :* voir ci-dessus. Excellent resto où vous aurez le choix entre soupe à l'oignon, sole sauce Colbert, crêpes Suzette, etc. Service très lent, comme partout d'ailleurs. Il faut commander certains plats 2 h à l'avance. Salle très agréable. Ce n'est quand même pas donné mais vous serez assuré d'y faire un bon repas. Souvent complet, en saison toujours réserver. Pas bon marché mais grande qualité.

● *Restaurant de l'hôtel Pison :* là aussi excellente table servant des spécialités et du bon poisson frais. La mer n'est pas très loin. Mêmes prix que Pia's et Poppies.

● *Restaurant de l'hôtel Indra :* il y en a deux, l'un à côté du Mambo avec un décor agréable, l'autre au coin de la rue, à côté de l'épicerie, et un peu moins cher que le premier. Ce sont les mêmes plats.

● *Chez Dodeng :* sur la route principale, au niveau du terminal des bus. Ambiance routarde internationale. Nourriture variée à prix raisonnables. Salle agréable et très propre. Ce restaurant vient d'être cédé par le propriétaire à son cuisinier. Goûtez au *masakan,* une autre spécialité toradja et aux excellents jus de fruits.

● *Chez Dodeng II :* dans une petite ruelle derrière le précédent. L'ancien propriétaire vient de remonter une affaire que nous n'avons pas pu tester encore.

Dites-nous ce que vous en pensez. La salle est sinistre. Espérons qu'il va améliorer le décor.

● **Manbo** : jalan Dr Ratulangi, à 30 m de Wisma Maria. Une adresse sympa et bon marché. Les *pa'piong* sont à commander la veille. Également des sandwiches à emporter. Pratique pour aller en excursion.

● **Rachmat** : sur l'intersection principale, au centre de Rantepao. On y mange d'excellentes brochettes de buffle. Fournit un plan de la région.

● **Le Sarlota** : 109 jalan Pahlawan. En face de la ruelle du Wisma Irama. Petit resto très sympa et pas cher. Excellentes crêpes. On peut demander une carte du pays toradja.

● **Rima Restaurant** : jalan Pahlawan. A côté du Sarlota et en face de la petite rue de l'Irama Guesthouse, en descendant dans la rue principale. Très copieux et prix raisonnables. Cadre agréable. Salle décorée de motifs toradjas. Service un peu lent quand c'est plein, mais c'est pareil ailleurs.

● **Kiosk Gembira** : derrière l'ancien marché qui a brûlé. Beaucoup de gâteaux variés pour le petit déjeuner. Resto également, à prix honnêtes.

Du bon usage des guides

Un peu partout, des guides vous proposeront leurs services. A vrai dire, ils ne sont guère nécessaires : tout est fléché pour la marche et les déplacements en bemo. Les meilleurs guides dépendent de l'office du tourisme ou travaillent pour des agences. Ceux qui restent disponibles sont généralement peu compétents et donnent parfois des renseignements inexacts.

– Ne pas leur faire (trop) confiance pour marchander à votre place. Curieusement, vous finirez souvent par payer plus cher qu'en négociant seul.

– Faire plus attention encore quand ils vous proposent « l'objet » unique, magnifique, confié à eux par un ami... Généralement, faire un tour au marché – seul – et comparer.

– Si vous voulez un guide, adressez-vous au resto *Chez Dodeng II*. Dodeng est un très bon guide qui vous accompagnera pour des trekkings de plusieurs jours. Ses prix sont à la hausse depuis son entrée dans le Routard.

A faire

Rien à voir dans Rantepao, à part quelques maisons anciennes, pas trop loin du centre ville, mais dans les environs nombreuses balades à pied ou en bemo.

– **Feet fighting,** combat style boxe française, ayant lieu en fin d'après-midi. Prenez la route de Palawa et, après le pont à gauche, c'est sur votre droite dans les champs derrière les maisons.

– Le **marché** a lieu tous les 6 jours, sur la route de Marante, à Bolu. Prendre un bemo ; à pied c'est assez loin.

Transports

Le moyen de déplacement idéal est la marche : du jarret et encore du jarret ! Pendant la saison des pluies, soyez chaussé de façon adéquate pour le trekking dans les rizières.

Les bemos ne sont pas onéreux. Il est parfois difficile de trouver une place disponible en cours de route, ils sont pleins lors du départ et à l'arrivée. L'idéal est de combiner bemo (quand il y en a) et marche.

Vous pouvez également louer une moto, mais c'est très cher car il y en a très peu et les routes sont très mauvaises. Surtout au nord et à l'est de Rantepao. Se renseigner au *Rachmat*. (Voir « Où manger ? »).

Les plus fortunés pourront louer une Land Rover avec guide et chauffeur. S'adresser à *Ramayana*, Jalan Pongtiku. ☎ 216-15. Ou à des loueurs qui proposent leurs services et comparer les prix.

Visite du Pays toradja (appelé *Tana Toraja*)

Il faut savoir que désormais tous les accès aux sites sont payants ainsi que les parkings. Impossible de pénétrer dans le moindre village sans avoir à débourser quelques centaines de roupies en échange desquelles on vous remettra un ticket officiel. On vous demandera aussi d'écrire sur un cahier votre nom et vos commentaires. Cela n'exclut pas les petits pourboires que mendient éventuellement ceux qui vous accompagnent. La plupart des maisons des villages touristiques sont transformées en boutiques de souvenirs.

Vous pouvez dormir chez l'habitant si vous n'êtes pas trop regardant sur l'hygiène, mais laissez quelque chose, même si on ne vous le demande pas. Les gens, à l'écart des sites touristiques, sont très ouverts et gentils. Les enfants vous accueillent souvent dans les villages en criant *Belandah, Belandah,* c'est-à-dire « Hollandais », car dans leur esprit tous les étrangers sont des Hollandais. Ils vous réclament souvent des *gulah-gulah,* c'est-à-dire des « bonbons ». Dans certains villages où vous pensez être parmi les premiers à vous rendre, vous entendrez parfois ces mêmes enfants chanter : « Alouette, gentille alouette ».

Durant votre séjour dans le Tana Toraja, vous aurez peut-être la chance d'assister à une fête des morts dont la durée varie selon la fortune des gens, avec sacrifices de buffles, ou à une fête de la nouvelle maison.

Enfin, la langue est vraiment un problème dans le pays toradja. Très peu de personnes, en dehors de Rantepao, parlent l'anglais, vous devez donc avoir des notions de base du *bahasa indonesia* (cf. plus haut).

Si vous rencontrez, en vous promenant, des Indonésiens transportant des bambous verts avec, au sommet, de l'écume (ils contiennent du tuac) ou des morceaux de viande enfilés dans une tige, sachez qu'ils reviennent généralement d'une fête.

AU SUD DE RANTEPAO

▶ *Kete Kesu :* à 3 km de la route principale. Plusieurs belles maisons traditionnelles où plus personne ne semble vivre. Dans une forêt de bambous. De nombreuses cavernes rocheuses et suspendues, des caveaux et des cercueils. On y voit aussi des cercueils suspendus. Récemment, des effigies ont été regroupées dans un enclos, en attendant d'être replacées. Cadre superbe sur un promontoire avec des rizières. Au fond, une falaise.

▶ *Sigentu :* à 5 km de Rantepao, entre Kete Kesu et Londa de l'autre côté de la rivière. Dans ce village, beaucoup de maisons traditionnelles très bien conservées. La décoration intérieure est très belle. En reprenant la route vers le sud, on trouve sur la gauche, à environ 1 km, le chemin qui mène à Londa.

▶ *Londa :* à 6 km de Rantepao. Ce n'est pas un village, mais plutôt un cimetière dans la falaise. Les tombeaux sont installés dans une grotte. Sur la falaise, les morts sont « au balcon », spectacle assez saisissant. Guide obligatoire et lampes fournies. De Londa, possibilité de rejoindre Kete Kesu en passant à travers les rizières. Très belle balade de 2 h.

▶ *Lemo :* à 9 km de Rantepao. Statues des morts sur des balcons et tombeaux. Tourisme oblige, on a remplacé certaines statues qui ont atterri chez des antiquaires de Jakarta... Y aller le matin, avant 10 h, le soleil éclaire encore les effigies qui seront ensuite dans l'ombre toute la journée. Possibilité de continuer le chemin de terre qui part à gauche en arrivant au site des tombes. On traverse les rizières pour arriver à Tilanga. Monter en haut du village (prendre à gauche en venant de Lemo sur la rue principale). Petit point d'eau aménagé au milieu des arbres et des bambous. Accès payant. On peut se baigner. Très agréable pour une pause. De Tilanga, continuer le chemin pour rejoindre la route reliant Makale à Rantepao.

▶ *Palattokke :* sur la route après Kete Kesu (30 mn de marche). Pas d'effigies mais des cercueils suspendus. De très beaux paysages et pas de touristes... pour l'instant.

▶ *Suaya :* à 28 km de Rantepao et à 6 de Makale. Prendre le bemo jusqu'au carrefour avant Makale (arrêt de l'hôpital), puis prendre un second bemo pour Sangalla ; de là, marcher à moins que vous n'ayez la chance de trouver un autre bemo se rendant à Suaya. Vous serez récompensé de vos peines, Suaya est encore l'un des rares villages ayant conservé presque toutes ses effigies. Ce cimetière est réservé aux membres des familles d'origine noble de Makale et de Sangalla. Ils sont représentés avec une canne à la main. Essayez d'entendre l'orchestre de bambous des enfants. Ils vendent des K7. Même si vous n'en achetez pas, ils vous feront une petite démonstration de leurs talents moyennant quelques roupies. Ils appartiennent tous à l'école de danse et de musique de Tampangallo que l'on atteint en traversant les rizières. Ils pourront vous guider jusque-là, où il y a aussi des tombes et des effigies.

A L'EST DE RANTEPAO

▶ **Marante :** à 4 km de Rantepao. Village traditionnel avec des tombeaux, de superbes effigies, des crânes et ossements. Statues funéraires dans les trous de la falaise.

▶ **Nanggala :** à 12 km de Rantepao. Village traditionnel enclavé à flanc de coteau dans une petite forêt et surplombant un paysage de rizières. Après le village d'exposition (inhabité), continuez le sentier et vous arriverez à un vrai village toradja habité. En contrebas, des rizières.

AU NORD DE RANTEPAO

▶ **Sangkom Bong-Sadan :** à 11 km de Rantepao. C'est un village de tisserands. Les femmes vendent sur un marché ce qu'elles fabriquent à la main. On peut se baigner dans la rivière.

▶ **Palawa :** à 9 km de Rantepao. Service de bemo. Ensemble très joli mais hyper touristique. Maisons toradjas typiques. Avant d'arriver au village, sur votre gauche, il y a des champs de menhirs.
Ensuite, une balade superbe consiste à relier Palawa à Pangala à pied. Paysage grandiose. Aller à Akung puis continuer sur Lempo, toujours en traversant les rizières. De Palawa, on peut aussi aller en bemo jusqu'à Lempo puis monter à Batutumonga (voir plus loin) et atteindre Pangala. Les bemos ne peuvent aller au-delà de Lempo, la route étant trop défoncée. A Pangala, hébergement chez l'habitant sans problème (porter quelques cadeaux). Ceux qui ne peuvent rester longtemps au Pays toradja auront néanmoins une vue globale du coin (maisons traditionnelles, rizières, etc.).

▶ **Batutumonga :** à 22 km de Rantepao. Village toradja situé sur les flancs du mont Sesean. Magnifique panorama d'où l'on peut contempler une grande partie du Pays toradja avec de belles rizières en terrasses. Pour rejoindre Pangli, compter 3 h de marche en descente.
Si vous voulez y passer la nuit, plusieurs adresses : *Chez Mama Siska.* Dans les prix des chambres sont inclus les boissons (sauf la bière) et le petit déjeuner. On peut choisir de dormir soit dans la maison (lits normaux), soit dans une maison typique toradja. Expérience amusante, mais il faut prévoir un pull-over car les nuits sont fraîches. Le matin, le réveil sous la douche en plein air vous laissera un souvenir impérissable.
Il existe aussi d'autres losmen dont le *Batutumonga,* rudimentaire, mais c'est le seul à avoir de l'électricité. *Chez Mama Rina* on dort dans une authentique maison toradja pour une somme dérisoire. Dans tous ces hébergements, le dîner est compris dans le prix. Dormir à Batutumonga est beaucoup plus agréable qu'à Rantepao et, surtout, l'endroit est beaucoup moins touristique.

▶ **Lokomata :** à 23 km de Rantepao et tout près de Batutumonga. De nombreuses tombes dans de gros rochers. Prendre un des sentiers qui vont jusqu'à *Tikala,* vues magnifiques ; environ 1 h 30 de route.

▶ Superbe **balade à pied** (environ 20 km) à effectuer en une journée :
Quitter Rantepao par le nord. Après le pont, tourner à gauche vers Tikala ; après 2 km ne pas prendre la route de Bori à droite. A Tikala, poursuivre tout droit (ne pas continuer par le pont couvert qui mène vers Pangala ni à droite vers d'autres sites indiqués par des panneaux). Monter vers Pana (où il y a une falaise creusée de tombes dans un « trou » de bambous) et Batutumonga. Ensuite à gauche vers Lokomata. Vue extraordinaire sur la vallée. Possibilité de monter jusqu'au sommet du mont Sesean. Retour par la même route jusqu'à Batutumonga (possibilité de se restaurer dans une sorte d'auberge d'où la vue est admirable). Continuer la descente vers Pangli et Palawa. A Pangli, on peut trouver un bemo pour Rantepao.

▶ **Makale :** inutile de vous y arrêter. C'est une ville sale et sans intérêt, sauf si vous y passez un dimanche matin pour le marché haut en couleur. Le coin, et pour cause, n'est pas touristique. Il y a cependant quelques tombes, mais difficiles à trouver.

Quitter Rantepao

- *Pour le lac Poso et Palu :* un seul bus par semaine. En principe, le vendredi matin, départ à 11 h et arrivée le samedi soir, soit presque deux jours et une nuit. Il passe par Pendolo (10 h de route) puis par Tentena (12 h).
- *Pour Udjung Pandang :* éviter le bus de nuit, très éprouvant. Plus de passagers que de sièges et musique au maxi ; même chez Liman express.

– LE PAYS BUGIS –

Pour ceux qui n'aiment pas emprunter le même chemin à l'aller et au retour : on peut revenir de Rantepao à Pare Pare par le *Pays bugis.* La route est très agréable, les gens sympathiques et désintéressés. Partout on peut manger dans de petits restaurants, sur les marchés, pour trois fois rien : soupe, riz, thé, viande et poisson.

Comment y aller ?

- De Rantepao : plusieurs bus par jour à partir de 8 h. Compter 2 h de route pour 60 km en principe. La route qui descend sur Palopo est splendide.

PALOPO

Un port et (momentanément) un bout du monde ; c'est là que la route côtière du sud vient buter sur la jungle et les éperons rocheux qui tombent dans la mer, là que l'unique route tourne à angle droit pour monter en pays toradja. A l'abri de la longue jetée de béton, les bateaux bugis jouent les libellules... mais ne vous inquiétez pas ; la grande rue est jalonnée d'enseignes japonaises, la civilisation n'est pas loin.
Voir le village lacustre, non loin de la longue jetée du port. Pirogues à balanciers. Vers l'est de Palopo, votre guide, l'air dégoûté, vous montre les étendues boisées où toutes les routes s'arrêtent, en vous parlant des « behind people » – c'est-à-dire ces peuplades arriérées, pour ceux qui ne parlent pas le bahasa indonesia. Certaines tribus vivent encore dans des cavernes seulement accessibles par des échelles de cordes, et fuient dans la jungle à l'approche de tout étranger...

Où dormir ?

■ *Losmen Marlia :* jalan Kartini.
■ *Palopo Hotel :* en face de la station des bus. Bof !
■ *Losmen Risma :* 14 jalan Jemaa. Moustiquaires. Les chambres sont simples mais propres et donnent sur un agréable jardin. Notre meilleure adresse.
■ *Rio Rita Hotel :* 10 jalan Jemaa. A côté du précédent. Tenu par un Chinois. Rustique et vraiment tristounet. Un seul avantage : très bon marché.

Où manger ?

● *Warung Mini Indah :* jalan Diponegone, perpendiculaire à jalan Jemaa. Très local et bon marché. On y mange un buffle excellent.
● *Segar Restaurant :* pas loin du théâtre Apollo qui est en fait un cinéma. Tenu par des Chinois. Excellents crabes et calmars.
● *Victoria :* près du théâtre Apollo. Poisson, crabes et fruits de mer à prix moyens.

Quitter Palopo

- **Pour Sengkang :** plusieurs minibus par jour (le matin), 3 h de route. Route agréable, végétation équatoriale, villages sur pilotis.
- **Pour le lac Poso :** pas de bus, mais quelques rares minibus. Compter 2 jours pour y aller ! Le mieux est de louer une Jeep (8 h environ).

SENGKANG

Capitale du Pays bugis.

Comment y aller ?

- **Depuis Ujung Pandang :** bus Liman jusqu'à Pare Pare (4 h), puis minibus (2 h) pour Sengkang.
- **Depuis Palopo :** liaison en bus (3 h).
- **Depuis Rantepao :** en bus. 8 à 10 h de route. Éviter les bus de la compagnie *Batutumonga*, dont les sièges sont défoncés et dont les moteurs tombent souvent en panne et préférez le *Liman Express* jusqu'à Pare Pare. De là, minibus pour Sengkang.

Où dormir ?

■ *Hôtel Apada :* 9 jalan Durian. La propriétaire est une descendante de princesse bugis : Mme Muddarijah vous ouvrira son album-souvenirs qui la montre en compagnie du roi Juan Carlos d'Espagne, de princes anglais et... sous la tour Eiffel. On peut coucher dans un lit d'un mètre de haut et avoir droit à un repas typique, avec jeunes et jolies filles bugis pour vous servir. Vous êtes même costumé. L'endroit est devenu beaucoup trop touristique et il semble que la princesse ait pris des cours d'économie. Les suppléments s'accroissent bizarrement (arnaque sur les petits déjeuners et les repas). La cuisine cependant est bonne. On vous proposera des excursions.
■ *Hôtel Al Salam 2 :* à 200 m de la station des bus. Accueil chaleureux et polyglotte. Andy, David ou Anton vous accompagneront pour la balade sur le lac ou pour admirer la vue sur le Gunung Patirosompe. Bonne nourriture et prix très raisonnables.
■ *Pondok Eka :* à côté de la station des bemos. Quatre chambres nickel dont une avec air conditionné. Tenu par une famille dont la mère est une maniaque de la propreté. On ne s'en plaindra pas. Excellente adresse.
■ Évitez le *Al Salam I*, beaucoup trop ancien et sans salle d'eau, ainsi que le *losmen Merdeka*.

Où manger ?

● Dans les *hôtels*, qui font tous restaurants.
● *Warung Tomuddi :* 52 jalan Addi Odang, près de l'hôtel As'har. Quand on est devant la grande mosquée, en face de l'hôtel Apada, il faut remonter cette rue vers le centre. Nourriture locale correcte et pas chère.

A voir

Derrière l'hôtel Apada, si vous ne craignez pas la curiosité envahissante des enfants, belle promenade vers le haut d'une colline. Du sommet, vue sur la ville et le lac Tempe.
▶ *Le lac Tempe :* l'intérêt principal de Sengkang, avec sa fantastique cité lacustre. Tout y est : les maisons sur pilotis, les pêcheurs lançant leur épervier

dans l'eau, les enfants nus se poursuivant dans le lac, ou se hasardant sur de minuscules pirogues à double balancier, copies conformes des bateaux de leurs aînés, les stations-service sur pilotis vendant le gas-oil en bouteilles, jusqu'à une mosquée sur pilotis et une maison isolée appuyée sur un arbre qui, profitant d'une butte, s'est cramponnée là depuis des siècles.

C'est une cité qui, curieusement, se dégrade. Les habitants sont devenus intéressés et abordent maintenant le touriste pour lui proposer une visite du lac et des environs.

Attention : le lac ne vaut la peine que s'il y a une bonne visibilité, sans quoi on perd une grande partie du spectacle. Le mythe du pêcheur qui se fait une joie de vous faire faire le tour du lac est révolu et le prix à l'heure se discute âprement. Mais laissez-vous cependant bercer par le charme de cette cité. Au milieu du lac, on a construit deux petites maisons sur un ponton avec chambres dotées de sanitaires. Possibilité d'y pique-niquer. On vous prévient : de l'autre côté du lac il n'y a pas d'embarcadère et il faut un peu patauger dans la vase.

Pour la visite, prévoir la journée complète (deux nuits à Sengkang). Le grand jeu consiste à traverser le lac et à visiter des villages sur pilotis avec arrêt chez des pêcheurs, marcher ensuite jusqu'à Batu Batu (le reste en bemo). Entre Batu Batu et Watosopeng (Sopeng pour les locaux), visite d'un village où l'on élève des vers à soie. A Sopeng, resto près de la gare des bemos tenu par des Chinois. Accueil sympa. Cuisine correcte et bon marché. Pour ceux qui aiment le calme, préférer le rez-de-chaussée au premier étage, équipé d'un vidéo-disque où l'on peut s'exercer au play-back sur des chansons en indonésien ou en anglais (cela déride les locaux). Le retour à Sengkang s'effectue en bemo.

La partie la plus intéressante de l'excursion est certainement la halte au village flottant *(Rumah Terapung)*. Les maisons de bambou sont véritablement posées sur l'eau et amarées au fond à l'aide d'une corde. Le vent les fait dériver d'un côté puis de l'autre. Emporter de petits présents (cigarettes ou biscuits) car il est possible qu'un pêcheur vous invite à boire un thé ou un café. Attention à ce que l'eau ait bien bouilli car la vue des eaux du lac donne à réfléchir avant d'accepter...

Quitter Sengkang

– *Pour Rantepao :* bemo jusqu'à Palopo (4 h) puis minibus jusqu'à *Tator*, comme ils disent. Il s'agit de l'abréviation de Tana Toradja (2 h). Route superbe.

PARE PARE

Une ville étape sur la route du pays toradja. Fini le temps où l'on pouvait vanter les charmes de cette plage. Nous connaissons désormais peu d'endroits aussi pollués. La ville ne présente aucun intérêt. Quant à la plage, c'est un dépotoir, ce qui n'empêche pas une foule abondante de venir s'y vautrer le week-end. La presqu'île d'*Unjung Lero*, en face, est contaminée à son tour. La pollution est telle que l'on ne voit plus ses pieds lorsque l'on a de l'eau jusqu'aux genoux. Agréable !

Où dormir ? Où manger ?

■ *Gandaria Hotel :* 171 jalan Bau Masepe. ☎ 210-93. A 300 m de la station des bus. Douche. Établissement très propre.
■ *Tanty Hotel :* 5 jalan Hassanuddin. Si le précédent est complet. Établissement pratiquant les mêmes prix, mais plus bruyant.
● *Sempurna Restaurant :* jalan Bau Masepe. La meilleure table. Bon poisson servi dans un cadre agréable.
● *Asia Restaurant :* une bonne adresse aussi pour le poisson et les fruits de mer. Restaurant tenu par des Chinois pas très aimables. Grande salle impersonnelle. Ils font aussi épicerie de luxe et vendent des alcools.

LA RÉGION DE MAMASA

Culture toradja.
Prendre le bus de Pare Pare pour Polewali, puis une Jeep pour Mamasa (70 km), petite ville tranquille dans la montagne.
3 ou 4 losmen simples se sont ouverts récemment. Très bon poisson dans les rizières et dans les assiettes. Idéal pour ceux qui recherchent l'authenticité et le calme.

▶ *Orobua :* à 6 km. Maisons typiques. On peut acheter les couvertures de Sambu.

▶ *Ballapeuk :* à 12 km (3 h de marche). Autre village intéressant. Spectacles de danses.

– SULAWESI CENTRE –

Superbe région de lacs et de montagnes encore peu fréquentée par les touristes. A faire absolument en prenant son temps. On vous conseille de ne pas oublier votre guide linguistique de survie.

Comment y accéder ?

– *Par avion :* Palu est la ville la mieux desservie de cette région. Plusieurs vols quotidiens depuis les grandes villes de Sulawesi (Ujung Pandang, Manado, Gorontalo) par la compagnie *Bouraq. Garuda* et *Merpati* desservent également Palu depuis U.P.

– *Par bateau :* navire régulier de la *Pelni* qui dessert U.P., Palu et va en direction de Manado. Une fois tous les 15 jours. Des bateaux locaux peuvent assurer la liaison Pare Pare-Palu.

– *Par la route :* liaison Rantepao-Palopo-Wotu. Prendre un minibus en direction de Soroako le matin vers 8 h, sur la place à côté du marché. Très beaux paysages de montagne. S'arrêter à Wotu.

WOTU

Ville sans aucun intérêt, mais point de départ pour la région du lac Poso.

Où dormir ?

■ Un seul endroit : le *Wisma Takdir,* assez rudimentaire. On peut manger sur place. Les réservations des 4 × 4 Toyota pour Pendolo peuvent être effectuées par le patron.

PENDOLO

Petit village agréable sur la rive sud du lac Poso. On peut s'y reposer quelque temps avant de traverser le lac vers Tentena.

Comment y aller ?

– *Depuis Rantepao :* 30 h de bus.

– *Depuis Wotu :* environ 90 km à travers la jungle, sur une route toute neuve. Comptez environ 6 h. Paysages grandioses, ponts branlants surplombant de vertigineux ravins, forêt profonde et inquiétante, etc.

Où dormir ?

■ *Losmen Sederhana* ou *Losmen Danan Poso :* du même style, propre, sympa, possibilité de repos sur place.
■ *Rumah Makan Mosama :* très rudimentaire mais très accueillant. La patronne peut vous cuisiner de superbes poissons du lac. Situé au bord de la plage.

TENTENA-LAC POSO

Superbe village construit à l'embouchure d'une rivière et au bord du lac. Entouré de montagnes. Maisons lacustres. C'est le point de départ de toutes les balades intéressantes de la région.
Attention, pas de change dans les banques. Adressez-vous à Manuel Lapasila, 20 jalan Panjaitan, Poso Sulteng. Il est assez fiable. Il sert de guide dans le Morowali National Park.

Comment y accéder ?

– *Par le sud, depuis Pendolo :* liaison quotidienne par bateaux. Départ le matin vers 8 h. 3 à 4 h de trajet sur le lac.
– *Depuis Rantepao :* 1 bus par semaine.
– *Depuis Palopo :* 2 bus par jour. Comptez 2 jours pour y aller !
– *Depuis Poso* (la ville) : nombreux bemos à prendre le matin ou en début d'après-midi. 2 h de belle route.

Où dormir ?

■ *Wasantara Hotel :* le plus cher mais excellent rapport qualité-prix. Belles chambres spacieuses, très claires et très propres avec mandi. Situé au pied du lac. Vue superbe. On peut y commander de somptueux repas.
■ *Pamona Indah :* demander Manuri qui parle l'anglais. De plus, il est guide et vous donnera des tuyaux sur la région.
■ *Wisma Tiberias :* jalan Setia Budi. Au centre du village. Simple mais propre. Bon marché.
■ *Losmen Rio :* bon marché.

Où manger ?

● *Rumah Makan Noro Seneng :* bon et pas cher. On peut y boire une spécialité locale : le *sopi anak rusa*. Fœtus de chevreuil macéré avec des épices dans l'alcool de palme. Peu encourageant mais, paraît-il, excellent pour la santé !

A voir

▶ *Maisons lacustres,* à l'embouchure de la rivière.
▶ *Grottes* formées de 7 chambres successives. Pensez aux lampes de poche. Demandez les *Gua*.

Dans les environs

▶ *Tonusu :* charmant petit village le long d'une belle plage de sable blanc. Accessible en bemo, à prendre au pont de Tentana. Trouvez un pêcheur qui puisse vous emmener en pirogue jusqu'à la crique voisine. Anecdote : un instituteur étant tombé amoureux de ce coin, le gouvernement lui a donné gratis tout ce lopin de terre... N'hésitez pas à aller le voir, il est très sympa et pourra vous piloter. A partir de là (quelques centaines de mètres), très belle cascade riche en papillons, et immense caverne pleine de chauves-souris et proche d'un marécage. Superbe balade d'une journée. Attention, les bemos pour le retour s'arrêtent avant 16 h.

▶ *Sulewana :* à 10 km sur la route de Poso. Depuis le village, marchez environ 30 mn. Série de rapides sur 2 km (Air Meluncur).

▶ *Vallée de Gintu :* très isolée de tout, cette vallée reste encore une énigme pour les archéologues. Il est très difficile de s'y rendre sans guide depuis Tentena. On y trouve des statues monolithiques très anciennes, d'origine inconnue (villages de *Gintu*, *Doda* et *Wuasa*). La civilisation bada, qui a occupé la région plus récemment, est également très intéressante et originale. L'architecture de leurs immenses maisons communautaires ne se retrouve nulle part ailleurs dans toute l'Indonésie. La solution la plus simple pour y accéder est de prendre contact avec le pilote américain de la mission chrétienne de *Tentana*. Il assure cette liaison régulièrement. A lui seul, le survol à basse altitude de la région est une expérience inoubliable. L'avion ayant peu de places, il faut parfois attendre plusieurs jours pour en avoir une. Pour l'hébergement sur place et la visite des villages, voir le *Kepala Desa* de Gintu.

Comment en partir ?

Bemos réguliers pour Poso. 2 h de trajet. Très belle route de montagne. Sinon les bus *Omega*, plus confortables et plus rapides, vont jusqu'à Palu.

Il y a un bateau par semaine pour Gerontalo (2 jours de trajet). Dessert au passage : Poso, Ampana, Togia Islands, etc. Classe-pont uniquement. Bahasa Indonesia indispensable ; personne ne parle l'anglais.

POSO

Si vous passez quelques heures dans cette ville de transit, voir le grand marché central. Très beaux coquillages sur les plages à l'est des docks (flash culturel : c'est de ce port que s'effectue l'expédition de l'ébène de Makassar).

Où dormir ?

■ *Nels Hotel :* à 500 m du terminal de bus, jalan Yos Sudarso. Charme un peu rétro. Chambres très sommaires avec ventilo. Bons repas indonésiens.

Comment en partir ?

– Bus ou bemos réguliers pour Palu (7 h), à prendre à côté du Pasar Sentral.
– Les liaisons par avion depuis Poso sont peu sûres. Il est préférable de prendre un vol depuis Palu.

PALU

Ville sans grand intérêt. Important centre de transit entre le nord et le sud des Célèbes.

Où dormir ?

■ *Pacific Hotel :* 130 jalan Gaja Mada. Grand hôtel très central. Prix raisonnables.

Où manger ?

● *Rumah Makan Sea Food Surya :* 115 jalan Sultan Hasanuddin. Cadre un peu froid, mais service sympa et grande variété de poissons et crustacés.
● *Oriental :* 60 jalan Monginsidi. Très bonne cuisine chinoise.
● Nombreux *warungs* très bon marché sur Jalan Hasanuddin, près du grand pont.
● *Le Milano :* 78 jalan Hasanuddin II. Décor agréable. Très propre. Nourriture un peu internationale. Le patron est allemand. Il organise des treks de 3 à 7 jours.

Comment en partir ?

– *Par avion :* aéroport à 7 km par oplet taxi. Voir introduction générale sur Sulawesi Centre. Pour Manado, environ 10 vols par semaine assurés par Bouraq.
– *En bus :* vers le nord (Gorontalo et Manado). Route correcte. Compter 2 jours pleins pour Manado.

– SULAWESI NORD –

Très différente des Célèbes. Particulièrement ouverte aux échanges commerciaux avec le reste de l'Asie, et l'un des derniers bastions des Hollandais. C'est un melting-pot de nombreuses ethnies (philippine, chinoise, européenne et minahasa).

MANADO   IND. TÉL. : 0431

C'est ici que le mélange racial est le plus frappant. Ville occidentalisée, très ouverte et accueillante, fait beaucoup pour développer le tourisme. Manado dispose en effet de récifs coralliens parmi les plus beaux du monde. Ville très étendue, formée de grandes avenues qui partent du Pasar 45.

Comment y aller ?

– *Bus* depuis Rantepao : 1 journée de voyage ! Avoir du temps devant soi car les impondérables sont nombreux.
– *Liaison aérienne* quotidienne depuis Ujung Pandang.

Transports

– Depuis l'aéroport (cartes et renseignements utiles à l'office du tourisme sur place), bemo en direction du centre (13 km).
– Les déplacements dans la ville sont assurés par de nombreux oplets qui partent tous du Pasar 45. Ils indiquent à l'avant le nom de leur destination. Prix unique quelle que soit la distance.

Où dormir ?

Ville assez chère pour le logement.
■ Quelques losmen assez bon marché mais très sommaires, tous situés à jalan Tenkuumar, après le petit pont. Parmi eux, le *Kotamobagu*, le *Jakarta Jaya* et le *Penginapan Keluarga* (le moins cher).

■ *Kawanua Hotel* (le petit) : jalan Yos Soedarso. Très bien situé, calme et très propre. Une des meilleures adresses. Souvent complet.
■ *Kawanua Hotel* (le grand) : 1 jalan Sam Ratulangi. Un des plus chers mais aussi des plus confortables de la place. 100 chambres. Piscine.
■ *Wisma Charlotte :* 56 jalan Yos Sudarso. Un peu excentré, sur la route de l'aéroport. Très propre ; confort équivalent au Kawanua (petit) et un peu moins cher.
■ *Ahlan City :* 103 jalan Sudirman. Bien situé et correct.
■ *Manado Inn :* jalan 14 Pebruari. Un peu excentré (à 10 mn du centre par oplet Teling). Bon resto attenant. Transports gratuits avec la voiture de l'hôtel.

Où manger ?

● **Nombreux petits restos qui se valent tous sur jalan Sam Ratulangi.**
● *Dépôt Jawa Timur :* Jalan Sarapung, à côté du ciné. Sorte de cantine indonésienne, très bonne et peu chère.
● *Turin :* 50 jalan Sam Ratulangi. Sympa, nourriture indonésienne. Glaces pour les nostalgiques, le jeu consistant à essayer de reconnaître les parfums que vous avez commandés !
● Nombreux *warungs* près du Pasar 45. Goûtez les *martabak manir,* crêpes épaisses fourrées de cacahuètes et chocolat. Excellent.

A voir

▶ *Le Pasar 45 :* très animé. Nombreux magasins de fringues mode et bon marché !
▶ *Le temple chinois :* jalan Panjaitan.
▶ *Le musée de la province Nord-Célèbes :* jalan Ki Hadjai Dewantara. Intéressant pour découvrir la culture minahasa.

Dans les environs

▶ *Tasik Ria :* très belle plage de sable blanc. Nombreux coraux. A 20 km de Manado. Prendre un bus en direction de Tanawang Ko depuis le terminal de Bahu.
▶ *Récifs coralliens :* les plus beaux se trouvent au large des îles de *Bunaken* et de *Manado Tua.* Le moins cher pour s'y rendre est de chartériser un bateau pour la journée. Se renseigner au *Toko Samudera.* Pour trouver ce magasin, aller au Pasar Jenki, demander la jalan Kemakmuran, la poursuivre en direction de la mer, Toko au bout sur la droite. Masques et tubas fournis. Possibilité de plongée avec bouteilles. Se renseigner au *club de plongée N.D.C.* (Nusantara Diving Centre), P.O. Box 15, Manado 95001. ☎ 39-88. Le responsable, Christian Fennié, est français. C'est à 5 km de Manado, au nord, à côté du village de Molas. Même si vous êtes néophyte, les gens du club peuvent guider vos « premiers pas ». (Compétence et sérieux garantis par diplômes internationaux et assurances.) Extraordinaire spectacle, expérience inoubliable.
Attention ! Pour les non-plongeurs, ou pour ceux qui veulent juste faire du « masque-tuba », rester en vrais à Manado d'où l'on peut prendre des bateaux pour la journée. Cela coûte moins cher et vous ne vous ennuierez pas dans un centre de plongée excentré où les bateaux partent à 9 h et reviennent à 16 h.

RÉGION DE TOMOHON

Prendre un bemo de Manado pour Waneo puis un minibus pour Tomohon. Ville de montagne.
▶ *Voir l'église* catholique de style *baroa.*
▶ *Les rizières* en terrasses à *Leilem.*

▸ Villages minahasa de **Sonder** et **Lahendong.**

LAC DE TONDANO

De Tomohon, prendre un bus pour Tondano. A *Kakas,* il y a des hôtels pas chers.
▸ **Passo et Rembokan** : centre de poteries, de céramiques.
▸ **Tompaso :** on peut y voir la danse maengket.
▸ **Kawangkoan :** on peut voir le kolintang (orchestre minahasa).

KOTAMOBAGU

En bus de Manado (7 h).
▸ **A voir, le village Bilalang.** Y aller en bemo (3 km).
▸ **Tous les dimanches, à Togop,** course de chevaux sur 1 000 m.

Où dormir ?

■ **Losmen Lely :** très bien.
■ **Losmen Tenteram :** en face.
■ **Wisma Kabela :** avec piscine et jardin.

IMANDI

Bus de Kotamobagu (5 h). Région montagneuse très belle.
Prendre un dokar pour faire les 7 km jusqu'au village balinais **Bali Agung.** Vous pouvez voir un gamelan, un temple et la danse du legong pour la fête du Galungan.
■ Dormir au **Penginapan Ingat Budi.**

GORONTALO

Comment y aller ?

– **Par avion** de Manado, Palu, Poso et Ternate. L'aéroport est à 30 km.
– **Par bus** de Palu et Manado. Préférez, et de loin, la compagnie LLS. Leurs bus sont les plus confortables ; les autres ressemblent un peu trop à des boîtes à sardines.
– **Par bateau** de Manado et Palu.

Où dormir ? Où manger ?

■ **Hôtel Inda Ria :** pratique la pension complète. Bonne cuisine locale.
● De très bons *satés kambing* à la **Rumah Makan Dirgahaya :** jalan Pertiwi.

A voir

▸ **Les villages de pêcheurs.** Il faut louer une barque et il est préférable, pour négocier, d'avoir quelques notions de bahasa Indonesia.

Quelques îles, entre Sulawesi et Irian Jaya, qui fleurent bon le parfum des épices... au moins sur les dépliants d'agences de voyages. En fait, pas grand-chose qui vaille le détour dans ces ex-îles des Épices, qui firent la prospérité des navigateurs au temps où le poivre valait le prix de l'or. La mer, les cocotiers, des plages, une végétation luxuriante et parfumée, une population accueillante... Bon, on vous a déjà servi ça ailleurs, et si l'on ajoute qu'il n'y a rien d'autre, vous comprendrez qu'il n'y a pas de regret à passer son chemin pour, par exemple, traîner plus longtemps à Sulawesi.

L'ATLAS DU ROUTARD

Une création originale du Routard : l'univers sur papier glacé. **L'Atlas du Routard** est né du mariage de notre équipe et d'un grand cartographe suédois, Esselte Map Service, dont les cartes sont célèbres dans le monde entier.

Des cartes en couleurs, précises, détaillées, fournissant le maximum d'informations. En plus des cartes géographiques, **l'Atlas du Routard** propose des cartes thématiques sur la faune, les fuseaux horaires, les langues, les religions, la géopolitique et les « records » des cinq continents : les plus grandes altitudes, les plus grands lacs, les plus grandes îles...

Et aussi 40 pages de notices, véritables fiches d'identité offrant pour chaque pays des données statistiques (superficie, population...) ainsi que des commentaires sur le « vrai » régime politique, les langues. Elles donnent des renseignements pratiques indispensables à la préparation du voyage (monnaie, décalage horaire et les périodes favorables au tourisme).

Pour compléter ces informations, **l'Atlas du Routard** dresse un bref portrait du pays. Des symboles tenant compte de l'intérêt touristique, des conditions de voyage et, bien sûr, des indications sur le coût de la vie, figurent en regard de chaque notice.

En fin d'ouvrage, un index de plus de 15 000 noms.

Un petit format, une grande maniabilité, une cartographie exceptionnelle et un prix défiant toute concurrence. Comme d'habitude !

INDEX GÉNÉRAL

les **Dates** *du* **Routard**

Un calendrier est toujours utile, surtout en voyage

1992

	JANVIER		FEVRIER		MARS		AVRIL
D	5 12 19 26	D	2 9 16 23	D 1	8 15 22 29	D	5 12 19 26
L	6 13 20 27	L	3 10 17 24	L 2	9 16 23 30	L	6 13 20 27
M	7 14 21 28	M	4 11 18 25	M 3	10 17 24 31	M	7 14 21 28
M 1	8 15 22 29	M	5 12 19 26	M 4	11 18 25	M 1	8 15 22 29
J 2	9 16 23 30	J	6 13 20 27	J 5	12 19 26	J 2	9 16 23 30
V 3	10 17 24 31	V	7 14 21 28	V 6	13 20 27	V 3	10 17 24
S 4	11 18 25	S 1	8 15 22 29	S 7	14 21 28	S 4	11 18 25

	MAI		JUIN		JUILLET		AOÛT
D	3 10 17 24 31	D	7 14 21 28	D	5 12 19 26	D	2 9 16 23 30
L	4 11 18 25	L 1	8 15 22 29	L	6 13 20 27	L	3 10 17 24 31
M	5 12 19 26	M 2	9 16 23 30	M	7 14 21 28	M	4 11 18 25
M	6 13 20 27	M 3	10 17 24	M 1	8 15 22 29	M	5 12 19 26
J	7 14 21 28	J 4	11 18 25	J 2	9 16 23 30	J	6 13 20 27
V 1	8 15 22 29	V 5	12 19 26	V 3	10 17 24 31	V	7 14 21 28
S 2	9 16 23 30	S 6	13 20 27	S 4	11 18 25	S 1	8 15 22 29

	SEPTEMBRE		OCTOBRE		NOVEMBRE		DECEMBRE
D	6 13 20 27	D	4 11 18 25	D 1	8 15 22 29	D	6 13 20 27
L	7 14 21 28	L	5 12 19 26	L 2	9 16 23 30	L	7 14 21 28
M 1	8 15 22 29	M	6 13 20 27	M 3	10 17 24	M 1	8 15 22 29
M 2	9 16 23 30	M	7 14 21 28	M 4	11 18 25	M 2	9 16 23 30
J 3	10 17 24	J 1	8 15 22 29	J 5	12 19 26	J 3	10 17 24 31
V 4	11 18 25	V 2	9 16 23 30	V 6	13 20 27	V 4	11 18 25
S 5	12 19 26	S 3	10 17 24 31	S 7	14 21 28	S 5	12 19 26

1993

	JANVIER		FEVRIER		MARS		AVRIL
D	3 10 17 24 31	D	7 14 21 28	D	7 14 21 28	D	4 11 18 25
L	4 11 18 25	L 1	8 15 22	L 1	8 13 22 29	L	5 12 19 26
M	5 12 19 26	M 2	9 16 23	M 2	9 16 23 30	M	6 13 20 27
M	6 13 20 27	M 3	10 17 24	M 3	10 17 24 31	M	7 14 21 28
J	7 14 21 28	J 4	11 18 25	J 4	11 18 25	J 1	8 15 22 29
V 1	8 15 22 29	V 5	12 19 26	V 5	12 19 26	V 2	9 16 23 30
S 2	9 16 23 30	S 6	13 20 27	S 6	13 20 27	S 3	10 17 24

	MAI		JUIN		JUILLET		AOÛT
D	2 9 16 23 30	D	6 13 20 27	D	4 11 18 25	D 1	8 15 22 29
L	3 10 17 24 31	L	7 14 21 28	L	5 12 19 26	L 2	9 16 23 30
M	4 11 18 25	M 1	8 15 22 29	M	6 13 20 27	M 3	10 17 24 31
M	5 12 19 26	M 2	9 16 23 30	M	7 14 21 28	M 4	11 18 25
J	6 13 20 27	J 3	10 17 24	J 1	8 15 22 29	J 5	12 19 26
V	7 14 21 28	V 4	11 18 25	V 2	9 16 23 30	V 6	13 20 27
S 1	8 15 22 29	S 5	12 19 26	S 3	10 17 24 31	S 7	14 21 28

	SEPTEMBRE		OCTOBRE		NOVEMBRE		DECEMBRE
D	5 12 19 26	D	3 10 17 24 31	D	7 14 21 28	D	5 12 19 26
L	6 13 20 27	L	4 11 18 25	L 1	8 15 22 29	L	6 13 20 27
M	7 14 21 28	M	5 12 19 26	M 2	9 16 23 30	M	7 14 21 28
M 1	8 15 22 29	M	6 13 20 27	M 3	10 17 24	M 1	8 15 22 29
J 2	9 16 23 30	J	7 14 21 28	J 4	11 18 25	J 2	9 16 23 30
V 3	10 17 24	V 1	8 15 22 29	V 5	12 19 26	V 3	10 17 24 31
S 4	11 18 25	S 2	9 16 23 30	S 6	13 20 27	S 4	11 18 25

les **Routards** *parlent aux* **Routards**

Faites-nous part de vos expériences, de vos découvertes, de vos tuyaux pour que d'autres routards ne tombent pas dans les mêmes erreurs.

Indiquez-nous les renseignements périmés. Aidez-nous à remettre l'ouvrage à jour. Faites profiter les autres de vos adresses nouvelles, combines géniales... On envoie un exemplaire gratuit de la prochaine édition à ceux dont on retient les suggestions. Quelques conseils cependant :

- N'oubliez pas de préciser sur votre lettre l'ouvrage que vous désirez recevoir. On n'est pas Madame Soleil !

- Vérifiez que vos remarques concernent l'édition en cours et notez les pages du guide concernées par vos observations.

- Quand vous indiquez des hôtels ou des restaurants, pensez à signaler leur adresse précise et, pour les grandes villes, les moyens de transport pour y aller. Si vous le pouvez, joindre la carte de visite de l'hôtel ou du resto décrit.

- Bien sûr, on s'arrache moins les yeux sur les lettres dactylographiées ou correctement écrites !

Le Guide du Routard : 5, rue de l'Arrivée. 92190 Meudon

la **Lettre** *du* **Routard**

Bon nombre de renseignements sont trop fragiles ou éphémères pour être mentionnés dans nos guides, dont la périodicité est annuelle.

Comment découvrir des tarifs imbattables ? Quels sont les renseignements que seuls connaissent les journalistes et les professionnels du voyage ? Quelles sont les agences qui offrent à nos adhérents des réductions spéciales sur des vols, des séjours ou des locations ?

Tout ceci compose «La Lettre du Routard» qui paraît désormais tous les 2 mois. Cotisation : 90 F par an, payable par chèque à l'ordre de CLAD Conseil - 5, rue de l'Arrivée - 92190 Meudon.

(Bulletin d'inscription à l'intérieur de ce guide. Pas de mandat postal)

36 15 *code* **Routard**

Les routards ont enfin leur banque de données sur minitel : 36-15 (code Routard). Vols superdiscount, réduction, nouveautés, fêtes dans le monde entier, dates de parution des G.D.R., rencards insolites et... petites annonces.

Et une nouveauté : le QUIZ du routard ! 30 questions rigolotes pour, éventuellement, tester vos connaissances et, surtout, gagner des cadeaux sympas : des billets d'avion et les indispensables G.D.R. Alors, faites mousser vos petites cellules grises.

Routard assistance

Après des mois d'études et de discussions serrées avec les meilleures compagnies, voici «Routard Assistance», un contrat d'assurance tous risques voyages sans aucune franchise ! Spécialement conçu pour nos lecteurs, les voyageurs indépendants. Assistance complète avec rapatriement médical illimité - Dépenses de santé, frais d'hôpital, pris en charge directement sans franchise jusqu'à 500 000 F. + caution pénale + défense juridique + responsabilité civile + tous risques bagages et photos + assurance personnelle accidents (300 000 F.) Très complet ! Et une grande première : vous ne payez que le prix correspondant à la durée réelle de votre voyage. Tableau des garanties et bulletin d'inscription à l'intérieur de ce guide.

Imprimé en France par Hérissey n° 56280
Dépôt légal n° 5476-2-1992
Collection n° 13 - Édition n° 01

24/1840/8
I.S.B.N. 2.01.018674.5
I.S.S.N. 0768-2034